MICHAEL FIGURA

DAS KIRCHENVERSTÄNDNIS DES
HILARIUS VON POITIERS

FREIBURGER
THEOLOGISCHE STUDIEN

Unter Mitwirkung
der Professoren der Theologischen Fakultät
herausgegeben von

Remigius Bäumer, Alfons Deissler, Helmut Riedlinger

Hundertsiebenundzwanzigster Band
Das Kirchenverständnis des Hilarius von Poitiers

Michael Figura

Das Kirchenverständnis des Hilarius von Poitiers

HERDER

FREIBURG · BASEL · WIEN

Als Habilitationsschrift auf Empfehlung der Theologischen Fakultät der Universität Freiburg i. Br. gedruckt mit Unterstützung der Deutschen Forschungsgemeinschaft

© Verlag Herder Freiburg im Breisgau 1984
Imprimatur. – Freiburg im Breisgau, den 1. Oktober 1984
Der Generalvikar: Dr. Schlund
Herstellung: Freiburger Graphische Betriebe 1984
ISBN 3-451-20105-4

Vorwort

Die vorliegende Untersuchung will einen bisher zu wenig bekannten Aspekt der Theologie des Bischofs Hilarius von Poitiers darstellen, sein Kirchenverständnis. Doch die Frage nach dem Kirchenverständnis wird sofort zur Frage nach der Theologie des Hilarius überhaupt, denn für die Väter gibt es nur die Einheit der Theologie, die in allen Äußerungen Schrifttheologie sein will. Deshalb ist es das Anliegen dieser Arbeit, das Kirchenverständnis als Teil der ganzen Theologie des Hilarius zu verstehen und so einen Beitrag zu leisten zur theologischen Bedeutung des großen gallischen Kirchenvaters und zur „Ekklesiologie" des 4. Jahrhunderts.

Die Arbeit wurde im Sommersemester 1983 von der Theologischen Fakultät der Albert-Ludwigs-Universität in Freiburg i. Br. als Habilitationsschrift angenommen. Unter den Mitgliedern der Theologischen Fakultät gilt mein besonderer Dank meinem Bischof, Herrn Professor Dr. Dr. Karl Lehmann, unter dessen kundiger Leitung die Arbeit entstanden ist, sowie Herrn Professor Dr. Karl Suso Frank OFM, der mir von Anfang an mit Rat und weiterführender Kritik geholfen und auch das Zweitgutachten erstellt hat. Herzlich danke ich meinem früheren Bischof, Herrn Kardinal Hermann Volk, und der Diözesanleitung in Mainz für die Freistellung zum Studium. Den Herausgebern der „Freiburger Theologischen Studien" danke ich für die Aufnahme der Arbeit in diese Reihe, der Deutschen Forschungsgemeinschaft und der Diözese Mainz für den Druckkostenzuschuß.

Freiburg i. Br., im September 1984 *Michael Figura*

Inhalt

1. Einleitung

Mit dem Namen des Bischofs Hilarius von Poitiers wird unmittelbar sein engagiertes Eintreten für den Glauben des Konzils von Nikaia an die Wesensgleichheit von Vater und Sohn verbunden. Er wurde häufig als der „Athanasius des Westens" bezeichnet. In der Trinitätslehre und Christologie liegt zweifellos der originelle Beitrag des Hilarius zur lateinischen Theologie des 4. Jahrhunderts. Er ist der erste lateinische Theologe, der ein großes, wegweisendes Werk über die Dreifaltigkeit vorlegt.

Nachdem die entscheidenden Gedanken des Bischofs von Poitiers zur Trinitätslehre, zur Christologie, zur Pneumatologie, zum Verhältnis von Glaube und Vernunft, zur theologischen Anthropologie bereits in Monographien untersucht worden sind und auch Studien zu den exegetischen Werken des Hilarius vorliegen, soll hier versucht werden, das Kirchenverständnis des Hilarius umfassend darzustellen. Es gibt zwar in der Väterzeit noch keinen eigenständigen Traktat über die Kirche, sondern die Kirche bildet den Rahmen, innerhalb dessen die Väter Theologie betreiben. Wollte man die Bezeichnung ‚Ekklesiologie' beibehalten, so müßte man sagen, daß sie die gesamte Theologie und das christliche Leben in sich enthält. Deshalb führt die Betrachtung der Kirche bei Hilarius über die Stellen, an denen er die Kirche erwähnt, hinaus zu den genannten dogmatischen Fragen.

Wenn auch die Kirche bei Hilarius am deutlichsten in seinen exegetischen Werken hervortritt, vor allem in den letzten dreißig Abhandlungen des Psalmenkommentars und im Mysterienbuch, so ist sie doch als Garant der Wahrheit in allen Schriften des Bischofs von Poitiers gegenwärtig.

Da die Kirche nicht als monolithischer Block in der Zeit steht, sondern selbst eine geschichtliche Größe ist, ist auch jedes Kirchenverständnis geschichtlich bedingt, denn die Theologen, die sich mit der Kirche beschäftigen, leben in einer bestimmten Zeit.

So stellt sich am Beginn der Untersuchung des Kirchenverständnisses des Hilarius die Frage nach seiner Einordnung in die Theologie der Vorzeit und in das 4. Jahrhundert, in dem er lebt und wirkt.

1.1 Kurzer Hinweis auf Leben und Werk des Hilarius

Es gibt kaum einen bedeutenden Kirchenvater des christlichen Altertums, über dessen Leben so wenig bekannt ist, wie Hilarius von Poitiers. Zwischen 310 und 320 ist er in Limonum bei Poitiers oder in Poitiers geboren und starb wahrscheinlich am 1. November 367[1]. Aus den 47 oder 57 Jahren seines Lebens kann der Historiker mit einiger Sicherheit nur 12 Jahre erfassen: 355–367.

Nach der arianischen Synode von Mailand (355) hat sich Hilarius von der Gemeinschaft mit dem arianischen Bischof Saturninus von Arles getrennt. Die Antwort der Arianer war die Einberufung einer Synode nach Béziers (356), die Hilarius schließlich in die Verbannung nach Kleinasien schickte (356–360).

Zwischen 355 und 367 führt Hilarius seinen Kampf gegen den Arianismus, der sich literarisch in seinem bedeutendsten Werk De Trinitate (356–359/360), im Liber de Synodis (358–359), im Schreiben an Konstantius II. (Ende 359), in der Streitschrift gegen Konstantius II. (360, veröffentlicht wohl erst nach dem Tod des Kaisers am 3. 11. 361) und in der Anklageschrift gegen den arianisch eingestellten Bischof Auxentius von Mailand (364) niederschlägt. Dazu kommt noch eine Dokumentensammlung zum arianischen Streit, die unter der Bezeichnung „Historische Fragmente" bekannt ist, ursprünglich aber von Hilarius als „Drei Bücher gegen Valens und Ursacius" (356–367) zusammengestellt und mit einem verbindenden Text versehen wurde.

In den letzten Lebensjahren tritt der Kampf des Hilarius gegen den Arianismus deutlich zurück. Zwischen 364 und 367 verfaßt er einen Psalmenkommentar, von dem neben der Einleitung nur die Erklärungen zu Ps 1.2.9.13.14.51–69.91.118–150 erhalten sind. Während dieser Zeit entsteht auch das Mysterienbuch, in dem Hilarius an einigen Personen und Ereignissen des Alten Testaments seine typologische Exegese darlegt.

Bevor Hilarius ins Licht der Geschichte tritt, ist wenig über sein Leben bekannt. Er empfing die Taufe erst als Erwachsener (um 345). Doch daraus kann man nicht schließen, daß er von heidnischen Eltern stammte. Nach dem literarischen Modell der Bekenntnisse beschreibt Hilarius in

---

[1] Die neueste Biographie des Hilarius stammt von C. F. A. Borchardt, Hilary of Poitiers' Role in the Arian Struggle, 's-Gravenhage 1966. Vgl. auch Ch. Kannengiesser, Hilaire de Poitiers (saint), in: DSp VII/1, 466–499; A. J. Goemans, La date de la mort de saint Hilaire, in: Hilaire et son temps, 107–111.

Trin. I, 1–14 seinen Weg zum Glauben und zur Taufe als Ergebnis intensiven Suchens nach dem Sinn des Lebens. Die Offenbarung des Gottesnamens: „Ich bin der ,Ich-bin-da' " (Ex 3, 14), mehr noch der Prolog des Johannesevangeliums waren bei der Lektüre der Heiligen Schrift, der sich Hilarius nach seiner Enttäuschung über die philosophischen Sinnentwürfe des Lebens zugewandt hatte, ausschlaggebend, daß er zum Glauben gelangte.

Um 350 wird er vom Volk seiner Heimatstadt zum Bischof von Poitiers gewählt. Vielleicht war er der erste Bischof von Poitiers. Bis zu seiner Verbannung wirkte Hilarius 5 oder 6 Jahre als Bischof seiner Heimatstadt. In diese uns sonst unbekannte Periode seines Lebens fällt seine erste literarische Tätigkeit: der Matthäuskommentar (353–356). Es ist der erste, fast vollständig erhaltene Matthäuskommentar des Westens. Unter den vier Evangelisten hat Matthäus in der Alten Kirche eine besondere Bedeutung gespielt. Er wurde als der älteste und ursprüngliche Evangelist angesehen. Irenäus schreibt im 2. Jahrhundert, daß die Ebioniten allein das Matthäusevangelium benutzten und die Briefe des Apostels Paulus verwarfen, den sie als einen vom Gesetz Abgefallenen bezeichneten[2]. Wenn Hilarius als erstes Werk seiner bischöflichen Tätigkeit einen Matthäuskommentar verfaßt, so stellt er sich damit in die kirchliche Tradition seiner Zeit, die auch liturgisch dem ersten Evangelisten bei der Lesung im Gottesdienst den Vorrang einräumte. Zugleich ist möglich, wie W. Wille und J. Doignon meinen, daß Hilarius sich an lateinische Vorbilder anschließt[3]. Hier kann man an Victorinus von Pettau (gest. um 304) und an Fortunatianus von Aquileia (zur Zeit des Papstes Liberius: 352–366) denken.

1.2 Die geistige Bildung des Hilarius

Hilarius selbst gibt nirgendwo direkt Einblick in die Ausbildung, die er erhalten hat. Er ist in der römischen Provinz Aquitanien geboren, die im 4. Jahrhundert zu den geistigen Zentren des römischen Reiches gehörte. Nach der Vita Sancti Hilarii des Venantius Fortunatus (gest. nach 600) gehörte Hilarius zu einer begüterten aquitanischen Familie[4]. Wahrschein-

---

[2] Iren., Adv.haer. I, 26, 2 (SC 264, 346, 16–25).
[3] W. Wille, Studien zum Matthäuskommentar des Hilarius von Poitiers, 46–49; J. Doignon, Hilaire de Poitiers avant l'exil, 164 ff.
[4] MGH. AA IV/2, 2, 7–12.

lich stammte er aus einer Familie von Großgrundbesitzern. Man kann annehmen, daß er eine sorglose Jugend in Muße und Reichtum verbracht hat (Trin. I, 1). Später warnt er im Psalmenkommentar vor weltlichem Reichtum, Eitelkeiten des Lebens, Theater- und Zirkusvorstellungen. Wenn er ein solches Leben später kritisch beurteilt, scheint er zu wissen, wovon er redet. Er selbst hat wohl einst das bequeme und abwechslungsreiche Leben der damaligen Oberschicht geführt[5].

Wir wissen nichts über seine Lehrer in der damaligen klassischen Ausbildung. Bereits im 2. Jahrhundert gab es in den bedeutenden Städten Galliens, zu denen Poitiers gehörte, Schulen. Doch die Zentren der Bildung in Aquitanien waren Autun und Bordeaux. Da die Bedeutung der Schule von Autun im 4. Jahrhundert deutlich zurückging, ist anzunehmen, daß Hilarius seine Ausbildung in Grammatik und Rhetorik in Bordeaux erhielt. Über die Schule von Bordeaux sind wir durch die Commemoratio Professorum Burdigalensium des Ausonius[6] unterrichtet, eines Zeitgenossen des Hilarius, der um 310 in Bordeaux geboren wurde, dort eine Zeitlang Lehrer der Grammatik und Rhetorik war und nach 393 gestorben ist. Als Ausonius in seiner Heimatstadt in die Schule ging (um 325), vielleicht gleichzeitig mit Hilarius, gab es in Bordeaux zwei Lehrer der griechischen Grammatik, fünf Lehrer der lateinischen Grammatik und fünf Lehrer der Rhetorik[7]. Die Ausbildung in der griechischen Sprache muß zur Zeit des Hilarius nicht besonders gründlich gewesen sein. J. Doignon weist in seiner Studie über Hilarius vor dem Exil auf die praktische Unkenntnis des Griechischen im Frühwerk des Hilarius hin. Im Matthäuskommentar findet sich nur ein griechischer Begriff: theotēs, den Hilarius mit deitas übersetzt[8]. Erst im Exil hat Hilarius eine genauere Kenntnis des Griechischen erworben, so daß er die LXX zur Grundlage seines Psalmenkommentars machen konnte. Doch scheint er auch im Orient keine vollkommene Vertrautheit mit dem Griechischen erreicht zu haben. Im Liber de Synodis fertigt er zwar eigene Übersetzungen östlicher Glaubensbekenntnisse und Synodalerklärungen an, doch für schwierige Fragen hat er sich nach dem Zeugnis des Hieronymus seines Sekretärs

---

[5] Vgl. Tr.Ps. 118, he, 14 (408, 6–22); 118, nun, 9 (478, 27–479, 21); 123, 2 (590, 19 – 591, 19); 138, 34 (768, 3–5); 140, 14 (798, 1–8); 143, 23 (827, 11–26); 146, 13 (854, 1–5). Vgl. dazu J. H. Reinkens, Hilarius von Poitiers, 7, Anm. 3; C. F. A. Borchardt, a.a.O. 5 f; Ch. Kannengiesser, a.a.O., 467.

[6] MGH. AA V/2, 55–71.

[7] Vgl. R. Étienne, Bordeaux antique, Bordeaux 1962, 239 f.

[8] In Mt. 16, 4 (II, 52, 12–13); 26, 5 (II, 200, 22–23).

Heliodorus bedient, eines orientalischen Priesters, der ihm unverständliche Stellen im Psalmenkommentar des Origenes erklärte[9].

In der Schule von Bordeaux wurde besonderer Wert auf lateinische Stilübungen gelegt. Am Beispiel Vergils, Ciceros, Sallusts und Quintilians sollten die Schüler lernen, ihre Gedanken in einem gepflegten Stil niederzuschreiben. Wahrscheinlich hat Hilarius die 12 Bücher der Institutio oratoria des Quintilian als formales Vorbild genommen, als er seine 12 Bücher De Trinitate abfaßte[10]. Am Schluß des ersten Buchs bittet er Gott um die Gabe, sich stilistisch gut auszudrücken. Hier liegt sicher ein Anklang auf seine rhetorische Ausbildung vor[11].

Auf die Schwierigkeiten des Lateins des Hilarius weist bereits Hieronymus hin. Er rühmt zwar die rhetorische Begabung des Bischofs von Poitiers, stellt aber zugleich fest, daß es für die „einfacheren Brüder" nicht immer leicht sei, dessen Gedanken zu erfassen[12], da sich bereits damals eine Sprachbarriere auftat zwischen dem klassischen Latein des Hilarius und dem Vulgärlatein, wie es sich z. B. bei Lucifer von Cagliari, einem Zeitgenossen des Hilarius, findet.

Eine ‚Lücke' in der Ausbildung des jungen Hilarius soll noch erwähnt werden: Es gab in Bordeaux keine eigene philosophische Ausbildung. Philosophenschulen gab es im 4. Jahrhundert nur in Rom und Athen. Unter Theodosius I. (379–395) wurden im ausgehenden 4. Jahrhundert zwei philosophische Lehrstühle in Konstantinopel eingerichtet[13]. Man kann

---

[9] Hier., Ep. 34,3 (CSEL 54,262,9–17): tantum uirum (Hilarium) et suis temporibus disertissimum reprehendere non audeo, qui et confessionis suae merito et uitae industria et eloquentiae claritate, ubicumque Romanum nomen est, praedicatur; nisi quod non eius culpae adscribendum est, qui et Hebraei sermonis ignarus fuit, Graecarum quoque litterarum quandam aurulam ceperat, sed Heliodori presbyteri, quo ille familiariter usus ea, quae intelligere non poterat, quomodo ab Origene essent dicta, quaerebat.

[10] Hier., Ep. 70,5 (707,17–18): Hilarius, meorum temporum confessor et episcopus, duodecim Quintiliani libros et stilo imitatus est et numero. Zum Einfluß Quintilians auf die 12 Bücher De Trinitate vgl. H. Kling, De Hilario Pivtaviensi artis rhetoricae ipsiusque, ut fertur, Institutionis oratoriae Quintilianae studioso, Heidelberg/Freiburg i. Br. 1909; E. P. Meijering, Hilary of Poitiers on the Trinity, 5–9.

[11] Trin. I,38 (37,13–14): Tribue ergo nobis uerborum significationem, intelligentiae lumen, dictorum honorem, ueritatis fidem.

[12] Hier., Ep. 58,10 (539,17–20): sanctus Hilarius Gallicano coturno adtollitur et, cum Graeciae floribus adornetur, longis interdum periodis inuoluitur et a lectione simpliciorum fratrum procul est. Vgl. Hier., In Gal. II, praef. (PL 26,355 B): Hilarius latinae eloquentiae Rhodanus.
Die ‚simpliciores fratres', denen Hieronymus von der Lektüre der Werke des Hilarius abrät, sind die Mönche des Klosters von Nola. Vgl. P. Antin, „Hilarius Gallicano cothurno adtollitur" (Jérôme, epist. 58,10), in: RBen 57 (1947) 82–88; ders., Simple et simplicité chez saint Jérôme, in: RBen 71 (1961) 371–381; ders., „Hilarius latinae eloquentiae Rhodanus" (Jérôme, In Gal., prol., 2), in: Orph. 13 (1966) 3–25.

[13] Vgl. H. D. Saffrey, Saint Hilaire et la philosophie, in: Hilaire et son temps, 249f.

zwar annehmen, daß Hilarius durch die Lektüre Ciceros in Bordeaux mit philosophischen Fragen in Berührung kam[14]. Doch er hat nie eine innere Beziehung zur Philosophie gefunden. Hilarius erwähnt die Enttäuschung, die ihm die Philosophie bei der Suche nach dem Sinn des Lebens bereitet hat. Als er schließlich zur Taufe gelangte, will er den Glauben gegen die Philosophie bewahren, wobei er sich auf die Warnung Kol 2, 8 bis 15 vor Philosophie und falscher Lehre bezieht (Trin. I, 13). Später hat er in Kleinasien die verheerenden Auswirkungen des noch nachwirkenden Mittelplatonismus und vor allem des Neuplatonismus auf Arius und seine Gefolgsleute kennengelernt: der eine Gott läßt keinen wesensgleichen Sohn zu. Der Sohn kann nur ein Geschöpf sein, das zwar alle anderen Geschöpfe überragt, aber nicht die gleiche Natur wie der Vater besitzt.

Aus der Jugend des Hilarius kann man nur die Ausbildung in Grammatik und Rhetorik erfassen. Ob er Lehrer hatte, als er sich später mit der Frage nach dem Sinn des Lebens beschäftigte, ist unbekannt. Vielleicht hat er sich als Autodidakt mit der Philosophie und der Heiligen Schrift beschäftigt. Im Matthäuskommentar (5, 1) nennt er Cyprian und Tertullian, deren Schriften er kannte, da er auf eine Erklärung des Vaterunser mit Verweis auf diese beiden Schriftsteller der Vorzeit verzichtet.

Man darf vermuten, daß Hilarius nach seiner Wahl zum Bischof all seine Kräfte in den Dienst der Kirche stellte und besonders in der Auslegung der Schrift den Schwerpunkt seiner bischöflichen Tätigkeit erblickte. Dabei hat er sich die typologische und allegorische Schriftauslegung, die bei den griechischen und lateinischen Kirchenvätern verbreitet war und die neben Paulus auf Philo von Alexandrien zurückgeht, zu eigen gemacht[15]. Er hat diese Methode der Schrifterklärung nicht nur als ein Interpretationsmodell des Verständnisses von Altem und Neuem Testament übernommen, sondern sie von innen her zum Auslegungsprinzip seiner exegetischen Werke gemacht. Durch den einfachen Sinn der Schrift will er zur Erkenntnis des inneren oder himmlischen Sinnes durchdringen, der stets zugleich ein gegenwärtiger Sinn ist, denn er soll die Gläubigen über den Abstand zum historischen Jesus hinaus jetzt zur Nachfolge Christi einladen.

Hilarius sieht sein Bischofsamt noch nicht entscheidend in der aposto-

---

[14] E. P. Meijering, a. a. O., 14 spricht von einer „Popularphilosophie" des Hilarius, die an Cicero geschult ist und besonders in der literarischen Stilisierung seines Wegs zum Glauben (Trin. I, 1–14) zum Ausdruck kommt.
[15] Vgl. M. Simonetti, Profilo storico dell'esegesi patristica, Roma 1981 (= Sussidi Patristici 1).

lischen Sukzession verankert. Im Liber de Synodis (c. 91) weist er zwar auf die apostolische Sukzession hin. Mehr als mit den Bischöfen der Vorzeit fühlt er sich mit jenen Bischöfen seiner Zeit verbunden, die dem Arianismus widerstanden haben. Der Gedanke, nicht so sehr in einer apostolischen Nachfolge, als vielmehr in der gegenwärtigen Gemeinschaft mit den rechtgläubigen Bischöfen zu stehen, mag auch damit zusammenhängen, daß Hilarius vielleicht der erste Bischof von Poitiers war und deshalb noch nicht an eine bischöfliche Sukzession in seiner Diözese anknüpfen konnte. Für den heutigen Leser ist es erstaunlich, daß Hilarius keinen ausdrücklichen Bezug auf den bedeutendsten gallischen Bischof der Vorzeit nimmt: Irenäus von Lyon. In De Trinitate findet sich zwar manchmal eine Nähe zu Gedanken des Irenäus, und bereits für den Matthäuskommentar stellen J. Doignon und P. Smulders einige Parallelen zu Adversus haereses heraus[16]. Die besondere theologische Leistung des Bischofs von Lyon liegt in der Darstellung der Heilsgeschichte. Gegen die Gnostiker und Markion weist Irenäus vor allem an den Gleichnissen vom Himmelreich (Mt 13) auf, daß es ein und derselbe Gott ist, der die Propheten zu den Menschen gesandt und uns durch die Ankunft seines Wortes zur Einheit zusammengerufen hat[17]. An diesen Gleichnissen, die Hilarius ebenfalls behandelt, zeigt J. Doignon, daß es zu viele Unterschiede in der Einzelerklärung gibt, als daß man auf eine Abhängigkeit des Hilarius vom Werk des Irenäus schließen könnte. Hinter dem Matthäuskommentar steht eher als eine Quelle unter anderen Victorinus von Pettau, der einen lateinischen Kommentar zum ersten Evangelium verfaßt und dabei ausgiebig Origenes benutzt hat. Über Victorinus wurden spätere westliche Autoren des 4. Jahrhunderts mit der Exegese des Alexandriners bekannt, ohne die Matthäuserklärungen des Origenes selbst zu kennen[18].

In der Forschung ist umstritten, wann die Werke des Irenäus ins Lateinische übersetzt wurden. Die Datierungsversuche gehen von 200 bis 420. Das Schweigen des Hilarius über Irenäus könnte ein Hinweis auf eine relativ späte Datierung sein. Wahrscheinlich waren die Werke des Bischofs von Lyon bis zur Mitte des 4. Jahrhunderts noch nicht übersetzt, so daß

---

[16] J. Doignon, a. a. O., 194–200; P. Smulders, Hilarius van Poitiers als exegeet van Mattheüs, in: Bijdragen 44 (1983) 65;77.

[17] Vgl. dazu A. Bengsch, Heilsgeschichte und Heilswissen. Eine Untersuchung zur Struktur und Entfaltung des theologischen Denkens im Werk „Adversus haereses" des hl. Irenäus von Lyon, Leipzig 1957 (= EThSt 3), 94–102; Ph. Bacq, De l'ancienne à la nouvelle Alliance selon S. Irénée. Unité du livre IV de l'Adversus haereses, Paris/Namur 1978.

[18] Vgl. J. Doignon, a. a. O., 198; 545–555.

zumindest ein direkter Einfluß des Irenäus auf das Frühwerk des Hilarius ausgeschlossen werden kann.

1.3 Die Bedeutung der Kirche und der Tradition im Werk des Hilarius

Es ist nicht leicht, die genaue Stellung aufzuweisen, welche die Kirche im Denken, in der Frömmigkeit und im Leben des Hilarius einnimmt. Als Bischof, Lehrer und Hirt ist er aufs engste mit dem Leben der Kirche seiner Zeit verbunden. Er verteidigt den kirchlichen Glauben gegen die Irrlehren des Arianismus und Neusabellianismus, die Freiheit der Kirche gegen die weltlichen Machthaber. Er lebt in der Kirche, von der Kirche und für die Kirche. Die Kirche ist der Bereich, in den sein ganzes Leben getaucht ist, in dem seine geistige und religiöse Welt Leben gewinnt und sich entfaltet[19].

Doch Hilarius gibt uns wenig Einblick in sein inneres Leben und seine persönliche Beziehung zur Kirche. Er sieht die Kirche vor allem als eine Gemeinschaft, die im Leib des auferstandenen Christus ihre eschatologische Einheit besitzt, die bereits jetzt in der Einheit des Glaubens und des Bekenntnisses, in der Einheit der Liebe und des Friedens verwirklicht werden soll. Wenig erfahren wir aus den Werken des Bischofs von Poitiers über das kirchliche Leben des 4. Jahrhunderts.

Man müßte im Grunde die gesamte Geschichte des 4. Jahrhunderts, ihre Kämpfe und Streitigkeiten nachzeichnen, um die Bedeutung der Kirche im Leben des Hilarius aufzuzeigen.

P. Smulders hat in seiner Studie über die Trinitätslehre des Hilarius den Bischof von Poitiers ausführlich in die christologischen und trinitarischen Kontroversen der Vorzeit und des 4. Jahrhunderts eingeordnet[20]. Eine gründliche Abhandlung über die Stellung des Hilarius im arianischen Streit hat C. F. A. Borchardt vorgelegt[21]. R. L. Foley hat in seiner Arbeit über die Ekklesiologie des Hilarius auch die lateinische Ekklesiologie des 4. Jahrhunderts behandelt[22]. Am Beispiel der drei großen lateinischen Väter des 4. Jahrhunderts (Hilarius, Ambrosius, Hieronymus) gibt P.-Th. Camelot einen Überblick über die lateinische Ekklesiologie dieser Zeit[23].

---

[19] Vgl. P.-Th. Camelot, Mysterium Ecclesiae. Zum Kirchenbewußtsein der lateinischen Väter, in: J. Daniélou / H. Vorgrimler (Hg.), Sentire Ecclesiam, 134–151.
[20] P. Smulders, La doctrine trinitaire de S. Hilaire de Poitiers, 11–106.
[21] C. F. A. Borchardt (s. o. Anm. 1).
[22] R. L. Foley, The Ecclesiology of Hilary of Poitiers, 56–68.
[23] P.-Th. Camelot, Die Lehre von der Kirche, 51–60.

Das Kirchenverständnis der lateinischen wie auch der griechischen Väter äußert sich vor allem in der geistigen Auslegung der Schrift. Die ganze Bibel ist Vorausbild Christi und deshalb auch der Kirche, die nicht von Christus getrennt werden kann.

Die Theologie des Hilarius ist in den Strom der kirchlichen Überlieferung eingebettet. Daneben muß man ebenfalls bedenken, was P.-Th. Camelot, A. Charlier[24] und R. L. Foley nicht genügend berücksichtigen, daß das Kirchenverständnis des Hilarius spätestens seit De Trinitate auch in Auseinandersetzung mit der Ekklesiologie der Arianer[25] steht, die Hilarius am deutlichsten 364 in seiner Schrift gegen den arianischen Bischof Auxentius von Mailand herausstellt. Nach langen Streitigkeiten, die im dritten Teil der Arbeit dargestellt werden, gewannen schließlich mit Hilfe des Kaisers die Homöer die Oberhand, so daß das offizielle Bekenntnis der Kirche seit 360 arianisch war. Gegen diese arianische Kirche, die sich als die Catholica verstand, hat Hilarius in seinen Schriften gegen Konstantius und gegen Auxentius protestiert. Bevor sich das arianische Bekenntnis für ungefähr 20 Jahre in der Kirche durchsetzte, hat Hilarius aus seiner Kenntnis der kirchlichen und politischen Lage im Osten und Westen des römischen Reiches im Liber de Synodis versucht, westliche Homousianer und östliche Homöusianer zu einem gemeinsamen Glaubensbekenntnis zu bewegen.

Die Auseinandersetzung mit dem Arianismus, die zur Zeit des Hilarius eskalierte, muß für sein Kirchenverständnis genauso bedacht werden wie die geistige Auslegung der Schrift, in der er sich mit den Vätern der Vorzeit und seiner Zeit trifft. Doch gerade in den exegetischen Werken, die für die typologische Darstellung der Kirche am ergiebigsten sind, finden sich kaum Hinweise auf den Arianismus und erst recht nicht auf das Kirchenverständnis der Arianer.

Im Matthäuskommentar ist die Vertrautheit des Hilarius mit Cyprian und Tertullian festzustellen[26]. Die verschiedenen Autoren der Vorzeit, die möglicherweise auf Hilarius bei der Abfassung seines Hauptwerks De Trinitate eingewirkt haben (Tertullian, Novatian, Irenäus, Eusebius von Emesa, Athanasius und vielleicht auch Hippolyt), werden von P. Smul-

---

[24] A. Charlier, L'église corps du Christ chez saint Hilaire de Poitiers, in: EThL 41 (1965) 451–477.

[25] M. Meslin, Les Ariens d'Occident 335–430, 325–352, bes. 326–329 (über Auxentius von Mailand).

[26] In Mt. 5,1 (I,150,8–12). Vgl. J. Doignon, a. a. O., 210–223.

ders[27], M. Simonetti[28], G. Tezzo[29] und E. P. Meijering[30] ausführlich erwähnt. Den Einfluß des Origenes auf den Psalmenkommentar hat E. Goffinet aufgewiesen[31]. N. Gastaldi holt in seiner Studie über Hilarius als Psalmenexegeten weiter aus und stellt Verbindungen und Unterschiede zu Tertullian, Cyprian, Origenes und Eusebius von Cäsarea heraus[32]. Für das Mysterienbuch hat H. Lindemann die Abhängigkeit von Paulus und Origenes untersucht[33].

Alle genannten Studien, zu denen noch die bereits erwähnte Untersuchung J. Doignons über den frühen Hilarius gehört, weisen keine direkte Abhängigkeit des Hilarius von den Vätern der Vorzeit auf, sondern die Übernahme einzelner Gedanken und die eigenständige Bearbeitung des entlehnten Stoffs. Für die Gesamtkonzeption seiner Werke steht Hilarius nicht so sehr in Abhängigkeit von bestimmten Schultraditionen der Vorzeit, sondern im Strom der kirchlichen Tradition, die zwar von den genannten altkirchlichen Autoren beeinflußt ist, im 4. Jahrhundert aber bereits zum Allgemeingut der Theologie geworden ist.

Dieser Befund gilt auch für das Kirchenverständnis des Hilarius. G. Bardy[34] und P.-Th. Camelot[35] haben die Lehre von der Kirche bei den Vätern bis zum ausgehenden 4. Jahrhundert zusammenfassend dargestellt. Dabei zeigt sich, daß wesentliche Elemente des Kirchenverständnisses des Hilarius sich bereits bei Tertullian (gest. nach 220), Cyprian (gest. 258) und Origenes (gest. 253/54) finden.

---

[27] P. Smulders, a.a.O., 73–90; ders., Eusèbe d'Émèse comme source du De Trinitate d'Hilaire de Poitiers, in: Hilaire et son temps, 175–212.

[28] M. Simonetti, Ilario e Novaziano, in: RCCM 7 (1965) 1034–1047; ders., Note sulla struttura e la cronologia del ‚De Trinitate‘ di Ilario di Poitiers, in: SUSF 39 (1965) 274–300; ders., La crisi ariana, 298–312.

[29] La Trinità di Sant' Ilario di Poitiers, 9–56.

[30] E. P. Meijering, Hilary of Poitiers on the Trinity. De Trinitate 1, 1–19, 2, 3, Leiden 1982. Er sieht in Hilarius eine Verbindung der besten Gedanken des Athanasius und Tertullians (183). Sein Kommentar zu De Trinitate bringt reiches Vergleichsmaterial zwischen den Aussagen des Hilarius, der klassischen lateinischen Literatur (vor allem Cicero) und den christlichen Theologen des 2. bis 4. Jahrhunderts.

[31] E. Goffinet, L'utilisation d'Origène dans le Commentaire des Psaumes de saint Hilaire de Poitiers, Louvain 1965 (= StHell 14). Vgl. zu dieser Arbeit die kritischen Bemerkungen von Ch. Kannengiesser, L'exégèse d'Hilaire, in: Hilaire et son temps, 133; ders., in: DSp VII/1, 483.

[32] N. J. Gastaldi, Hilario de Poitiers exégeta del Salterio. Un estúdio de su exégesis en los comentarios sobre los Salmos, Paris/Rosario 1969.

[33] H. Lindemann, Des hl. Hilarius von Poitiers „liber mysteriorum". Eine patristisch-kritische Studie, Münster i. W. 1905, 70–74.

[34] G. Bardy, La Théologie de l'Église de saint Irénée au concile de Nicée, Paris 1947 (= UnSa 14).

[35] S. o. Anm. 23.

Daneben gibt es Berührungspunkte zur Christologie und zum Kirchenbild des Athanasius (295–373) und des Marcellus von Ankyra (gest. um 374). Hilarius kannte die Schriften des Athanasius; doch die beiden großen Vertreter des nizänischen Glaubens sind einander nie begegnet.

Das biblische und eschatologische Kirchenverständnis des Bischofs von Poitiers findet einen unmittelbaren Nachhall bei den beiden anderen großen lateinischen Theologen der zweiten Hälfte des 4. Jahrhunderts: Ambrosius (gest. 397) und Hieronymus (gest. 419/20).

Diese kurzen Hinweise geben den Rahmen an, innerhalb dessen die Theologie des Hilarius steht.

1.4 Zielsetzung und Methode der Arbeit

Das Kirchenverständnis des Hilarius wurde in den letzten zwanzig Jahren bereits in zwei ungedruckten Dissertationen untersucht. Doch beide Arbeiten holen nicht den ganzen Reichtum des Kirchenbildes des Hilarius ein. A. Charlier hat den Leib-Christi-Gedanken zum Mittelpunkt seiner Untersuchung gemacht[36]. R. L. Foley beschränkt seine Studie über die Ekklesiologie des Hilarius auf das Mysterienbuch, von wo aus er aber auch Hinweise auf ekklesiologisch wichtige Stellen in den übrigen Werken des Bischofs von Poitiers gibt[37].

Bisher ist die ekklesiologische Bedeutung der Unionsbemühungen des Hilarius zwischen östlicher und westlicher Kirche noch nicht dargestellt worden. Ansätze dazu finden sich bisher nur bei H. J. Sieben[38]. Dieser neue Ansatz soll in den ersten beiden Kapiteln des dritten Teils herausgearbeitet werden. Dabei zeigt sich die anfängliche Offenheit des Hilarius gegenüber den Begriffen homousios und homoiusios.

Der Liber de Synodis, dem bisher zu wenig Aufmerksamkeit gewidmet wurde, zeigt, daß man Hilarius nicht pauschal als einen strengen Vertreter des nizänischen Homousios betrachten kann. Sein Bemühen um die Einheit der Kirche in Ost und West läßt ihn im Liber de Synodis ‚Schlagworte des Glaubens' relativieren, wenn nur der Inhalt des Glaubens an die wahre Gottheit Jesu Christi anerkannt wird.

In der vorliegenden Untersuchung geht es darum, aus dem Gesamt-

---

[36] A. Charlier, L'église corps du Christ chez saint Hilaire de Poitiers, Diss. masch. Louvain 1963. Eine Zusammenfassung der wichtigsten Ergebnisse ist unter demselben Titel erschienen: EThL 41 (1965) 451–477.
[37] S. o. Anm. 22.
[38] H. J. Sieben, Die Konzilsidee der Alten Kirche, Paderborn 1979, 202 ff.

werk des Hilarius die Elemente zum Kirchenverständnis herauszuheben und sie sowohl in den dogmatischen als auch – besonders im dritten Teil – in den historischen Kontext einzuordnen. Um die Gedanken des Bischofs von Poitiers zur Kirche deutlich herauszustellen, wird bei den dogmatischen Fragen der Trinitätslehre und bei der Interpretation der Wesensgleichheit und Wesensähnlichkeit von Vater und Sohn nur das angeführt, was ekklesiologisch bedeutsam ist. Die Verweise auf einschlägige Arbeiten zu den genannten Fragen stellen die dogmatischen Hinweise zum Kirchenverständnis des Hilarius in den weitergehenden Rahmen der Spezialliteratur.

Es wurde bereits gesagt, daß es nicht leicht ist, eine direkte Abhängigkeit des Hilarius von der Theologie der Vorzeit aufzuweisen. Die gemeinsame Quelle für die Theologen der Vorzeit und für Hilarius ist die Heilige Schrift. Deswegen wird nur dann auf vorausgehende Väter und Theologen, auf Zeitgenossen des Hilarius und seine Nachwirkung bei späteren Schriftstellern hingewiesen, wenn sich eine deutliche Verbindung feststellen läßt. Alle Hinweise auf andere Theologen dienen nur der Erklärung der Position des Hilarius in ihrer möglichen Abhängigkeit oder Auswirkung auf das 4. Jahrhundert und die folgende Zeit.

Wo es sich innerhalb der einzelnen Kapitel thematisch anbietet, wird eine Dreiteilung bei der Darstellung der einzelnen Schritte zum Kirchenverständnis des Hilarius vorgenommen:

1) Frühwerk: Matthäuskommentar (353–356).
2) Hauptwerk: De Trinitate, Liber de Synodis (356–359/360).
3) Spätwerk: Psalmenkommentar, Mysterienbuch (364–367).

Da es Hilarius im Liber ad Constantium (Ende 359), im Liber contra Constantium (360/361) und im Liber contra Arianos vel Auxentium Mediolanensem (364) vorrangig um dogmatische Fragen geht, werden diese Werke in Verbindung mit dem Hauptwerk behandelt.

Die historischen Fragmente, die Hilarius zwischen 356 und 367 zusammengestellt hat, werden gesondert zwischen Haupt- und Spätwerk angeführt. Thematisch gehören sie jedoch zum Hauptwerk des Hilarius.

Mit dieser Einteilung soll versucht werden, an manchen Stellen einen Fortschritt im Kirchenverständnis des Bischofs von Poitiers herauszuarbeiten. Besonders der Aufenthalt im Orient und die an Origenes und wohl auch an Eusebius von Cäsarea ausgerichtete Psalmenexegese haben zu diesem Fortschritt beigetragen.

Doch ein Vergleich des Frühwerks mit dem Spätwerk zeigt, daß der Aufenthalt des Hilarius im Orient für die grundlegende Orientierung seiner Schriftauslegung nicht so entscheidend war, daß man zwischen dem

Kirchenverständnis vor und nach dem Exil deutlich unterscheiden könnte[39]. Wenn die ekklesiologischen Aussagen im Spätwerk reicher sind als im Frühwerk, so geht diese Entfaltung auf die breitere biblische Basis zurück, die Hilarius in den Psalmen fand. Auch die typologische und allegorische Auslegung alttestamentlicher Gestalten und Ereignisse im Mysterienbuch ist ekklesiologisch bedeutsam, da Hilarius in ihnen ein Vorausbild der Kirche erblickt. Die typologische Exegese wendet Hilarius aber bereits im Matthäuskommentar an. Sie verbindet das gesamte exegetische Schrifttum des Bischofs von Poitiers.

---

[39] Vgl. die Einl. v. J.-P. Brisson zu Myst.: SC 19bis, 47.

Erster Teil

DAS GEHEIMNIS DER KIRCHE

Das Wort des Epheserbriefs (5,32) vom großen Geheimnis zwischen Christus und der Kirche ist gleichsam ein Schlüssel, um das Kirchenverständnis der ersten christlichen Jahrhunderte zu erschließen. Für die griechischen und lateinischen Kirchenväter bis in die Mitte des 4. Jahrhunderts steht das Geheimnis der Kirche im Vordergrund. Wenn auch Hilarius in der Zeit des Vollzugs der konstantinischen Wende lebt und schreibt, so sind doch seine Aussagen zur Kirche stark geprägt von der Theologie der ersten drei Jahrhunderte, deren Kirchenbild vor allem vom Geheimnis bestimmt ist[1].

Um sich dem Geheimnis der Kirche bei Hilarius zu nahen, muß man bedenken, daß in der Theologie des 4. Jahrhunderts bis zu Augustinus die Kirche mehr eine gelebte als eine reflektierte Wirklichkeit ist[2]. Die Kirche hat ihren Ursprung im Geheimnis der Vorsehung und Vorherbestimmung Gottes; sie läßt uns mit den Augen des Glaubens erkennen, was Gott für uns getan hat, und zu welchem Ziel er uns führen will. So nimmt die Kirche teil am Erlösungsgeheimnis als Heil für uns und erhellt zugleich das Geheimnis des Menschen[3]. Doch die Kirche ist kein eigenständiges, sondern ein abgeleitetes Geheimnis, denn sie weist über sich hinaus auf das Geheimnis Gottes und das Heilswerk Gottes in Jesus Christus, dem sie ihr Dasein verdankt.

Wenn die Kirche in ihrem Lebenszentrum ein Geheimnis ist, dann kann sie letztlich nur im Glauben erkannt werden. Deshalb äußert sich das Kirchenverständnis der Väter vor allem in der geistigen Auslegung der Heiligen Schrift. Die Kirche ist bereits geheimnisvoll im Alten Testa-

---

[1] Vgl. A. Mayer-Pfannholz, Der Wandel des Kirchenbildes in der Geschichte, in: ThGl 33 (1941) 22–34; P. Gieraths, Der Kirchenbegriff im Wandel der Jahrhunderte, in: Ang. 56 (1979) 467–514.
[2] Vgl. G. Bardy, La Théologie de l'Église de saint Irénée au concile de Nicée, 7f; P.-Th. Camelot, Die Lehre von der Kirche, 51.
[3] Vgl. H. de Lubac, Die Kirche, 37; ders., Geheimnis aus dem wir leben. Übers. v. K. Berger u. H. U. von Balthasar, Einsiedeln 1967 (= Kriterien 6).

ment vorgebildet und im Neuen Testament auch dort gegenwärtig, wo sie nicht ausdrücklich in Bildern oder Begriffen erwähnt wird[4].

Wenn Hilarius sich in die Schrift versenkt (Matthäuskommentar, Psalmenkommentar, Mysterienbuch), oder wenn er gegen die Arianer in De Trinitate die wahre Gottheit des Sohnes verteidigt, so schreibt, predigt und argumentiert er aus dem Glauben der Kirche, der von der Schrift gespeist wird. Die Kirche ist für ihn – wie allgemein für die Kirchenväter – „der unentbehrliche Rahmen jeder Reflexion und jedes christlichen Lebens"[5].

2. Biblische und eschatologische Theologie der Kirche

Da die Heilige Schrift die entscheidende Quelle für das Kirchenverständnis des Hilarius ist, sollen zunächst die hermeneutischen Grundsätze dargestellt werden, von denen er sich bei der Auslegung der Schrift leiten läßt. Dabei muß die Schriftauslegung des Hilarius auf jene Elemente beschränkt werden, die zum Verständnis der Kirche beitragen. Deshalb kommt nicht die ganze exegetische Methode des Hilarius zur Sprache, sondern nur, was zur Erhellung des Geheimnisses der Kirche hilft. Wenn hier von exegetischer Methode gesprochen wird, so muß man gleichzeitig bedenken, daß die exakte Methodenfrage erst eine neuzeitliche Errungenschaft ist, die nur mit Einschränkungen auf die Kirchenväter übertragen werden kann. Dennoch gibt es einige Regeln für die Auslegung der Schrift, die Hilarius selbst erwähnt, und von denen er sich bei seiner exegetischen Arbeit leiten läßt.

Für den Matthäuskommentar, den Psalmenkommentar und das Mysterienbuch gibt es bereits Untersuchungen, die sich mit der Schriftauslegung des Hilarius beschäftigen[1].

Hilarius erblickt in der ganzen Schrift ein Vorausbild Christi und der Kirche. Was er am Beginn des zweiten Teils des Mysterienbuchs im Zu-

---

[4] Vgl. R. Schnackenburg, Die Kirche im Neuen Testament, Freiburg i. Br. ²1963 (= QD 14); MySal IV/1, 23–221: Strukturen der alttestamentlichen Ekklesiologie (N. Füglister); Ekklesiologie des Neuen Testaments (H. Schlier).
[5] H. de Lubac, Quellen kirchlicher Einheit, 20.
[1] Vgl. die Arbeiten von Wille, Doignon, Smulders (In Mt.), Goffinet, Gastaldi, de Margerie, Rondeau (Tr. Ps.), Lindemann, Brisson (Myst.).

sammenhang mit Hos 2,20–25 schreibt, ist ein wichtiges Element seines biblischen und eschatologischen Kirchenverständnisses. Abgesehen von der an dieser Stelle vorherrschenden Prophetie der Berufung der Heiden zum neuen Gottesvolk, gilt generell: „Es gibt keinen Grund zu zögern, daß wir hier eine Vorausbildung der Kirche erkennen."[2]

2.1 Die Typologie des Hilarius

In der Instructio Psalmorum legt Hilarius dar, wie er die Psalmen versteht: „Zweifelsohne muß das, was in den Psalmen gesagt ist, gemäß der Verkündigung des Evangeliums verstanden werden. Mag auch aus jeder beliebigen Person der prophetische Geist gesprochen haben, so wird doch das Ganze bezogen auf die Erkenntnis der Ankunft unseres Herrn Jesus Christus, seiner Menschheit, seines Leidens, seines Reiches und auf die Herrlichkeit und den machtvollen Erweis unserer Auferstehung." Ausgehend von dieser christologischen Exegese im weitesten Sinn, da die gesamte Menschheit („unsere Auferstehung") in die geschichtliche Menschheit Jesu einbezogen ist, stellt Hilarius dann fest: „Denn alles ist mit allegorischen und typischen Deutungen verwoben: durch dies alles offenbaren sich die Geheimnisse des eingeborenen Sohnes Gottes in einem menschlichen Leib: seine Geburt, sein Leiden, seine Auferstehung, seine ewige Herrschaft zusammen mit jenen, die mit ihm verherrlicht sind, da sie an ihn geglaubt haben, und sein Gericht über die übrigen."[3] Dieser Text gibt bereits einen Einblick in das Schriftverständnis des Hilarius. Wenn er auch dem Spätwerk entstammt, so zeigt sich hier doch ein durchgängiges Thema der Schrifterklärung des Hilarius. Der Aufenthalt im Orient hat seine Exegese bereichert, aber nicht entscheidend verändert[4].

---

[2] Myst. II, 1 (142): ... nullus cunctandi locus est, quin praefiguratam hic ecclesiae praefigurationem intelligamus.

[3] Instr. Ps. 5 (6, 1–6.18–23): Non est uero ambigendum, ea, quae in psalmis dicta sunt, secundum euangelicam praedicationem intellegi oportere, ut ex quacumque licet persona prophetiae spiritus sit locutus, tamen totum illud ad cognitionem aduentus domini nostri Iesu Christi et corporationis et passionis et regni, et resurrectionis nostrae gloriam uirtutemque referatur ... sunt enim uniuersa allegoricis et typicis contexta uirtutibus: per quae omnia unigeniti dei filii in corpore et gignendi et patiendi et moriendi et resurgendi et in aeternum cum conglorificatis sibi, qui in eum crediderint, regnandi et ceteros iudicandi sacramenta panduntur. Vgl. Myst. I, 1 (72.74), wo auch die Kirche genannt wird (nostra congregatio).

[4] Vgl. J.-P. Brisson, 47; Ch. Kannengiesser, L'exégèse d'Hilaire, in: Hilaire et son temps, 136.

Das durchgängige Element besteht in der allegorischen und typologischen Schrifterklärung, die im 4. Jahrhundert sehr verbreitet war. Wie der Text aus der Instructio Psalmorum zeigt, kennt Hilarius noch keinen Unterschied zwischen allegorischer und typologischer Exegese. Erst in der Neuzeit wird zwischen Allegorie und Typologie unterschieden[5].

L. Goppelt[6], J. Daniélou[7], W. Eichrodt[8] und G. von Rad[9], um nur einige wichtige Stimmen zu nennen, unterscheiden Typologie und Allegorie in der Weise, daß Typologie echte heilsgeschichtliche Beziehung zwischen dem alttestamentlichen Typos und dem neutestamentlichen Antitypos aufweise, während Allegorie willkürlich Fremdes in den biblischen Text hineinlege. Die typologische Exegese sei spezifisch christlich, während die Allegorese alexandrinisch-philonischen Ursprungs sei.

Bei den sogenannten Typoi handelt es sich um Personen, Einrichtungen oder Ereignisse des Alten Testaments, die als von Gott gesetzte Vorausdarstellungen entsprechender Größen der neutestamentlichen Heilsgeschichte angesehen werden. Nach Hebr 9,24 und 1 Petr 3,21 wird die neutestamentliche Überbietung des alttestamentlichen Typos Antitypos genannt. Zwei Momente erweisen sich als notwendig, damit von einem Typos im neutestamentlichen Sinn gesprochen werden kann: Es muß sich zunächst um eine geschichtliche Realität handeln, die von Gottes Heilshandeln getragen ist. Das geschichtliche Ereignis muß offen sein auf eine kommende Erfüllung, die das berichtete Geschehen übersteigt. So ist z. B. die Rettung vor der Sintflut oder der Durchzug durch das Rote Meer Typos für die Taufe. Voraussetzung für die biblische Typologie ist der Glaube an das durchgängige Heilshandeln Gottes im Alten und im Neuen Testament. Weil sich aber mit der Menschwerdung Jesu Christi etwas ganz Neues ereignet hat[10], ist der Übergang vom Typos zum Antitypos zugleich ein Sprung in der Kontinuität, denn die Erfüllung des alttestamentlichen Typos im neutestamentlichen Antitypos ist das Neue

---

[5] Vgl. H. de Lubac, Geist aus der Geschichte, 451; H. Crouzel, La distinction de la „typologie" et de l' „allégorie", in: BLE 65 (1964) 161–174, bes. 162; 171.

[6] L. Goppelt, Typos. Die typologische Deutung des Alten Testaments im Neuen. Anhang: Apokalyptik und Typologie bei Paulus, Darmstadt 1969 (= Gütersloh 1939).

[7] J. Daniélou, Traversée de la mer rouge et baptême aux premiers siècles, in: RSR 33 (1946) 402–430, bes. 416f; ders., Sacramentum futuri. Études sur les origines de la typologie biblique, Paris 1950.

[8] W. Eichrodt, Ist die typologische Exegese sachgemäße Exegese? (1956), in: C. Westermann (Hg.), Probleme alttestamentlicher Hermeneutik, 205–226, bes. 208.

[9] G. von Rad, Theologie des Alten Testaments. II, 387–398.

[10] Vgl. Iren., Adv.haer. IV,34,1 (SC 100,846,10–11): omnem nouitatem attulit, semetipsum afferens, qui fuerat annuntiatus.

schlechthin, die volle Wirklichkeit, der gegenüber der Typos nur Schatten war (vgl. Hebr 10,1). Die volle Wirklichkeit ist Christus selbst (vgl. Kol 2,17).

Während für die Typologie der Geschichtswert des auszulegenden Textes die wesentliche Voraussetzung seiner neutestamentlichen Verwendung bildet, ist er nach dem neuzeitlichen Verständnis für die Allegorese gleichgültig oder gar anstößig. Er muß auf die Seite geräumt werden, um den hinter ihm liegenden geistigen Sinn freizugeben. W. Eichrodt faßt dieses Verständnis der Allegorie so zusammen: „Zu diesem Zweck werden die irdischen Gegenstände und Personen, von denen der Text spricht, auf geistige Vorgänge und Wesenheiten gedeutet, mit denen sie nach dem Wortsinn nichts zu tun haben. Der Inhalt des hier dem Text aufgenötigten Zeugnisses liegt dabei für den Exegeten schon vorher fest, und die allegorische Auslegungskunst besteht eben in der Herstellung von Beziehungen zwischen ihm und dem Text ... Die ganze Methode hängt offenbar mit einer prinzipiellen Entwertung der Geschichte zusammen, die mit ihren rohen, sinnlich-materiellen Vorgängen keine Bedeutung für die Heilsbeschaffung haben kann. Das Heil ist in den Bahnen der platonischen Philosophie als etwas zeitlos Gegenwärtiges gesehen, das für den Wissenden überall in gleicher Weise bezeugt ist."[11]

Diese Bestimmung der Allegorie trifft nur teilweise auf Hilarius zu. Er überspringt den Wortsinn nicht voreilig und legt vor allem nicht die platonische Philosophie für die Schrifterklärung zugrunde.

Das Wort Allegorie tritt bei Hilarius im technischen Sinn nur im Psalmenkommentar auf[12]. Nach L. Goppelt stehen die Abendländer Hilarius, Ambrosius, Augustinus und Hieronymus in der Schrifterklärung unter alexandrinischem Einfluß. Er verbindet damit eine „reichlich willkürliche, allegorische aber auch typologische Deutung verwendende Auslegung"[13]. Es ist nicht zu beweisen, daß Hilarius bei der Abfassung des Matthäuskommentars unter alexandrinischem Einfluß stand. Eine direkte Beziehung zu Origenes läßt sich im Frühwerk noch nicht feststellen, erst im Psalmenkommentar und im Mysterienbuch.

Vor diesem Hintergrund der neuzeitlichen Unterscheidung von Typologie und Allegorie scheint es mehr als problematisch, diesen Unterschied auch schon für das 4. Jahrhundert zu behaupten. H. de Lubac und

---

[11] A.a.O., 208.
[12] Stellenangaben bei N. Gastaldi, 78. Hilarius erwähnt Trin. IX, 70 (451, 17–18), daß Jesus manchmal in Gleichnissen und Allegorien (allegoricis dictis) geredet habe.
[13] L. Goppelt, a.a.O., 7.

H. Crouzel haben die grundlegende Einheit beider Auslegungsmodelle für die Väterzeit herausgestellt[14]. Auch in der allegorischen Schrifterklärung hat Hilarius Vorgänger außerhalb der alexandrinischen Exegetenschule. Die Väter kennen den neutestamentlichen Gebrauch von Allegoria bei Paulus (Gal 4, 24). In der lateinischen Theologie des beginnenden 3. Jahrhunderts tritt er bei Tertullian auf.

Je nach dem zu verhandelnden Thema gebraucht Tertullian das Wort Allegoria unterschiedlich. So zeigt er z. B. den Juden, daß in ihrer Geschichte Vorausbilder und geheimnisvolle Darstellungen Christi enthalten sind[15]. Gegen Markion und die Valentinianer stellt er die allegorische Heilsordnung (allegorica dispositio) heraus[16]. Tertullian trennt die Allegorie nicht von der Geschichte des Alten Testaments. Im ganzen fünften Buch von Adv. Marc.[17] kann man gleichsam ein Lehrbuch der Typologie oder Allegorie sehen, die noch nicht unterschieden werden. Tertullian sieht bei aller Hochschätzung der allegorischen Schrifterklärung auch die Gefahren, die im Begriff Allegorie liegen und die heute deutlich herausgestellt werden. Er wendet sich gegen die Versuchung, mit der Methode der Allegorie im heidnischen Sinn den Buchstaben der Schrift völlig zu überspringen, um einem lästigen Glaubenssatz, wie z. B. der Auferstehung des Fleisches, zu entgehen. Hier hebt der Protest Tertullians gegen die Allegorese an. Während er in der Schrift gegen Markion einen völlig positiven Sinn der Allegorie kennt, lehnt er in seinen Ausführungen über die Auferstehung der Toten die Allegorie ab. Man dürfe nicht meinen, daß die Schriften allegorisch verstanden sein wollten. Viele Lehren der Schrift müßten ohne jede Wolke der Allegorie eindeutig verstanden werden[18].

Tertullian besitzt eine durchaus kritische Haltung zur allegorischen Schrifterklärung. Wo sie den Schimmer heidnischen Erbes erkennen läßt, lehnt er sie ab.

Während Tertullian und Cyprian am Beginn des exegetischen Werks des Hilarius stehen, ist der Einfluß des Origenes auf das Spätwerk nicht

---

[14] Vgl. folgende Arbeiten H. de Lubacs: „Typologie" et „allégorisme", in: RSR 34 (1947) 180–226; Der geistige Sinn der Schrift, Einsiedeln 1952; Geist aus der Geschichte, 448–459; Exégèse médiévale. Les quatre sens de l'écriture. I,1 und 2, Paris 1959, bes. 305–363; 373–423; 489–548; A propos de l'allégorie chrétienne, in: RSR 47 (1959) 5–43. Vgl. auch H. Crouzel, a. a. O. (s. o. Anm. 5); A. Bienert, „Allegoria" und „Anagoge" bei Didymos dem Blinden von Alexandria, Berlin/New York 1972 (= PTS 13).

[15] Vgl. z. B. Tert., Adv. Jud. 9, 20 (CCL 2, 1370, 138–140).

[16] Adv. Valent. 1, 1 (CCL 2, 753, 17).

[17] Adv. Marc. 5 (CCL 1, 663–726).

[18] De resurr. mort. 20.26–31 (CCL 2, 945, 1–946, 42; 954, 1–961, 33).

zu übersehen. Doch auch die allegorische Exegese des Origenes wird man nicht so verstehen dürfen, wie L. Goppelt und W. Eichrodt sie dargestellt haben. Vor allem wird man deutlicher bei den Alexandrinern, deren größter Vertreter Origenes war, die Verbindung zu Paulus als zu Philo von Alexandrien in der Anwendung der Allegorie betonen müssen. Gerade Origenes beruft sich bei der allegorischen Schriftauslegung immer wieder auf Paulus. Der Einfluß Philos ist zwar nicht zu verkennen, doch er bezieht sich mehr auf die tropologische oder moralische Auslegung der Schrift[19].

Hilarius steht mit der typologischen und allegorischen Exegese im Gefolge Tertullians und des Alexandriners Origenes. Beide haben die Allegorese in einem christlichen Sinn verstanden und ihr so den Eingang in die Auslegung des Alten Testaments auf das Neue Testament hin geöffnet. Für den heutigen Leser patristischer Schriftkommentare treffen in vielem die erwähnten Einwände gegen die Allegorie zu. Doch man muß sich in eine andere Zeit der Schriftauslegung versetzen, in der Typologie und Allegorie noch keinen Gegensatz bildeten.

Wenn Hilarius auch in der Instructio Psalmorum schreibt, daß die gesamte Schrift für eine allegorische und typologische Deutung offen sei, so bestimmt er diese Methode doch nicht deutlicher. Die Begriffsbestimmung setzt erst in der Frühscholastik ein[20]. Was Hilarius unter Allegorie und Typologie versteht, muß aus dem Kontext seiner Schrifterklärungen erhoben werden.

Wenn von der Typologie des Hilarius gesprochen wird, so bedeutet dies: Es geht ihm bei der Schriftauslegung um den Aufweis, daß das im biblischen Text berichtete Geschehen Typos künftiger heilsgeschichtlicher Wirklichkeit ist, die zum Teil bereits in Jesus Christus gegenwärtig ist, zum anderen aber auf die noch ausstehende eschatologische Verwirklichung hinweist[21].

Grundlegend für die Typologie ist ein Entsprechungsverhältnis von Altem und Neuem Testament. Dennoch darf man die Typologie des Hilarius nicht auf die Korrespondenz zwischen beiden Testamenten beschränken; es gibt für ihn auch eine Typologie im Neuen Testament, die über das im Evangelium Berichtete auf Neues hinausgreift, z. B. auf die Kirche[22] oder die endgültige Versammlung der Menschen in dem Reich, das Christus dem Vater übergibt.

---

[19] Vgl. H. de Lubac, „Typologie" et „allégorisme", 199.   [20] Vgl. ebd., 190–196.
[21] Vgl. dazu W. Wille, 50–58.
[22] So ist die Tochter der Kanaanäerin (Mt 15,21–28) für Hilarius typus oder forma Ecclesiae: In Mt. 15,4 (II,38,8–9); 15,6 (II,40,4–5).

Um die Bildwirklichkeit eines Geschehens oder einer Person zu bezeichnen, gebraucht Hilarius verschiedene Begriffe. Die typologische Schriftauslegung, die man in umfassender Weise auch geistige Exegese[23] nennen kann, geht im christlichen Bereich vor allem auf Paulus zurück, der den ersten Adam Typos des kommenden Adam nennt (Röm 5,14) und Ereignisse aus der Geschichte Israels (1 Kor 10,6: typoi; 10,11: typikōs) als Warnungen für das neue Gottesvolk anführt. Weitere Wegbereiter der typologischen oder allegorischen Schrifterklärung waren Justin, Irenäus und besonders Origenes. Für die allegorische Schrifterklärung verwenden sie vor allem die Begriffe Typos und Antitypos[24]. Die lateinischen Väter haben für ihre typologische Exegese mehrere Ausdrücke benutzt, um die Bildwirklichkeit eines biblischen Ereignisses zu bezeichnen[25].

Neben Typus finden sich bei Hilarius folgende Begriffe zur Darstellung der Typologie der Kirche: praefiguratio, praeformatio, species, mysterii sacramentum[26]. Typus wird in bezug auf die Kirche am häufigsten

---

[23] Die Worte ‚geistige Exegese' oder ‚geistiger Sinn', die im folgenden benutzt werden, bleiben notgedrungen blaß gegenüber dem lateinischen Begriff: intelligentia spiritalis (z. B. In Mt. 14,10). Dennoch scheinen sie uns passender als die etwas verengende Übersetzung: geistlicher Sinn, die heute viel gebraucht wird. Am besten wäre die allerdings schwerfällige Übersetzung: geisterfüllter Sinn. Wenn wir spirit(u)alis mit ‚geistig' wiedergeben, so ist damit der weiteste Sinn angedeutet. Er muß vom Geist Gottes her verstanden werden, von dem die Schrift erfüllt ist.

[24] Vgl. J.-P. Brisson, 18.

[25] Vgl. J. Doignon, Hilaire de Poitiers avant l'exil, 283–294; ders., La triologie „forma, figura, exemplum", transposition du grec τύπος dans la tradition ancienne du texte latin de saint Paul, in: Latomus 17 (1958) 329–349.

[26] *Typus:* In Mt. 1,7 (I,100,6): Rachel ... in Genesi Ecclesiae typum praetulit. 13,1 (I,296,7–8): Nauis enim Ecclesiae typum praefert. 20,13 (II,120,20–22): Atque ut typus crediturarum gentium expleretur, caelestis gratiae cognitione percepta, qui caeci fuerant, uidentes Dominum sunt secuti. Tr.Ps. 132,5 (688,21–22): in his autem mulieribus, quae ungentes dominum typum ecclesiae in euangelio praetulerunt. Myst. I,19 (108): Rebecca ... in coniugio ecclesiae typum praefert.

Praefiguratio: In Mt. 21,4 (II,128,23–25): praefiguratio futurorum dictis praesentibus continetur Ecclesiae uitia in ipso aduentu dominicae claritatis esse purganda (vgl. Mt. 21,13). 29,2 (II,218,1–2): Mulier haec in praefiguratione gentium plebis est, quae in passione Christi gloriam Deo reddidit (vgl. Mt. 26,6–7). Tr.Ps. 121,9 (576,3): Die Apostel, die Königin des Südens und die Bewohner von Ninive sind praefiguratio ecclesiae. Myst. I,6 (84): Sequuntur primam Christi et ecclesiae praefigurationem gesta Cayn et Abel. II,1 (142): s. o. Anm. 2.

Praeformatio: In Mt. 4,24 (I,144,12): (Hierusalem) in praeformationem Ecclesiae. Myst. II,5 (148): Rahab als ecclesiae praeformatio.

Species: Myst. I,4 (80): in Adam atque Eua suam et ecclesiae speciem contineri. Tr. Ps. 121,4 (572,22–24): quia illa terrenae ciuitatis aedificatio et templi extructio et tabernaculi institutio speciem illius aeternae et caelestis ciuitatis praefigurabat. 121,12 (577,18–20): et

im Matthäuskommentar gebraucht; im Psalmenkommentar und im Mysterienbuch kommt Typus in ekklesiologischem Zusammenhang nur jeweils einmal vor, während die anderen Begriffe, zu denen auch die Verben praefigurare und praeformare gehören, mehrfach im gesamten exegetischen Schrifttum des Bischofs von Poitiers auftreten[27]. Das Präfix prae- weist schon darauf hin, daß es für Hilarius einen Fortschritt in der Offenbarung vom Alten zum Neuen Testament gibt[28], da die Kirche im Alten Testament noch verborgen ist.

Da die typologische Exegese den Kern der Schriftauslegung des Hilarius bildet, sollen auch die anderen Begriffe genannt werden, die er gebraucht, um ein in der Schrift berichtetes Geschehen als Vorausbild einer künftigen heilsgeschichtlichen Wirklichkeit zu bestimmen. In diesem Zusammenhang finden sich bei ihm folgende Ausdrücke: imago, species (futuri), forma (futuri), prophetia, similitudo, imitatio, significatio, meditatio (futuri), figura, figuratio, ratio; daneben das Adjektiv typicus, verbunden mit verschiedenen Substantiven: ratio typica, typicus ordo, ordo typicae significantiae, ratio typicae efficientiae, typica consummatio[29]. In einigen Arbeiten zur Schriftauslegung des Hilarius[30] wird erwähnt, daß Hilarius den Begriff species, den er dem philosophischen Vokabular Ciceros entlehnt hat[31], neu in den traditionellen Bestand der typologischen Terminologie eingeführt habe[32].

J.-P. Brisson, der das typologische Vokabular des Hilarius im Mysterienbuch zusammengestellt hat, spricht von einem noch tastenden Suchen des Bischofs von Poitiers nach einer passenden Ausdrucksweise. Er weist aber zugleich darauf hin, daß das Vokabular des Hilarius relativ beständig ist im Vergleich zu seinen Vorgängern oder Zeitgenossen[33]. Hila-

---

nunc quidem interim beatis fructibus abundamus, quos nobis ad speciem fructuum aeternorum ecclesiae sacramentum et pacis unitas subministrat.
Mysterii sacramentum: Myst. I, 5 (82): Contuendum etiam illud est in Adae somno atque Euae corporatione occulti in Christo et in ecclesia mysterii sacramentum.

[27] Vgl. die Zusammenstellung des exegetischen Vokabulars bei N. Gastaldi, 78–84.

[28] Vgl. Myst. I, 32 (126): ... cum nihil in Dei rebus repperiretur, quod non tanquam praemeditatum antea in ipsis et aetatibus et moribus et effectibus cerneretur.

[29] Vgl. dazu die Belege bei W. Wille, 52; 254ff; J. Doignon, Hilaire de Poitiers avant l'exil, 283–294.

[30] Vgl. A. L. Feder, Epilegomena zu Hilarius Pictaviensis, in: WSt 41 (1919) 167; W. Wille, 52.

[31] Vgl. J.-P. Brisson, 18, Anm. 3.

[32] J. Doignon, a. a. O., 287 zeigt, daß species aber bereits bei Tertullian vorkommt. Vgl. Adv. Marc. 3 (CCL 1, 513, 13–15): Alia species erit, qua pleraque figurate portenduntur per aenigmata et allegorias et parabolas, aliter intellegenda quam scripta sunt.

[33] Vgl. J.-P. Brisson, 23. J. Doignon, a. a. O., 288 spricht von einem „vocabulaire plus technique issu plus ou moins directement des textes exégétiques de saint Paul". Es gibt bei Hila-

rius fand bei Tertullian, Cyprian und Novatian bereits mehrere Begriffe, welche die biblischen Termini Typos und Antitypos übersetzen[34].

Der Überblick über Fundament und Terminologie der Typologie macht deutlich, daß es für Hilarius in der Schriftauslegung letztlich zwei Sinnschichten gibt. Da bei den Vätern die Schriftsinne mit der Anthropologie zusammenhängen, muß hier erwähnt werden, daß Hilarius im Anschluß an Mt 10,34–36 drei bestimmende Elemente im Menschen unterscheidet: den Leib, die Seele und den Willen. Diese Dreiteilung ist nach M. J. Rondeau mit der Exegese des Hilarius verbunden[35]. Doch Hilarius führt diese Dreiteilung des Menschen in der Schriftauslegung auf einen zweifachen Sinn zurück: Dem Leib entspricht der einfache oder allgemeine Sinn der Schrift. Seele (Geist) und Willen werden zu einer Einheit zusammengefügt, da der geistige Sinn der Schrift uns zur willentlichen Nachfolge Christi führen soll. Die zwei Sinnschichten wirken sich so aus, daß die Personen, Ereignisse und Worte, die in der Schrift erwähnt werden (erste Sinnschicht), für Hilarius Hinweise sind auf die Heilsgeschichte, die in Jesus Christus ihre Erfüllung gefunden hat (zweite Sinnschicht), eine Erfüllung, die aber noch offen ist auf die endgültige Vollendung im Reich des Vaters[36].

Die im Neuen Testament vollendete Typologie des Alten Testaments und die zugleich noch offene Erfüllung in Christus auf die eschatologische Vollendung hin können bei Hilarius nicht deutlich unterschieden werden, da er im Christusereignis neutestamentliche Erfüllung und eschatologische Vollendung zusammenschaut.

2.2 Das Verhältnis von gesta und gerenda

Die Typologie des Hilarius wurzelt in den Ereignissen, die in der Schrift berichtet werden. Sie sind für ihn keine abgeschlossene Vergangenheit, sondern gegenwärtige Ereignisse, die über sich hinausweisen auf ihre Erfüllung in Jesus Christus und in der Kirche.

Die Unterscheidung zwischen dem, was geschehen ist (gesta), und je-

---

rius einen spezifischen Gebrauch des Begriffs typus; doch die anderen Begriffe, vor allem praefiguratio/praefigurare, praeformatio/praeformare, sind gegenseitig nicht so genau abgrenzbar. Zur Unterscheidung von forma und figura vgl. J. Doignon, a.a.O., 284–287.

[34] Vgl. zu Hilarius und seinen Vorgängern in der typologischen Exegese: J.-P. Brisson, 19–23; W. Wille, 22–49; N. Gastaldi, 27–76; J. Doignon, a.a.O., 169–225.

[35] M. J. Rondeau, Remarques sur l'anthropologie de saint Hilaire, in: StPatr VI (= TU 81), 201. Vgl. J. Doignon, in: SC 254, 244 f, Anm. 43.

[36] Vgl. Myst. I, 10 (94): Concurrunt ergo omnia sibi personis, rebus, effectu et gestorum fides speciem complectitur futurorum.

nem, was geschehen soll (gerenda), ist für Hilarius so bedeutsam, daß sie in allen drei exegetischen Werken vorkommt. Sie gilt nicht nur für das Verhältnis von Altem und Neuem Testament, sondern auch für die res euangelica, die in die Zukunft weist. Das Zukünftige (gerenda oder futura) wird bereits im Gegenwärtigen (gesta) abgebildet. Im Psalmenkommentar gibt Hilarius eine Definition dieser Form von Typologie: „Es gehört zum Wissen der Propheten, Geschehenes zu berichten im Blick auf das, was sich ereignen wird."[37] Das, was sich ereignen wird, ist das Christusgeheimnis[38], das bereits im Alten Testament vorgebildet ist. Die in Ps 125 beschriebene Heimführung Zions aus der babylonischen Gefangenschaft, in der nach Hilarius eine prophetische Zeitverkürzung vorliegt, da die noch kommende Gefangenschaft bereits zu den gesta gerechnet wird, ist allegorischer Hinweis auf die gerenda, nämlich auf das Danklied der von der Sünde befreiten und zur Erkenntnis Gottes zurückkehrenden Seele[39]. Auch wenn ein alttestamentlicher Text, wie z. B. Ps 134, für den einfachen Hörer (secundum simplicitatem audientium) zunächst ganz einsichtig (absolutus) erscheint, so warnt Hilarius doch davor, bei einem wörtlichen Verständnis stehenzubleiben. Von Paulus hat er gelernt, daß das Gesetz ein Schatten des Künftigen ist[40]. Deshalb muß alles, was im Gesetz – allgemein: im Alten Testament – geschrieben steht, allegorisch verstanden werden: die corporalia (oder corporaliter) gesta weisen hin auf die spiritalia opera (die gerenda der Christen). Da in den gesta ein Vorausbild (exemplum) der gerenda vorliegt, geht es Hilarius bei der Psalmenerklärung um die Frage, welche typologische Bedeutung den Personen, Zeiten und Machterweisen (uirtutes) zukomme[41].

Ein Verweis der alttestamentlichen gesta auf die neutestamentlichen gerenda in Christus und der Kirche findet sich mehrfach im Mysterienbuch. Adam und Eva, die Geschichte der Patriarchen und des jüdischen Volkes bereiten typologisch das Erscheinen und die Geschichte Jesu

---

[37] Tr. Ps. 62,4 (218,22–23): prophetiae scientia est pro gerendis gesta memorare.
[38] In der Erklärung von Ps 2,7: „Mein Sohn bist du. Heute habe ich dich gezeugt.", sieht Hilarius in der Vergangenheitsform (genui te) einen Hinweis auf die futura gerendorum, nämlich auf die Auferstehung Jesu: Tr. Ps. 2,30 (59,15–18). Deshalb gilt für die gesamte Exegese von Ps 2 eine christologische Auslegung, die in Tr. Ps. 2,23 (54,11–15) auch ausgeführt wird: Quamquam uero per spiritum prophetiae, pro gerendis gesta memorantis, quia solitus sit per non ambiguam prouidentiam gerendorum deus futura pro praeteritis significare, absolute intellegi possit, omnia haec ex persona unigeniti filii dei domini Iesu Christi dicta esse ...
[39] Vgl. Tr. Ps. 125,3 (606,14 – 607,11).
[40] Hebr 10,1, erwähnt in Tr.Ps. 134,1 (694,3). Daß Hilarius den Hebräerbrief zum Corpus Paulinum rechnet, ergibt sich aus Trin. IV,11 (112,17–18).
[41] Vgl. Tr.Ps. 134,1 (693,24 – 695,17; bes. 695,11–14).

Christi und der Kirche vor[42]. Die Unterscheidung zwischen gesta und gerenda wird ausdrücklich zwar nur zweimal im Mysterienbuch erwähnt[43], durchzieht aber das ganze Werk. Sie ist auch gegenwärtig in der Differenz von einfachem Sinn (sensus simplex), der sich auf die Wahrheit und Wirklichkeit der gesta bezieht, und typischem Sinn (sensus typicus), der auf die gerenda verweist[44]. An einer Stelle des Mysterienbuchs werden die gesta von den gerenda unterschieden durch die Beifügungen corporaliter und spiritualiter[45], die seit Paulus eine lange Tradition in der Schriftauslegung der Väter besitzen[46].

Im Matthäuskommentar geht es besonders um den Erkenntnisfortschritt von der Gegenwart, die im Evangelium berichtet wird, für Hilarius aber bereits Vergangenheit ist (gesta), zur Zukunft (gerenda). Bei der Auslegung von Mt 19, 13–15 (Segnung der Kinder) macht er eine methodische Bemerkung, die grundsätzliche Bedeutung für sein Verständnis des Evangeliums besitzt: „Das im Evangelium berichtete Geschehen hat, wie wir gesagt haben, zwischen der gegenwärtigen und zukünftigen Verwirklichung ein ausgeglichenes Verhältnis bewirkt, das beiden zukommt, so daß dem Geschehen das Bild des Zukünftigen eignet."[47] Aus dem Zusammenhang, in dem diese methodische Bemerkung steht, kann der schwer verständliche Inhalt erhellt werden. Hilarius äußert zunächst sein Erstaunen (nouum est), daß die Apostel es verhindern, daß Kinder zu Jesus gebracht werden, damit er sie segne. Er weist zugleich darauf hin, daß dieser Vorgang sich wirklich ereignet habe. In der biblischen Typologie sind die Kinder für Hilarius die Heiden, die von den Jüngern am Zutritt zu Jesus, d. h. an der Erlangung des Heils gehindert werden, weil die Jünger wollten, daß zuerst Israel gerettet werde. Das „ausgeglichene Verhältnis" zwischen Gegenwart und Zukunft besteht darin, daß die Apostel die Kinder (Gegenwart) und die Heiden (Zukunft) zunächst am Zutritt zu Christus hindern. Dann stellt Hilarius fest: „Die Absicht, sie zu hindern, paßt zwar nicht zur friedfertigen Haltung der Apostel; doch um der typologischen Erfüllung willen schleicht der Drang in sie, die Kinder (am Zu-

---

[42] Vgl. J.-P. Brisson, 25 f; H. Lindemann, 53–58.

[43] Vgl. Myst. I, 22 (112); II, 4 (148).

[44] Vgl. z. B. Myst. II, 11 (156).

[45] Myst. I, 22 (112): Numquid non corporaliter gestis spiritualiter gerenda succedunt? Eine ähnliche Unterscheidung (carnalis–spiritale): In Mt. 27, 9 (II, 212, 2–3).

[46] Vgl. H. de Lubac, Mistica e mistero cristiano, 59–117.

[47] In Mt. 19, 3 (II, 90, 5–8): Res euangelica, ut diximus, inter praesentis et futuri effectum mediam utrique et congruam rationem temperauit, ut his quae efficiebantur futuri species adhaereret.

gang zu Jesus) zu hindern."[48] Die typologische Erfüllung wird dann in der Zeit der Kirche offenbar. Wie Jesus den Kindern die Hände auflegt und für sie betet, so erlangen später die Heiden die Gabe des Heiligen Geistes durch Handauflegung und Gebet der Apostel. Deshalb sagt Jesus, man dürfe die Kinder nicht am Zutritt zu ihm hindern, denn Menschen wie ihnen gehöre das Himmelreich.

Diese Stelle, die stellvertretend für viele Aussagen des Hilarius stehen kann[49], besagt, daß es in den Texten des Evangeliums ein Entsprechungsverhältnis gibt, das eine Analogie zwischen gegenwärtigem und künftigem Geschehen herstellt. Aufgabe des Exegeten ist nach Hilarius, dieses von Gott gewirkte Entsprechungsverhältnis[50] aufzudecken und so das Geschehen, von dem der Text berichtet (gesta), als Typos künftiger heilsgeschichtlicher Wirklichkeit (gerenda) zu verstehen. Die typologische Exegese soll, soweit es möglich ist, einen heilsgeschichtlichen Vorgang in Analogie zu dem Geschehen, von dem der biblische Text berichtet, erklären[51].

Von hier aus eröffnet sich das Verständnis der gesta und gerenda im Matthäuskommentar. Während die alttestamentlichen Typoi im Psalmenkommentar und im Mysterienbuch auf die Erfüllung in Christus, in der Kirche und im Leben der Gläubigen hinweisen, bezeugt das Neue Testament bereits diese Erfüllung. Doch auch im Neuen Testament gibt es Texte, z. B. die Gleichnisse vom Himmelreich, die über die gegenwärtige Erfüllung auf das Ende der Geschichte und die eschatologische Vollendung ausgreifen. Dadurch erlangt die Typologie der Kirche neutestamentlich eine neue Qualität. Sie ist zwar bereits im Alten Testament angekündigt, doch nun offenkundig Ende und Erfüllung des Gesetzes. Hilarius stellt deshalb die mit Christus angebrochene Zeit, die zugleich Zeit der Kirche ist, in Gegensatz zur Zeit des Gesetzes.

Dies ist der Horizont für das Verhältnis von gesta und gerenda im Matthäuskommentar. Hilarius weist darauf hin, daß die Wahrheit der Ereignisse keine Einbuße erleide, wenn dem künftigen Geschehen ein innerer Sinn zukomme[52]. Es finden sich im Matthäuskommentar, ähnlich wie später in der Instructio Psalmorum, Ansätze zu einer theologischen

---

[48] In Mt. 19,3 (II,92,12–14): Inhibendi quidem uoluntas placabilitati apostolicae non conuenit, sed in typicam consummationem prohibendorum infantium subrepit instinctus.

[49] Vgl. z. B. In Mt. 12,1 (I,268,7–9); 14,3 (II,12,2–7); 14,6 (II,16,2–5).

[50] Vgl. z. B. In Mt. 19,4 (II,92,9–11): Sed admonuimus ea quae sub Deo agebantur praesentium effectibus consequentium formam praetulisse.

[51] Vgl. W. Wille, 56 ff.

[52] In Mt. 2,2 (I,102,5–6): gestorum ueritatem non idcirco corrumpi, si gerendis rebus

Rechtfertigung dieses Schriftverständnisses. Im Zusammenhang mit der Erklärung von Mt 14 (Enthauptung des Täufers, Speisung der Fünftausend, Gang Jesu auf dem Wasser, Krankenheilungen in Gennesaret) macht Hilarius den Versuch einer theologischen Begründung des Schriftverständnisses. Er hält zunächst daran fest, daß alles, was der Schrifttext berichtet, sich auch wirklich ereignet hat. Das Geschehen folgt prinzipiell den immanenten Antrieben und Gesetzlichkeiten der ihrer Natur gemäß handelnden Personen. Dennoch bleibt Hilarius bei dieser Erklärung nicht stehen, sondern sieht in dem Geschehen ein Abbild künftiger heilsgeschichtlicher Wirklichkeit: „Die Ereignisse haben sich so abgespielt, wie wir berichtet haben. Doch all diesen Personen, Wirkungen, Ursachen, Zahlen und Maßen ist es eigentümlich, daß sie alles, was sie getan haben, nicht nur aus jenem Antrieb zu handeln vollbracht haben, den ein jeder von seiner Natur her besitzt, sondern unabhängig davon als Beispiel."[53] So ist z. B. die Königin des Südens, die ihre Neugierde dazu drängt, Salomo zu besuchen, um seine Weisheit zu erfahren, ein Vorausbild für die Kirche[54].

In dem Verhältnis von gesta und gerenda (oder in futurum[55]) kommen unter einem anderen Gesichtspunkt wieder die zwei Sinnschichten des biblischen Geschehens zur Sprache. Hilarius geht von einer doppelten Begründung des biblischen Geschehens aus. Das biblische Geschehen ist einerseits vom „Antrieb, den ein jeder von seiner Natur her besitzt", bewegt. Die gesta haben deshalb zunächst eine immanente Verursachung. Darüber hinaus gibt es einen inneren Grund (causa subiacens oder consequens oder interior)[56], der die gesta zum Vorausbild einer künftigen heilsgeschichtlichen Wirklichkeit macht. Dieser innere Grund wirkt bereits in die neutestamentlichen Berichte (praesentia gesta) insofern hinein, als es sich bei ihnen um das Vorausbild einer Absicht handelt, die Gott verwirklichen will. Sowohl auf die gesta als auch auf die gerenda wirkt Gott ein. Denn alles, was sich unter der Führung Gottes ereignet hat, ist so geartet, daß es ein Gleichnis der zukünftigen Erfüllung darstellt[57].

---

interioris intelligentiae ratio subiecta sit. Vgl. 14,3 (II,12,3–5); 11,2 (I,252,1–2): intelligentia amplior.

[53] In Mt. 14,6 (II,16,1–5): Igitur haec ut commemorauimus gesta sunt, sed his omnibus personis, effectibus, causis, numeris, modis adiacet, ut quae gesserunt praeter gerendi instinctum, quem unusquisque ex natura sua sumpsit, extrinsecus omnia gesserint in exemplum. Vgl. dazu W. Wille, 56.

[54] In Mt. 12,20 (I,288,8): Austri regina nunc in exemplum Ecclesiae praesumpta.

[55] In Mt. 10,1 (I,216,12).

[56] Vgl. In Mt. 14,11 (II,24,20): causa subiacens; 14,8 (II,18,8): causa consequens; 12,1 (I,268,6); 12,12 (I,278,7); 19,9 (II,98,17): causa interior.

[57] Vgl. In Mt. 19,4 (II,92,9–14).

Für das Verhältnis von gesta und gerenda gibt Hilarius zwei theologische Erklärungen. Nach dem Mysterienbuch bewirkt die Barmherzigkeit Gottes, daß ein Schriftwort Gegenwärtiges verkündet und Zukünftiges verheißt[58]. Im Matthäuskommentar findet sich der Hinweis, daß der Geist Gottes bereits in den gesta wirksam ist und sie dazu bestimmt, Abbild künftiger Heilswirklichkeit zu sein[59]. Gottes Barmherzigkeit, die in der Ausgießung des Geistes offenbar geworden ist, hat sich der gesta bedient, um in ihnen typologisch die Wege seiner Weisheit aufleuchten zu lassen.

2.3 Einfacher und innerer Sinn der Schrift

„Es gibt eine vielfältige Auslegung der Schrift."[60] Mit diesem im Original verstümmelten Satz beginnt Hilarius das Mysterienbuch, in dem er den Gegnern der typologischen Exegese ihr einseitiges Festhalten am Buchstaben der Schrift vorwirft. Für die „vielfältige Auslegung der Schrift" gibt es eine reiche Tradition, in der Hilarius steht. Aus dieser Tradition sei nur Origenes genannt, der neben Eusebius von Cäsarea und den bereits erwähnten Lateinern Tertullian und Cyprian das exegetische Spätwerk des Bischofs von Poitiers beeinflußt hat.

In De principiis unterscheidet Origenes einen dreifachen Sinn des Schriftworts. Die Schrift enthält zunächst einen historischen Sinn. Origines spricht dabei vom „Fleisch der Schrift", das aus den berichteten Fakten oder dem Wortlaut des Gesetzes besteht und die „auf der Hand liegende Auffassung" bezeichnet. Weiter besitzt die Schrift einen moralischen Sinn, der das Berichtete auf die Seele anwendet, ohne daß dabei schon ein christliches Datum auftreten müßte. Schließlich gibt es einen mystischen Sinn, der sich auf Christus, die Kirche und alle Dinge des

---

[58] Vgl. Myst. I, 25 (116): Atque ut abundantem Dei misericordiam in praefigurandis sub praesentibus futurorum effectibus cerneremus ... I, 27 (120): Et dignum hoc misericordia Dei, ut omnium patriarcharum suorum gesta in aliquantum perfectionem eorum, quae in Domino nostro consummanda erant, imitarentur. Vgl. J.-P. Brisson, 27 f; 38; W. Wille, 57.
[59] Bei der Erklärung des Gleichnisses vom Sauerteig (Mt 13, 33) versteht Hilarius die tres mensurae, unter die der Sauerteig gemischt wird, als lex, prophetae, euangelia. Die Einheit schafft der Geist. In Mt. 13, 5 (I, 298, 9 – 300, 13): ... quod lex constituit, prophetae nuntiauerunt, id ipsum euangeliorum profectibus expleatur. Fiuntque omnia per Dei Spiritum eiusdem et uirtutis et sensus nihilque aliud ab alio mensuris aequalibus fermentatum dissidens reperietur.
[60] Myst. I, 1 (72). Ergänzung nach Feders Ausgabe in: CSEL 65, 3: Multiplex est scripturarum interpretatio.

Glaubens bezieht. Dieser mystische Sinn ist auch der geistige Sinn der Schrift, denn der Vollkommene erbaut sich am „geistigen Gesetz" (Röm 7, 14), „das den Schatten der künftigen Güter enthält" (Hebr 10, 1)[61].

Aus dieser vielfältigen Auslegung der Schrift findet sich bei Hilarius unter verschiedenen Bezeichnungen ein zweifacher Schriftsinn, der als einfacher und innerer Sinn bezeichnet werden kann. Hilarius unterscheidet sich in der Terminologie von Origenes. Er spricht nicht vom Buchstaben der Schrift oder vom historischen Sinn, sondern vom einfachen (simplex), absoluten (absolutus) oder allgemeinen (communis) Sinn der Schrift. Er hat wohl die Begriffe „litteralis" und „historicus" vermieden, weil sie in der Rhetorenschule, aus der Hilarius kommt, unmittelbar zur Allegorie aufriefen. Hilarius will aber zunächst den einfachen Sinn der Schrift gelten lassen. Deswegen ist es angemessener, vom einfachen und inneren Sinn der Schrift bei Hilarius zu sprechen, und nicht die bekannte Unterscheidung von Buchstabe und Geist anzuwenden, obwohl sie, gereinigt vom genannten Erbe der Rhetorenschule, durchaus das Anliegen des Bischofs von Poitiers wiedergibt. Hier geht es um das Verhältnis beider Schriftsinne zueinander.

Für den Matthäuskommentar haben W. Wille, J. Doignon, P. C. Burns und P. Smulders, für den Psalmenkommentar E. Goffinet und N. Gastaldi, für das Mysterienbuch H. Lindemann und J.-P. Brisson das Verhältnis von einfachen und innerem Schriftsinn bereits ausführlich dargestellt[62]. Ch. Kannengiesser hat aus dem gesamten exegetischen Werk des Hilarius die Beziehung beider Schriftsinne zusammengestellt[63]. Deshalb sollen hier nur einige Hinweise gegeben werden, die für die typologische Theologie der Kirche wichtig sind. Da die biblische und eschatologische Theologie der Kirche vor allem im Kommentar zu den letzten dreißig Psalmen und im Mysterienbuch entfaltet wird, sollen diese Texte besonders berücksichtigt werden.

Aus dem gesamten exegetischen Werk des Hilarius ergibt sich der Eindruck, daß der Autor dem Wortsinn eine hohe Bedeutung zumißt. Dar-

---

[61] De princ. IV, 2, 4 (GCS 22 = Origenes V, 312–313). Vgl. dazu und zu ähnlichen dreigliedrigen Schemata bei Origenes H. de Lubac, Geist aus der Geschichte, 169–181.

[62] Vgl. W. Wille, 50 f; J. Doignon, Hilaire de Poitiers avant l'exil, 266–293; P. C. Burns, The Christology in Hilary of Poitiers' Commentary on Matthew, 35–65; P. Smulders, Hilarius van Poitiers als exegeet van Mattheüs, in: Bijdragen 44 (1983) 65; E. Goffinet, 30 ff; N. Gastaldi, 143–270; H. Lindemann, 53–58; J.-P. Brisson, 34–38. Zur Verbindung von innerem (geistigem) Sinn der Schrift und Heiligem Geist vgl. L. F. Ladaria, 72–76.

[63] Vgl. a. a. O. (s. o. Anm. 4), 137–142.

über kann seine Zurückweisung eines mißverständlichen Literarverständnisses nicht hinwegtäuschen[64].

Als Beispiel für die zweifache Exegese eines biblischen Textes, die sowohl dem einfachen als auch dem inneren geistigen Sinn ihre je eigene Bedeutung läßt, kann eine Stelle aus der Erklärung von Ps 134 stehen. Zu den in diesem Psalm aufgezählten Machterweisen Jahwes beim Auszug aus Ägypten schreibt Hilarius: „All diese herrlichen und großartigen Werke bezeugen, daß es Gott gibt; denn solches vollbracht zu haben, ist nicht Hinweis auf eine mittelmäßige oder gebändigte Kraft; man muß Gott darin als bewunderungswürdig erkennen. Doch der Apostel belehrt uns, zugleich mit der ehrfürchtigen Betrachtung der Ereignisse, in ihnen eine Vorausbildung der Lehre und des geistigen Geschehens zu erkennen, weil das Gesetz geistig ist, weil die Ereignisse allegorisch sind, weil die Väter unter der Wolke waren, weil sie in Mose getauft worden sind, weil sie aus dem geistigen Felsen getrunken haben, weil der Fels Christus ist, weil schließlich nach dem Vorbild der in der Wüste erhöhten Schlange der Herr erhöht werden muß. Mag sich dies alles auch wirklich (corporaliter) in Ägypten ereignet haben, so geschieht es doch geistig (spiritaliter) an uns."[65] In diesem Text ist gleichsam das ganze Verhältnis von einfachem und innerem geistigen Sinn bei Hilarius enthalten. Die geschilderten Ereignisse (einfacher Sinn) sind in ihrer eigenständigen Bedeutung zu würdigen (ueneratio gestorum). Doch der einfache Sinn wird, ohne seine Bedeutung zu verlieren, zum Geist der Schrift hin überschritten. Paulus gibt dabei die Interpretationshilfe, daß das Gesetz geistig ist. Der innere geistige Sinn ist für Hilarius höchst aktuell, denn er zeigt am Beispiel des einfachen Sinnes, der allen zugänglich ist, was sich geistig an uns (spiritaliter in nobis) ereignen soll. Für die Schriftauslegung des Hilarius könnte man – in Anlehnung an ein Axiom des Gnadenlehre – die Formel prägen: Der innere geistige Sinn zerstört den einfachen Sinn nicht, sondern setzt ihn voraus und vollendet ihn[66]. Hilarius unterscheidet und verbindet zugleich die auf das in der Schrift berichtete Geschehen (gesta) bezogene Auslegung und die geistige Exegese. Dieser Versuch, das Verhältnis von einfachem und innerem geistigen Sinn in eine Formel zu fassen, kann an

---

[64] Vgl. z. B. Tr.Ps. 124,1 (596, 12–17): Faciunt nobis plerique obscuritatem, uolentes scripturas propheticas solo aurium iudicio aestimare et non aliud in his intellegere, quam quod sub singulis rerum quarumque uocabulis audiatur. quod cum uolunt, neque nobis, quod intellegamus, relinquent, neque prophetas non dico caelestia, sed ne terrena quidem rationabiliter dixisse constituent.

[65] Tr.Ps. 134,18 (705,15–26).

[66] Vgl. dazu N. Gastaldi, 150–154.

einigen Aussagen verdeutlicht werden. Dabei bietet sich bei der Frage nach der Kirche zunächst besonders das Mysterienbuch an, das sich vor allem mit dem Geschichtswerk des Alten Testaments beschäftigt. Zu den dort berichteten Ereignissen stellt Hilarius fest: „Die Wirklichkeit hat sich zwar für sich selbst ereignet, – sie wurde nämlich durch konkrete Wirksamkeiten ausgeführt –; doch diese Wirklichkeit der menschlichen Taten war Nachahmung einer göttlichen Handlung, und dies ereignet sich so (wie es dargestellt wird) zur Belehrung unserer Hoffnung und unseres Glaubens, da es bei den Werken Gottes nichts gibt, von dem man nicht erkennen könnte, daß es bereits im voraus geheimnisvoll in den Epochen, Gebräuchen und Taten der Menschen vorbereitet war."[67]

Es geht Hilarius an dieser Stelle und in seiner gesamten Schriftauslegung um die Erkenntnis der Schrift. Aufgabe des Exegeten ist für Hilarius, den Gläubigen den wahren Sinn der Schrift zu erschließen. Dazu bedarf der Exeget des Unterscheidungsvermögens. Er muß sorgfältig prüfen, ob eine Schriftstelle einfach nach dem Wortsinn zu verstehen ist oder noch einen tieferen Sinn besitzt. Wenn er diese Sorgfalt nicht anwendet, läuft er Gefahr, den Sinn einer Schriftstelle zu verfälschen, indem er nämlich zu Unrecht dort einen bildlichen Sinn annimmt, wo allein der unmittelbare einfache Sinn richtig ist, oder indem er der geforderten typologischen Exegese ihre Bedeutung dadurch nimmt, daß er sie auf den Wortsinn reduziert. Beides wäre zum Schaden der Hörer, da ihnen dann nicht der wahre Sinn der Schrift ausgelegt würde[68].

Ch. Kannengiesser stellt für das Verhältnis von einfachem und innerem geistigen Sinn zwei Regeln auf, die für das gesamte exegetische Werk des Bischofs von Poitiers gelten.

Die erste Regel besagt, daß die Bedeutung eines biblischen Textes in Achtung vor dem wörtlichen Sinn des Textes gesucht werden muß. Dazu muß die Absicht des Hagiographen genau untersucht werden. Die Bedeutung, die Hilarius dem Wortsinn der Schrift beimißt, veranlaßt ihn, an

---

[67] Myst. I, 32 (126): Gesta namque sibi ipsa quidem ueritas est – secundum enim corporales efficientias agebatur –, sed ipsa illa humanorum actuum ueritas diuinae erat operationis imitatio et hoc ad ueram spei nostrae ac fidei eruditionem ita fiebat, cum nihil in Dei rebus repperiretur, quod non tanquam praemeditatum antea in ipsis hominum et aetatibus et moribus et effectibus cerneretur.

[68] Vgl. Myst. II, 11 (156): Admonuimus frequenter eam lectioni diuinarum scripturarum diligentiam adhiberi oportere, quae sollicito examine et iudicio non inani posset discernere, quando rerum gestarum commemoratio uel simpliciter esset intellegenda uel typice, ne intemperanter atque imperite utroque abusi utrumque inutile audientibus redderemus, si aut simplicium cognitio inani praefigurationum assertione corrumperetur aut uirtus praefigurationum sub simplicium opinione ignoraretur.

manchen Stellen auch Textkritik zu üben[69]. Hierin macht sich wohl auch der Einfluß des Origenes bemerkbar. Neben der Textkritik finden sich im Psalmenkommentar auch Hinweise auf die Zeit und den Ort der Entstehung der Psalmen. Diese historische Kritik verbietet es Hilarius, alle Psalmen David zuzuschreiben[70]. All das deutet schon darauf hin, daß Hilarius den Wortsinn der Schrift durchaus ernst nimmt. Der Grund liegt darin, daß der Hagiograph unter dem Beistand des Heiligen Geistes den Wortlaut der Schrift nach Gottes Heilsratschluß aufgeschrieben hat.

Doch es gibt beim Schriftverständnis der Väter auch den Fortschritt vom Buchstaben in Richtung auf eine Vertiefung oder Verinnerlichung. Wo es möglich und sinnvoll ist, wird die geistige Schriftauslegung auf die drei Bereiche der Heilsgeschichte bezogen: auf die Herkunft des Heils (allegorische Auslegung zur Vertiefung des Glaubens), auf die Gegenwart des Heils (tropologische Auslegung zur Weckung der Liebe), auf die Zukunft des Heils (anagogische Auslegung zur Stärkung der Hoffnung)[71].

Deshalb gilt als zweite Regel, daß der Sinn eines biblischen Textes im Licht der gesamten Offenbarung des Geheimnisses Gottes gesucht werden muß, das in Jesus Christus offenbar geworden ist[72]. Christus ist für Hilarius der Schlüssel der Schrift[73]. Deshalb kann man von einem christlichen Sinn der gesamten Schrift sprechen, denn die Ereignisse, von denen das Alte Testament berichtet, sind nach dem Verständnis des Hilarius von Gott gewollt als Vorausbilder des Neuen Bundes in Christus. Dieser christliche Sinn der Schrift ist der geistige, innere oder himmlische Sinn[74]. Der innere Sinn baut häufig auf dem einfachen oder allgemeinverständlichen Sinn auf. Dadurch erhält der einfache Sinn eine Vertiefung, die in anagogische, tropologische, ekklesiologische und – alles umgreifend – christologische Richtung geht. Die christologische und ekklesiologische Vertiefung des Wortsinns zeigt sich besonders im Psalmenkommentar und im Mysterienbuch. Zum Verhältnis von einfachem und innerem geistigen Schriftsinn bei Hilarius müssen neben den von Ch. Kannengiesser erwähnten Regeln noch zwei Bemerkungen gemacht werden:

1) Es gibt Stellen, an denen Hilarius auf einen scheinbaren Widerspruch

---

[69] Vgl. z. B. Trin. VI, 45 (250, 17 – 251, 27); Tr.Ps. 138, 37 (770, 16–17); 146, 10 (851, 24–27).
[70] Vgl. Instr.Ps. 2–4 (4, 4 – 5, 27).
[71] Vgl. H. Riedlinger, Bibel ... Geschichte der Auslegung, in: Lexikon des Mittelalters, II/1, Zürich/München 1981, 47–58; 62–65.
[72] Vgl. Ch. Kannengiesser, L'exégèse d'Hilaire, in: Hilaire et son temps, 140 f.
[73] Vgl. Instr.Ps. 5 (7, 4–7).
[74] Vgl. z. B. In Mt. 2, 2 (I, 102, 6); 12, 12 (I, 278, 8); 14, 3 (II, 12, 4–5); 15, 9 (II, 44, 8); 20, 2 (II, 102, 4).

im wörtlichen Verständnis des Textes aufmerksam macht. Im Mysterienbuch erwähnt er die Prophetie des Lamech über Noach: „Er wird uns aufatmen lassen von unserer Arbeit und von der Mühe unserer Hände um den Ackerboden, den der Herr verflucht hat" (Gen 5, 29). Hilarius stellt dazu fest: „Meiner Meinung nach kann sich das nicht vollständig auf den Noach beziehen, von dem die Rede ist. Welche Ruhe hat er denn dem Menschengeschlecht gebracht, von welcher Arbeit hat er aufatmen lassen? Zu seinen Lebzeiten wird ja sogar das ganze Menschengeschlecht vernichtet und ergießt sich die Sintflut." Deshalb muß hier der einfache Sinn, der in die Irre führt, überschritten werden: Noach ist dann ein Vorausbild des Erlösers und die Arche ein Vorausbild der Kirche[75]. Für diesen scheinbaren Widerspruch zwischen einfachem und innerem typischen Sinn gilt aber das Prinzip des Hilarius: „Die Sprache der Schrift hält das richtige Maß zwischen der Wirksamkeit der (berichteten) Ereignisse und der hoffnungsvollen Erwartung."[76] Die Erfüllung der Prophetie über Noach ist mit Christus gekommen, und die hoffnungsvolle Erwartung richtet sich auf die ewige Ruhe, die bereits anfanghaft in der Zugehörigkeit zur Kirche verwirklicht ist.

2) Daneben gibt es aber auch Stellen, an denen Hilarius keinen einfachen Sinn (sensus simplex) annimmt, sondern sofort zum inneren oder himmlischen Sinn (caelestis intelligentia) übergeht. Als Beispiel kann eine Stelle aus der Rede Jesu über die Endzeit (Mt 24, 1–25, 46) stehen. Es geht Hilarius dabei um das Verständnis des Schriftworts: „Wer gerade auf dem Dach ist, soll nicht mehr ins Haus gehen, um seine Sachen mitzunehmen" (Mt 24, 17). Nach gesundem Menschenverstand (intelligentia humana) ergibt dieses Wort keinen Sinn. Hilarius stellt diese Aufforderung Jesu in Zusammenhang mit der vorausgehenden, daß die Bewohner Judäas in die Berge fliehen sollen (Mt 24, 16). Wer auf dem Dach ist, kann nicht fliehen. Was nützt es ferner, bei den drohenden Zeichen der Endzeit auf dem Dach zu bleiben, statt besser ins Haus zu gehen? Nachdem Hilarius die Unmöglichkeit eines wörtlichen Verständnisses aufgedeckt hat, setzt er anders an: „Häufig haben wir dazu gemahnt, die Eigentümlichkeiten der Worte und der Orte zu erwägen, um die Bedeutung der himmlischen Aufforderungen zu begreifen."[77] Das allein richtige Verständnis ist

---

[75] Myst. I, 12 (98); I, 13 (100).

[76] Myst. I, 26 (118): … sermo scripturae et ad rerum efficientiam et ad spei expectationem temperatur.

[77] In Mt. 25, 5 (II, 186, 7–9): Sed frequenter admonuimus proprietates uerborum et locorum contuendas, ut momenta praeceptorum caelestium consequamur. Zur „Nutzlosigkeit des Buchstabens" vgl. N. Gastaldi, 193 f.

hier der geistige Sinn: Das Haus ist der Leib, das Dach der Geist. Der Christ, der in der Taufe erneuert ist (regeneratione nouus), darf den Lockungen des Fleisches nicht nachgeben und aus der Höhe des Geistes nicht in die Niederungen des Leibes hinabsteigen.

Doch auch diese Stellen machen deutlich, daß es für Hilarius eine enge Verbindung zwischen einfachem und innerem geistigen Sinn der Schrift gibt. Auch dort, wo er ein wörtliches Verständnis zurückweist, beschäftigt er sich doch zunächst mit dem Wortlaut der Schrift, um nicht voreilig zum geistigen Sinn überzugehen. Der Übergang zum Geist der Schrift hängt mit der Person Jesu Christi und seinem Vermächtnis, der Kirche, zusammen.

2.4 Das Verhältnis von Altem und Neuem Testament

Das Christusgeheimnis ist für Hilarius der Schlüssel zum Verständnis der Schrift: „Alles, was in den heiligen Büchern enthalten ist, kündigt die Ankunft unseres Herrn Jesus Christus an, der vom Vater gesandt und durch den Heiligen Geist aus der Jungfrau geboren ist, offenbart sie durch Taten und bekräftigt sie durch exemplarische Bilder. Denn Christus ist es, der durch die ganze Weltzeit hindurch mit wahren und deutlichen Vorausbildern in den Patriarchen die Kirche zeugt, abwäscht, heiligt, erwählt, absondert oder erlöst: im Schlaf Adams, in der Sintflut zur Zeit des Noach, im Segen des Melchisedek, in der Rechtfertigung Abrahams, in der Geburt Isaaks und in der Knechtschaft Jakobs."[78]

Dieser Text am Beginn des Mysterienbuchs zeigt, daß Hilarius in den prophetischen Worten (dictis nuntiat), berichteten Ereignissen (factis exprimit) und Bildern des Alten Testaments (confirmat exemplis) das Erscheinen Jesu Christi sucht. Die Menschwerdung des Sohnes Gottes hat den Schleier weggenommen, der über der alttestamentlichen Offenbarung liegt.

Das Verhältnis von Altem und Neuem Testament kann man als Kontinuität und zugleich als Fortschritt und Vollendung beschreiben, die das Vorausbild unendlich übersteigen[79]. Die Kontinuität und zugleich unge-

---

[78] Myst. I, 1 (72–74): Omne autem opus, quod sacris uoluminibus continetur, aduentum Domini nostri Iesu Christi, quo missus a patre ex uirgine per spiritum homo natus est, et dictis nuntiat et factis exprimit et confirmat exemplis. Namque hic per omne constituti huius saeculi tempus ueris atque absolutis praefigurationibus in patriarchis ecclesiam aut generat aut abluit aut sanctificat aut eligit aut discernit aut redimit: somno Adae, Noe diluuio, benedictione Melchisedech, Abrahae iustificatione, ortu Ysahac, Iacob seruitute.
[79] Vgl. dazu N. Gastaldi, 216–241.

ahnte Neuheit zwischen beiden Testamenten liegt in der Person Jesu Christi begründet, auf den hin die Schrift konvergiert. Christus ist für Hilarius zugleich Gesetzgeber des Alten Bundes und Künder des Evangeliums[80]. Deshalb wendet er sich deutlich gegen jeden Versuch, die Einheit der Schrift aufzulösen, indem man z. B. jeweils einen anderen Gott für das Gesetz und für das Evangelium annehme. Hilarius nennt in diesem Zusammenhang einige christologische Irrlehren und denkt bei der Auflösung der Schrift besonders an Markion[81]. Auch in De Trinitate, wo Hilarius nur sehr sparsam die typologische oder allegorische Exegese betreibt, betont er die Gegenwart und Wirksamkeit Jesu Christi in beiden Testamenten. In Trin. IV geht es ihm darum, die Arianer aus der Schrift (Pentateuch: IV, 15–34; Propheten: IV, 35–38; Evangelium: IV, 39–42) zu widerlegen. Am Schluß dieser Widerlegung schreibt er: „Dieser eine also gibt seine Anordnung an Abraham, seine Befehle an Mose, seine Bezeugung an Israel; er wohnt in den Propheten, er wird durch die Jungfrau aus dem Geist geboren, er heftet die uns widrigen und feindlichen Mächte ans Holz seines Leidens; den Tod vernichtet er in der Unterwelt, den Glauben auf unsere Hoffnung hin befestigt er durch seine Auferstehung, die Verweslichkeit des menschlichen Fleisches macht er für immer zuschanden durch die Herrlichkeit seines Leibes."[82]

In der Psalmenauslegung ist das Diapsalma (Übersetzung der LXX für Selah) für Hilarius häufig Hinweis für den geistigen Übergang vom Alten zum Neuen Testament. Hilarius spricht von einer Veränderung (demutatio), die sich in der Typologie einer alttestamentlichen Person oder eines Ereignisses auf eine entsprechende und sie zugleich überbietende neutestamentliche Erscheinung äußert. Dem inneren Sinn nach ist etwas anderes gemeint, das der alttestamentliche Text noch nicht kennt. Auch an dieser Veränderung, die zugleich eine typologische Beziehung alttestamentlicher und neutestamentlicher Gegebenheiten beinhaltet, kann die Einheit der Schrift aufgezeigt werden[83].

Hilarius stellt auch die Übereinstimmung der prophetischen Verkündigung mit der Lehre der Apostel heraus[84]. Die Kontinuität der Schrift ist

---

[80] Vgl. Tr.Ps. 67, 17 (292, 1–21; bes. 13–14).
[81] Vgl. Tr.Ps. 67, 15 (290, 11–14).
[82] Trin. IV, 42 (148, 29–34): Hic ergo unus est disponens ad Abraham, loquens ad Moysen, testans ad Istrahel, manens in prophetis, per uirginem natus ex Spiritu, aduersantes nobis inimicasque uirtutes ligno passionis adfigens, mortem in inferno perimens, spei nostrae fidem resurrectione confirmans, corruptionem carnis humanae gloria corporis sui perimens.
[83] Vgl. dazu genauer N. Gastaldi, 134–140.
[84] Vgl. z. B. Tr.Ps. 65, 16–17 (259, 20 – 260, 13).

der Grund, daß Hilarius den Propheten ein Wissen dessen zuspricht, „was später gesagt wird"[85] in der Verkündigung der Apostel.

Schließlich wendet Hilarius auch die Methode an, die Schrift durch die Schrift selbst zu erklären. Um z. B. Ps 68,21 auszulegen: „Gott ist ein Gott, der uns Rettung bringt, Gott, der Herr, führt uns heraus aus dem Tod.", verweist er auf Kol 2,13–15, „damit wir, belehrt von der Führung des Apostels, das (Voraus)wissen der Weissagung erlangen"[86].

Kontinuität zwischen Altem und Neuem Testament bedeutet aber für Hilarius nicht, daß beide auf der gleichen Ebene stehen. Die bisherigen Ausführungen haben schon gezeigt, daß es einen Unterschied zwischen beiden Ökonomien gibt. Dieser Unterschied, der jedoch keine Trennung ist, besteht in der Menschwerdung Jesu Christi, die im Alten Testament in Vorausbildern zwar wirklich angekündigt war, im Neuen Testament aber auf ungeahnte Weise offenbar geworden ist, so daß die Vorausbilder nun ihre Erfüllung in Christus und der Kirche gefunden haben. Deshalb gibt es neben der Kontinuität der Schrift zugleich den Fortschritt und die Vollendung. Die Vollendung des Gesetzes ist Christus (vgl. Röm 10,4), denn das Gesetz ist Vorbereitung auf Christus (paedagogia in Christo)[87].

Weil es sich im Alten Testament um eine Vorbereitung der Ankunft Christi handelt, ergeben sich Grenzen im ausschließlichen Verständnis der Schrift nach dem Wortsinn. In der typologischen Exegese bricht Hilarius diese Grenzen auf. Dabei geht er von einer geschichtlichen oder prophetischen Aussage des Alten Testaments aus und zeigt ihre Erfüllung in der Person Jesu Christi. Bei diesem Vorgehen kann sich Hilarius auf das Neue Testament stützen, das auch an einigen Beispielen die Vollendung eines alttestamentlichen Geschehens in Christus und der Kirche aufweist. So ist z. B. die Vereinigung von Mann und Frau ein Bild für die Einheit zwischen Christus und der Kirche (Eph 5,31–32).

Eine Unterscheidung zwischen beiden Testamenten kann man in Trin. I finden. Obwohl sich Hilarius auch in diesem Werk bewußt ist, daß Christus bereits geheimnisvoll im Alten Testament gegenwärtig ist, unterscheidet er hier Gesetz und Propheten stärker von der Lehre des Evangeliums und der Apostel. Bei der Beschreibung seines eigenen Wegs zum Glauben (Trin. I,1–14) stellt er fest, daß er nach der Kenntnis des Geset-

---

[85] Tr.Ps. 63,6 (228,21).
[86] Tr.Ps. 67,23 (298,3–11).
[87] Tr.Ps. 67,9 (283,15–20); 118,mem,10 (471,24–25): ea enim lex, quam Moyses scripserat, paedagoga nobis in Christo fuit.

zes und der Propheten das Evangelium (Joh 1, 1–14) und den Apostel (Kol 2, 8–15) kennengelernt habe. J. Doignon, der den Prolog von De Trinitate ausführlich untersucht hat, spricht hier von einer „Ersetzung des Alten durch das Neue Testament" auf dem Weg des Hilarius zum Glauben. Er weist aber zugleich darauf hin, daß Hilarius hier in einem doppelten Gefolge steht. Er schließt sich einerseits Tertullian (und Novatian) an, der in den Büchern des Mose und der Propheten das erste Glied der regula fidei sieht: die Offenbarung Gottes als des Schöpfers. Anderseits wirkt sich hier das Erbe der lateinischen Apologetik aus, die im Prolog des Johannesevangeliums den entscheidenden Wendepunkt im Voranschreiten der Gotteserkenntnis erblickte und ihn deshalb in Kontinuität und zugleich Diskontinuität zum Alten Testament stellte[88].

3. Christus und die Kirche

Das Herzstück des Kirchenverständnisses des Hilarius liegt in der Beziehung zwischen Christus und der Kirche. Innerhalb dieser Beziehung ist der Begriff von der Kirche als Leib Christi grundlegend für den Bischof von Poitiers, der damit in der biblischen Tradition und im Gefolge der Theologie der Vorzeit steht[1]. Mit ‚Leib Christi' ist eine Fülle von Einzelmomenten gegeben, die nur schwer voneinander geschieden werden können. Deshalb müssen bei der Darstellung notwendigerweise Überschneidungen in Kauf genommen werden, da sich die einzelnen Gedanken nicht reinlich voneinander scheiden lassen, sondern häufig ineinander greifen.

---

[88] Vgl. J. Doignon, Hilaire de Poitiers avant l'exil, 132f.
[1] Vgl. E. Mersch, Le corps mystique du Christ, 340–367; L. Malevez, L'église dans le Christ. Étude de théologie historique et théorique, in: RSR 25 (1935) 257–291; 418–439; S. Tromp, Corpus Christi quod est Ecclesia, 4 Bde., Rom 1946–1972. Zur biblischen Theologie vgl. u. a. E. Käsemann, Leib und Leib Christi. Eine Untersuchung zur paulinischen Begrifflichkeit, Tübingen 1933 (= BHTh 9); R. Schnackenburg, Die Kirche im Neuen Testament, 146–156; H. Schlier, in: MySal IV/1, 157–161; J. Bétoulières/M. Bouttier u. a., Le corps et le Corps du Christ dans la première épître aux Corinthiens, Paris 1983 (= LeDiv 114).

3.1 Die Kirche als Leib des auferstandenen Christus

Hilarius unterscheidet einen dreifachen Leib Christi: Er spricht vom natürlichen Leib, den der Sohn Gottes bei der Menschwerdung aus Maria angenommen hat. Bereits mit der Geburt Jesu ist der Beginn der Kirche anzusetzen, da sie ihr Dasein der Menschwerdung Jesu Christi verdankt[2]. Weiter erwähnt Hilarius den sakramentalen Leib, den Christus uns als sein Vermächtnis in der Eucharistie geschenkt hat, und den verherrlichten Leib, den Christus zur Rechten des Vaters besitzt. Dieser dreifache Leib Christi wirkt die Verbindung zwischen Christus und den Menschen[3]. Diese Verbindung findet ihren sichtbaren Ausdruck in der Kirche, die mit dem natürlichen, sakramentalen und vor allem mit dem verherrlichten Leib Christi in eine Lebensgemeinschaft gesetzt wird.

1) Im Matthäuskommentar gibt es nur eine Stelle, an der die Kirche als Leib Christi bezeichnet wird. Hilarius beschäftigt sich mit dem Wort Jesu über das Schwören (Mt 5,34–35). Zu dem Verbot, bei Jerusalem zu schwören, da es die Stadt des großen Königs ist, schreibt er: „Welche Bedeutung hat es …, bei Jerusalem zu schwören, einer Stadt, die in Kürze wegen der Überheblichkeit und der Sünden ihrer Einwohner zerstört werden sollte, da sie besonders als Vorausbild der Kirche, d.h. des Leibes Christi, welche die Stadt des großen Königs ist, erbaut ist?"[4] Diese Stelle zeigt, daß es sich bei Jerusalem nicht primär um die irdische Stadt handelt, sondern um den Typos des wahren Jerusalem. Bereits hier wird die Zugehörigkeit der Kirche zu Christus herausgestellt, denn sie ist sein Leib.

2) Wenn auch das Wort corpus sehr häufig (292 mal) in De Trinitate vorkommt, wird die Kirche doch nur selten als Leib Christi bezeichnet[5]. Hi-

---

[2] Vgl. Tr.Ps. 131, 13 (672, 12–13): initium … ecclesiae in Bethlem auditur; esse enim coepit a Christo.

[3] Vgl. dazu J. Beumer, De eenheid der menschen met Christus in de theologie van den h. Hilarius van Poitiers, in: Bijdragen 5 (1942) 151–167; P. Coustant, Praef. gen., 76–97, in: PL 9, 43 B – 52 D.

[4] In Mt. 4, 24 (I, 144, 8–14): Quid enim momenti erat iurare … per Hierusalem urbem breui ob insolentiam et peccata inhabitantium destruendam, cum praesertim in praefigurationem Ecclesiae, id est corporis Christi, quae magni regis est ciuitas, esset constituta?

[5] Bei der Beschreibung der Einheit von Vater und Sohn setzt sich Hilarius auch mit 1 Kor 12 auseinander. Zu 1 Kor 12, 12 (Einheit des Leibes – Vielfalt der Glieder) schreibt er Trin. VIII, 32 (344, 8–10): … diuisiones ergo charismatum ex uno Domino Iesu Christo, qui corpus est omnium. Noch deutlicher ist die Aussage zu 1 Kor 12, 27–28 in Trin. VIII, 33 (345, 14–15): Certe haec ecclesiae et ministeria sunt et operationes, in quibus corpus est Christi. Vgl. Trin. VIII, 50 (362, 14 – 363, 26).

larius spricht ausdrücklich nur in seinen biblischen Werken von der Kirche als Leib Christi.

3) Am häufigsten kommt diese Bezeichnung im Psalmenkommentar vor. Hier wird deutlich, daß die Kirche der verherrlichte Leib des auferstandenen Christus ist. Dadurch erhält die sichtbare Kirche eine eschatologische Ausrichtung. Wie mit der Auferstehung Jesu innerhalb der Weltzeit die neue Schöpfung bereits gegenwärtig ist, so nimmt die Kirche als Leib Christi bereits in ihrer gegenwärtigen Gestalt teil an der zukünftigen Vollkommenheit, die der Leib Christi schon jetzt besitzt[6].

a) Ps 14,1: „Herr, wer darf Gast sein in deinem Zelt, wer darf weilen auf deinem heiligen Berg?", stellt Hilarius vor die Frage, was unter dem heiligen Berg zu verstehen sei. Er deutet den Berg als den Leib, den Christus in der Menschwerdung angenommen hat, in dem er jetzt wohnt, erhaben über jede Herrschaft und jeden Namen. Auf diesem Berg ist die Stadt erbaut, die nicht verborgen bleiben kann, da sie Christus als ihr Fundament hat (vgl. 1 Kor 3,11). Von Christus als dem Berg her, auf dem derjenige ausruhen darf, der zum Leib Christi gehört, wird hier die Kirche Leib Christi genannt. Zugleich wird sie in Verbindung gestellt mit dem Berg Zion und Jerusalem, der Stadt des lebendigen Gottes (vgl. Hebr 12,22). Hilarius beendet diese Ausführungen über den Berg Gottes mit einem Hinweis auf die Kirche: „Wenn also die ganze Hoffnung auf unsere Ruhe im Leib Christi liegt und wenn man auf dem Berg Ruhe finden soll, dann können wir unter dem Berg nichts anderes verstehen als den Leib, den er von uns angenommen hat, vor dessen Annahme er Gott war, in dessen Annahme er Gott ist, und durch den er den Leib unserer Niedrigkeit verklärt hat, indem er ihn seinem verklärten Leib gleichgestaltet hat, jedoch unter der Bedingung, daß auch wir die Laster unseres Leibes an sein Kreuz heften, um in seinem Leib aufzuerstehen. Zu diesem (verherrlichten Leib) steigt man nämlich hinan, nachdem man in der Kirche gewohnt hat, in ihm ruht man in der Erhabenheit des Herrn aus, in ihm werden wir mit den Chören der Engel vereinigt, da auch wir Stadt Gottes sind."[7]

Bereits an dieser ersten Stelle des Psalmenkommentars, wo die Kirche als Leib Christi bezeichnet wird, kommen die entscheidenden Themen zur Sprache. Die irdische Kirche ist ausgerichtet auf die endgültige Gemeinschaft mit Christus in seinem verherrlichten Leib. Hier wird auch

---

[6] Vgl. zur Kirche als Leib des auferstandenen Christus die knappen, das Wesentliche zusammenfassenden Bemerkungen bei A. Fierro, 184–197; L. F. Ladaria, 182–192.

[7] Tr.Ps. 14,5 (86,24 – 88,10; Zitat: 87,23 – 88,7).

schon die Vorläufigkeit der irdischen Kirche ausgedrückt. Die Zugehörigkeit zu Christus gilt uneingeschränkt, denn Christus hat den Leib der Niedrigkeit, den er von uns angenommen hat, dem Leib seiner Herrlichkeit gleichgestaltet. Doch Hilarius nennt eine Bedingung, damit sich diese Gleichgestaltung an uns auswirken kann. Sie liegt in der Entscheidung des Menschen, die Laster des Leibes an das Kreuz Christi zu heften, um dann in seinem Leib aufzuerstehen. Dieser Vorgang erinnert an das sakramentale Geschehen der Taufe, die hier zwar nicht genannt wird, aber sicher im Hintergrund steht. Bereits hier kommt die eschatologische Komponente im Kirchenverständnis des Hilarius klar zum Ausdruck.

Am Ende von Ps 14: „Wer sich danach richtet, wird niemals wanken.", kommt Hilarius noch einmal auf die Kirche zurück. Wer die Weisungen des Psalms, der die Bedingungen für den Eintritt ins Heiligtum aufzählt, beachtet, wohnt im Zelt Gottes und ruht auf seinem Berg. Typologisch verheißt der Psalm, daß derjenige, der in der Kirche beheimatet ist, auch in der Herrlichkeit des Leibes Gottes ausruhen darf[8].

b) Die Kirche als Leib des verherrlichten Christus wird auch in Ps 51 erwähnt. Hilarius setzt sich zunächst ausführlich mit der Überschrift des Psalms auseinander: „In finem intellectus illi Dauid, als der Edomiter Doëg zu Saul kam und ihm meldete: David ist in das Haus des Ahimelech gegangen." Der Titel: in finem intellectus gibt dem Psalm eine eschatologische Ausrichtung[9]. Wie stets in den Psalmen, ist David bei Hilarius ein Vorausbild Christi. Das Haus des Ahimelech wird auf die Kirche gedeutet. Den Namen Ahimelech erklärt Hilarius als Reich meines Bruders (imperium fratris mei). Damit sind die Grundlagen für die typologische Exegese gelegt. Hilarius fragt, was unter dem Haus des Ahimelech (domus imperii fratris) zu verstehen sei. Mit 1 Petr 2, 5.9 versteht er es als das geistige Haus, das aus lebendigen Steinen erbaut ist. Es geht Hilarius um jenes geistige Haus, das durch die geistige Auferbauung der Leiber und die Gleichgestaltung mit Gott errichtet wird. Nachdem er den geistigen Sinn des Hauses des Ahimelech herausgestellt hat, bringt er die christologische und ekklesiologische Deutung: Das Haus des Ahimelech, d.h. das Haus des Reiches der Brüder, hat Jesus Christus als der wahre David be-

---

[8] Tr.Ps. 14,17 (95,26 – 96,4; Zitat: 96,2–4): ... habitantes in ecclesia tandem in gloria Christi corporis quiescamus.

[9] Vgl. Instr. Ps. 18 (15,14–23): psalmi igitur, qui inscribentur in finem, ita intellegendi sunt, ut ex perfectis atque absolutis bonorum aeternorum doctrinis et spebus existant: quia ad ea, quae in his dicentur, fidei se nostrae cursus extendat et in his, nullo ulteriore procursu, ipso suo optatae et adeptae beatitudinis fine requiescat. Vgl. zur eschatologischen Betrachtung des Titels: in finem, N. Gastaldi, 123–126.

treten, indem er einen menschlichen Leib angenommen hat (factus nostri corporis homo). Von der Inkarnation geht Hilarius sofort zum verherrlichten Leib über, denn das Haus, das er betritt, ist sein Reich, das er mit seinen Brüdern teilt, die in der Herrlichkeit des verklärten Leibes Miterben seines Reiches sein sollen nach der Verheißung Mt 25,34: „Kommt her, die ihr von meinem Vater gesegnet seid, nehmt das Reich in Besitz, das seit der Erschaffung der Welt für euch bestimmt ist." Daß Christus das Königshaus seiner Brüder betritt, sieht Hilarius in Ps 21,23 bezeugt: „Ich will deinen Namen meinen Brüdern verkünden, inmitten der Gemeinde dich preisen." Davids Eintritt in das Haus des Ahimelech ist so ein Vorausbild für die Ankunft und Einwohnung Christi unter den Menschen, die durch die Menschwerdung seine Brüder und Miterben seines Reichs geworden sind. Der Edomiter Doëg, der David bei Saul verrät, ist Typos des jüdischen Volkes, das Jesus an Pilatus ausliefert, weil es den Sinn der Menschwerdung nicht begriffen hat: „Doch das gottlose und verbrecherische Volk ... hat nicht erkannt, daß er (Christus), als er im Haus des Ahimelech war, im Haus des Reichs der Brüder war, d. h. daß er in einen Leib eingetreten ist, in dem die Kirche der Heiligen, welche der Leib Christi ist, ihm gleichgestaltet sein und mit ihm herrschen wird."[10] Auch hier wird die Kirche in ihrer eschatologischen Vollendung betrachtet. Hilarius spricht von der Kirche der Heiligen, die der Herrlichkeit des Leibes Christi[11] gleichgestaltet ist und mit ihm herrscht.

c) Für die typologische Exegese ist wichtig, daß Hilarius oft den Berg Zion mit der Kirche als Leib Christi vergleicht. Als Beispiel kann Ps 64,2 stehen: „Dir gebührt Lobgesang, Gott, auf dem Zion." Da Hilarius mit LXX als Überschrift zu Ps 64 liest: In finem psalmus Dauid, ist die eschatologische Richtung bereits angezeigt. Der Lobgesang wird Gott im lebendigen Zion, der Kirche, erstattet: „Zion ist der Berg, der in Jerusalem liegt; doch wir haben immer vernommen, daß mit diesem Berg, seinem Namen und selbst mit dem Namen der Stadt die Kirche gemeint ist, die Christi Leib ist."[12] Hilarius beruft sich für dieses Verständnis auf Ps 2,6; Sach 9,9 und vor allem Gal 4,26, wo Paulus vom himmlischen Jerusalem spricht. Durch die prophetische und neutestamentliche Interpretation von Zion und Jerusalem, die auf die Endzeit hinweist, bekommt auch die

---

[10] Tr.Ps. 51,3–4 (98,1–99,18; Zitat: 99,6–9): Populus autem impius et parricidalis ... non intellegens eum, cum in domo Abimelech sit, in domo esse imperii fraterni, corpus scilicet, in quo ei sanctorum ecclesia, quae corpus est Christi, conformis conregnabit, ingressum ... Vgl. dazu A. Charlier, L'église corps du Christ chez saint Hilaire de Poitiers, in: EThL 41 (1965) 486; R. L. Foley, The Ecclesiology of Hilary of Poitiers, 106–167.

[11] Vgl. Tr.Ps. 51,3 (98,16–17): quae domus fraternum ei regnum est, quia in eiusdem corporis gloria coheredes sumus regni eius.   [12] Tr.Ps. 64, 2 (234,1–4).

Erwähnung der Kirche eine eschatologische Bedeutung: Sie ist der Leib des auferstandenen und verherrlichten Christus.

d) Die Zugehörigkeit zum Leib Christi ist für Hilarius Voraussetzung, daß der Mensch eine Heimat besitzt. Dieser Gedanke wird erwähnt bei der Auslegung von Ps 118,121: „Ich tue, was recht und gerecht ist. Gib mich meinen Bedrückern nicht preis!" In letzter Konsequenz sieht Hilarius in dem Bedrücker den Satan, wobei er sich auf 1 Kor 5,3–5 und 1 Tim 1,20 stützt. Deshalb schreibt er: „Die nämlich vom Leib der Kirche, welche der Leib Christi ist, ausgespien werden, sind gleichsam Fremdlinge und fern vom Leib Gottes. Sie werden der Herrschaft des Teufels überantwortet."[13] Hilarius spricht hier von einer Trennung vom Leib Gottes. Die angeführten Schriftstellen und der Zusammenhang weisen darauf hin, daß er nicht an eine endgültige, sondern an eine zeitliche Trennung vom Leib Christi oder der Kirche denkt, die einen erzieherischen und heilenden Charakter hat, „damit der Geist am Tag des Herrn gerettet wird" (1 Kor 5,5)[14]. Diese Interpretation deckt sich mit der Meinung des Origenes, der Ps 118,121 durch die gleichen Schriftstellen erklärt[15].

e) Mit dem Bild des Leibes ist seit jeher der Gedanke der Einheit und des Wachstums verbunden. Hilarius entfaltet diesen Gesichtspunkt des Leibes der Kirche bei der Auslegung von Ps 121,3–4: „Jerusalem, du starke Stadt, dicht gebaut und fest gefügt. Dorthin ziehen die Stämme hinauf, die Stämme des Herrn." Die Erbauung der Stadt – gemeint ist die Kirche – dauert bis zur Vollendung der Zeit und durch alle Generationen. Wiederum tritt hier die eschatologische Komponente in die Betrachtung der Kirche, denn nach dem Hinweis auf die noch andauernde Erbauung der Stadt schreibt Hilarius: „Der Leib der Kirche ist einer; er ist nicht durch eine Vermischung der Leiber gebildet noch durch die Vereinigung der einzelnen zu einem unterschiedslosen und formlosen Haufen, sondern durch die Einheit des Glaubens, durch die Gemeinschaft der Liebe, durch die Eintracht im Wollen und Handeln, durch die einzigartige Gabe des Sakraments an alle: Wir sind alle eins ... Und wenn sich verwirklicht hat, was geschrieben steht: Die Gemeinde der Gläubigen war ein Herz und eine Seele (Apg 4,32), dann werden wir die Gottesstadt sein, dann werden wir das heilige Jerusalem sein, denn Jerusalem ist als eine Stadt erbaut, deren gesamte Teile sich zur Einheit zusammenfügen."[16]

---

[13] Tr.Ps. 118,ain,5 (497,22–24).
[14] Vgl. zu 1 Kor 5,1–3 B. Poschmann, Paenitentia secunda, 26–29.
[15] La chaîne palestinienne sur le psaume 118: SC 189,384; Kommentar z.St.: SC 190,708 f.
[16] Tr.Ps. 121,5 (573,6–16).

f) Ps 124,1 vergleicht neben der Kirche auch den Gerechten mit Zion und Jerusalem: „Die auf den Herrn vertrauen, sind wie der Zionsberg; in Ewigkeit wird nicht wanken, wer in Jerusalem wohnt." Hilarius erklärt diesen Vers über die Festigkeit des Gerechten mit einem Text aus Jesaja: „Darum – so spricht Gott, der Herr: Seht her, ich lege einen Grundstein in Zion, einen harten und kostbaren Eckstein, ein Fundament, das sicher und fest ist: Wer glaubt, der braucht nicht zu fliehen" (Jes 28,16). Nach Paulus (1 Kor 3,11) ist Christus dieser Eckstein. Deshalb schreibt Hilarius: „Es gibt keinen Zweifel, daß der Apostel Christus als das Fundament bezeichnet hat; der Berg (Zion) scheint die heilige Kirche, den Leib des Herrn, zu bezeichnen, dessen Fundament Christus ist."[17] Hilarius erklärt den Namen Zion als Anschauung oder Betrachtung (speculatio). Der Zusammenhang zwischen Zion (Anschauung) und Kirche als Leib Christi führt zu der Konsequenz, daß wir uns selbst im Leib Christi anschauen, denn Christus hat unseren Leib übernommen: „Christus ist der alles überragende Berg, auf dem wir uns selbst anschauen aufgrund der Annahme unseres Fleisches und Leibes. In ihm nämlich betrachten wir unsere Auferstehung in der Auferstehung unseres Leibes in ihm."[18] Die Auferstehung Jesu ist Verheißung, ja sogar schon Verwirklichung unserer Auferstehung, weil wir bereits geheimnisvoll, aber wirklich in seinem Leib leben. Um diesen Glauben an die Auferstehung zu erhärten, zitiert Hilarius Phil 3,20; Eph 2,5–6; Joh 1,12. Er schließt die Reihe der Bibeltexte mit der Aufforderung: „Vertrauen wir auf den Herrn, damit wir der Herrlichkeit des Leibes Gottes gleichgestaltet werden. Wir wollen jetzt in der Kirche, dem himmlischen Jerusalem, wohnen, um nicht für alle Ewigkeit verstoßen zu werden."[19]

Auch in dieser Psalmenerklärung betrachtet Hilarius die Kirche als den Leib des auferstandenen und verherrlichten Christus. Das Ziel der Kirche ist, endgültig der Herrlichkeit Gottes gleichgestaltet zu werden.

g) Die wichtigste und eindrucksvollste Aussage des Hilarius über die Kirche als Leib Christi findet sich bei der Auslegung des Ps 125. Dieses Wallfahrtslied beschreibt die Wende in der Gefangenschaft Zions: „Als der Herr die Gefangenschaft Zions wendete, da waren wir wie Getröstete" (Ps 125,1). Für Hilarius ist es die Gefangenschaft der Sünde, aus welcher der Herr befreit: „Denn von der Herrschaft der Sünde hat er die

---

[17] Tr.Ps. 124,3 (598,24 – 599,1); vgl. 124,5 (601,4–6): ... montem (Sion) significari ecclesiam, id est dominum in corpore ...
[18] Tr.Ps. 124,3–4 (599,14–17).
[19] Tr.Ps. 124,4 (600,8–11).

Seele befreit, da er die alten Vergehen nicht anrechnet, uns zu einem neuen Leben erneuert und zu einem neuen Menschen umgestaltet, indem er uns einen Platz im Leib seines Fleisches gibt. Denn er selbst ist die Kirche, weil er sie durch das Geheimnis seines Leibes ganz und gar in sich enthält."[20] Die Befreiung von der Sünde wird durch die Einfügung in den Leib Christi geschenkt. Weil Christus in der Menschwerdung einen Leib angenommen hat, ist die Kirche ganz und gar (uniuersa) in ihm enthalten. Die Kirche wird hier vor allem als Heilmittel beschrieben, durch welches der in der Sünde gefangene Mensch die Umgestaltung zu einem neuen Menschen und einem neuen Leben erfährt, welches dem Leben Christi angeglichen ist. Die lapidare Aussage: „Er (Christus) selbst ist die Kirche", steht einzigartig im Werk des Hilarius da. Sie hat zwar eine Parallele im Matthäuskommentar: „Er (Christus) selbst ist das Himmelreich."[21] Hilarius stellt durch diese enge Verbindung zwischen Christus und Kirche eine geheimnisvolle Kontinuität von Synagoge und Kirche und besonders die Einheit von Christus und Kirche heraus: Die Kirche ist vorgebildet im Alten Testament; ihr Beginn ist die Geburt Jesu in Betlehem; sie ist mit Jesus unter dem Leichentuch begraben und – besonders im Spätwerk – der Leib des auferstandenen Herrn.

h) In Ps 132 versteht Hilarius die Salbung Aarons (V 2) als Typos der geistigen Salbung Christi. Im Salböl, das von Aarons Kopf auf den Bart herabfließt, sieht er ein Vorausbild der Salbung Christi, des Hauptes der Kirche. Diese Salbung erstreckt sich auf den ganzen Leib, zuerst auf den Bart, d.h. auf die im Glauben Erstarkten (in consummatae fidei uirum). Gemeint sind die Gläubigen, deren Glauben eine vollkommene Festigkeit erlangt hat. Doch das Salböl Aarons fließt vom Bart auf sein Gewand weiter, d.h. es umgibt den ganzen Körper. Hilarius denkt hier an die ganze Kirche, die an der Salbung ihres Hauptes teilhat. Diese Teilnahme ist vorausgebildet in den beiden Frauen, die im Evangelium das Haupt (Mt 26,6–7) und die Füße Jesu (Lk 7,38) salbten. Gemäß der typologischen Exegese salbten beide Frauen den ganzen Leib des Herrn, die Kirche: „Am Beispiel dieser Frauen, die den Herrn salbten und im Evangelium ein Bild der Kirche darstellen, werden wir belehrt, daß die eine das Haupt, die andere die Füße salbte; das bedeutet, daß jede von ihnen in einem Teil den ganzen Körper gesalbt hat. Deshalb wird auch

---

[20] Tr.Ps. 125,6 (609,16–20; Zitat: 19–20): ipse est enim ecclesia, per sacramentum corporis sui in se uniuersam eam continens.
[21] In Mt. 12,17 (I,284,14–15).

die Mitte ausgelassen. Denn wenn der Saum des Gewandes und der Bart erwähnt werden, so ist darunter der ganze Leib bezeichnet."[22]

Damit sind die Hauptstellen zur Kirche als Leib Christi im Psalmenkommentar zusammengestellt[23].

4) Im Mysterienbuch wird der paulinische Gedanke der Kirche als Leib Christi durch die Typologie einiger Stellen aus dem Buch Genesis ergänzt.

a) Das Thema der Kirche als Leib Christi ist zunächst eng verbunden mit der typologischen Deutung von Eva und Kirche. Bei der Auslegung der Erschaffung Evas aus der Seite Adams entfaltet Hilarius einige Gedanken, die auch in der Erklärung von Ps 124 vorkommen: Die Auferstehung Christi als wirksames Zeichen unserer Auferstehung. Als Adam – gemeint ist der himmlische Adam – aus dem Schlaf erwacht, erkennt er in Eva, der Kirche, sein Bein (suum os). Dieses Geheimnis zwischen Adam und Eva ist ein Vorausbild der Kirche als Leib Christi, denn es weist bereits am Anfang der biblischen Menschheitsgeschichte auf jene Vollendung hin, die Christus für die Kirche bereithält. Hilarius denkt hier an jene Einheit des Menschengeschlechts, die in der himmlischen Kirche ihre Vollendung findet[24].

b) Ein weiterer Hinweis auf die Kirche, die nun allerdings sakramental als Leib Christi betrachtet wird, findet sich in der geistigen Exegese von Kain und Abel. Das Opfer Abels von den Erstlingen seiner Herde (Gen 4,4) ist Typos für das Opfer der Kirche, welche in der Folgezeit (deinceps) das Opfer des heiligen Leibes darbringen sollte[25].

c) Der biblische Bericht vom Brudermord ist für Hilarius Anlaß, noch einmal auf die Kirche als Leib Christi hinzuweisen, denn er ist ein Vorausbild des Leidens Jesu, das ihm vom jüdischen Volk zugefügt wurde: „So wird das Blut Abels von ihm (dem jüdischen Volk) gefordert, welches nach dem Vorausbild in Kain den Gerechten verfolgt hat und von der Erde verflucht ist. Denn im Leib Christi, in dem die Apostel und die Kirche sind, hat das ganze jüdische Geschlecht und seine Nachkommen-

---

[22] Tr.Ps. 132,5 (687,30 – 688,27; Zitat: 688,21–27). Zur Salbung Jesu vgl. auch Trin. XI,18 (547,1 – 548,25). Nach In Mt. 29,2 (II,218,1 – 220,22) ist die Frau, die das Haupt Jesu salbt, Typos für das Volk der Heiden, welches beim Leiden Jesu Gott die Ehre erwiesen hat (vgl. Mt 27,54).

[23] Weitere Stellen: Tr.Ps. 52,16 (130,6–8); 52,18 (131,23–25); 59,9 (199,13–17); 68,7 (318,20–22); 118,nun,4 (476,12–13); 128,9 (643,16–19).

[24] Myst. I,5 (82–84). Zur Kirche als ‚os Christi' vgl. Tr. Ps. 52,16 (130,5–8); 138,29 (764,28–29).

[25] Myst. I,6 (86–88).

schaft das Blut aller (Gerechten) auf sich geladen, als sie riefen: Sein Blut komme über uns und unsere Kinder (Mt 27,25)."[26]

Besonders die Texte aus dem Spätwerk zeigen, daß für Hilarius die Bestimmung der Kirche als Leib Christi entscheidend ist, wenn es um die Beziehung der Kirche zu Christus geht. Dabei begnügt sich Hilarius nicht mit der Übernahme des paulinischen Gedankens, sondern es geht ihm um eine theologische Reflexion des Bildes vom Leib Christi. Er nimmt den paulinischen Gedanken auf, stellt ihn in einen breiten biblischen Rahmen und lotet theologisch die Dimensionen des Leibes aus. Die überragende Stellung Christi als Haupt der Kirche kommt in Ps 132 zur Sprache. Bei der Darstellung des Leibes Christi wird auf den Berg Zion, das himmlische Jerusalem und die Typologie Evas hingewiesen. Damit ist die Kirche als Erfüllung des Alten Testaments aufgewiesen. Mit dem Bild des Leibes verbindet Hilarius den Gedanken der Einheit der Kirche und ihres Wachstums. Die genannten Elemente deuten darauf hin, daß die Kirche keine statische Größe in der Geschichte ist, sondern selbst geschichtlich existiert, denn sie ist bis zur Erfüllung der Zeit ein Bauplatz. In der Einheit und dynamischen Entwicklung dieses Leibes soll zugleich bis zur Vollendung immer deutlicher werden, was die Kirche bereits jetzt ist: Leib des auferstandenen und verherrlichten Christus.

3.1.1 Annahme des Fleisches durch Christus

Es geht hier um die Bedeutung der Begriffe adsumo/adsumptio bei Hilarius in ekklesiologischem Zusammenhang. J. Doignon hat in seinem Artikel über diese beiden Begriffe als Ausdruck des Geheimnisses der Menschwerdung die ganze Bandbreite von adsumo und adsumptio im Werk des Hilarius zusammengestellt[27]. Das Verb adsumo wird mit folgenden Substantiven verbunden: corpus, caro, infirmitas, forma, humilitas, natura, creatio, fragilitas, habitus, nomen, condicio, creatura, substantia. Daneben verbindet Hilarius es auch mit dem Akkusativ nos. Adsumptio steht im Zusammenhang mit: caro, homo, corpus, nostra (adsumptio), forma, humilitas, natura, seruilis, infirmitas, passiones[28]. J. Doignon weist darauf hin, daß der Gebrauch von adsumo/adsumptio im Matthäuskommentar noch sehr rudimentär sei. Beide Begriffe

---

[26] Myst. I, 7 (90).
[27] J. Doignon, Adsumo et adsumptio comme expressions du mystère de l'incarnation, in: ALMA 23 (1953) 123–135.
[28] Ebd., 130f.

bezeichneten hier nur die Annahme einer schwachen menschlichen Natur, die der geistigen Natur Gottes entgegengesetzt sei. Eine theologische Bedeutung als Ausdruck der Inkarnation und ein ekklesiologisches Gewicht erlangten diese Begriffe erst in De Trinitate, d. h. vor allem durch die Begegnung des Hilarius mit der östlichen Theologie. Deshalb hat J. Doignon, bevor er adsumo/adsumptio bei Hilarius untersucht, auf ähnliche Ausdrucksweisen für die Annahme der menschlichen Natur durch Christus bei den griechischen Vätern hingewiesen[29].

Um das Geheimnis der Kirche zu beschreiben, bleibt Hilarius nicht bei der paulinischen Bestimmung der Kirche als Leib Christi stehen, sondern sucht den inneren Grund für die Verbindung von Christus und Kirche. Die Kirche ist Leib Christi, weil das Wort Gottes in der Menschwerdung das Fleisch der ganzen Menschheit angenommen hat[30]. Hilarius merkt an, daß die Schrift unter ‚Fleisch‘ das gesamte Menschengeschlecht versteht[31].

1) Im Matthäuskommentar wird die Kirche zwar nur einmal als Leib Christi bezeichnet. Doch an mehreren Stellen spricht Hilarius von der Einheit zwischen Christus und der Menschheit und sieht im angenommenen Leib die Voraussetzung dieser Einheit. Zu Mt 5, 14: „Eine Stadt, die auf einem Berg liegt, kann nicht verborgen bleiben.", schreibt er: „Das Fleisch, das er (Christus) angenommen hat, nennt er Stadt, denn wie eine Stadt sich aus der Verschiedenheit und Vielzahl der Bewohner zusammensetzt, so ist in ihm durch die Natur des angenommenen Leibes gewissermaßen die Versammlung des gesamten Menschengeschlechts enthalten. So wird er aufgrund unserer Versammlung in ihm zu einer Stadt, und wir sind durch die Gemeinschaft mit seinem Fleisch Bewohner der Stadt."[32]

Bereits an dieser frühen Stelle im Werk des Hilarius kommt ein entscheidender Gedanke zum Ausdruck, der seine gesamte Assumptionslehre bestimmt. Wenn er im Blick auf die gesamte Menschheit und die Kirche vom angenommenen Leib spricht, so geht es ihm um die Natur des angenommenen Leibes. Sicher handelt es sich dabei nicht um eine rhetorische Formel[33], sondern um eine theologische Aussage. Jesus

---

[29] Ebd., 126f.   [30] Tr.Ps. 51,16 (108,25).   [31] Tr.Ps. 64,4 (235,11–12).
[32] In Mt. 4,12 (I,130,3–9): Ciuitatem carnem quam adsumpserat nuncupat, quia, ut ciuitas ex uarietate ac multitudine consistit habitantium, ita in eo per naturam suscepti corporis quaedam uniuersi generis humani congregatio continetur. Atque ita et ille ex nostra in se congregatione fit ciuitas et nos per consortium carnis suae sumus ciuitatis habitatio.
[33] Vgl. Ph. T. Wild, The Divinization of Man according to Saint Hilary, 65: „figure of speech".

nimmt in der Menschwerdung nicht nur einen individuellen menschlichen Leib an, sondern der Natur nach den Leib des gesamten Menschengeschlechts. Darin kommt die Solidarität des geschichtlichen Menschen Jesus von Nazaret mit allen Menschen aller Zeiten zum Ausdruck. Die Vereinzelung der Menschen, die durch den Leib (als Individuationsprinzip) gegeben ist, wird gleichsam dadurch aufgehoben, daß Christus zugleich mit dem aus Maria geborenen individuellen Leib die allen Menschen gemeinsame menschliche Natur angenommen hat. Dadurch hat er alle einzelnen Menschen zu einem Universalleib zusammengefügt.

Hier liegt ein origineller Beitrag des Hilarius auf dem Weg der Ekklesiologie, der Inkarnations- und der Soteriologielehre vor, denn der Gedanke eines der Natur nach universalen Leibes findet sich vor ihm in solch realistischer Formulierung bei keinem anderen Autor der Alten Kirche[34]. Es gibt zwar schon vorher einige Stellen bei Origenes, die in jene Richtung deuten, die Hilarius dann deutlich herausstellen wird: Auch für Origenes ist der Leib Christi die Gesamtheit aller Geschöpfe[35].

Neben Origenes führt P. Coustant in der Einleitung seiner Ausgabe der Werke des Hilarius (Paris 1693) ein breites Spektrum von Väteraussagen an, die alle zu der Meinung führen könnten, daß Christus bei der Menschwerdung nicht eine individuelle menschliche Natur, sondern die Natur des gesamten menschlichen Geschlechts angenommen habe. Doch P. Coustant führt auch Texte des Hilarius an, die deutlich zeigen, daß Christus in der Annahme einer individuellen Menschennatur die gesamte menschliche Natur angenommen hat[36]. Man muß in der Christologie des Hilarius beide erwähnten Aspekte zusammenschauen: Die Annahme einer individuellen menschlichen Natur ist für Hilarius die Voraussetzung, daß Christus die gesamte Menschheit der Natur nach annehmen konnte. Hilarius hat hier in origineller Weise eine Einheit geschaffen, die auf den Vorarbeiten der Tradition gründet. Der Gedanke, daß alle Menschen unterschiedslos durch die Menschwerdung mit Christus vereint sind, kann noch an einigen Stellen des Matthäuskommentars weiter verfolgt werden. Durch die Hineinnahme des ganzen Menschengeschlechts in die mensch-

---

[34] Vgl. dazu A. Fierro, 185.

[35] Vgl. Orig., In psalm. 36, hom. 2, 1 (PG 12, 1330 A): Corpus Christi sumus et membra ex parte (vgl. Eph 5, 30). Christus enim, cuius omne hominum genus, immo fortasse totius creaturae universitas corpus est … Vgl. auch In cant. 2, 16 (PG 17, 265 C): τὸ σῶμα … τῷ κυρίῳ, καὶ ὁ κύριος τῷ σώματι, σῶμα γὰρ ἡ νύμφη ἐκκλησία Χριστοῦ.

[36] P. Coustant, Praef. gen., 80–82, in: PL 9, 44 D – 46 C. Vgl. zur Lehre des Athanasius Ch. Kannengiesser, in: Athanase d'Alexandrie, Sur l'incarnation du Verbe (SC 199), 139 bis 156.

liche Natur Christi ist Christus für jeden Menschen der Nächste geworden. Dies wird deutlich in der Auslegung von Mt 19, 19: „Du sollst deinen Nächsten lieben wie dich selbst!" Durch die Annahme unseres Leibes (adsumpti corporis condicione) wird Christus jedem einzelnen Menschen der Nächste[37].

Der ausführlichste, aber zugleich auch schwierigste Text zu diesem Thema steht im Zusammenhang mit der Taufe Jesu (Mt 3, 13): „In Jesus Christus war ganz und gar ein Mensch, und so hat der Leib, den er zum Dienst des Geistes angenommen hat, das ganze Geheimnis unseres Heils in sich vollbracht. Er kam zu Johannes, geboren aus einer Frau, unter das Gesetz gestellt und durch das Wort Fleisch geworden. Er selbst bedurfte der Taufe nicht, denn von ihm heißt es: Er hat keine Sünde begangen (1 Petr 2, 22); wo keine Sünde ist, da ist auch ihre Vergebung müßig. Doch er hat den Leib und Namen unseres geschaffenen Seins angenommen, er selbst brauchte nicht getauft werden, sondern durch ihn sollte in den Wassern unserer Taufe die Reinigung geheiligt werden. Er wird dann auch von Johannes daran gehindert, sich als Gott taufen zu lassen, und doch belehrt er (Jesus) ihn, daß dies an ihm als Mensch geschehen müsse. Denn die ganze Gerechtigkeit sollte durch ihn erfüllt werden, der allein das Gesetz erfüllen konnte. So hat er einerseits nach dem Zeugnis der Propheten die Taufe nicht nötig, anderseits erfüllt er durch das Vorbild seines Beispiels die Geheimnisse des menschlichen Heils, da er den Menschen durch die Menschwerdung und Taufe heiligt."[38] Hilarius stellt am Beginn dieses Textes fest, daß Christus in seinem angenommenen Leib das gesamte Geheimnis unseres Heils gewirkt hat. Menschwerdung und Taufe sind die Voraussetzungen des menschlichen Heils. Der lateinische Text wirft eine Frage auf. Es heißt dort: Erat in Iesu Christo totus homo. P. Coustant versteht totus homo als omnis homo[39]. E. Mersch übernimmt

---

[37] In Mt. 19,5 (II, 94, 14–17).
[38] In Mt. 2,5 (I, 108, 2 – 110, 19): Erat in Iesu Christo homo totus atque ideo in famulatum Spiritus corpus adsumptum omne in se sacramentum nostrae salutis expleuit. Ad Ioannem igitur uenit ex muliere natus, constitutus sub lege et per Verbum caro factus. Ipse quidem lauacri egens non erat, quia de eo dictum est: Peccatum non fecit; et ubi peccatum non est, remissio quoque eius est otiosa. Sed adsumptum ab eo creationis nostrae fuerat et corpus et nomen, atque ita non ille necessitatem habuit abluendi, sed per illum in aquis ablutionis nostrae erat sanctificanda purgatio. Denique et a Ioanne baptizari prohibetur ut Deus et ita in se fieri oportere ut homo edocet. Erat enim per eum omnis implenda iustitia per quem solum lex poterat impleri. Atque ita et prophetae testimonio lauacro non eget et exempli sui auctoritate humanae salutis sacramenta consummat hominem et adsumptione sanctificans et lauacro. Vgl. dazu J. Doignon, La scène évangélique du baptême de Jésus ..., in: Epektasis, 68–73; W. Wille, 92–95.
[39] PL 9, 927, Anm. a.

diese Interpretation, weist aber zugleich darauf hin, daß hier der Kontext entscheidend sei[40]. Hilarius stellt mehrfach fest, daß Jesus nicht um seiner selbst willen von Johannes getauft werden will, sondern um die Geheimnisse des menschlichen Heils zu erfüllen. Im folgenden Abschnitt (In Mt. 2,6) entfaltet er die Parallele zwischen der Taufe Jesu und den Wirkungen unserer Taufe. So könnte mit der Formel: Erat in Iesu Christo totus homo, die Inklusion der gesamten Menschheit in Christus gemeint sein. Doch Christus kann die Menschen nur retten, weil er selbst ganz Mensch geworden ist. Deshalb übersetzt J. Doignon: „il y avait en Jésus-Christ totalement un homme"[41]. Für diese Deutung lassen sich Belege aus De Trinitate anführen, wo Hilarius unter totus homo die unverkürzte Menschheit Jesu versteht[42]. Vielleicht trifft aber die Schwebe zwischen totus homo und omnis homo am besten den tieferen Sinn dieser Stelle.

Diese Schwebe zeigt sich wieder bei einem Text, der die Annahme des Menschen in Christus nicht nur auf die Inkarnation, sondern vor allem auf die Himmelfahrt bezieht. Im Hintergrund steht die lateinische Übersetzung von Mk 16,19: Dominus Iesus assumptus est in caelum. Hilarius beschäftigt sich hier zunächst mit der Versuchung Jesu in der Wüste: Jesus hatte nicht während der vierzig Tage Hunger, sondern erst nach Ablauf des vierzigtägigen Fastens. Die vierzig Tage in der Wüste sind für Hilarius eine Vorwegnahme jener vierzig Tage, die Jesus nach seinem Leiden noch in der Welt verweilt. Danach hungert es ihn nach dem Heil der Menschen, und er bringt „den Menschen, den er angenommen hatte", in den Himmel zurück[43]. In diesem Zusammenhang bedeutet der Hinweis auf den Menschen, den er angenommen hat, sowohl die menschliche Natur, die Christus bei der Menschwerdung angenommen hat, als auch die Gesamtheit der Menschen, die Christus dem Vater als Gabe mitbringt. In der Inkarnation ist ein Band zwischen dem Menschen Jesus und dem ganzen Menschengeschlecht geknüpft worden: Die Annahme einer individuellen menschlichen Natur bedeutet die Annahme der ganzen Menschheit bis zur Heimführung in das Reich des Vaters.

Ein ähnlicher Gedanke findet sich bei der Auslegung des Gleichnisses

---

[40] E. Mersch, a.a.O. (s.o. Anm. 1), 347 f, Anm. 6.

[41] J. Doignon, z. St.: SC 254, 109; ders., „Erat in Iesu Christo homo totus" (Hilaire de Poitiers, In Matthaeum 2,5). Pour une saine interprétation de la formule, in: REAug 28 (1982) 201–207; ebenso A. Charlier, a.a.O., 456; J. Pettorelli, Le thème de Sion, expression de la théologie de la rédemption dans l'œuvre de saint Hilaire de Poitiers, in: Hilaire et son temps, 219, Anm. 21.

[42] Vgl. Trin. X, 20 (474,4–5); 22 (475,6–7); 24 (479,10–11): adsumpta caro, id est homo totus; 52 (506,11–12).

[43] In Mt. 3,2 (I,112,26 – 114,17); vgl. 4,14 (I,132,15–24).

vom verlorenen Schaf (Mt 18,12–14). Die neunundneunzig Schafe, die der Hirt in den Bergen zurückläßt, um das verirrte Schaf zu suchen, sind die Engel. Das hundertste Schaf ist das Menschengeschlecht, das sich in der Sünde Adams verirrt hat. Christus ist Mensch geworden, um das verlorene Schaf zu suchen und in seinem Leib zur himmlischen Herrlichkeit der Engel zurückzutragen[44]. Im Leib Christi, der in den Himmel aufgefahren ist, ist auch das Menschengeschlecht bereits jetzt in den Himmel versetzt.

Die angeführten Stellen zeigen, daß die Meinung J. Doignons über den noch rudimentären Gebrauch von adsumo/adsumptio im Matthäuskommentar nicht ganz zutreffend ist, sondern daß beide Begriffe bereits im Frühwerk eine theologische Bedeutung besitzen[45]. Mit ihnen wird die Verbindung der Menschheit mit dem Leib Christi bezeichnet, ohne daß dabei allerdings die Kirche erwähnt wird. Die Inkarnation ist die Voraussetzung, daß Christus in dem angenommenen Leib das Geheimnis unseres Heils erfüllt. Hilarius weist besonders auf die Taufe Jesu, sein Leiden und seine Himmelfahrt hin. Diese Geheimnisse des Lebens Jesu sollen sich prinzipiell an allen Menschen auswirken. Damit die heilshaften Taten Jesu sich aber an den Menschen auswirken können, müssen diese sich in der Taufe dem Leben Jesu anschließen[46].

2) Den Gedanken, daß Christus mit der Annahme eines menschlichen Leibes die gesamte Menschennatur angenommen hat, führt Hilarius auch in De Trinitate an[47]. Doch es kommt ein neuer Gesichtspunkt hinzu, den Hilarius besonders in diesem Werk entfaltet, das der Verteidigung der wahren Gottheit Christi gewidmet ist. Er stellt hier eine Parallele auf zwischen der Immanenz des Menschengeschlechts im Leib Christi[48] und der Immanenz Christi in allen Menschen aufgrund seiner Gottheit. „Um des Menschengeschlechts willen ist nämlich der Sohn Gottes aus der Jungfrau und dem Heiligen Geist geboren ..., damit er, Mensch geworden aus der Jungfrau, die Wirklichkeit des Fleisches annehme und damit durch diese innige Verbindung der Leib des ganzen Menschengeschlechts in ihm geheiligt sei. Denn wie er wollte, daß sich alle in ihm befinden durch

---

[44] In Mt. 18,6 (II,80,1–14).
[45] Vgl. weiterhin In Mt. 4,3 (I,124,2–3); 9,7 (I,210,9–12); 16,5 (II,52,1–5); 16,9 (II,56,12–13); 31,10 (II,236,3–4). Vgl. J. Doignon, Hilaire de Poitiers avant l'exil, 367, Anm. 2; P. C. Burns, The Christology in Hilary of Poitiers' Commentary on Matthew, 95 ff.
[46] Vgl. In Mt. 2,6 (I,110,10–15).
[47] Trin. XI,16 (544,1–2).
[48] Trin. IX,8 (378,9–10); IX,10 (380,1–2).

den Leib, den er angenommen hat, so wollte er in allen durch das sein, was unsichtbar an ihm ist."[49]

Durch die Annahme des Fleisches des ganzen Menschengeschlechts hat sich in den Menschen etwas verändert. Hilarius spricht vom Paradox des Tausches zwischen Gott und den Menschen durch die Inkarnation: „Seine Selbsterniedrigung ist unsere Würde, seine Schmach unsere Ehre. Weil er, der Gott ist, im Fleisch gegenwärtig ist, sind wir unserseits aus dem Fleisch in Gott hinein erneuert."[50] Mit der Annahme des Fleisches durch Gott ist die Vergöttlichung des Menschen verbunden. Wenn Hilarius auch die Kirche nicht erwähnt im Geschenk der Vergöttlichung, so ist sie doch sicher in Trin. VIII mitgemeint, wo es um die Wesenseinheit von Vater und Sohn geht und um die innige Einheit der Gläubigen mit Christus durch Glaube, Taufe und Eucharistie.

Christus ist mit den Menschen in zweifacher Weise vereint: Er hat alle Menschen in der Menschwerdung angenommen. Durch diese Annahme ist prinzipiell die Vergöttlichung des Menschen gegeben. Hilarius sieht aber besonders in der Eucharistie die Applikation der einst geschehenen Annahme der Menschheit auf die Zeit der Kirche oder auf die Gegenwart. Die Eucharistie ist gleichsam das Mittel, welches uns der bereits in der Menschwerdung Jesu geschenkten Vergöttlichung wahrhaft und leibhaft teilhaftig werden läß. Durch die Eucharistie leben wir jetzt aus und in jener Vergöttlichung, die Christus in seiner Menschwerdung jedem Menschen gebracht hat[51].

Stärker als im Matthäuskommentar wird in De Trinitate die Annahme des Fleisches in einen eschatologischen Zusammenhang gestellt. Annahme des Fleisches bedeutet – auf der Linie des wundersamen Tausches –, daß unser Leib umgestaltet wird zur Herrlichkeit des Leibes Christi, die zwar jetzt schon in uns wirksam ist (resurgens de mortuis adsumpsit nos), aber in sich eine Dynamik enthält auf die Offenbarung dieser Herrlichkeit[52].

Hilarius hebt bei aller Betonung unserer Einheit mit Christus auch häu-

---

[49] Trin. II, 24 (60, 3–4.6–12): Humani enim generis causa Dei Filius natus ex uirgine est et Spiritu sancto ... ut homo factus ex uirgine naturam in se carnis acciperet, perque huius admixtionis societatem sanctificatum in eo uniuersi generis humani corpus existeret: ut quemadmodum omnes in se per id quod corporeum esse uoluit conderentur, ita rursum in omnes ipse per id quod eius est inuisibile referretur.
Zur ‚natura carnis‘ vgl. E. Mersch, a. a. O., 349 f; P. Smulders, La doctrine trinitaire de S. Hilaire de Poitiers, 283 ff.
[50] Trin. II, 25 (61, 16–18); vgl. ähnlich In Mt. 5, 15 (I, 168, 6–8).
[51] Vgl. Trin. VIII, 13–16 (325, 1 – 328, 22).
[52] Vgl. Trin. VI, 43 (247, 3–6); P. Galtier, Saint Hilaire de Poitiers, 145–149.

fig den Unterschied zwischen dem natürlichen Sohn Gottes und den in Christus angenommenen Söhnen hervor. Wir sind Söhne Gottes, weil Christus in der Annahme des Fleisches unser Bruder ist. Hilarius stellt zugleich den Unterschied zwischen der Beziehung Christi zu seinem Vater und unserer Beziehung zu Gott heraus: „Gott besitzt also Brüder dem Leibe nach, weil das Wort Fleisch geworden ist und unter uns gewohnt hat. Im übrigen ist der eingeborene Gott in seiner Ausschließlichkeit als Eingeborener ohne Brüder."[53] Der Vorrang Christi vor seinen Brüdern liegt darin, daß er eine besondere Beziehung zum Vater hat aufgrund der ewigen Geburt aus Gott und der Menschwerdung. In die Beziehung zum Vater aufgrund der Menschwerdung ist die ganze Menschheit einbezogen: „Weil er aber unser vollständiges Wesen aufgrund der Annahme des Fleisches in sich umschloß, war er zwar, was wir sind, hatte aber doch nicht jenes Dasein aufgegeben, in dem er fortgedauert hatte. Denn damals hatte er aufgrund der Geburt, jetzt aufgrund der Setzung (Menschwerdung) Gott zum Vater. Jetzt aufgrund der Setzung, weil alles aus Gott dem Vater stammt. Denn für alle ist Gott der Vater, weil alles aus ihm und in ihm besteht."[54]

Auch die weiteren Stellen, die von der Annahme des Fleisches oder des Menschen sprechen[55], erwähnen die Kirche nicht im Prozeß der Aneignung und Teilhabe an der Heiligung und Vergöttlichung, die prinzipiell durch die Menschwerdung Jesu geschehen ist. Da Hilarius in De Trinitate die wahre Gottheit Jesu verteidigt gegen alle Versuche, den Logos zu einem – zwar besonders herausgehobenen – Geschöpf zu machen oder die Wesensgleichheit von Vater und Sohn abzuschwächen, hat er besonders die Gottheit Jesu herausgestellt und zugleich, trotz der Betonung der Annahme aller Menschen durch Christus, den wesentlichen Unterschied zwischen der Sohnschaft Jesu und unserer Sohnschaft. Bei aller notwendigen Unterscheidung zwischen dem natürlichen Sohn und den im Sohn angenommenen Söhnen hat Hilarius in De Trinitate noch nicht alle Konsequenzen aus der Einigung zwischen Christus und uns gezogen, wie sie sich gerade in Trin. VIII bei den Ausführungen über die Eucharistie anbieten[56].

---

[53] Trin. XI, 15 (544, 23–26).
[54] Trin. XI, 16 (544, 1–6).
[55] Vgl. Trin. I, 11 (11, 20 – 12, 27); I, 13 (14, 34–36); II, 27 (63, 24–26); III, 3 (74, 14 – 75, 20); V, 27 (180, 29–30); VII, 26 (292, 41–42); IX, 38 (411, 5–7); IX, 55 (435, 27–32); IX, 56 (436, 9–10); IX, 66 (446, 21 – 447, 28); X, 24 (479, 10–11); X, 54 (509, 3); XI, 9 (538, 48–50); XI, 48 (576, 7–9); XI, 49 (576, 1–577, 2); XII, 45 (616, 13–17).
[56] Vgl. dazu P. Smulders, a. a. O., 152, Anm. 59. Nachdem Smulders den Abstand zwischen

3) Im Psalmenkommentar spricht Hilarius vom Geheimnis des mensch-gewordenen Gottes (sacramentum dei corporati)[57]. Unter diesem Begriff können die zahlreichen Aussagen zur Annahme des Fleisches durch Christus zusammengefaßt werden. Der eschatologische Aspekt der Annahme des Fleisches oder der gesamten Menschheit wird deutlich herausgestellt. Während die ekklesiologische Bedeutung des Leibes Christi sich an mehreren Stellen in diesem Werk findet, ist die Verbindung von Kirche und Annahme des Fleisches durch Christus nur indirekt vorhanden. Dies kann an der Beziehung zwischen Haus Gottes, Kirche und Tempel Gottes gezeigt werden, die Hilarius bei der Auslegung von Ps 64,5 b herstellt: „Wir wollen uns an den Gütern deines Hauses sättigen: dein Tempel ist heilig, wunderbar in Gerechtigkeit." Unter den Gütern des Hauses versteht Hilarius die Gaben der Kirche, die Christus ihr verliehen hat. Daß mit dem Haus Gottes die Kirche gemeint ist, zeigt er durch den Verweis auf 1 Tim 3,15. Der Tempel Gottes sind die Leiber der Gläubigen (1 Kor 3,16–17). Mit dem Haus Gottes verbindet Hilarius zugleich die vom Sohn Gottes angenommene Menschheit. Da in Christus die ganze Fülle der Gottheit wohnt, wird der angenommene Mensch (adsumptus a dei filio homo) mit den Gütern des Hauses Gottes oder den Gaben der Kirche erfüllt: mit Kraft, Herrlichkeit und Ewigkeit[58]. Hier wird indirekt eine Beziehung zwischen der Annahme des Fleisches durch Christus und der Kirche hergestellt. Die göttliche Kraft, Herrlichkeit und Ewigkeit erfüllt bereits jetzt denjenigen, der in Heiligkeit und Gerechtigkeit seinen Leib als Tempel Gottes bewahrt hat. Dies wird noch deutlicher in Ps 64,5 a: „Wohl dem, den du erwählt und angenommen hast, damit er in deinen Vorhöfen wohne." Die Annahme betrifft die ganze Menschheit, die Erwählung grenzt die Annahme auf jene ein, die das hochzeitliche Gewand angelegt haben und durch die Taufe neue Geschöpfe geworden sind. Das

---

der Sohnschaft Jesu und der Christen und zugleich aber auch die wirkliche, vor allem sakramental ermöglichte Adoption der Christen (Trin. VIII,13–16) herausgestellt hat, hebt er den Unterschied zwischen Hilarius und Athanasius in dieser Frage hervor: „Pour Hilaire notre filiation divine n'est qu'une objection qui peut donner prise à de fausses opinions sur la filiation du Christ. Athanase au contraire, tout en distinguant soigneusement l'une et l'autre filiation, ne craint pas cependant de dire que nous devenons de vrais fils de Dieu et il tire argument de notre filiation elle-même pour prouver la vraie filiation du Christ, vu que notre union à lui n'est susceptible de faire de nous des fils adoptifs que si celui-ci est le véritable et propre Fils de Dieu." Vgl. Athan., Or.c.Ar. II,59 (PG 26,273 A/B); Decr.Nic.Syn. 31,3 (Opitz II,1,27,25–28). Vgl. auch Ph. T. Wild, a.a.O., 50–56, der die Auffassung Smulders aus dem Psalmenkommentar leicht modifiziert.
[57] Tr.Ps. 1,5 (22,15). Der Begriff „corporatio" findet sich bereits bei Tert., De carne Christi 4,1 (CCL 2,878,2).
[58] Tr.Ps. 64,6 (237,6 – 238,25).

Ziel der Erwählung ist das Wohnen in den Vorhöfen Gottes. Darunter versteht Hilarius die himmlische Ruhe[59]. Durch die Annahme der Natur des gesamten Fleisches ist der Leib Christi, der aus der Jungfrau geboren ist, der Tempel, „in dem der Gläubige wohnt, gleichsam teilhaft des Fleisches des Herrn". Hilarius unterscheidet aber, trotz der häufigen Betonung der Annahme des ganzen Menschengeschlechts durch die Menschwerdung, verschiedene Grade der Zugehörigkeit zum Leib Christi. Um Ps 51, 7 zu erklären: „Darum wird Gott dich verderben für immer, dich pakken und herausreißen aus deinem Zelt, dich entwurzeln aus dem Land der Lebenden.", führt er die johanneische Bildrede vom Weinstock und den Reben (Joh 15, 1–8) an. Der Weinstock ist der Leib Christi (corporatus deus). Durch die Inkarnation sind alle Menschen Reben an diesem Weinstock geworden. Damit diese prinzipielle Annahme in den Leib Christi uns zum Heil wird, ist der Glaube an die Menschwerdung Jesu und die Fruchtbarkeit dieses Glaubens im Leben erforderlich: „Denn wer es durch den Glauben an die Menschwerdung Gottes verdient, in dem Leib, den Gott angenommen hat, zu bleiben, der wird gereinigt, so daß er aus sich Frucht für die Ewigkeit bringt; der Rebzweig, der am Weinstock bleibt, muß nämlich das Wesen des wahren Weinstocks enthalten. Wer aber nicht an die Menschwerdung glaubt oder trotz des Glaubens keine Früchte seines Glaubens bringt, der wird entweder seines Unglaubens oder seiner Nutzlosigkeit wegen abgeschnitten, da er die Früchte verweigert hat. Der aus der Jungfrau geborene Sohn Gottes … hat in sich die Natur des gesamten Fleisches angenommen und ist der wahre Weinstock geworden, der in sich alle Rebzweige enthält. Wenn also ein Rebzweig ungläubig oder unfruchtbar ist, dann wird er von selbst abgeschnitten; aufgrund seiner Natur bleibt er zwar (im Weinstock), doch infolge seiner Ungläubigkeit und Unbrauchbarkeit wird er abgeschnitten."[60]

Wichtig ist, daß der Rebzweig (allgemein: die ganze Menschheit) aufgrund seiner Natur im Weinstock (im Leib Christi) bleibt. Die Verbin-

---

[59] Tr.Ps. 64, 5 (236, 5–22).
[60] Tr.Ps. 51, 16 (108, 15 – 109, 4). Vgl. Trin. IX, 55 (434, 14–24); Tr.Ps. 51, 17 (109, 9–20): qui enim non manebit in Christo, regni Christi incola non erit; non erit autem, non quod sibi non patuerit incolatus – uniuersis enim patet, ut consortes sint corporis dei et regni; quia uerbum caro factum est et inhabitauit in nobis, naturam scilicet in se totius humani generis adsumens –, sed unusquisque pro merito se et euellendum de tabernaculo et eradicandum de terra uiuentium praebet, non prohibitus umquam inesse, quia per naturae adsumptionem incola sit receptus; sed eradicatur ob infidelitatis crimen, naturae consortio indignus exsistens. Vgl. Myst. I, 26 (120): Omnibus enim patet aditus ad salutem et iter uitae non molestiis suis, quae utique nullae sunt, sed arbitrii nostri iure difficile est. Zu ‚patet aditus' vgl. Cic., Rep. VI, 15.24.

dung mit Christus ist so grundlegend, weil Christus das gesamte Fleisch angenommen hat, das nach Paulus unter der Macht der Sünde steht (Röm 8,3). Die Zugehörigkeit zum Leib Christi wird für den einzelnen nicht ohne den Glauben heilshaft. Die zunächst einmal gegebene Zugehörigkeit zu Christus durch die Annahme alles Fleisches ist das Fundament, auf dem der Mensch weiterbauen muß. Zu dieser fundamentalen Zugehörigkeit zu Christus muß die Zugehörigkeit der Bewährung kommen, denn die Zeit des Lebens ist die Zeit der Entscheidung für Christus (Glaube) oder gegen ihn (Unglaube). Weil Christus das Fleisch der gesamten Menschheit angenommen hat, haben prinzipiell alle Menschen Zugang zu ihm (patet uniuersis per coniunctionem carnis aditus in Christo). Damit dieser Zugang zu Christus tatsächlich erreicht wird, bedarf es einiger Voraussetzungen seitens des Menschen. Hilarius beschreibt diese Voraussetzungen mit den biblischen Aufforderungen, den alten Menschen abzulegen (Eph 4,22), in der Taufe mit Christus zu neuem Leben auferweckt zu werden (Röm 6,4) und das Fleisch mit seinen Leidenschaften und Begierden an das Kreuz Christi zu heften (Gal 5,24), um in die Gemeinschaft mit dem Fleisch Christi einzugehen. Es geht Hilarius um Umkehr des Menschen in der Bekehrung zu Christus. Diese radikale Umkehr ist die Taufe (nouae natiuitatis sacramentum). Durch sie gewinnt der Mensch einen neuen Standort und eine neue Lebensweise, denn diejenigen, die den alten Menschen abgelegt haben, „sollen sich nach dem Geheimnis der neuen Geburt daran erinnern, daß sie nicht mehr ihr eigenes Fleisch haben, sondern das Fleisch Christi"[61].

Die ‚Ersetzung‘ des eigenen Fleisches durch das Fleisch Christi ist die Voraussetzung, daß unser Leib zur Gemeinschaft mit dem verherrlichten Leib Christi umgestaltet wird. Doch all dies ist nur Vorbereitung auf die endgültige Verherrlichung, die Hilarius als vollkommenen Sabbat beschreibt. Wie die Juden am Tag vor dem Sabbat ihre Anstrengung verdoppelt haben, um gleich für zwei Tage vorzusorgen, so müssen auch wir in diesem Leben eine doppelte Aufgabe erfüllen: In den Angelegenheiten des täglichen Lebens sollen wir das vorbereiten, was uns den Eintritt in den ewigen Sabbat ermöglicht, und zugleich für unsere jetzigen Bedürfnisse sorgen[62].

Die Annahme des Fleisches durch Christus muß von jedem einzelnen durch Umkehr, Glaube, Taufe und ein dem neuen Sein in Christus entsprechendes Leben übernommen werden. Dann wirkt sich diese in der

---

[61] Tr.Ps. 91,9 (352,28 – 353,14).
[62] Tr.Ps. 91,10 (353,15 – 354,20).

Freiheit des Menschen angeeignete Tat Gottes bis in die ewige Bestimmung des Menschen aus, die Hilarius als Gleichgestaltung mit dem Leib Christi beschreibt, denn durch den Tod wurde dem Leib, den Christus angenommen hat, die ewige Herrlichkeit des Vaters geschenkt (vgl. Phil 2,9–11)[63].

Im Psalmenkommentar kann eine Annäherung des Geheimnisses der Annahme des Fleisches durch Christus[64] an das Geheimnis der Kirche beobachtet werden. Die Vereinigung der Menschen mit Christus hat Voraussetzungen, auf die Hilarius hier deutlicher als in den vorausgehenden Werken hinweist. Er erwähnt den Glauben, die Taufe, die Umkehr als ‚Ersetzung‘ des eigenen Fleisches durch das Fleisch Christi oder des eigenen Willens durch den Willen Christi. Im Zusammenhang mit der Kirche als Leib Christi wurde auf die in Tr.Ps. 121,5 erwähnte „Gemeinschaft der Liebe, die Eintracht im Wollen und Handeln", auf die „einzigartige Gabe des Sakraments an alle" hingewiesen. All das stellt die Annahme des Fleisches bereits in einen ekklesiologischen Rahmen.

3.1.2 Gesamtheit des Menschengeschlechts und Kirche

In der Menschwerdung hat der Sohn Gottes, indem er einen individuellen Leib annahm, die gesamte Menschheit angenommen. Besonders der Psalmenkommentar bringt die Kirche in Verbindung mit dem Leib Christi. Als eindrucksvollste Stelle wurde Tr.Ps. 125,6 genannt: „Er selbst ist die Kirche, weil er sie durch das Geheimnis seines Leibes ganz und gar in sich enthält." Von dieser Stelle ausgehend, soll untersucht werden, welche Beziehung zwischen dem durch die Verbindung von Gottheit und

---

[63] Tr.Ps. 141,8 (804,19–27): haec ei a deo retributio est, ut ei corpori, quod adsumpsit, paternae gloriae donetur aeternitas ... expectant ergo iusti, dum retribuatur illi: scilicet ut conformes fiant gloriae corporis sui (vgl. Phil 3,20–21).

[64] Vgl. als weitere Stellen: Tr.Ps. 1,4 (22,7–10); 2,47 (73,12–19); 58,6 (184,18–19); 65,12 (257,4–5); 68,9 (320,28 – 321,5); 131,3 (662,18–21); 131,16 (674,11–13); 138,2 (746,7–9); 138,3 (746,16–19). Das Mysterienbuch bringt zum Thema der Annahme des Fleisches/ Menschen durch Christus keine neuen Erkenntnisse. Vgl. Myst. I,12 (96); I,28 (122). In Myst. I,18 (106–108) findet sich bei der Typologie Abraham–Christus eine ekklesiologische Annäherung an die adsumptio carnis. Hilarius geht, wie In Mt. 18,6, von der in Gen 17,5 berichteten Umbenennung Abrams in Abraham aus. Durch die Hinzufügung eines Buchstabens wurde Abraham Vater der Menge (pater gentium) (Myst. I,18) oder Korporativperson: In uno enim Abraham omnes sumus et per nos qui omnes unum sumus caelestis ecclesiae numerus explendus est (In Mt. 18,6 [II,82,17–19]). Die Annahme des einen Buchstabens ist für Hilarius Vorausbild der Annahme des einen Schafes, der Menschheit, wodurch die himmlische Kirche, die in Sara vorgebildet ist, ihre Fülle erhält.

Menschheit in Christus geheiligten Leib des gesamten Menschengeschlechts (Trin. II, 24) und der Kirche als Leib Christi besteht.

Hat die Kirche als Leib Christi dieselbe Auslegung wie der angenommene, alle einschließende Leib Christi? Oder gibt es im Werk des Hilarius zwischen beiden Wirklichkeiten des Leibes Christi eine Unterscheidung in dem Sinn, daß der angenommene Leib des gesamten Menschengeschlechts der umfassende Begriff ist, der sich nur partiell mit dem Leib
der Kirche deckt? In der Literatur zu Hilarius ist J.-P. Pettorelli bisher
der einzige, der diese Frage stellt und sie im Rahmen seiner Studie über
das Thema des Berges Zion als Ausdruck der Erlösung im Werk des Hilarius behandelt[65].

Hilarius selbst behandelt diese Frage nicht, da er in einer Zeit lebt, in
der die Einheit von römischem Reich und Christentum bereits weit verbreitet war. Die selbstverständliche Einheit von römischem Reich und
Kirche soll hier auf ihre theologische Begründung zurückgeführt werden,
soweit sie aus dem Werk des Hilarius deutlich wird.

Zunächst muß eine doppelte Unterscheidung in der Bestimmung des
Leibes Christi und der Kirche erwähnt werden:

1) Hilarius versteht unter dem Leib Christi und der Annahme des Fleisches nicht primär den physischen, sondern den auferstandenen und verherrlichten Leib Christi und damit die eschatologische Annahme der
gesamten Menschheit. Die volle Annahme des Fleisches durch den auferstandenen Christus hat aber die Inkarnation zur Voraussetzung. Die physische Verbindung zwischen der Menschheit Jesu und unserer menschlichen Natur ist die Bedingung der Möglichkeit, daß wir an der
Herrlichkeit des auferstandenen Herrn teilnehmen und in ihm so angenommen sein können, daß jener Austausch zwischen seinem und unserem Fleisch stattfindet, der bereits innerweltlich durch das Ablegen des
alten Menschen in der Taufe und durch ein dem neuen Leben in Christus
entsprechendes Verhalten anfanghaft verwirklicht wird, seine Vollendung aber erst in der endgültigen Zugehörigkeit zum Leib und Reich Gottes (Tr.Ps. 51, 17) findet. Durch die Inkarnation als physische Verbindung
zwischen Christus und der gesamten Menschheit steht allen Menschen

---

[65] J.-P. Pettorelli, Le thème de Sion, expression de la théologie de la rédemption dans
l'œuvre de saint Hilaire de Poitiers, in: Hilaire et son temps, 213–233, hier: 221. Einige Hinweise auch bei J. Beumer, a.a.O. (s. o. Anm. 3). Vgl. auch, unabhängig von Hilarius, zur
‚physischen Erlösungslehre' in der Theologie des 4. Jh. (Athanasius, Marcellus von Ankyra
und vor allem Gregor von Nyssa): R. M. Hübner, Die Einheit des Leibes Christi bei Gregor
von Nyssa. Untersuchungen zum Ursprung der ‚physischen' Erlösungslehre, Leiden 1974
(= PhP 2), 204–231.

der Zugang zu dieser eschatologischen Zugehörigkeit zum verherrlichten Leib Christi offen.

2) Hilarius unterscheidet irdische und himmlische Kirche. Die irdische Kirche ist, besonders im Psalmenkommentar, Vorausbild der himmlischen Kirche, denn wenn wir jetzt in der Kirche wohnen, dürfen wir hoffen, auch endlich einmal (tandem) in der Herrlichkeit des Leibes Christi Ruhe zu finden[66]. Der ewige Sabbat ist das Ziel, auf welches die Zugehörigkeit zur Kirche vorbereitet[67].

Mit diesen begrifflichen und inhaltlichen Unterscheidungen, die aber keine Trennung zwischen den unterschiedenen Wirklichkeiten bedeuten, ist der Rahmen abgesteckt, innerhalb dessen die Frage nach der Beziehung von Gesamtheit des Menschengeschlechts und Kirche gestellt werden kann.

In Tr.Ps. 125,6 wird die Kirche, die Christus selbst ist, mit dem Berg Zion verbunden. Wie J.-P. Pettorelli gezeigt hat, ist in den Aussagen des Hilarius zum Berg Zion eine ganze Theologie der Erlösung und der Kirche enthalten.

Die Verbindung von Zion und Leib Christi oder Kirche findet sich in der Erklärung von Ps 147,1: „Jerusalem, preise den Herrn, lobsinge, Zion, deinem Gott." Jerusalem ist die aus lebendigen Steinen erbaute Stadt, die ihre Vollendung findet in der eschatologischen „Versammlung der Heiligen, die aufgrund der Auferstehung der Herrlichkeit Gottes gleichgestaltet ist". Doch diese Versammlung der Heiligen (coetus sanctorum)[68] erkennt bereits jetzt mit den Augen des Glaubens, wie sie einmal sein wird, und heißt deshalb Zion. Hilarius identifiziert in der geistigen Schriftauslegung Zion mit dem Leib Christi und mit der Stadt, die einst von der Versammlung der Heiligen bevölkert sein wird[69]. Die Bedeutung dieser Stelle für das Kirchenverständnis zeigt sich an einer weiteren Bestimmung des Bergs Zion. Hilarius erklärt, daß Zion ‚Anschauung' bedeute und deshalb den auferstandenen und verherrlichten Leib Christi meine, in dem wir unsere Hoffnung und unser wahres Leben betrachten. Die Offenbarung dieser Hoffnung und dieses Lebens ist die Sehnsucht der Schöpfung (Röm 8,21) und die Freude der Engel über einen einzigen Sünder, der umkehrt (Lk 15,7)[70]. Um die Freude zu beschreiben, die im

---

[66] Vgl. Tr.Ps. 14,5 (88,4–7); 14,17 (96,2–4).

[67] Tr.Ps. 124,4 (600,9–12).

[68] Vgl. H. J. Vogt, Coetus Sanctorum. Der Kirchenbegriff des Novatian, Bonn 1968 (= Theoph. 20).

[69] Tr.Ps. 147,2 (854,26 – 855,10).

[70] Tr.Ps. 68,31 (339,1–21).

Himmel über die Rückkehr des geretteten Menschen herrscht, erzählt Jesus das Gleichnis vom verlorenen Schaf[71].

All diese Stellen weisen bei der Frage nach der Beziehung von Gesamtheit des Menschengeschlechts und Kirche in eine eschatologische Richtung. Es geht Hilarius primär um die Versammlung in der Stadt Gottes, die erst vollkommen ist, wenn der Mensch in diese Stadt zurückgekehrt ist. Die Rückkehr wird ermöglicht durch Christus, der das Sakrament des Heils für alle Menschen ist, weil er in der Menschwerdung den verirrten Menschen angenommen und ihm in der Einfügung in seinen Leib die Anschauung der ewigen Bestimmung geschenkt hat. Diese Anschauung, Zion genannt, ist „nach der himmlischen Lehre die Kirche, entweder die jetzt bestehende oder die zukünftige der Heiligen, welche bewohnt wird durch die Versammlung jener, die durch die Auferstehung verherrlicht sind, und von der Schar der Engel, die sich (darüber) freuen"[72]. Von dieser Kirche, die bereits jetzt Zion ist, doch in ihrer Vollendung die Versammlung der geistbegabten Geschöpfe sein wird, hat sich der Mensch durch die Sünde getrennt. Die Bestimmung jedes Menschen ist, bereits jetzt in dieser Stadt zu wohnen, um in ihr seine Hoffnung anzuschauen. Deshalb kann Hilarius die Sünde Adams und ihre Auswirkung auf jeden Menschen als Exil von der wahren Heimat beschreiben[73]. Diese Texte weisen darauf hin, daß es sich bei den Ausführungen über Zion und Jerusalem um eine in die Gegenwart reichende Eschatologie handelt, denn es geht Hilarius um die Versammlung der Heiligen, die stets bei Gott ist und aus der der Mensch durch die Sünde verbannt wurde. Seine Rückkehr wird im Himmel von den Engeln erwartet.

Die Auferstehung Jesu ist der Grund der Hoffnung, daß wir diese Stadt, die Gemeinschaft der Engel und der im Himmel eingeschriebenen Erstgeborenen (Hebr 12,23), bewohnen werden, denn Christus ist für Hilarius die Erfüllung aller Verheißungen an Zion. Er ist das Fundament, „durch welches jene selige Kirche des Herrenleibes als Berg (Zion) bezeichnet zu werden scheint". Hilarius erklärt den Sinn dieser Verbindung von Leib Christi und Berg Zion mit der Deutung des Traums des Königs Nebukadnezzar durch Daniel über den Stein, der zu einem Berg wird:

---

[71] In Mt. 18,6 (II, 80, 1–14). Ein ähnlicher Gedanke findet sich bei der Exegese der Heilung des Gelähmten: In Mt. 8,5–8 (I, 198, 1 – 202, 19): ... in paralytico gentium uniuersitas offertur medenda ... In Adamo uno peccata uniuersis gentibus remittuntur. Hic itaque angelis ministrantibus curandus offertur.

[72] Tr.Ps. 132,6 (689,5–8).

[73] Tr.Ps. 136,5 (726,20–23): quisquis ergo in crimine primi parentis Adae exulem se factum illius Sion recordabitur, in qua sine cupiditate, sine dolore, sine metu, sine crimine uita est.

„Du sahst, wie ohne Zutun von Menschenhand sich ein Stein von einem Berg löste, gegen die eisernen und tönernen Füße des Standbildes schlug und sie zermalmte … Der Stein aber, der das Standbild getroffen hatte, wurde zu einem großen Berg und erfüllte die ganze Erde" (Dan 2, 34–35). Hilarius sieht in dieser Traumdeutung eine Allegorie des Lebens Jesu: In der Menschwerdung hat sich Jesus vom Berg zum Stein erniedrigt, um die Sünde zu zermalmen. Durch seine Auferstehung ist er wieder zum Berg geworden, zum neuen Zion, in dem wir unsere Auferstehung anschauen, weil mit Christus auch unser eigner Leib auferstanden ist[74].

Hinter der typologischen und teilweise auch allegorischen Exegese des Bergs Zion steht für Hilarius Christus, der durch seine Auferstehung zum überragenden Berg geworden ist, und die Kirche, die Hilarius ebenfalls als Berg bezeichnet. Beide sind nämlich eine einzige Wirklichkeit, denn Christus selbst ist die Kirche, weil er sie durch das Geheimnis seines Leibes in sich enthält.

Dieselbe Universalität, mit der Christus die ganze Kirche in sich enthält, wird auch von der Annahme des Fleisches oder des Menschengeschlechts durch Christus ausgesagt: „In ihm ist durch die Natur des angenommenen Leibes gewissermaßen die Versammlung des gesamten Menschengeschlechts enthalten" (In Mt 4, 12); „damit durch diese innige Verbindung (von Gott und Mensch in Christus) der Leib des ganzen Menschengeschlechts in ihm geheiligt sei" (Trin. II, 24). Diese Universalität hat primär eschatologischen Charakter, denn in Christus, dem Fundament der Kirche oder der heiligen Stadt, sind wir bereits alle auferweckt: „Das war die Erwartung der Heiligen, daß alles Fleisch in Christus erlöst werde, daß in ihm die Erstlingsfrucht der ewigen Auferstehung sei" (Tr. Ps. 68, 8). Diese Erwartung der alttestamentlichen Heiligen hat sich in Christus erfüllt. Hilarius führt in diesem Zusammenhang Mt 13, 17 (vgl. Lk 10, 24) an: „Viele Propheten und Gerechte haben sich danach gesehnt zu sehen, was ihr seht … und zu hören, was ihr hört."

Da alles Fleisch von Christus erlöst ist und da durch die Menschwerdung Christi die gesamte Menschheit geheiligt ist, gibt es auch eine allgemeine Auferweckung, selbst der Sünder, wie Hilarius mit Paulus (1 Kor 15, 51–52) annimmt: „Denn obwohl alles Fleisch in Christus erlöst ist, um aufzuerstehen, und jeder vor seinem Richterstuhl erscheinen muß, wird doch nicht unterschiedslos allen die Herrlichkeit und Ehre der Auferstehung zuteil. Ins Nichts hinein werden jene gerettet, denen nur die Aufer-

---

[74] Tr.Ps. 124, 3–4 (598, 24 – 599, 17); vgl. In Mt. 6, 6 (I, 176, 9–11): in petra se ipsum Dominus significat ualidum excelsi aedificii fundamentum.

stehung, nicht aber die Verwandlung zuteil wird."[75] Alle werden auferstehen, doch auf unterschiedliche Weise: Die Gläubigen zur Verwandlung, die aus freier Entscheidung Ungläubigen ins Nichts hinein, was aber nicht Auslöschung bedeutet, sondern hoffnungslose Rückkehr zum Staub der Erde. Die schwierige Frage nach Auferstehung und Gericht kann hier nicht weiter behandelt werden[76]. Wenn Hilarius im Psalmenkommentar mehrfach sagt, daß weder die Gläubigen noch die Ungläubigen vor dem Richterstuhl Gottes erscheinen, sondern nur jene, die in der Mitte stehen, in denen sich Glaube und Unglaube verbinden (qui medii sunt, ex utroque admixti)[77], so bezieht er sich dafür auf Joh 3,18: „Wer an ihn (den Sohn Gottes) glaubt, wird nicht gerichtet; wer nicht glaubt, ist schon gerichtet, weil er an den Namen des einzigen Sohnes Gottes nicht geglaubt hat." Wenn die Ungläubigen nicht zum Gericht auferstehen, sondern „ins Nichts hinein gerettet werden", so heißt das für Hilarius nicht, daß sie keine Wesensausrichtung auf die Auferstehung und Verwandlung besessen hätten, sondern daß sie in der gegebenen Heilsordnung die Möglichkeit der Auferstehung zum Gericht der Verwandlung durch eigene Schuld verloren haben[78]. Durch den Unglauben wird der Mensch zum unfruchtbaren Weinstock, der abgeschnitten werden muß, obwohl er von seiner Natur aus im Weinstock hätte bleiben sollen.

J.-P. Pettorelli verfolgt die Frage nach Gesamtheit des Menschengeschlechts und Zion oder Stadt oder Kirche weiter in die Abhängigkeiten des Hilarius von Paulus, Origenes, Cicero, Seneca und vom Neuplatonismus (Porphyrius), um die Verankerung seiner Erlösungslehre in der biblischen, theologischen und klassischen Tradition aufzuzeigen. Die Frage nach dem Verhältnis des gesamten Menschengeschlechts zur Kirche beantwortet er letztlich nur indirekt[79]. Doch seine Auswahl und Interpretation der Texte weist in eine Richtung, die nun deutlicher herausgestellt werden kann, nachdem der Textbefund ausgebreitet ist.

---

[75] Tr.Ps. 55,7 (165,26 – 166,4). Vgl. Tr.Ps. 1,19–20 (32,23 – 34,6).

[76] Vgl. P. Coustant, Praef. gen., 220–241, in: PL 9,106 C – 115 A; X. Le Bachelet, Hilaire (saint), in: DThC VI/2,2457–2460; A. Fierro, 201–259; G. Blasich, La risurrezione dei corpi nell'opera esegetica di S. Ilario di Poitiers, in: DT(P) 69 (1966) 72–90; L. F. Ladaria, 228–256.

[77] Tr.Ps. 1,22 (35,1).

[78] Tr.Ps. 1,20 (33,26 – 34,6): per id autem, quod in iudicium non resurgent, absolutum est non resurgendi eos caruisse natura, sed resurgendi in iudicium ordinem perdidisse, qui autem resurrectionis et iudicii ordo intellegendus sit, dominus in euangeliis ostendit dicens (es folgt Joh 3,18-19).

[79] J.-P. Pettorelli, a.a.O. (s. o. Anm. 65), 225–232.

Die gesamte Menschheit bildet für Hilarius einen Leib, eine Versammlung oder eine Stadt, geeint im Leib Christi. Christus ist der neue Adam, der durch die Annahme des Fleisches die gesamte Menschheit in sich einschließt. Diese Vereinigung der gesamten Menschheit beginnt mit der Menschwerdung Jesu Christi und findet ihre Vollendung in der Einfügung der gesamten Menschheit in den verherrlichten Leib Christi, denn dieser Leib, den Hilarius mit Zion und der himmlischen Stadt Jerusalem vergleicht, ist die Heimat aller Menschen. Durch die Sünde Adams hat sich der Mensch aus dieser Heimat entfernt und ist heimatlos geworden. Doch Christus geht dem verlorenen Schaf nach und bringt es in seinem Leib zurück in die Gemeinschaft der himmlischen Herrlichkeit. Deshalb gilt das Wort des Apostels, das Hilarius häufig anführt: „Unsere Heimat aber ist im Himmel. Von dorther erwarten wir auch Jesus Christus, den Herrn, als Retter, der unseren armseligen Leib verwandeln wird in die Gestalt seines verherrlichten Leibes, in der Kraft, mit der er sich alles unterwerfen kann (Phil 3, 20–21)[80]. Diese Heimat ist für Hilarius in letzter Konsequenz die himmlische Kirche, die aber nicht von der irdischen Kirche getrennt werden kann, denn wenn wir in der irdischen Kirche wohnen, werden wir auch in der himmlischen Kirche eine Heimat finden (Tr.Ps. 124, 4).

Der Textbefund deutet darauf hin, daß für Hilarius die Kirche als Leib Christi dieselbe Ausdehnung hat wie das Menschengeschlecht. Die Gesamtheit des Menschengeschlechts ist für Hilarius die Kirche. Weil Christus unseren Leib und damit alle Menschen angenommen hat und weil die Kirche als Leib Christi die Stadt ist, in der das gesamte Menschengeschlecht eschatologisch versammlt ist, decken sich prinzipiell beide Wirklichkeiten. Nach dem Willen Gottes, der in der Menschwerdung Jesu Christi sichtbar geworden ist, sollen alle Menschen Bewohner der himmlischen Stadt oder der himmlischen Kirche sein. Dieser Wille Gottes gilt bereits für die irdische Kirche, denn von Natur her ist jeder Mensch auf die Kirche oder den Weinstock ausgerichtet, von Natur her gehört er zur Kirche, weil er sich in der Tiefe seines Wesens gar nicht von Christus trennen kann (Tr.Ps. 51, 15). Doch der Mensch hat die Möglichkeit, zu dieser Ausrichtung seiner Natur Nein zu sagen[81]. Durch den Unglauben trennt er sich dann von der Kirche oder dem Weinstock. Für Gott bleibt

---

[80] Vgl. Tr.Ps. 1, 15 (30, 17–18); 118, daleth, 1 (391, 5–6); 118, phe, 12 (513, 25); 119, 6 (548, 5); 124, 3 (599, 20–23); 131, 26 (682, 8–9); 141, 8 (804, 22–25); Trin. XI, 28 (557, 21–22); IX, 8 (378, 16–17); XI, 35 (564, 13–15).
[81] Vgl. M. J. Rondeau, Remarques sur l'anthropologie de saint Hilaire, in: StPatr VI (= TU 81), 197–210.

er aber immer das „eine Schaf", das sich verirrt hat und dessen Heimkehr in den Himmel von den Engeln erwartet wird. Wenn sich der Mensch endgültig vor dieser Heilssorge Gottes verschließt, liegt die Verantwortung bei ihm selbst.

Die prinzipielle Deckung von Menschengeschlecht und Kirche, die erst eschatologisch als Wille Gottes für uns voll deutlich wird, läßt sich mit den Worten des Hilarius zusammenfassen: „Es steht nämlich allen offen, am Leib und Reich Gottes teilzuhaben; denn das Wort ist Fleisch geworden und hat unter uns gewohnt, indem es die Natur des gesamten Menschengeschlechts in sich annahm, – doch je nach dem Verdienst ist es möglich, daß ein jeder aus dem Zelt (Gottes) und aus dem Land der Lebenden entfernt wird, obwohl er niemals daran gehindert wird, dort zu verweilen, da er durch die Annahme (unserer) Natur (in Christus) als Einwohner aufgenommen ist; wegen des Vergehens der Ungläubigkeit wird er aber entfernt, da er der Gemeinschaft der Natur (mit Christus) unwürdig ist. Er wird also aus dem Land der Lebenden entfernt, welches den Heiligen, die zusammen mit dem Herrn herrschen, in der Seligkeit bereitet wird."[82]

3.1.3 Die Verbindung zwischen Christus und Kirche

Die enge Verbindung zwischen Christus und Kirche wird bei Hilarius auch als hochzeitliche Verbindung zwischen dem Bräutigam (Christus) und der Braut (Kirche) beschrieben. Dieses Thema, das die Väter besonders bei der Auslegung des Hohenliedes entfalten und das sich im neutestamentlichen Bild von der Kirche als Braut Christi „ohne Flecken, Falten und andere Fehler" (Eph 5, 27) findet[83], wird bei Hilarius allerdings nur selten angeführt.

Die deutlichste Stelle findet sich im Psalmenkommentar bei der Auslegung von Ps 127, 3–4: „Wie ein fruchtbarer Weinstock ist deine Frau drinnen in deinem Haus. Wie junge Ölbäume sind deine Kinder rings um deinen Tisch. So wird der Mann gesegnet, der den Herrn fürchtet und ehrt." Hilarius sucht den geistigen Sinn dieses Segens, da er sich dem Wortsinn nach im Leben der Patriarchen nicht erfüllt hat, wie er am Bei-

---

[82] Tr.Ps. 51, 17 (109, 11–20). Zum Zusammenhang dieses Textes s. o. Anm. 60.
[83] Vgl. S. Tromp, Corpus Christi quod est Ecclesia, I, 26–53; H. de Lubac, Die Kirche, 317–336; P.-Th. Camelot, Die Lehre von der Kirche, 52 f; H. Rahner, Symbole der Kirche, 394 f; R. Desjardins, Le Christ sponsus et l'église sponsa chez saint Augustin, in: BLE 67 (1966) 241–256; H. U. von Balthasar, Sponsa Verbi, 203–305; H. J. Vogt, Das Kirchenverständnis des Origenes, 210–225.

spiel Abrahams, Isaaks und Jakobs darstellt. Der geistige Sinn wird im Epheserbrief gegeben: „Gepriesen sei der Gott und Vater unseres Herrn Jesus Christus: Er hat uns mit allem Segen seines Geistes gesegnet durch unsere Gemeinschaft mit Christus im Himmel" (Eph 1,3). Deswegen muß auch Ps 127,3–4 eschatologisch von der Gemeinschaft mit Christus im Himmel her verstanden werden. Hilarius bezieht die Psalmverse auf Christus und die Kirche, wie er mit Verweis auf Mt 9,15 parr. und Joh 3,29 herausstellt: „Darf man etwa, da der Herr nach dem Evangelium der Bräutigam ist und nach Johannes die Braut hat, meinen, daß hier von irdischen Brautleuten dem Leibe nach die Rede sei? Keineswegs, sondern durch diese geläufige Redewendung werden wir belehrt, daß er (Christus) es ist, der den Heidenvölkern verheißen ist und dem vom Vater her die Nachkommenschaft der Kirche durch die Annahme des Leibes, den von der Jungfrau schon vorher anzunehmen er sich angeschickt hatte, vermählt worden ist."[84] Hier kommt, vor allem durch das Zitat aus dem Epheserbrief, zum Ausdruck, daß die Vermählung zwischen Christus und Kirche erst eschatologisch ihre volle Auswirkung erhält. Die geschichtliche Annahme des Leibes aus Maria ist gleichsam das Präludium zur Vermählung der gesamten Menschheit mit dem verherrlichten Christus.

Ein ähnlicher Gedanke wird bereits im Matthäuskommentar erwähnt. Auch hier wird die Hochzeit, von der das Gleichnis vom königlichen Gastmahl berichtet (Mt 22,1–14), als Bildwirklichkeit der Vereinigung zwischen Christus und der Kirche gedeutet. Diese hochzeitliche Verbindung ist bereits in Christus voll verwirklicht, doch noch als Geheimnis, das seine ganze Fruchtbarkeit erst in der Vollendung offenbaren wird. Das Gleichnis vom Hochzeitsmahl ist für Hilarius zunächst „das Geheimnis des himmlischen Lebens und der ewigen Herrlichkeit, die bei der Auferstehung angenommen wird"[85]. J. Doignon weist darauf hin, daß es bei dieser endzeitlichen hochzeitlichen Verbindung primär um die Verbindung von Geist und Fleisch, von Gott und Mensch geht, welche in der Verbindung von Gottheit und Menschheit in Christus bereits Wirklichkeit geworden ist. Von dieser Verbindung her versteht Hilarius das biblische Bild der hochzeitlichen Vereinigung von Christus und Kirche (Eph 5,25–32). Diese Deutung wird gestützt durch die Auslegung des Gleichnisses von den zehn Jungfrauen (Mt 25,1–13). Dort wird die Hochzeit mit

---

[84] Tr.Ps. 127,7–8 (632,9 – 634,5; Zitat: 633,25 – 634,5). Vgl. Cypr., Ad Quir. II,19 (CCL 3,55–57).
[85] In Mt. 22,3 (II,144,1 – 146,17; Zitat: 144,8–9).

der Auferstehung in Verbindung gesetzt, denn sie ist Symbol der Unsterblichkeit[86].

Im Mysterienbuch ist die hochzeitliche Verbindung zwischen Christus und Kirche vorgebildet in Adam und Eva. Wie Eva Bein von Adams Bein und Fleisch von seinem Fleisch ist, so ist es mit Christus und der Kirche. Durch diese Typologie wird das Geheimnis der Verbindung zwischen Christus und Kirche im Bild der Hochzeit dargestellt[87].

Auch der Traktat über Hosea gehört in diesen Zusammenhang, denn „es besteht nicht der geringste Anlaß zu bezweifeln, daß wir hier ein Vorausbild der Kirche vor uns haben, da der Apostel selber das, was über die Söhne dieser Hure zu Hosea gesagt worden ist, auf das Volk der Gläubigen angewendet wissen will, indem er zu den Korinthern spricht (es folgt Röm 9, 24–26). Was sich also im Propheten körperlich begab, nämlich Begattung und Zeugung …, das wird durch Gott zum geistigen Verständnis sowohl bestärkt als auch hinübergeführt. Denn diese mit dem Propheten verbundene Ehebrecherin nimmt sich der Herr zur Braut in Gerechtigkeit und Treue … Und dieses Wort, wodurch der Prophet ein ehebrecherisches Weib zur Gattin zu nehmen angewiesen ward, mußte deswegen überliefert werden, weil – da Paulus uns sagt, daß alles durch die Geschehnisse des Alten Testaments vorausgebildet wird, was im Herrn und durch den Herrn erfüllend gewirkt werden soll, – eben die Verbindung des Propheten mit der Ehebrecherin uns die Verbindung der heidnischen Unwissenheit mit den prophetischen Lehren anzeigen soll und die Kinder aus beiden von Nicht-Geliebten zu Geliebten, von Nicht-Volk zu Volk, von einer ehebrecherischen Mutter zu Söhnen Gottes umbenannt werden sollen."[88] Obwohl Hilarius in der Ehe des Propheten Hosea mit der Ehebrecherin ein Vorausbild der Kirche erblickt, hat er diese Linie in der Erklärung des Traktats über Hosea nicht durchgehalten, denn er legt die Begattung letztlich auf die Vereinigung von göttlicher Offenbarung und sündiger Menschheit aus. Doch die Typologie der Kirche schwingt am Ende mit, wenn von der Umwandlung aus Nicht-Geliebten zu Geliebten, aus Nicht-Volk zu Volk, aus Söhnen einer ehebrecherischen Mutter zu Söhnen Gottes die Rede ist. Durch die Umwandlung in das Fleisch Christi, der selbst die ‚Urkirche' ist, wird alles übrige Fleisch der Kirche angegliedert, und so entsteht die hochzeitliche Verbindung von Christus

---

[86] In Mt. 27, 4 (II, 206, 17–18): Nuptiae immortalitatis adsumptio est et inter corruptionem atque incorruptionem ex noua societate coniunctio.

[87] Myst. I, 3–5 (76–84). Zur Kirche als ‚os Christi' vgl. Tr.Ps. 138, 29 (764, 28 – 765, 4). Zum ‚Motiv Eva' vgl. H. U. von Balthasar, a. a. O., 251–257.

[88] Myst. I, 1.2.4 (142–144.148).

und Kirche. Die ekklesiologische Deutung der Ehe Hoseas hat eine lange Tradition[89] und darf deshalb auch für Hilarius vorausgesetzt werden, obwohl er sie in der Erklärung nicht konsequent durchhält.

Da die Kirche bereits im Alten Testament vorausgebildet ist, gibt es im Psalmenkommentar zwei Stellen, an denen Hilarius Röm 7,1–3 auf die Verbindung von Christus und Kirche bezieht. Nach Paulus ist die Ehefrau durch das Gesetz an ihren Mann gebunden, solange er lebt. Wenn der Mann gestorben ist, ist sie frei von diesem Gesetz und wird nicht zur Ehebrecherin, wenn sie einem anderen Mann gehört. Diese paulinische Weisung überträgt Hilarius auf die Kirche: Durch das Ende des Gesetzes, das in Christus seine Erfüllung und Verwandlung erfahren hat, ist die Kirche zur Witwe geworden. Die alte Verbindung zwischen Synagoge und Gesetz ist tot (emortua); die Kirche, die das Erbe der Synagoge in sich aufnimmt, ist nun Witwe, die frei ist, eine neue Ehe einzugehen. So kann sich die Kirche als „Witwe des Gesetzes" mit Christus ehelich verbinden (copulare), ohne Ehebruch zu begehen (legitime), denn ihr erster Ehemann, das alttestamentliche Gesetz, ist gestorben[90].

Wie die hypostatische Union bei den Vätern oft hochzeitliche Vereinigung genannt wird, so beschreibt auch Hilarius, zwar nur selten, die Verbindung von Christus und Kirche als hochzeitliche Einigung. Dieses Bild wirft neues Licht auf die Kernaussage: „Er selbst ist die Kirche." Nach Gen 2,24 bedeutet die eheliche Verbindung, die Eph 5,21–33 auf Christus und die Kirche und auf uns als Glieder des Leibes Christi überträgt, daß die zwei ein Fleisch werden. Von daher bekommt der Satz: „Er selbst ist die Kirche." sein volles Gewicht. Es geht Hilarius um den verherrlichten Christus, der – augustinisch gesprochen – als totus Christus die ‚Urkirche' ist, aus welcher durch Angliederung des gesamten Fleisches die Kirche bereits innerweltlich entsteht mit der Dynamik auf die himmlische Kirche, in der die irdische Kirche dem verklärten Christus endgültig gleichgestaltet sein wird[91].

---

[89] Vgl. Iren., Adv.haer. IV,20,12 (SC 100,670,358–360): Id quod a propheta typice per operationem factum est ostendit Apostolus uere factum in Ecclesia a Christo. Weitere Belege bei H. U. von Balthasar, a.a.O., 239–251.

[90] Tr.Ps. 67,7–8 (281,11 – 282,20); 131,24 (680,13–681,17). Vgl. 145,6 (843,19–24).

[91] Vgl. zum augustinischen Thema des ‚totus Christus' E. Przywara, Augustinus. Die Gestalt als Gefüge, Leipzig 1934, 349–363; H. Mühlen, Una Mystica Persona, 27–40; vgl. weiterhin F. Hofmann, Der Kirchenbegriff des hl. Augustinus, 196–257; W. Simonis, Ecclesia visibilis et invisibilis, 91–100.

3.2 Kirche und Reich Gottes

Es ist verständlich, daß die Theologie des Reiches Gottes bei Hilarius eine wichtige Stellung einnimmt[92], da das Himmelreich zu den bedeutenden Themen des Matthäusevangeliums gehört und das Reich oder die Königsherrschaft Gottes auch häufig in den Psalmen erwähnt wird.

3.2.1 Reich des Sohnes und Reich des Vaters

3.2.1.1 Das gegenwärtige Reich des Sohnes

1) Bei der Auslegung des Matthäusevangeliums zitiert Hilarius oft einfach den biblischen Text, der vom Himmelreich spricht, ohne den Sinn genauer zu bestimmen[93]. Manchmal werden unter dem Reich irdische Reiche[94] verstanden, die königliche Geschlechterfolge in Israel[95] oder auch einmal das Reich des Satans[96].

Doch es geht Hilarius vor allem um das Himmelreich als eine eschatologische Größe: Die Herrlichkeit des Himmelreichs ist eine Wirklichkeit, die mit der Auferstehung der Toten und der Ankunft der Herrlichkeit Christi verbunden wird[97]. Diese eschatologische Wirklichkeit des Himmelreichs ist aber im Glauben und vor allem in der Hoffnung bereits jetzt Besitz, wie Hilarius bei der Erklärung der ersten Seligpreisung der Bergpredigt schreibt[98]. Das Himmelreich ist bereits jetzt in der Kirche Wirklichkeit, weil die Wirksamkeit Jesu auf die Apostel übergeht und diese in

---

[92] Vgl. G. Pelland, Le thème biblique du Règne chez saint Hilaire de Poitiers, in: Gr. 60 (1979) 639–674; P. Beskow, Rex gloriae. The kingship of Christ in the early Church, Stockholm 1962; E. Schendel, Herrschaft und Unterwerfung Christi, 158–167; P. Coustant, Praef. gen., 195–219, in: PL 9,95 B – 106 C. Zur Interpretation Coustants vgl. A. Fierro, 197–200; X. Le Bachelet, a. a. O., 2456–2460.

[93] Vgl. In Mt. 2,2 (I,104,13–19); 3,6 (I,120,13–17); 4,9 (I,126,4–10); 4,24 (I,144,13–14); 5,12 (I,164,19–24); 6,4 (I,174,12–14); 6,5 (I,176,7); 7,2 (I,180,4–8); 7,5 (I,184,4–8); 10,4 (I,218,6 – 220,7); 10,10 (I,228,1–4); 10,13 (I,232,8–15); 11,2 (I,252,5–7); 12,13 (I,278,6 – 280,10); 13,2 (I,296,2–3); 14,13 (II,26,13–14); 15,3 (II,36,19–20); 17,11 (II,70,4 – 72,16); 18,1 (II,74,3–5); 19,2 (II,90,18–22); 19,3 (II,92,15–16); 19,4 (II,92,3–6); 19,8 (II,98,1–3); 19,9 (II,98,1–3); 19,10 (II,100,6); 19,11 (II,100,9–13); 20,10 (II,144,4–6); 21,5 (II,128,7–12); 21,7 (II,130,3–6); 21,15 (II,140,5–10); 22,7 (II,150,15–18); 23,1 (II,152,7–9); 24,3 (II,166,4 – 168,9); 24,8 (II, 174,9–12); 24,11 (II,178,13–17); 33,3 (II,250,3–7).

[94] In Mt. 3,5 (I,116,3).

[95] In Mt. 1,1–2 (I,90,4–6; 94,12–26).

[96] In Mt. 12,15 (I,280,10).

[97] In Mt. 17,3 (II,64,1–18); 14,13 (II,26,6–14); 1,5 (I,98,9).

[98] In Mt. 4,2 (I,122,7–18).

der Kraft Christi Dämonen austreiben: „Wenn ich aber die Dämonen durch den Geist Gottes austreibe, dann ist das Reich Gottes schon zu euch gekommen" (Mt 12,28)[99].

Wie Hilarius im Psalmenkommentar das Kirchenverständnis in der Einheit von Christus und Kirche gipfeln läßt, so ordnet er im Matthäuskommentar alle Bedeutungen des Himmelreichs um die christologische Bestimmung: „Er selbst ist das Himmelreich."[100] Christus selbst ist das Himmelreich, denn er enthält dieses Reich in sich, das die Propheten angekündigt haben und das Johannes gepredigt hat[101]. Der Gedanke, daß Christus selbst das Reich sei, erinnert an eine Aussage des Origenes, daß der Sohn Gottes die autobasileia sei[102]. Wie bei Origenes die Herrschaft des Sohnes sich auf die himmlische Königsherrschaft bezieht, so ist auch bei Hilarius die Einheit von Christus und Himmelreich letztlich eschatologisch begründet (regni caelestis gloria ex mortuorum resurrectione: In Mt 17,3). Doch diese eschatologische Herrlichkeit des Reiches ist bereits anfanghaft in der Kirche gegenwärtig.

Nach dieser allgemeinen Darstellung des Themas des Reiches im Matthäuskommentar stellt sich die Frage, ob Hilarius die Königsherrschaft Christi mit seiner Gottheit oder seiner Menschheit verbindet. Beide Aspekte werden herausgestellt. Bei der Auslegung des Stammbaums Jesu (Mt 1,1–17) betont Hilarius die Herrschaft Christi, die ihm als ewigem König und Priester zukommt[103]. Doch häufiger sind die Aussagen, welche die Königsherrschaft und das Reich mit der angenommenen Menschheit in Zusammenhang bringen. Dadurch wird kein Gegensatz zwischen dem ewigen König und dem menschgewordenen Sohn aufgestellt, wie die Verbindung beider Aussagen im Psalmenkommentar zeigt[104].

Durch die Menschwerdung (concorporatio: In Mt 6,1) und die Ver-

---

[99] In Mt. 12,15 (I,280,15–18).

[100] In Mt. 12,17 (I,284,14–15): cum ... ipse sit regnum caelorum.

[101] In Mt. 5,6 (I,154,11–14).

[102] MatthCom 14,7 (GCS 40 = Origenes X, 289,16–20): αὐτὸς γάρ ἐστιν ὁ βασιλεὺς τῶν οὐρανῶν, καὶ ὥσπερ αὐτός ἐστιν ἡ αὐτοσοφία καὶ ἡ αὐτοδικαιοσύνη καὶ ἡ αὐτοαλήθεια, οὕτω μήποτε καὶ ἡ αὐτοβασιλεία. βασιλεία δὲ οὐ τῶν κάτω τινὸς οὐδὲ μέρους τῶν ἄνω, ἀλλὰ πάντων τῶν ἄνω, ἅτινα ὠνομάσθησαν οὐρανοί.

[103] In Mt. 1,1 (I,90,7–13): Atque ita dum Matthaeus paternam originem quae ex Iuda proficiscebatur recenset, Lucas uero acceptum per Nathan ex tribu Leui genus edocet, suis quisque partibus Domini nostri Iesu Christi, qui est aeternus et rex et sacerdos, etiam in carnali ortu utriusque generis gloriam probauerunt. Mt stellt den königlichen Ursprung (ex Iuda), Lk den priesterlichen Ursprung (ex tribu Leui) heraus. Vgl. M. Simonetti, Note sul Commento a Matteo di Ilario di Poitiers, in: VetChr 1 (1964) 35–64, bes. 57.

[104] Vgl. Tr.Ps. 51,4 (99,12–18); 59,2 (193,17 – 194,8); 62,12 (223,17 – 224,14); 65,12 (257,2–5); 65,19 (261,17–20); 67,27 (303,8–10).

kündigung Jesu ist das Reich Gottes nahe, da Christus selbst das Reich ist. Doch Christus will das Reich mit denen teilen, die zu ihm gehören. Die Teilnahme am Reich Christi ist für Hilarius ein eschatologisches Ereignis, denn erst in der Vollendung ist die vollkommene Angleichung des Menschen an Gott erreicht, und erst dann herrschen die Heiligen, die mit dem Wort Himmel bezeichnet werden, mit ihm.

Dieses eschatologische Ereignis ragt in der Verkündigung der Apostel von der Nähe des Himmelreichs und in ihrer Sendung, Kranke und Aussätzige zu heilen, Tote aufzuerwecken und Dämonen auszutreiben, bereits in die Gegenwart hinein. Durch das Sakrament seiner Menschheit teilt Christus den Menschen bereits jetzt etwas von der Zukunft mit: Die Heiligen sollen mit ihm herrschen[105].

Das Reich Christi ist Gemeinschaft. Hilarius spricht von der Gemeinschaft der Wahrheit und verbindet damit den ekklesiologischen Gedanken vom Haus und von der Stadt[106]. Wie Christus sein angenommenes Fleisch eine Stadt nennt (neues Zion oder himmlisches Jerusalem), die wir durch die Gemeinschaft mit seinem Fleisch bewohnen sollen, so gehören wir durch die Menschwerdung bereits jetzt zu seinem Reich. Hilarius betont deshalb die Bedeutung des Lebenswandels, um endgültigen Eingang in das Reich Gottes zu erlangen. Der Lohn derer, die in einem untadeligen Leben das Reich Gottes suchen, ist die Verwandlung aus der Vergänglichkeit in die Unvergänglichkeit[107] oder die Teilnahme an der Herrlichkeit des Auferstehungsleibes Christi. Das ist für alle, die zum Reich Christi gehören, gleichsam eine neue Geburt[108].

Die Beziehung von Kirche und Himmelreich im Matthäuskommentar kann zusammengefaßt werden in der Auslegung von Mt 23,37: „Jerusalem, Jerusalem ... Wie oft wollte ich deine Kinder um mich sammeln, so wie eine Henne ihre Küken unter ihre Flügel nimmt." Hilarius deutet die Henne und ihre Küken auf Christus und alle Menschen, wobei aber die Sorge zunächst Jerusalem oder der Kirche gilt. Wie die Henne, so sammelt Christus die Menschheit unter seinen Leib wie unter Flügel. Durch diese Sammlung schenkt er ihnen Unsterblichkeit und macht sie zu neuen Geschöpfen. Am Beispiel der Küken zeigt Hilarius die neue Geburt der

---

[105] In Mt. 10,4 (I, 218,6 – 220,9): (Apostoli) praedicent regnum caelorum propinquare, imaginem scilicet et similitudinem Dei nunc in consortium ueritatis adsumi, ut sancti omnes, qui caeli nuncupati sunt, Domino conregnent.

[106] In Mt. 12,14 (I, 280,2): Domus quoque et ciuitatis eadem est ratio quae regni. Vgl. In Mt. 4,12 (I, 130,3–9).

[107] In Mt. 5,12 (I, 164,19–31).

[108] In Mt. 24,2 (II, 166,6).

Menschheit in Christus: Zunächst sind die Küken in der Eierschale (claustrum corporis) eingeschlossen. Wenn sie geschlüpft sind, bedürfen sie der Pflege der Henne, um fliegen zu lernen. Die Schale, in der die Küken eingeschlossen sind, ist der Leib Christi, in dem alle Menschen enthalten sind. Diese Schale oder, im allegorischen Sinn, die Einfügung in den Leib Christi ist für das Küken oder den Menschen notwendig, um geboren werden zu können (ratione nascendi). Doch die durch die Geburt gegebene Einfügung in den Leib Christi muß im weiteren Leben bejaht werden, damit sie sich für die Ewigkeit auswirken kann. Deshalb unterscheidet Hilarius den Beginn (ratio nascendi) von der Bewährung (ratio uiuendi), wie er am Beispiel Jerusalems zeigt: „Aber ihr habt nicht gewollt" (Mt 23,37). Die sich im Glauben an die Menschwerdung zu Christus bekennen, erhalten von ihm die Lebensweise (ratio uiuendi) als neue Geschöpfe und werden von seinen Flügeln, d.h. seiner Liebe, gewärmt. Sie erhalten auch selbst Flügel, um in das Himmelreich zu fliegen[109].

Hilarius spricht im Matthäuskommentar vom Reich, meistens vom Himmelreich oder himmlischen Reich, vom Reich Gottes und der Herrschaft der Heiligen mit dem Herrn. Es läßt sich noch kein Unterschied zwischen diesen Begriffen erkennen, denn es geht letztlich um die Königsherrschaft des auferstandenen Christus, der alle Menschen an seinem Reich teilnehmen lassen will. Durch die Einfügung in den Leib Christi aufgrund der Menschwerdung gehören alle Menschen der Absicht Gottes nach zu Christus, der das Reich selbst ist. Doch der Mensch muß sich durch den Glauben an Christus die Flügel wachsen lassen, die ihm den Flug in das Himmelreich ermöglichen. Wer diesen Flug schafft, ist ein für uns unauflösliches Geheimnis, denn Christus sammelt aus der ganzen Menschenfamilie zum Flug ins Himmelreich, wen er will.

2) Unter den vielen Hinweisen auf das Himmelreich im Psalmenkommentar[110] nimmt bereits die Auslegung von Ps 2 eine wichtige Stellung

---

[109] In Mt. 24,11 (II,178,4–17): Tamquam gallina congregans pullos suos continere eos sub alis suis uoluit, terrena uidelicet nunc et domestica auis factus, quodam corporis sui tamquam alarum operimento calorem ut pullis suis uitae immortalis indulgens et in uolatum uelut noua generatione producens. Pullis enim alia nascendi ratio est, alia uiuendi. Nam primum ouorum testis tamquam claustro corporis continentur, dehinc postea parentis sedulitate confoti exeunt in uolatum. Huius igitur familiaris ac paene terrenae auis more congregare eos intra se uoluit, ut qui condicione nascendi editi iam fuissent, nunc alterius generationis ortu et calore confouentis renati in caeleste regnum tamquam pennatis corporibus euolarent. Vgl. Cic., Rep. VI, 14: hi vivunt qui e corporum vinculis tamquam e carcere evolaverunt.
[110] Vgl. z.B. Tr.Ps. 1,14 (28,25 – 29,1); 2,46 (73,2–3); 9,4 (77,27); 51,17 (109,9–12); 51,19

ein. Aus dieser Auslegung kann hier nur genannt werden, was ekklesiologisch bedeutsam ist[111]. Hilarius unterscheidet bei der Erklärung zwei Teile: In Tr.Ps. 2,22–33 spricht er von Christus als König, weil er der Sohn ist, dem die Völker zum Erbe und die Enden der Erde zum Eigentum gegeben werden. In Tr.Ps. 2,34–43 geht es ihm um das Reich Christi und die Weise, wie Christus sein Königtum ausübt. Aus dem ersten Teil ist wichtig die Auslegung von Ps 2,8: „Fordere von mir, und ich gebe dir die Völker zum Erbe, die Enden der Erde zum Eigentum." Die Erbschaft Christi sind alle Völker, denn seine Sendung besteht darin, allem Fleisch das ewige Leben zu schenken, damit alle Völker durch die Taufe und die Verkündigung des Evangeliums zum wahren Leben geboren werden, in die große Familie der Hausgenossen Gottes aufgenommen werden und so in das ewige und göttliche Reich Eingang finden[112]. Als Erstgeborener von den Toten (Kol 1,18) hat Christus diejenigen aus allen Völkern zum Erbe, die von den Toten auferstehen[113]. Das Erbe Christi sind prinzipiell alle Völker, denn alle sind in seinen Leib aufgenommen. Deshalb soll sich die Herrlichkeit des auferstandenen Christus auf alle ausdehnen. Doch mit Joh 17,1–2 unterscheidet Hilarius aus dem universalen Erbe Christi („du hast ihm Macht über alle Menschen gegeben") diejenigen, die berufen sind, an der Herrlichkeit seiner Auferstehung teilzunehmen („damit er allen, die du ihm gegeben hast, ewiges Leben schenkt"). Wer sich im Glauben zu Christus bekennt, gehört zum Reich Christi, welches sein eschatologisches Erbe ist. Deutlicher werden die Aussagen im zweiten Teil, der vom Reich Christi handelt. Dieser Teil wird eingeleitet mit Ps 2,9: „Du wirst mit ehernem Stab über sie herrschen, wie Krüge aus Ton wirst du sie zertrümmern." Bei der Erklärung des ehernen Stabes erwähnt Hilarius zwar im Blick auf die Kirche 1 Kor 4,21: „Was zieht ihr vor: Soll ich mit dem Stock zu euch kommen oder mit Liebe und im Geist der

---

(112,3–9); 54,18 (160,20–21); 67,30 (306,7–16); 118,koph,12 (529,13–21); 120,16 (569,18–570,3); 126,2 (614,9–11); 131,27 (682,20 – 683,8); 134,22 (708,7–32); 139,17 (788,27–31); 145,6 (843,23–25); 145,7 (843,29 – 844,7); 147,4 (856,6–8); 147,7 (858,1–4); 148,1–2 (859,11–27); 148,8 (864,21 – 865,22).
[111] Zu einer ausführlichen Interpretation dieses Psalms unter dem Thema des Reiches vgl. G. Pelland, a.a.O. (s. o. Anm. 92), 644–656; vgl. auch L. F. Ladaria, 133–139.
[112] Tr.Ps. 2,31 (60,15–22): haec ergo hereditas eius, ut omni carni det uitam aeternam, ut omnes gentes baptizatae atque doctae regenerentur in uitam: non iam secundum diuinam illam Moysi cantionem angelorum dominatui deditae neque secundum eorundem numerum diuisae, sed in dominicam familiam susceptae et in domesticos dei deputatae et ex iniusto atque peccatore et peruerso iure dominantium in regnum aeternum diuinumque translatae.
[113] Tr.Ps. 2,31 (60,26–27): et aeterna haec omnium ex mortuis resurgentium primogeniti huius ex mortuis aeterni heredis hereditas est.

Sanftmut?"[114] Vorrangig geht es ihm aber um die Umwandlung des Menschen, der wie ein Tonkrug zerbrochen werden muß, damit er Eingang ins Reich Gottes findet. Diese Umwandlung besteht jetzt darin, daß wir mit Christus sterben und begraben werden, um in der Neuheit des Lebens zu wandeln. Hilarius nennt als weitere Bedingung für den endgültigen Eingang in das Reich Gottes das Voranschreiten im neuen Leben, welches Gemeinschaft mit dem Leben des auferstandenen Christus ist.

Um in das eschatologische Reich zu gelangen, welches Hilarius auch Reich der Seligkeit nennt und mit der Auferstehung und dem himmlischen Jerusalem gleichsetzt, ist die Entscheidung des Menschen notwendig, wie an mehreren Stellen des Psalmenkommentars deutlich wird. Damit die Menschen Eingang ins Reich Gottes finden, müssen sie bereits in der Zeit Könige über sich selbst werden, indem sie die Sünde in sich besiegen und der Herrschaft Gottes ihr ganzes Leben überantworten. Es gibt bereits in diesem Leben die Wirklichkeit des Reiches Gottes, wenn Christus so in uns herrscht, daß wir selbst die Herrschaft über uns besitzen. In diesem Sinn deutet Hilarius Lk 17,20–21: „Das Reich Gottes kommt nicht so, daß man es an äußeren Zeichen erkennen könnte. Man kann auch nicht sagen: Seht, hier ist es!, oder: Dort ist es! Denn: Das Reich Gottes ist (schon) mitten unter euch (intra uos)."[115]

Neben mehreren Aussagen zum eschatologischen Sinn des Reiches, die sich mit dem Matthäuskommentar decken, kommt im Psalmenkommentar doch ein neuer Gedanke zum Zug, der dann auch für die Übergabe des Reiches durch Christus an den Vater Bedeutung gewinnt. In der Erklärung der letzten Psalmen unterscheidet Hilarius das gegenwärtige Reich, welches das Reich Christi ist, vom zukünftigen Reich, dem Reich des Vaters oder dem Reich Gottes. Diese Unterscheidung hängt damit zusammen, daß Hilarius an einigen Stellen den Psalter in drei Sektionen zu je fünfzig Psalmen einteilt, die den Weg des Menschen in das Reich Gottes darstellen: Bekehrung (Taufe), Heiligung und Verherrlichung[116]. Die

---

[114] Die Verbindung von Ps 2,9 und 1 Kor 4,21 findet sich bereits bei Orig., Sel. in Ps. 2,9 (PG 12, 1108 D) und Clem. Alex., Paed. I,61,3 (GCS, Clem. I, 126,14–17).

[115] Tr.Ps. 2,41–42 (68,16–22; 69,19–27).

[116] Instr.Ps. 11 (10,27 – 11,11): Tribus uero quinquagesimis psalmorum liber continetur; et hoc ex ratione ac numero beatae illius nostrae expectationis existit. nam qui et primae quinquagesimae et secundae deinde quinquagesimae et tertiae rursum quinquagesimae, in qua finis est libri, consummationem diligenter aduertat, prouidentiam dispositorum in hunc ordinem psalmorum cum dispositione salutis nostrae intelleget conuenire. cum enim primus gradus sit ad salutem, in nouum hominem post peccatorum remissionem renasci, sitque post paenitentiae confessionem regnum illud domini in sanctae illius ciuitatis et caelestis Hierusalem tempora seruatum, et postea consummata in nos caelesti gloria in dei patris regnum per regnum filii proficiamus, in quo debitas deo laudes uniuersitas spirituum praedicabit.

Heiligung, die Hilarius manchmal als das Reich des Sohnes bezeichnet, ist ein eschatologisches Ereignis, denn sie ist Teilnahme an der Auferstehung Christi, welche bereits innerweltlich die Untadeligkeit des Lebens ermöglicht und nach dem Tod das Bestehen im Gericht schenkt. Die Untadeligkeit des Lebens und das Bestehen im Gericht – Hilarius nennt beide auch Auferstehung – führen zur Umwandlung des Menschen zu einem geistigen Wesen und zugleich zum Lob Gottes[117]. Diese Umwandlung bedeutet deshalb Auferstehung in Herrlichkeit[118].

Das Reich des Sohnes ist die Frucht der Auferstehung Christi von den Toten. Durch die Auferstehung ist Christus der Erstgeborene von den Toten. Die Auferstehung ist gleichsam eine neue Zeugung (Ps 2,7: „Heute habe ich dich gezeugt.") zu einem neuen Leben, das Christus all denen mitteilt, die der Vater ihm gegeben hat. Diese Mitteilung des neuen Lebens ist zugleich Umwandlung und Angleichung an die Herrlichkeit seines auferstandenen Leibes. Aus dem Erbe, das der Vater ihm gegeben hat, macht Christus sein Reich, in dem diejenigen, die er mit sich nimmt, zugleich seine Miterben sind. Als Miterben sind wir mit Christus aus dem Reich des Todes ins Reich des Lebens übergegangen[119] und herrschen mit ihm[120], so daß Hilarius sagen kann, wir seien das Reich Christi[121].

Das Thema des Reiches des Sohnes hängt bei Hilarius eng zusammen mit der Annahme des Fleisches in der Inkarnation und vor allem in der Himmelfahrt und Verherrlichung des auferstandenen Christus durch den Vater. Reich des Sohnes bedeutet nicht nur, daß alle, die zu Christus gehören, Einlaß in dieses Reich finden, sondern mehr noch die Mitteilung der Herrlichkeitsgestalt (forma gloriae), die Christus als dem Erstgeborenen von den Toten zukommt. Die Teilnahme am Geheimnis der Auferstehung vollzieht sich durch die Gleichgestaltung mit dem Auferstehungsleib Christi[122].

---

[117] Tr.Ps. 150,1 (871,2–13).
[118] Vgl. zur Umwandlung des Menschen in die Herrlichkeit Gottes A. Fierro, 208–211.
[119] Tr.Ps. 149,2 (867,5–6): … adsumens ex inferno animam suam nos secum adsumpsit in reges.
[120] Tr.Ps. 143,21 (826,17–20): regnabunt enim conformes gloriae suae, per adsumptam ab eo naturae nostrae coniunctionem rursum omnes in naturae eius communione mansuri.
[121] Tr.Ps. 148,8 (865,17).
[122] Tr.Ps. 91,9 (353,1–9).

3.2.1.2 Das zukünftige Reich des Vaters

Das Reich des Sohnes ist ein ewiges Reich. Hilarius stellt diese Ewigkeit klar heraus[123]. Dennoch gibt es, vor allem im Tr.Ps. 148, einige Stellen, die davon sprechen, daß es nach dem Reich Christi den Übergang ins Reich des Vaters gebe[124]. P. Coustant hat diese Texte so gedeutet, daß das Reich Christi weder himmlisch noch ewig sei, sondern den Zwischenzustand der Toten im Schoß Abrahams bedeute[125]. Hilarius sieht aber das Reich des Vaters nicht als Gegensatz, sondern als Erfüllung des Reiches des Sohnes. Der Sohn führt alle, die seinem Leib gleichgestaltet sind, in das Reich des Vaters. Dann hat der Sohn nämlich alle, die der Vater ihm gegeben hat, unverlierbar zu seinen Miterben gemacht. Das Reich des Sohnes ist derart im Reich des Vaters aufgehoben, daß der Sohn „mit dem Vater in uns herrscht"[126]. Dann ist „das Geheimnis Gottes, das vor früheren Zeiten und Generationen verborgen in Gott war und jetzt seinen Heiligen geoffenbart worden ist, daß wir nämlich Miterben sind, zu demselben Leib gehören und an seiner Verheißung teilhaben in Christus" (vgl. Eph 3, 5–6)[127], zu seiner Erfüllung gekommen, denn die in Christus sind, werden in der Ruhe sein[128], und wenn auch alles durch den Sohn ist, so ist doch alles vom Vater[129].

Das Reich des Vaters ist die Vollendung von Menschheit und Kirche, die noch aussteht, aber vom Reich Christi nicht getrennt werden kann. Eine Unterscheidung zwischen dem Reich des Sohnes und dem Reich des Vaters liegt darin, daß das eschatologische Reich des Sohnes, das mit seinem Auferstehungsleib und der Sammlung der Menschen in diesen Leib (concorporales) zusammenhängt, bereits jetzt Wirklichkeit ist: „Wir sind sein Reich."[130] „Das Reich der Heiligen ist von jener Art, daß sie unter der Herrschaft des Herrn Zutritt zum seligen Reich Gottes des Vaters haben werden."[131] So ist das Reich des Vaters die letzte Hoffnung des Menschen.

Mit dem Gedanken der Sammlung der Menschheit in den Leib Christi,

---

[123] Tr.Ps. 9,4 (77,25 – 78,6).
[124] Tr.Ps. 148,8 (864,21–23; 865,2–5.14–22).
[125] P. Coustant, Praef. gen., 197, in: PL 9, 96 C/D. Vgl. Tr.Ps. 62,7 (220,16–24).
[126] Tr.Ps. 9,4 (78,4).
[127] Tr.Ps. 91,9 (353,2–5).
[128] Tr.Ps. 91,9 (352,15–16).
[129] Tr.Ps. 91,4 (348,18–19).
[130] Tr.Ps. 148,8 (865,17). Der Begriff ‚concorporatio‘ (vgl. In Mt. 6,1) findet sich bereits bei Tert., Adv. Marc. 4,4 (CCL 1,550,23).
[131] Tr.Ps. 148,8 (864,21–22).

um zu seinem Reich zu gehören und sogar sein Reich zu sein, tritt die ekklesiologische Komponente in die Bestimmung des Reiches Christi. Bei der Auslegung von Ps 145,10: „Der Herr ist König auf ewig, dein Gott, Zion, herrscht von Geschlecht zu Geschlecht.", fragt Hilarius, wo jener Zion sei. Er findet Zion in der Kirche, der himmlischen Mutter, die aus lebendigen Steinen erbaut ist und von den Hausgenossen Gottes bewohnt wird[132]. Obwohl das Reich prinzipiell für alle offen ist, grenzt Hilarius die tatsächliche Zugehörigkeit doch auf jene ein, die Hausgenossen Gottes und lebendige Steine sind, indem sie in der Taufe den alten Menschen ablegen und in der Neuheit des Lebens Christus gleichgestaltet werden[133]. Wie beim Gleichnis vom Weinstock und den Rebzweigen, weist Hilarius auch bei seinen Ausführungen zum Reich Christi auf die Möglichkeit hin, von der Gemeinschaft des Leibes Gottes und vom Reich der Seligkeit ausgeschlossen zu werden[134].

3.2.2 Übergabe des Reiches durch Christus an den Vater

3.2.2.1 Übergabe des Reiches und Unterwerfung Christi

Die Übergabe des Reiches an den Vater behandelt Hilarius am ausführlichsten in De Trinitate. Im elften Buch setzt er sich mit der Leugnung der Gottheit Christi seitens der Arianer auseinander. Er will die Beweisstellen der Arianer (Joh 20,17 und 1 Kor 15,27–28) widerlegen. Aus Joh 20,17 leiten sie die Geschöpflichkeit des Sohnes ab, während ihnen die Unterwerfung Christi unter Gott in 1 Kor 15,28 Anlaß zur Bestreitung der Gottheit Christi ist. Aus der Unterwerfung folgt für die Arianer die Schwachheit des Unterworfenen.

Hilarius geht bei seiner Antwort nicht in der Reihenfolge von 1 Kor 15,24–28 vor: Zuerst das Ende, dann die Übergabe der Herrschaft, danach die Unterwerfung[135]. Die Lehre des Apostels scheint ihm vielmehr folgende sachliche Anordnung zu erfordern: Zuerst findet die Übergabe der Herrschaft statt, danach die Unterwerfung, zuletzt tritt das Ende ein[136]. Eines ergibt sich aus dem anderen.

Während die Unterwerfung und das Ende vor allem christologische

---

[132] Tr.Ps. 145,7 (843,27–844,7).
[133] Tr.Ps. 91,9 (353,5–14). Vgl. zur Gleichgestaltung mit Christus Orig., MatthCom 12,29 (GCS 40 = Origenes X, 133,1–13); 15,23 (418,6 – 419,29).
[134] Tr.Ps. 51,19 (112,3–4.).
[135] Vgl. den Text von 1 Kor 15, 21–28 in Trin. XI,22 (552,5–16).
[136] Trin. XI,26 (555,1–3).

und anthropologische Fragen sind, hat die Übergabe der Herrschaft auch ekklesiologische Bedeutung[137].

Die Übergabe des Reiches an den Vater ist verbunden mit der Unterwerfung des Sohnes. Hilarius beschreibt die verschiedenen Etappen der Unterwerfung, die für ihn nicht Unterordnung eines Unterlegenen unter einen Überlegenen bedeuten, sondern Erweis des Geheimnisses ist: „Um endlich nach der zuletzt vollzogenen völligen Überwindung des Todes den Sinn dieses Geheimnisses eindeutig sein zu lassen, sagt er (der Apostel) danach: Wenn es aber heißt: Alles ist unterworfen, außer demjenigen, der ihm alles unterworfen hat, so wird er selbst jenem unterworfen sein, der ihm alles unterworfen hat, damit Gott alles in allem sei (1 Kor 15, 26–28). Die erste Stufe des Geheimnisses ist also, daß alles ihm unterworfen ist. Danach, daß er selbst dem unterworfen ist, der ihm alles unterwirft, damit, wie wir der Herrlichkeit seines herrschenden Leibes unterworfen werden, so auch er in demselben Geheimnis bei der Herrschaft in der Herrlichkeit seines Leibes demjenigen unterworfen werde, der ihm alles unterwirft. Wir werden aber der Herrlichkeit seines Leibes unterworfen, damit wir jene Herrlichkeit besitzen, mit der er im Leib herrscht: Denn seinem Leib werden wir gleichgestaltet sein."[138] Es gibt in der Unterwerfung zwei Etappen: 1) „Wir haben ... einen Herrn, der gemäß der Herrlichkeit des Leibes herrscht, bis die Ärgernisse beseitigt werden." 2) „Wir haben aber auch dies, daß wir der Herrlichkeit seines Leibes im Reich des Vaters gleichgestaltet sein werden, leuchtend wie in der Klarheit der Sonne. In ihr hat er bei seiner Verklärung auf dem Berg den Aposteln den Zustand seines Reiches gezeigt."[139] Die Unterwerfung der Menschheit, die zu Christus gehört, ist zugleich eine Verwandlung (transfiguratio), wie Phil 3, 21 zeigt, ein Text, den Hilarius in Trin. XI häufig zitiert: „(Christus), der unseren armseligen Leib verwandeln wird in die Gestalt seines verherrlichten Leibes, in der Kraft, mit der er sich alles unterwerfen kann." Die Unterwerfung der zu Christus gehörenden Menschheit ist der letzte Akt in Gottes geheimnisvoller Heilsordnung, die dahin zielt, daß Gott alles in allem sei. Christus hat als auferstandener die Herrlichkeit seines Leibes auf alle ausgeweitet, die er in der Menschwerdung angenommen hat und die sich im Glauben zu ihm bekennen. Des-

---

[137] Vgl. dazu E. Schendel, a.a.O. (s.o. Anm. 92), 159–166; G. Pelland, a.a.O., 658–664; P. Smulders, La doctrine trinitaire de S. Hilaire de Poitiers, 218–262; P. Galtier, Saint Hilaire de Poitiers, 153–158.

[138] Trin. XI,36 (564, 1 – 565, 11). Vgl. G. Pelland, La „subjectio" du Christ chez saint Hilaire, in: Gr.64 (1983) 423–451.

[139] Trin. XI,38 (566, 11–16).

halb gibt es als erste Stufe schon jetzt das Reich Christi. Wenn die Zeit der Sammlung der Menschheit in das Reich Christi vollendet ist und alles Christus unterworfen ist, dann kommt die zweite Stufe: Christus übergibt alles, was ihm gehört, dem Vater. Er übergibt dem Vater das Reich, ohne es zu verlieren, damit wir mit ihm Reich Gottes sind und das letzte Ziel erreichen: die Anschauung Gottes. „Das Reich wird er also Gott dem Vater übergeben, nicht in der Weise, als ob er sich durch die Übergabe der Macht entledigte, sondern so, daß wir der Herrlichkeit seines Leibes gleichgestaltet und damit Reich Gottes sein werden. Er sagt nämlich nicht: ‚Er wird sein Reich übergeben‘, sondern: ‚Er wird das Reich übergeben‘, uns wird er an Gott übergeben, die wir durch die Verherrlichung seines Leibes sein Reich geworden sind. Uns also wird er in das Reich hineinversetzen … Denn der Sohn wird diejenigen als Reich an Gott übergeben, die er zum Reich berufen hat, denen er auch die Seligkeit dieses Geheimnisses versprochen hat mit den Worten: ‚Selig, die ein reines Herz haben, denn sie werden Gott schauen‘ (Mt 5,8). Dann also, wenn er herrscht, wird er die Ärgernisse beseitigen, und dann werden die Gerechten wie die Sonne aufleuchten im Reich des Vaters. Das Reich aber übergibt er dem Vater, und dann werden diejenigen Gott schauen, die er Gott als Reich übergeben hat.“[140]

Das Reich Christi hört mit der Übergabe an den Vater nicht auf, sein Reich zu sein. Hilarius stellt die Königsherrschaft Christi auch in der Übergabe des Reiches an den Vater heraus: „Indem er also herrscht, wird er sein Reich übergeben … Er herrscht aber in eben diesem seinem Leib, der schon verherrlicht ist, bis er nach der Vernichtung der Machthaber und der Besiegung des Todes sich die Feinde unterwirft … Nach deren Unterwerfung wird er dem unterworfen, der ihm alles unterwirft, damit Gott alles in allem sei (1 Kor 15,28), nachdem dem Wesen unseres angenommenen Leibes wesentliche Eigentümlichkeiten der väterlichen Gött-

---

[140] Trin. XI,39 (566,1–6.9 – 567,15). Bereits Irenäus verbindet die Anschauung Gottes, die in der Zeit ein langsames Wachstum erfährt, mit dem Himmelreich. Vgl. Adv.haer. IV,20,5 (SC 100,639–640): Visus quidem tunc (Deus) per spiritum prophetice, visus autem et per Filium adoptive, videbitur autem et in regno caelorum paternaliter, Spiritu quidem praeparante hominem in Filium Dei, Filio autem adducente ad Patrem, Patre autem incorruptelam donante in aeternam vitam, quae evenit ex eo quod videat Deum. Vgl. Ps.-Athan. (Marc. Ancyr.), De Incarn. et c. Arian. 20 (PG 26, 1020 A – 1021 A); Orig., De princ. III,6,9 (GCS 22 = Origenes V, 290,18 – 291,2): … Christus dominus, qui est rex omnium, regnum ipse suscipiet, id est post eruditionem sanctarum virtutum eos, qui eum capere possunt secundum quod sapientia est, ipse instruet, regnans in eis tamquam usquequo eos etiam patri subiciat ‚qui sibi subdidit omnia‘, id est ut, cum capaces dei fuerint effecti, sit eis ‚deus omnia in omnibus‘. Tunc ergo consequenter etiam natura corporea illum summum et cui addi iam nihil possit recipiet statum.

lichkeit mitgeteilt sind. Deswegen nämlich wird Gott alles in allem sein, weil er, aus (seinem Wesen als) Gott und Mensch heraus, als der Mittler Gottes und der Menschen gemäß der Heilsfügung (dispensatio) aufgrund dieser Heilsfügung sowohl besitzt, was leiblich ist, als auch in allem aufgrund der Unterwerfung erlangen wird, was Gottes ist, damit er nicht nur teilweise Gott sei, sondern Gott in seiner Ganzheit."[141]

Während Paulus in 1 Kor 15,28 die Formel: „Gott alles in allem" auf den Vater bezieht, sieht Hilarius darin eine Bestimmung des Sohnes: Er ist ganz Gott (Deus totus)[142]. Dann aber bleibt in der Übergabe des Reiches an den Vater das Reich des Sohnes bestehen. In diesem Sinn kann die Erklärung von Joh 13,31–32 bei Hilarius gedeutet werden: „Jetzt ist der Menschensohn verherrlicht, und Gott ist in ihm verherrlicht. Wenn Gott in ihm verherrlicht ist, wird auch Gott ihn in sich verherrlichen, und er wird ihn bald verherrlichen." In der Auferstehung hat der Vater den Leib Christi verherrlicht. Dadurch ist der Vater im Sohn verherrlicht. Mit der Übergabe des Reiches nimmt der Vater den menschgewordenen Sohn so in die Fülle der Gottheit hinein, daß er „Gott alles in allem" ist. Dann ist der Vater nicht mehr nur im Sohn verherrlicht, sondern der Sohn ist im Geheimnis seines Leibes im Vater verherrlicht: „Denn daß Gott in ihm verherrlicht ist, das bezieht sich auf die Herrlichkeit des Leibes, durch welche Gottes Herrlichkeit in der Herrlichkeit des Menschensohnes erkennbar werden soll. Dies aber, daß Gott in ihm verherrlicht ist und daß deshalb Gott ihn in sich (dem Vater) verherrlicht hat, bedeutet, daß Gott ihn vermöge einer Zunahme (incrementum) des in ihm verherrlichten Gottes verherrlicht hat, damit er in Gottes Herrlichkeit übergehe, weil er schon in jener Herrlichkeit herrscht, die Gottes Herrlichkeit entstammt. In sich nämlich hat Gott ihn verherrlicht, d. h. in demjenigen Wesen, wodurch Gott das ist, was er ist, damit Gott alles in allem sei, da er bei seinem Übergang zu Gott ganz in der Heilsfügung bleibt, aufgrund derer er Mensch ist."[143]

---

[141] Trin. XI, 39–40 (567, 17.1–3.5 – 568, 12). Zu ,naturae adsumpti corporis nostri natura paternae diuinitatis inuecta' vgl. G. Tezzo, 627, Anm. 2: „Ilario non vuole dire che l'umanità assunta di Cristo venga trasmutata nella natura divina del Padre, ma soltanto che prende le doti che competono alla natura divina del Padre. Il vocabolo *natura* qui sta ad indicare alcune doti della natura divina del Padre, come l'incorruttibilità, l'immortalità, ecc."

[142] Vgl. P. Galtier, a. a. O., 154.

[143] Trin. XI, 42 (570, 14–24); vgl. A. Fierro, 144–160.

3.2.2.2 Das Ziel der Unterwerfung der Geretteten

Das Geheimnis der Unterwerfung Christi unter den Vater, der Übergabe des Reiches an den Vater und des Endes: „Gott alles in allem", hat eschatologische Auswirkungen auf die angenommene Menschheit[144]. Wenn alle Menschen zur Kirche und zum Reich Gottes berufen sind, weil alle in Christus, der die Kirche und das Himmelreich in Person ist, angenommen sind, dann leben alle Menschen bereits dem Angebot nach im verherrlichten Christus. Was am Ende der Zeit offenbar werden soll: die endgültige Gleichgestaltung mit dem verherrlichten Leib Christi, ist bereits jetzt wirksam. Im Glauben an die Menschwerdung sind wir bereits jetzt seinem Reich unterworfen. Dieses Reich ist ein ewiges Reich, da Christus auch dann herrscht, wenn er sein Reich, d. h. uns, dem Vater übergibt. Wenn auch der jetzigen Zugehörigkeit zur Kirche und zum Reich Gottes noch eine Vorläufigkeit anhaftet, so ist doch bereits jetzt Endzeit, da das Reich Christi nach Gottes Heilsfügung das Reich des Vaters ist. Zwischen ‚beiden Reichen' besteht keine Trennung, sondern sowohl christologisch wie auch ekklesiologisch „Fortschritt der Annahme" (adsumptionis profectus)[145] und „Wachstum" (incrementum)[146]. Beide Begriffe deuten auf dieselbe Vollendung hin, daß Gott (Christus) alles in allem sei.

In diesen Hinweisen auf die Annahme aller Menschen in den Leib und das Reich Christi kann man eine Andeutung auf den allgemeinen Heilswillen Gottes sehen. Hilarius behandelt dieses Thema vorwiegend eschatologisch: Aus der gesamten Menschheit, die in Christus angenommen ist, haben nur jene wirklich Zugang zum Reich Gottes, die durch den Glauben und die Neugestaltung des Lebens den alten Menschen ablegen und sich in die Gestalt der Herrlichkeit Christi umwandeln lassen[147].

Das Thema der Übergabe des Reiches wird auch im Psalmenkommentar erwähnt. Innerhalb des Kontextes von 1 Kor 15,24–28 werden ebenfalls in der Psalmenerklärung die paulinischen Themen der Unterwerfung, Übergabe des Reiches und des Endes behandelt[148]. Der Zusammenhang dieser drei Themen kommt in Tr.Ps. 9,4 zum Ausdruck. Hier wird auch auf das Ziel der Unterwerfung der Geretteten hingewiesen. Das Ziel

---

[144] Vgl. dazu M. J. Rondeau, a.a.O. (s.o. Anm. 81), 209f; G. Pelland, a.a.O., 663f.
[145] Trin. XI,41 (569,6); vgl. A. Fierro, 205–208.
[146] Trin. XI,42 (570,19).
[147] Vgl. E. Schendel, a.a.O., 166f.
[148] Vgl. Tr.Ps. 60,5 (205,14 – 206,22); 65,13 (257,19 – 258,8); 67,37 (311,22 – 313,3); 118,lamed,8 (461,11–26); 118,lamed,14 (465,6 – 466,8); 139,17 (788,20–31); 143,23 (828,1-9); 144,4 (830,11–33); 148,8 (865,14–22).

ist die Auferstehung der Toten, die Verherrlichung der Heiligen, die Unterdrückung der herrschenden Macht des Bösen und die Vernichtung des Todes. Darin besteht das Reich Christi. Das Reich Christi ist aber auch das Reich des Vaters, denn der Vater hat dem Sohn alles unterworfen, damit der Sohn schließlich alles, was ihm unterworfen ist, ins Reich des Vaters führe, indem er sein Reich dem Vater übergibt. Der Sohn soll uns, nachdem wir mit der Unsterblichkeit bekleidet und der Herrlichkeit seines Leibes gleichgestaltet sind, in das Reich des Vaters hineinführen. Die Erfüllung des Reiches des Sohnes ist, daß er uns als seine Miterben in die Familie des Vaters versammelt, daß er mit dem Vater zusammen in uns herrscht und so Gott alles in allem ist. Durch das Geheimnis seiner eigenen Unterwerfung, die nicht Unterordnung der Natur, sondern Unterwerfung des Gehorsams ist, wird die Schwäche der menschlichen Grundbefindlichkeit, die Christus angenommen hat, in die Natur Gottes hinein verschlungen[149]. Deswegen ist die Unterwerfung Christi unter den Vater nicht „Schwäche der Gottheit", sondern „Fortschritt der Annahme"[150]. Die äußerst dichte Stelle Tr.Ps. 9,4 enthält bereits alles, was Hilarius zur Übergabe des Reiches und zur Unterwerfung Christi im Psalmenkommentar ausführt. Sie enthält darüber hinaus einige Gedanken, die das Gesamtwerk des Bischofs von Poitiers durchziehen: Die Unterwerfung Christi im Gehorsam dem Vater gegenüber; die Unterwerfung der gesamten Menschheit unter Christus aufgrund der Annahme der Menschheit; die Herrlichkeit des Auferstehungsleibes Christi; unsere Berufung zu Miterben und Gliedern der Familie Gottes; Christi ewige Herrschaft in uns als Mitkönig des Vaters; seine überragende Stellung als „Gott alles in allem". All das sind Elemente, die in ihrem Zusammenspiel das Reich ergeben, das Christus dem Vater übergibt, ohne daß es aufhörte, sein Reich zu sein[151].

Diese Gedanken werden aufgenommen und weiterentfaltet in Tr.Ps. 60,5–6[152]. Wichtig ist hier für die Bestimmung des Ziels der Unterwerfung der Geretteten, daß diejenigen mit Christus im Reich des Vaters herrschen, die Könige geworden sind. Hilarius bezieht sich dabei auf Mt 19,28, wodurch er Ps 60,7–8: „Du fügst den Tagen des Königs noch viele

---

[149] Tr.Ps. 9,4 (77,25 – 78,6). Hilarius behandelt bei der Erklärung von Ps 9 die paulinischen Themen von 1 Kor 15,22–28 (Tr.Ps. 9,4[77,12–25]) im Zusammenhang mit der Überschrift des Psalms: In finem pro occultis filii.

[150] Trin. XI,41 (568,5 – 569,6).

[151] Vgl. zur Auslegungsgeschichte der Übergabe des Reiches und der Unterwerfung Christi (1 Kor 15,24–28) E. Schendel, a.a.O., 25–200.

[152] Vgl. dazu genauer G. Pelland, a.a.O., 667f.

hinzu; seine Jahre mögen dauern von Geschlecht zu Geschlecht. Er bleibt auf immer vor Gottes Angesicht.", einen neuen Sinn gibt. Die Vollendung der Jahre, die von Geschlecht zu Geschlecht dauern, sieht er in der Neuschöpfung der Welt (Mt 19, 28)[153]. Bezogen auf das Reich, kann man hier wiederum zwei Etappen unterscheiden: 1) Seit der Auferstehung herrscht Christus über die Geschlechterfolge. Es ist die Zeit des Wachstums des Reiches, das sich durch die Predigt der Apostel ausbreiten soll und stets durch den Fürsten dieser Welt bedroht ist[154]. 2) Die Übergabe des Reiches an den Vater ist der Sieg über den Fürsten dieser Welt und die Neuschöpfung der Glieder des Leibes Christi zu Königen mit Christus. Die Auferstehung Christi ist das bereits wirksame Vorausbild dieser endzeitlichen Neuschöpfung zu Königen im Reich des Vaters. So gibt es in der Theologie des Reiches eine Dynamik, die vom Reich Christi, das mit der Auferstehung anhebt, zum Reich des Vaters hinführt, in das durch die Neuschöpfung, d. h. das neue Leben in Christus in Fülle, jene Eingang finden, die Christus zu seinen Miterben erwählt hat. Wie das Reich Christi im Reich Gottes des Vaters seine Erfüllung findet, so auch sein angenommener Leib, der erst dann zu seiner vollen Ausdehnung gelangt ist. Dann hat sich das Abschiedsgebet Jesu erfüllt, daß alle eins seien und dort seien, wo er ist[155]. Das ist für Hilarius die Erfüllung der Unterwerfung der Geretteten und zugleich das Ende[156]. Denn diejenigen, die zu Christus gehören, sind dann im Reich des Vaters und deshalb am Ziel angelangt, das ihnen von Anfang an bereitet ist.

Hilarius erwähnt auch, daß es für den Menschen während der Zeit des Lebens nicht immer leicht ist, an das kommende Reich als Ziel des Lebens zu glauben. Gegen diesen Glauben kann die Erfahrung stehen, daß Gott sich anscheinend nicht um die Sorgen der Menschen kümmere. Hier kann ein Hinweis auf das Gottesbild der Antike erblickt werden. Aus der Lektüre der klassischen lateinischen Autoren (z. B. Horaz) kannte Hilarius die Meinung, daß die Götter andere Sorgen haben, als sich mit den Angelegenheiten der Menschen zu befassen. Es kann aber auch sein, daß die Menschen nicht an ein Leben nach dem Tod und an das Reich Gottes glauben, um sich dadurch nicht mit dem Gedanken an ein Gericht über das eigene Leben zu belasten[157].

Hilarius erwähnt diese Einwände und nimmt sie ernst, doch sie können

---

[153] Tr.Ps. 60, 5 (205, 16 – 206, 22).
[154] Tr.Ps. 65, 12–13 (256, 20 – 258, 8).
[155] Tr.Ps. 67, 37 (312, 1–3).
[156] Tr.Ps. 118, lamed, 14 (466, 4–8).
[157] Tr.Ps. 144, 4 (830, 19–23).

nichts an seiner Überzeugung ändern, daß das Reich, das Christus dem Vater übergibt und das wir sind, unsere eigene Vollendung ist (regni traditio nostra prouectio est)[158]. Dieser Fortschritt zur Vollendung (prouectio) ist letztlich nur durch den Tod hindurch zu erreichen, denn erst nach dem Tod kann der Mensch Gott vollkommen schauen. In dieser Anschauung Gottes sieht Hilarius eine wesentliche Bestimmung des Reiches des Vaters. Deshalb erwähnt er im Zusammenhang mit unserer Umgestaltung aus Vergänglichkeit zu Unvergänglichkeit Ex 33,20: „Kein Mensch kann mein Angesicht sehen und am Leben bleiben."[159]

Die Theologie des Reiches ist, wie das Kirchenverständnis des Hilarius, vor allem bestimmt von der Annahme des Fleisches oder der Menschheit in und durch Christus. Die enge Verbindung zwischen Kirche und Reich Christi sowie Reich des Vaters zeigt sich bereits terminologisch, denn Begriffe wie concorporatio, conformatio und adsumptio werden sowohl für die Kirche als auch zur Beschreibung des Reiches gebraucht. Die himmlische Kirche ist für Hilarius identisch mit der Übergabe des Reiches. Doch das Ende ist die Erfüllung des Anfangs, denn „seit Beginn der Welt ist denen, die von Gott gesegnet sind, der Besitz des himmlischen Reiches bestimmt"[160]. Deshalb können wir bereits jetzt Gott loben und ihm für das danken, was Christus uns im Reich des Vaters in Fülle schenken will[161].

---

[158] Tr.Ps. 148,8 (865,18).
[159] Tr.Ps. 139,17 (788,20–31).
[160] Tr.Ps. 140,4 (791,27–28).
[161] Tr.Ps. 150,2 (871,28 – 872,6): deus secundum apostolum nos ante mundi constitutionem in caelestibus spiritali benedictione benedixit (Eph 1,3); ad cuius laudis gloriam omnia et uocis et operum officia incitant diuersitate habitationum et claritate. laudamus idcirco in cymbalis bene sonantibus; in cymbalis exultationis laus ista perficitur. quae laus omnis in sanctis est, quod ab his corruptionem carnis sanguinisque depulerit, quod ad imaginem creatoris sui sint reformati, quod conformes iam esse gloriae corporis dei coeperint, quod in omnem dei plenitudinem impleantur, quod, cum deus spiritus sit, deum tamen non caro iam sit laudatura, sed spiritus.

4. Der Geist und die Kirche

Als Leib Christi nimmt die Kirche teil am Leben des verherrlichten Christus und an seiner Salbung. Indem die beiden Frauen im Evangelium Haupt und Füße Jesu salben, ist der ganze Leib gesalbt[1]. Der auferstandene Christus schenkt der Kirche sein neues göttliches Leben durch die Gabe des Heiligen Geistes, der in der Geschichte der Menschheit und der Kirche wirkt.

Die Betrachtung des Heiligen Geistes im Werk des Hilarius muß hier beschränkt werden auf die Beziehung von Geist und Kirche und auf die Wirkungen des Geistes in den Gliedern des Leibes Christi[2].

4.1 Der Geist als Gabe an die Kirche

Hilarius beschäftigt sich nur am Rand mit dieser Frage, der in der gegenwärtigen Theologie eine hohe Bedeutung zukommt. Da der Bischof von Poitiers, wie L. F. Ladaria in seiner Studie über den Heiligen Geist in der Theologie des Hilarius gezeigt hat, eine noch schwankende und unvollkommene Pneumatologie vorlegt, kann nicht erwartet werden, daß sich bei ihm bereits eine ausgebildete Theologie des Heiligen Geistes findet, wie sie später von den Kappadoziern entfaltet wird[3]. H. J. Vogt macht eine ähnliche Feststellung für das Kirchenverständnis des Origenes: „In den ekklesiologischen Äußerungen ist vom Geist nur gelegentlich die Rede."[4] Dennoch erwähnt Hilarius den Heiligen Geist in ekklesiologisch bedeutsamen Zusammenhängen.

---

[1] Vgl. Tr.Ps. 132,5 (688,21–27).
[2] Vgl. zur Lehre vom Heiligen Geist bei Hilarius: L. F. Ladaria, El Espíritu santo en san Hilario de Poitiers, Madrid 1977; P. Smulders, La doctrine trinitaire de S. Hilaire de Poitiers, 263–279; P. Löffler, Die Trinitätslehre des Bischofs Hilarius von Poitiers zwischen Ost und West, in: ZKG 71 (1960) 26–36; J. Moingt, La théologie trinitaire de S. Hilaire, in: Hilaire et son temps, 159–173, bes. 166f.
Vgl. zu Geist und Kirche: S. Tromp, Corpus Christi quod est Ecclesia, III, Rom 1960; F. Malmberg, Ein Leib – Ein Geist, 111–219; H. U. von Balthasar, Spiritus Creator. Skizzen zur Theologie, III, Einsiedeln 1967; H. Mühlen, Der Heilige Geist als Person. In der Trinität, bei der Inkarnation und im Gnadenbund: Ich–Du–Wir, Münster ²1967; ders., Una Mystica Persona. Die Kirche als das Mysterium der Identität des Heiligen Geistes in Christus und den Christen: Eine Person in vielen Personen, München/Paderborn/Wien ²1967; Y. Congar, Je crois en l'Esprit saint, II: Il est Seigneur et il donne la vie, Paris 1979, 13–87; L. Bouyer, Le Consolateur. Esprit saint et vie de grâce, Paris 1980, 339–449.
[3] Vgl. z. B. die Einführung v. B. Pruche zu Basile de Césarée, Sur le Saint-Esprit (SC 17bis), 196–212.
[4] H. J. Vogt, Das Kirchenverständnis des Origenes, 330.

In seinem Gesamtwerk stellt Hilarius häufig die Wirksamkeit des Geistes Gottes heraus. Er ist bei der Schöpfung der Welt, im Alten Testament und in der Geschichte Israels zugegen. Er ist aber besonders mit Christus verbunden, denn er kündigt in den Propheten die Menschwerdung des Sohnes Gottes an. Mit der Auferstehung Jesu ist die Fülle des Geistes gegeben. Stärker als Origenes verbindet Hilarius die Ausgießung des Geistes mit dem Pfingstereignis. Origenes verbindet sie vorwiegend mit dem Ostertag[5].

Hilarius beschreibt die Kontinuität des Geistes in der Heilsgeschichte und zugleich die Neuheit, die mit der Sendung des Geistes durch den verherrlichten Christus einsetzt, zusammenfassend in De Trinitate: „Es gibt nämlich überall nur einen Heiligen Geist, er erleuchtet alle Patriarchen, Propheten und alle, die an der Abfassung des Gesetzes beteiligt waren; er wirkt schon im Mutterschoß auf Johannes ein; er wurde dann den Aposteln und den übrigen Gläubigen gegeben zur Erkenntnis jener Wahrheit, die ihnen gewährt worden ist."[6] Während der Geist die Patriarchen und Propheten erleuchtet, Johannes ‚inspiriert‘, ist die neutestamentliche Aussage, daß der Geist gegeben ist. Er ist die Gabe an die Kirche, die der auferstandene Herr ihr geschenkt hat. Bevor der Geist Gabe ist, ist er gegeben; als gegebener (datus) ist er Gabe (donum, munus, usus in munere), wie Hilarius vor allem in De Trinitate herausstellt.

4.1.1 Die Gegenwart des Geistes in den Aposteln

1) Im Matthäuskommentar erwähnt Hilarius die Gabe des Geistes an die Apostel zu einer doppelten Aufgabe. Die Apostel sind als erste von Jesus berufen, ihm zu folgen und sein Leben zu teilen. Sie sind zugleich die er-

---

[5] Vgl. L. F. Ladaria, 45–162; H. J. Vogt, a. a. O.

[6] Trin. II, 32 (68, 11–15): Est enim Spiritus sanctus unus ubique, omnes patriarchas profetas et omnem chorum legis inluminans, Iohannem etiam in utero matris inspirans, datus deinde apostolis ceterisque credentibus ad cognitionem eius quae indulta est ueritatis. Vgl. Orig., De princ. II, 7, 2 (GCS 22 = Origenes V, 149, 3–9): Video tamen quod praecipuus spiritus sancti adventus ad homines post ascensionem Christi in caelos magis quam ante adventum eius declaretur. Antea namque solis prophetis et paucis, si qui forte in populo meruisset, donum sancti spiritus praebebatur; post adventum vero salvatoris scriptum est ‚adimpletum esse illud, quod dictum fuerat in propheta Iohel‘, quia „erit in novissimis diebus, et effundam de spiritu meo super omnem carnem, et prophetabunt". Novatian, De Trin. 29, 6 (CCL 4, 69, 24 – 70, 30): Unus ergo et idem Spiritus qui in prophetis et apostolis, nisi quoniam ibi ad momentum, hic semper. Ceterum ibi non ut semper in illis inesset, hic ut in illis semper maneret; et ibi mediocriter distributus, hic totus effusus; ibi parce datus, hic large commodatus, nec tamen ante resurrectionem Domini exhibitus, sed per resurrectionem contributus.

sten, die an Jesus geglaubt haben, die den Schritt von der Synagoge zur Kirche, vom Gesetz zum Evangelium[7] vollzogen haben, die als erste mit Wasser und Feuer getauft wurden[8]. Nach Ostern besteht ihre Aufgabe darin, in Predigt und apostolischem Dienst die Gabe des Geistes, die der verherrlichte Christus gesandt hat, an die Kirche weiterzugeben[9].

Im Matthäuskommentar wird die Universalität der Gabe des Geistes hervorgehoben. Die Sendung der Apostel gilt den Heiden, damit sie die Gabe des Geistes empfangen und so zur Erkenntnis Christi gelangen. Wie sich die gesamte Menschheit und die Kirche bei Hilarius prinzipiell decken, so ist auch die Gabe des Geistes allen angeboten. Der Geist ist aber nicht an die Mitteilung durch die Apostel gebunden, denn er ist manchmal bereits in den Heiden wirksam, bevor die Apostel ihre Botschaft verkünden und durch Gebet und Handauflegung den Geist mitteilen, wie Hilarius unter Anspielung auf den heidnischen Hauptmann Kornelius (Apg 10, 44–48; 11, 15–17) schreibt[10].

2) In De Trinitate wird die Gegenwart des Geistes in den Aposteln in einen ekklesiologischen Zusammenhang eingeordnet. Mit Eph 4, 4 stellt Hilarius fest: „Und ein Geist als Gabe in allen."[11] Der Geist ist Garant der Wahrheit der apostolischen Verkündigung. In der Kraft des Geistes haben die Apostel der Kirche den wahren Glauben an die Gottheit Christi überliefert[12]. Der Geist, der an Pfingsten sichtbar über die Apostel herabkam, ist in der ganzen Kirche und in der Welt gegenwärtig, denn an Pfingsten hat sich die Weissagung erfüllt: „Ich werde von meinem Geist ausgießen über alles Fleisch" (Joel 3, 1)[13]. Der Geist ist die verheißene Gabe des Vaters, die Jesus den Aposteln schenken will. Diese Gabe gilt in den Aposteln der ganzen Kirche, denn nach dem Willen Jesu sollen die Apostel seine Zeugen sein bis an die Grenzen der Erde[14].

3) Auch im Psalmenkommentar wird betont, daß der Geist in der Verkündigung der Apostel gegenwärtig ist und durch die Apostel die Kirche stets belebt. Hilarius spricht in Tr.Ps. 67, 9–13 über die Apostel als Diener

---

[7] In Mt. 21, 9 (II, 132, 4 – 134, 7).
[8] In Mt. 4, 10 (I, 128, 10–15).
[9] In Mt. 14, 19 (II, 32, 1–15); 19, 3 (II, 92, 16–18).
[10] In Mt. 2, 1 (I, 102, 17–20): Admoniti per uisum, sancti scilicet Spiritus donum in gentibus contemplantes ad eas transferunt Christum Iudaeae missum, sed uitam et salutem gentium nuncupatum.
[11] Trin. II, 1 (38, 17).
[12] Trin. X, 64 (517, 1 – 518, 6); VIII, 35 (348, 1 – 349, 15).
[13] Trin. VIII, 25 (337, 21–27).
[14] Trin. VIII, 30 (341, 1 – 342, 34).

des Geistes, den sie der Kirche weitergeben sollen. Er geht aus von Ps 67, 10–11: „Gott, du ließest Regen strömen in Fülle und erquicktest dein verschmachtendes Erbland. Deine Geschöpfe finden dort Wohnung, in deiner Güte versorgst du den Armen."

L. F. Ladaria hat die geistige Exegese dieser Stelle bei Hilarius untersucht[15] und herausgestellt, daß der Regen in Fülle den Heiligen Geist meint, den Christus über sein Erbland, die ganze Menschheit, strömen läßt. Dadurch werden die Menschen aus reinen Lebewesen zu geistigen Wesen[16]. Die ersten Lebewesen, über die der Herr den Regen, d. h. den Geist, hat strömen lassen und an denen sich die Umgestaltung zu Menschen des Geistes vollzieht, sind die Apostel, die dadurch Fundament und Säule der Kirche werden[17]. Ihnen ist das Wort der Verkündigung anvertraut, das vom Geist getragen ist, damit sie in rechter Weise predigen können. Durch den Geist werden sie Werkzeuge Christi, entreißen die Heiden dem Einfluß des Teufels und bauen so die Schönheit der Stadt Gottes auf[18].

In allen Aposteln ist ein und derselbe Geist Gottes zugegen (unus atque idem spiritus). Deshalb hat die Verkündigung der Apostel dieselbe Wirkung wie Regen, der unterschiedslos auf das Land strömt: Die Menschen werden in ihrem Inneren zu einem Leben im Geist erneuert.

In Tr.Ps. 67, 9–13 ist die ganze Auffassung des Hilarius über die Gabe des Geistes in den Aposteln enthalten: Gott, der die Quelle des Geistes ist, hat in Christus seinen belebenden Regen, den Heiligen Geist, über die Apostel ausgegossen, der sie zu Zeugen Christi umwandelt[19] und sie zu ihrer Sendung befähigt. Diese Sendung besteht darin, aus allen Völkern das Erbland Gottes, die Kirche, zu sammeln. Die Sammlung der Kirche geschieht durch die Predigt der Apostel, in der der Geist derart wirkt, daß die Apostel Werkzeuge Christi sind. Ihre Predigt ist die Predigt Jesu. Die Einheit der Predigt der Apostel ist dadurch gewährleistet, daß in allen Aposteln ein und derselbe Geist gegenwärtig ist. So wird die Kirche auf-

---

[15] L. F. Ladaria, 172 f.

[16] Tr.Ps. 67, 11 (286, 15–22): sequitur enim: animalia tua habitabunt in ea, parasti in dulcedine tua pauperi. habitabunt ergo animalia uel in hereditate dei uel in pluuia voluntaria; et haec in dulcedine pauperi uel hereditas uel pluuia est parata. eloquia enim dei in sanctorum faucibus dulcia sunt, et beati sunt pauperes spiritu, quia ipsorum est regnum caelorum. animalia autem cum essent, facta sunt spiritalia. Zur Verbindung von Regen und Heiligem Geist vgl. auch Iren., Adv.haer. III, 17, 2 (SC 211, 330–334).

[17] Tr.Ps. 67, 10 (285, 9 – 286, 9).

[18] Tr.Ps. 67, 12 (288, 3–8).

[19] Vgl. In Mt. 17, 3 (II, 64, 17–18): ... ut, cum essent Spiritu sancto repleti, tunc gestorum spiritalium testes essent.

erbaut auf dem Fundament der Apostel. Der Geist wirkt auch nach der apostolischen Zeit weiter in der Kirche[20].

4.1.2 Die Gegenwart des Geistes in der ganzen Kirche

Im Gegensatz zur Synagoge besitzt die Kirche den Heiligen Geist. Hilarius stellt den Geistbesitz der Kirche im Matthäuskommentar an der Szene der Tempelreinigung (Mt 21, 12–17; Joh 2, 13–16) dar. Der Tempel, den Jesus betritt, um die Händler und Käufer hinauszutreiben, ist die Kirche, der er die Aufgabe anvertraut hat, ihn zu verkünden. Das Thema des Heiligen Geistes findet Hilarius im geistigen Verständnis dieser Szene. Jesus stößt die Stände der Taubenhändler um. Die Taube ist ein Hinweis auf den Heiligen Geist. Deshalb stößt Jesus die Stände derer um, die meinen, die Gabe des Heiligen Geistes sei käuflich oder verkäuflich. Infolge ihres Unglaubens an die Menschwerdung Jesu besitzt die Synagoge den Heiligen Geist nicht und kann ihn deshalb weder kaufen noch verkaufen. Die Kirche hingegen, so kann der bei Hilarius angedeutete Gedanke weitergeführt werden, kann den Heiligen Geist ‚verkaufen' oder weitergeben, da sie ihn besitzt und da ihre Fehler bei der Wiederkunft des Herrn in Herrlichkeit gereinigt werden, während die Stände der Händler in der Synagoge umgestoßen werden. Die Kirche kann die empfangene Gabe des Heiligen Geistes weitergeben durch das ihr anvertraute Wort der Predigt von Christus[21].

Doch die Kirche besitzt den Geist nicht in der Weise, daß sie über ihn verfügen könnte. Sie ist vielmehr der Ort des unverfügbaren Wirkens des Heiligen Geistes. Der Geist wirkt zwar in der Kirche, indem er sie in der Gemeinschaft mit Christus hält und ihr stets neues Leben schenkt. Sein Wirken ist aber nicht auf die Kirche eingeschränkt, sondern übersteigt die Kirche, denn das Wirken des Geistes hat bei Hilarius auch eine kosmische Dimension.

---

[20] Tr.Ps. 67, 13 (289, 2–4).
[21] In Mt. 21, 4 (II, 126, 1 – 128, 25): Templum uero introiit, id est ecclesiam traditae a se praedicationis ingressus est … Sed in omni loco admonemus altius uerborum uirtutes in istius modi significationibus contuendas. In columba secundum prophetiae exempla sanctum Spiritum intelligimus, in cathedra sacerdotii sedes est. Ergo eorum qui sancti Spiritus donum uenale habent cathedras euertit, quibus ministerium a Deo commissum negotiatio est, admonitionis eius commemorans auctoritatem quae in propheta teneatur … Sed neque emere Iudaeos in Synagoga neque uenire Spiritum sanctum posse existimandum est. Non enim habebant ut uenire possent neque erat quod emere quis posset; sed praefiguratio futurorum dictis praesentibus continetur Ecclesiae uitia in ipso aduentu dominicae claritatis esse purganda.

Die Gegenwart des Geistes als Gabe an die Kirche wird deutlich im Wirken des Geistes. Er schenkt der Kirche verschiedene Gnadengaben und Charismen, die trotz ihrer Verschiedenheit zur Einheit der Kirche beitragen, denn als Leib des auferstandenen Christus ist die Kirche eine Einheit verschiedener Glieder, die alle unter der Leitung des einen Hauptes, Christus, stehen. Der Geist wirkt in den Gläubigen als Gliedern des Leibes Christi und gleicht sie so Christus an.

Für das heutige Verständnis bleiben die Aussagen des Hilarius über den Geist als Gabe an die Kirche zwiespältig. Dieser Zwiespalt hängt mit der noch nicht genügend geklärten innertrinitarischen Stellung des Heiligen Geistes zur Zeit des Hilarius zusammen. P. Smulders und L. F. Ladaria haben in ihren Arbeiten über die Trinitätslehre und die Theologie des Heiligen Geistes bei Hilaris herausgestellt, daß heiliger Geist vor allem die heilige und geistige Substanz von Vater und Sohn oder die Gottheit Christi bezeichnet. Doch beide heben auch hervor, daß es bei Hilarius einige wenige Stellen gibt, an denen er den Heiligen Geist als eine von Vater und Sohn verschiedene Subsistenzweise betrachtet, der er aber noch nicht ausdrücklich die Bezeichnung ‚Person' gibt.

Hilarius betrachtet den Heiligen Geist vorrangig auf der Ebene der Heilsökonomie als Gabe, die von Vater und Sohn der Kirche und der Welt geschenkt wird. Er beschreibt diese ökonomische Funktion des Heiligen Geistes in einer trinitarischen Formel, deren verzweigte Entstehung und Nachwirkung (vor allem bei Augustinus) J. Doignon[22] untersucht hat: „Alles ist also je nach Kraft und Wichtigkeit geordnet: Eine Macht, aus der alles (stammt), ein Sproß, durch den alles (ist), ein Geschenk vollkommener Hoffnung. Nichts vermißt man, was solcher Vollkommenheit fehlt, innerhalb derer im Vater und im Sohn und im Heiligen Geist Unendlichkeit im Ewigen (Vater), Ausdruck im Bild (Sohn), Genuß im Geschenk (Pneuma) ist."[23] Hilarius bringt diese Formel in Zusammenhang mit 1 Kor 8,6 und Eph 4,4. Für die Bedeutung des Heiligen Geistes, der hier – wie auch vor allem in Trin. VIII, 19–26 – als vom Vater und vom

---

[22] J. Doignon, „Spiritus sanctus ... usus in munere" (Hilaire de Poitiers, De Trinitate 2,1), in: RTL 12 (1981) 235–240. Vgl. dazu auch J. Moingt, a. a. O. (s. o. Anm. 2), 171 ff; L. F. Ladaria, 286–292.
[23] Trin. II, 1 (38,17–22): Omnia ergo sunt suis uirtutibus ac meritis ordinata: una potestas ex qua omnia, una progenies per quam omnia, perfectae spei munus unum. Nec deesse quicquam consummationi tantae repperietur, intra quam sit in Patre et Filio et Spiritu sancto infinitas in aeterno, species in imagine, usus in munere. Zur Übers. von ‚usus in munere' vgl. G. Tezzo, 118: „il godimento nel Dono"; A. Martin, I,63: „jouissance dans le don"; E. P. Meijering, 67: „fruition in the Gift". Vgl. auch Trin. II,35 (70,1 – 71,2). Augustinus erwähnt die Formel des Hilarius in Trin. 6,10,11 (CCL 50, 241,1–8; 242,29–36).

Sohn unterschiedene Subsistenzweise aufgefaßt wird, ist wichtig, daß er das Geschenk der vollkommenen Hoffnung ist und der Genuß oder die Freude im Geschenk (usus in munere).

Hilarius gebraucht noch nicht die augustinische Unterscheidung zwischen uti/usus und frui/fruitio oder perfruitio. Der usus in munere ist der Genuß oder die Freude, die der Heilige Geist uns schenkt, daß wir nämlich im Glauben Gott in Jesus Christus erkennen und in eine lebendige Beziehung mit ihm treten, denn der Geist ist die Gabe Gottes an die Menschen und an die Kirche. Er ist die Gabe des Glaubens an Christus, denn die Gabe des Geistes wird der Kirche zum allgemeinen Nutzen verliehen[24].

In Trin. I–III geht es Hilarius noch nicht um das Sein des Heiligen Geistes als dritte innergöttliche Person. Nach L. F. Ladaria läßt sich erst in Trin. IV–XII eine Entwicklung in der Pneumatologie des Hilarius feststellen, die auf einen ‚personalen Charakter' des Heiligen Geistes innerhalb der immanenten Trinität hindeutet[25]. Die Existenz des Heiligen Geistes wird nicht vor der Gabe des Geistes herausgestellt, sondern der Geist existiert als Gabe: „Vom Heiligen Geist aber braucht man weder zu schweigen noch ist es nötig, von ihm zu reden. Doch er kann um derentwillen nicht mit Schweigen übergangen werden, die (ihn) nicht kennen. (Ausführlich) über ihn zu sprechen, den wir auf das Zeugnis des Vaters und des Sohnes hin bekennen müssen, ist aber nicht notwendig. Und zwar glaube ich, es sei unnötig, darüber zu handeln, ob er überhaupt Dasein habe. Denn er hat Dasein, jedesmal wenn er geschenkt, angenommen und als Besitz erhalten wird."[26]

---

[24] Trin. VIII, 30 (341, 1–2; 342, 31–32).

[25] Vgl. L. F. Ladaria, 281–292 (Trin. I–III); 293–308 (Trin. IV–XII). Ladaria weist hin auf Trin. XII, 55 (625, 10–12; 15–18): Profunda tua sanctus Spiritus tuus secundum apostolum scrutatur et nouit, et interpellator pro me tuus inenarrabilia a me tibi loquitur … Nulla te nisi res tua penetrat, nec profundum inmensae maiestatis tuae peregrinae adque alienae a te uirtutis causa metitur. Tuum est quidquid te init, neque alienum a te est quidquid uirtute scrutantis inest. Hier sieht Ladaria die eindeutigste Anspielung auf die innertrinitarische Stellung des Geistes: „Es ist schwierig, diese Stelle zu interpretieren, es sei denn, man schreibt dem Heiligen Geist im Schoß der immanenten Trinität einen bestimmten persönlichen Charakter zu. Gerade seine Funktion ‚ad extra', nämlich die Erleuchtung unseres Geistes, scheint auf der Erkenntnis des Mysteriums Gottes zu beruhen, das er kraft seines göttlichen Seins besitzt. Wir müssen jedoch hinzufügen, daß dies die einzige Stelle in De Trinitate ist, an der anscheinend auf direkte Weise das immanente Leben des Geistes im Blick ist" (a. a. O., 308; Übers. nach H. J. Sieben, Rez. des Buches v. L. F. Ladaria, in: ThP 53 [1978] 428). In Syn. 32 (504 B – 505 A) wird der Geist zum einzigen Male, wenn auch indirekt, als „persona" bezeichnet.

[26] Trin. II, 29 (64, 1–6): De Spiritu autem sancto nec tacere oportet, nec loqui necesse est. Sed sileri a nobis eorum causa qui nesciunt non potest. Loqui autem de eo non necesse est, qui

4.2 Der Geist und die verschiedenen Gnadengaben

Die Gegenwart des Heiligen Geistes in der Kirche wird offenbar durch die verschiedenen Gnadengaben in den Gliedern der Kirche.

1) Im Matthäuskommentar, der vom Gegensatz zwischen Synagoge und Kirche aus dem Rest Israels und den Heidenvölkern sein Strukturprinzip erhält, geht Hilarius bei der Erwähnung der Gnadengaben von den sieben Gaben aus, die in Jes 11,2 genannt werden.

Die ganze Erklärung der Speisung der Viertausend (Mt 15,32–39) ist für Hilarius ein Vorausbild der Gaben des Heiligen Geistes. Die sieben Brote, die Jesus nimmt, sind ein Verweis auf die sieben Gaben des Heiligen Geistes, welche die Heiden durch den Glauben empfangen sollen. Gesetz und Propheten können den Heiden kein Heil mehr schenken, sondern nur der Heilige Geist, der ihnen durch den Glauben im Vorausbild der sieben Brote geschenkt wird. Die paar Fische (indefinitus piscium numerus) bedeuten die verschiedenen Gnadengaben und Charismen, mit denen der Glaube der Heiden durch die Verschiedenheit der Gnadengaben gesättigt wird. Die sieben Körbe mit den übriggebliebenen Brotstücken weisen hin auf die überströmende Fülle der sieben Gaben des Geistes: Je mehr wir mit diesen Gaben gesättigt werden, desto reicher wird der siebenfache Geist.

Diese Fülle des Geistes ist ein johanneisches Thema: Der Sohn gibt den Geist unbegrenzt (Joh 3,34). Der Geist ist wie lebendiges Wasser, das um so reichlicher sprudelt, je mehr der Mensch nach ihm Durst hat (vgl. Joh 7,37–39). In den viertausend Menschen, die gesättigt werden, sieht Hilarius die gesamte Menschheit repräsentiert (multitudo innumerabilium ex quattuor orbis partibus). Aus den vier Weltteilen werden ungezählte Gläubige (millia crediturorum) zum Empfang der göttlichen Speise versammelt. Hilarius denkt hier an die Eucharistie, welche die Gläubigen mit Christus und untereinander eint. Für das Eucharistieverständnis des Hilarius ist an dieser Stelle die enge Verbindung zwischen dem Geschenk des siebenfachen Geistes und dem Geschenk der himmlischen Speise wichtig. Diese Speise ist geistige Nahrung, in der der erhöhte Christus bei uns ist. Damit kommt bereits der ekklesiologische Gedanke in die Auslegung dieser Speisungserzählung. Hilarius stellt ihn

---

Patre et Filio auctoribus confitendus est. Et quidem puto an sit non esse tractandum. Est enim, quandoquidem donatur accipitur obtinetur.

am Schluß noch deutlicher heraus. Die Kirche ist der Ort, wo sich die Gläubigen versammeln, wo sie die verschiedenen Gaben des Heiligen Geistes empfangen, wo sie vom Geist überströmend erfüllt werden und die himmlische Nahrung erhalten, welche der in der Kraft des Geistes gegenwärtige Herr ist: „Da der Herr alle Tage unseres Lebens bei uns ist, stieg er, begleitet vom Volk der Gläubigen, in das Schiff, d. h. die Kirche."[27]

2) In De Trinitate wird Jes 11, 2 nicht erwähnt, sondern 1 Kor 12, 4–11 bildet den Ausgangspunkt bei der Behandlung der Gnadengaben des Geistes in der Kirche.

Hilarius beschäftigt sich vor allem in diesem Werk mit den Gnadengaben des Geistes. In Trin. II, 33–35 geht es ihm um die Aufgabe des Geistes in uns (officium eius in nobis). Hilarius weist zunächst auf die johanneischen Parakletsprüche hin (Joh 14, 16–17; 16, 12–14). Doch die Erklärung der Gnadengaben bringt Paulus (Röm 8, 14–15; 1 Kor 12, 3–11), indem er den Heiligen Geist die Quelle der Gnadengaben nennt und verschiedene Gaben bezeichnet. Hilarius fordert uns auf, aus den reichlich verliehenen Gaben des Geistes Nutzen zu ziehen und um die höchst notwendige Gabe des Geistes zu bitten. Die Gabe des Geistes ist gleichsam das Medium, um in eine Lebensgemeinschaft mit Gott zu gelangen. Hilarius bringt in diesem Zusammenhang einen Vergleich mit den Sinnesorganen des Menschen: Wie die Augen nur bei Licht ihre Funktion ausüben können, die Ohren nur auf Geräusche und die Nase nur auf Gerüche reagieren, so ähnlich ist es mit dem menschlichen Geist. Wenn die Sinnesorgane ihre Funktion nicht ausüben können, so liegt das nicht an einem Mangel in der Natur ihrer Beschaffenheit, sondern daß ihnen eine von außen aktuierende Ursache fehlt. Diesen Vergleich überträgt Hilarius auf den Menschen und die Gabe des Heiligen Geistes: „So auch wird der menschliche Geist zwar aufgrund seines Wesens die Befähigung zur Gotteserkenntnis besitzen, nicht aber das Licht des Wissens, wenn er nicht durch den Glauben das Geschenk des Geistes geschöpft hat."[28]

Die innige Verbindung zwischen dem Geist als Gabe und Christus, der

---

[27] In Mt. 15, 10 (II, 44, 1 – 46, 22; Zitat: 46, 20–22). Zur eucharistischen Deutung des ‚Geschenks der himmlischen Speise' vgl. die Auslegung der Speisung der Fünftausend (Mt 14, 13–21): In Mt. 14, 10–11 (II, 20, 1 – 24, 27); B. Bobrinskoy, L'eucharistie et le mystère du salut chez saint Hilaire de Poitiers, in: Hilaire et son temps, 235 ff; J. Doignon, Kommentar z. St.: II, 47, Anm. 18.
[28] Trin. II, 35 (71, 11–14): … ita et animus humanus nisi per fidem donum Spiritus hauserit, habebit quidem naturam Deum intellegendi, sed lumen scientiae non habebit.

den Geist sendet, beschreibt Hilarius in einem theologisch und geistlich bedeutsamen Text am Ende des zweiten Buchs. Die Verbindung zwischen Christus und Geist wird daran deutlich, daß die Verheißung Jesu, alle Tage bis zum Ende der Welt bei uns zu bleiben (Mt 28,20), auf die Gabe des Geistes übertragen wird, in der Christus bei uns ist: „Das Geschenk aber, das in Christus ist, liegt in seiner Ganzheit offen da für alle und ist nur eines. Und was nirgendwo fehlt, wird insoweit gewährt, als jemand den Willen hat, es zu nehmen; insoweit bleibt es (im Menschen), als jemand den Willen hat, es durch Verdienste zu erwerben. Dieses (Geschenk) bleibt bis zur Vollendung der Zeit bei uns, es ist der Trost unserer Erwartung, es ist bei der Betätigung der Gaben Unterpfand künftiger Hoffnung, Licht des Geistes und Glanz der Seele. Diesen Heiligen Geist gilt es also zu erbitten, durch Verdienste zu erwerben und danach durch treue Beachtung der Gebote festzuhalten."[29]

Stärker noch erwähnt Hilarius die verschiedenen Gaben des Geistes zum Aufbau der Kirche in Trin. VIII, 29–33. In diesem Buch geht es ihm um die theologische Bestimmung der Einheit von Vater und Sohn. Während die Arianer nur eine Einheit im gleichen Wollen gelten lassen, stellt Hilarius die Einheit von Vater und Sohn in der göttlichen Natur heraus. Innerhalb dieser Fragestellung stehen die Ausführungen zum Heiligen Geist. Er ist Geist Gottes und Geist Christi, er ist nur einer, weil er in gleicher Weise die göttlich-geistige Natur des Vaters und des Sohnes bezeichnet.

Nach den prinzipiellen Überlegungen zur Einheit von Geist Gottes, Geist Christi und Heiligem Geist (als dritter in der Trinität) wendet sich Hilarius den Gnadengaben zu. Er will durch diese Gnadengaben zeigen, daß Vater und Sohn zwar zwei verschiedene Personen, doch ein einziger heiliger Geist und eine einzige Gottheit sind. Die Macht und Natur dieser Vater und Sohn gemeinsamen Gottheit offenbart sich in den Gnadengaben des Heiligen Geistes, dessen Quelle Vater und Sohn sind.

Die Grundlage für die Erklärung der paulinischen Charismenlehre bildet 1 Kor 12,7: „Jedem aber wird die Offenbarung des Geistes geschenkt, damit sie anderen nützt." Die eine Gabe des Geistes, die Jesus verheißen und den Aposteln geschenkt hat, wird in 1 Kor 12,8–10 in den verschiedenen Gnadengaben entfaltet, die alle Offenbarung des Heiligen Geistes zum allgemeinen Nutzen sind[30]. Hilarius macht darauf aufmerksam, daß

---

[29] Trin. II,35 (71,15 – 72,23).
[30] Trin. VIII,30 (341,1–4; 342,31–34): Et quidem id quod quartum esse dicimus, id est in

Paulus die Beziehung zwischen Heiligem Geist und Gnadengaben mit zwei verschiedenen Formeln beschreibt. Während er in V 8 a sagt, dem einen werde durch den Geist (per Spiritum) die Gabe geschenkt, Weisheit mitzuteilen, wechselt er in V 9 die Ausdrucksweise: Die Glaubenskraft und die Gabe, Krankheiten zu heilen, werden in demselben Geist (in eodem Spiritu) mitgeteilt. Hilarius weist darauf hin, daß ein Unterschied bestehe, ob eine Gabe im Geist oder durch den Geist verliehen werde: „Denn es ist nicht dasselbe, durch den Geist und im Geist gegeben zu werden –, denn das Geben des Geschenks, das man im Geist erlangt, wird dennoch durch den Geist gewährt."[31] L. F. Ladaria hat diesen Text eingehend untersucht und legt eine überzeugende Deutung vor: Das Geschenk der Gnadengaben im Geist und durch den Geist weist nicht auf zwei verschiedene Wirksamkeiten des Geistes hin, denn nach Hilarius sind alle Gnadengaben zugleich im Geist und durch den Geist geschenkt. Der Unterschied liegt also nicht in der Wirksamkeit des Geistes, denn: „Das alles bewirkt ein und derselbe Geist; einem jeden teilt er seine besondere Gabe zu, wie er will" (1 Kor 12, 11). Der Unterschied liegt vielmehr in der Auffassung des Hilarius vom Heiligen Geist selber begründet: Der Geist, der wirkt (1 Kor 12, 11), der die verschiedenen Gnadengaben verleiht (1 Kor 12, 4), ist ‚der Geist, durch den' (spiritus per quem). Der Geist, in dem die verschiedenen Gnadengaben offenbar werden, ist ‚der Geist, in dem' (Spiritus in quo). Der Geist, in dem die verschiedenen Gnadengaben offenbar und erlangt werden, ist der Heilige Geist, der hier durch die Präposition ‚in', die für den Heiligen Geist charakteristisch ist, von Vater und Sohn unterschieden wird[32].

Wie die Gnadengaben durch den Geist gewährt werden, erklärt Hilarius, indem er 1 Kor 12, 12 anführt: Christus ist der Leib aller. Dieser Leib

---

datione utilitatis Spiritus manifestationem, absolutam habet intellegentiam. Commemoratum enim est, per quas dationum utilitates haec esset Spiritus manifestatio ... In his igitur omnibus ad utilitatem unicuique diuisis manifestatio Spiritus est, per has scilicet datae unicuique utilitatis admirationes dono Spiritus non latente.

[31] Trin. VIII, 31 (343, 1–7): Tenuit autem beatus apostolus Paulus in hoc difficillimo ad humanam intellegentiam caelestium sacramentorum mysterio et absolutam demonstrationem et sollicitam cautelam, ut per Spiritum in Spiritu dari haec diuisionum dona monstraret, – non enim idipsum est per Spiritum et in Spiritu dari, – quia datio doni quae obtinetur in Spiritu, haec tamen indulta per Spiritum sit. Hilarius beschäftigt sich an dieser Stelle nicht mit der dritten paulinischen Ausdrucksform: secundum eundem Spiritum (1 Kor 12, 8 b), die er in Trin. VIII, 29 (341, 12–13) anführt. L. F. Ladaria gibt als Grund an, daß ‚secundum Spiritum' eine allgemeine Aussage sei, die nicht die Wirksamkeit einer der göttlichen Personen bezeichne. Vgl. L. F. Ladaria, 177, Anm. 43.

[32] Vgl. L. F. Ladaria, 177 ff.

hat viele Glieder. Die Zuteilung der Gnadengaben an die Glieder kommt von dem einen Herrn Jesus Christus. Wenn aber die Gnadengaben von Christus kommen, dann stammen sie letztlich von Gott[33]. An diesem Text wird deutlich, daß die Gewährung der Gnadengaben durch den Geist ein christologisches Geschehen ist. ‚Der Geist, durch den‘ ist für Hilarius an manchen Stellen gleichbedeutend mit dem Sohn Gottes, durch den alles geschaffen ist (1 Kor 8,6; Joh 1,3). Christus aber verweist auf den Vater als Ursprung aller Gaben. Hilarius weist im Zusammenhang mit 1 Kor 12,27–28 und Eph 4,7 darauf hin, daß die Gnadengaben von Christus geschenkt werden und deshalb letztlich vom Vater kommen[34].

‚Der Geist, durch den‘ die Gnadengaben gewährt werden, ist der verherrlichte Christus, der allen die verschiedenen Offenbarungen des Geistes Gottes in den Charismen schenkt. Von dieser trinitarischen Bestimmung des Geistes her wird auch eine Stelle aus dem Matthäuskommentar deutlicher. Hilarius erwähnt die Gnadengaben des Geistes unter anderen Stellen auch bei der Auslegung von Mt 9,20–22 (Heilung der blutflüssigen Frau). Indem die Frau den Saum des Gewandes Jesu berührt, geht von seinem Leib die Gabe des Heiligen Geistes aus. In diesem Zusammenhang heißt es dann: „Er selbst (Christus) verteilt die Gnadengaben im Geist, wird aber in den Gnadengaben nicht geteilt.“[35] Es ist ein und derselbe Christus, der als Gott die verschiedenen Gnadengaben verteilt. Doch die Gnadengaben werden in demselben Geist verteilt, der in Vater und Sohn der eine und gleiche Geist ist.

Für die theologische Bestimmung der Gnadengaben ergibt sich aus diesen Texten, daß die verschiedene Zuteilung der Gnadengaben keine Verschiedenheit in Gott hineinträgt, „da in demselben Sohn als Herrn

---

[33] Trin. VIII,32 (344,6 – 345,13): Sicut enim corpus unum est, membra autem habet multa, omnia autem membra ex uno corpore, cum sint multa, unum est corpus: sic et Christus (1 Kor 12,12), diuisiones ergo charismatum ex uno Domino Iesu Christo, qui corpus est omnium, esse significans: quia cum ostendisset Dominum in ministerio, ostendisset etiam Deum in operationibus, unum tamen haec omnia Spiritum et operari et diuidere demonstrat, membra haec gratiarum in perfectione unius corporis diuidentem.

[34] Trin. VIII,33 (345,14 – 346,24): Certe haec ecclesiae et ministeria sunt et operationes, in quibus est corpus Christi. Et haec Deus statuit. Aut profitere non per Christum statuta, quia ea Deus statuit. Sed audies ipsum dicentem: Vnicuique autem nostrum data est gratia secundum mensuram donationis Christi (Eph 4,7); et iterum: Qui descendit, ipse est qui et ascendit super omnes caelos, ut adinpleat omnia. Et ipse dedit quosdam apostolos, quosdam autem profetas, quosdam autem euangelistas, quosdam autem pastores et doctores ad consummationem sanctorum in opus ministerii (Eph 4,10–12). Numquid ministeriorum dona non Christi sunt, cum tamen et Dei dona sint!

[35] In Mt. 9,6–7 (I,210; Zitat: 210,6–7): Ipse enim dona in Spiritu diuidit, ceterum non diuiditur in donis.

und in demselben Vater als Gott der eine und gleiche Geist in demselben Heiligen Geist zuteilt und dadurch alles zur Vollendung bringt"[36].

Die Texte aus De Trinitate zu den Gnadengaben lassen sich in dem Sinn zusammenfassen, daß der Geist, in dem die verschiedenen Gaben erlangt werden, zugleich die Offenbarung dieser Gnadengaben ist, denn der Geist ist die gemeinsame Gabe des Vaters und des Sohnes in uns. Der Geist wird immer wieder in Verbindung zum Vater und zum Sohn gesetzt, die gemeinsam die Quelle der Gnadengaben des Geistes sind, die sich in den verschiedenen Charismen offenbaren. Deswegen besitzen wir den Geist und seine Gnadengaben als Geschenk des Vaters und des Sohnes. Diese Aussage über den Geist hat ekklesiologische Auswirkungen: Wenn die Gnadengaben im Geist erlangt werden, dann ist der Geist in uns gegenwärtig als Offenbarung des Wirkens Gottes in uns. Der Geist ist dann ein inneres Prinzip im Leib Christi, welches die verschiedenen Dienste und Betätigungen der Kirche bewirkt.

3) Auch im Psalmenkommentar werden die verschiedenen Gnadengaben mit 1 Kor 12,7 als Offenbarung des Geistes betrachtet[37]. Der Geist ist eine Gabe zum Nutzen der Kirche. Im Psalmenkommentar kommt aber ein neues Element in die Betrachtung der verschiedenen Gnadengaben. Wenn Hilarius hier von den Gnadengaben spricht, stellt er in der Ver-

---

[36] Trin. VIII,39 (352,7–9): cum in eodem Domino Filio et in eodem Deo Patre unus adque idem Spiritus in eodem Spiritu sancto diuidens, uniuersa perficiat.

[37] Tr.Ps. 118,nun,11 (480,25 – 481,3): Verens quoque idem apostolus, ne quos ipsa illa diuinorum munerum gratia efficeret insolentes, ait: unicuique data est demonstratio spiritus ad utilitatem (1 Kor 12,7). in eo enim quod ait: ad utilitatem, docuit eo humiliter utendum, ne forte quemquam spiritalium donorum confidentia efficeret insolentem, et dei gratia per insolentiae uitium fierit otiosa. Anstelle von ,demonstratio spiritus' heißt es in Trin. VIII,29 (340,5): ,manifestatio Spiritus'. Hilarius gebraucht aber beide Begriffe in gleicher Bedeutung. Bei diesem Unterschied in der Zitierung von Schriftstellen, der sich öfter bei Hilarius feststellen läßt, stellt sich die Frage nach dem Bibeltext, dem Hilarius folgt. Nach F.-J. Bonnassieux, Les évangiles synoptiques de saint Hilaire de Poitiers. Étude et texte, Lyon/Paris 1906, ist Hilarius einer irischen Textrezension gefolgt, die um 350 in Mittelgallien weit verbreitet war. A. L. Feder, Studien III, 110–141, untersucht die Verschiedenheit in manchen Bibelzitaten des Hilarius und kommt zu dem Ergebnis: „Des Hilarius Zitate, sowohl die alt- wie die neutestamentlichen, weisen einen sehr engen Anschluß an den griechischen Text auf, und zwar manchmal einen engeren als die übrigen erhaltenen lateinischen Textzeugen. Es scheint deshalb wahrscheinlich, daß Hilarius zuweilen selbst mehrere Zitate bzw. Teile solcher aus dem Griechischen übertragen hat ... Im großen und ganzen aber hat er seine Zitate einer vorhandenen lateinischen Bibelübersetzung entnommen, welche mit manchen der von zeitgenössischen Autoren benützten vielfach übereinstimmte ... Öfters zeigt die verschiedene Form ein und desselben Zitates in den Werken des Hilarius, daß ihm mehrere Übersetzungen vorlagen. Nicht wenige Zitate schrieb Hilarius aus dem Gedächtnis nieder, so daß ihm zuweilen Irrtümer und Verwechslungen mit anderen Zitaten unterliefen" (135f). J. Doignon rät zu äußerster Vorsicht bei dem Versuch, einen gallischen oder irischen Bibel-

schiedenheit der Gaben die Einheit des Geistes heraus, der die Gabe schlechthin ist, aus der die verschiedenen Gnadengaben wie aus einer gemeinsamen Quelle strömen[38].

Während Hilarius in De Trinitate die verschiedenen Gnadengaben auf den Geist zurückführt, dessen gemeinsame Quelle Vater und Sohn sind, stellt er dort nicht mit gleicher Eindringlichkeit die Einheit der Gabe heraus, welche der Geist in den verschiedenen Gnadengaben ist. Im Psalmenkommentar hingegen wird die Einheit der Gabe des Geistes wichtig für die Einheit der Kirche: Die Einheit der Kirche ist trinitarisch strukturiert. Der Geist ist nicht nur die Gabe, welche die einzelnen Christen besitzen, sondern er sammelt mit dem Vater und dem Sohn die Kirche zur Einheit. Hilarius entwickelt diesen Gedanken im Anschluß an Ps 132, 1: „Seht doch, wie gut und schön es ist, wenn Brüder miteinander in Eintracht wohnen." Daß die Eintracht wesentlich zum neuen Gottesvolk gehört, zeigt Hilarius an Apg 4, 32: „Die Gemeinde der Gläubigen war ein Herz und eine Seele."; 1 Kor 1, 10: „Seid ganz eines Sinnes und einer Meinung."; Phil 2, 2: „Macht meine Freude dadurch vollkommen, daß ihr eines Sinnes seid, einander in Liebe verbunden, einmütig und einträchtig."[39] Von diesem Schriftbefund her kommt Hilarius zur Aussage: „Das entspricht dem Volk Gottes, unter dem einen Vater Brüder zu sein, unter dem einen Geist eins zu sein, unter einem gemeinsamen Haus einträchtig einherzuschreiten, unter dem einen Haupt Glieder des einen Leibes zu sein."[40] Die eine Gabe des Geistes in allen ist der Grund, daß wir alle eins sind[41]. Die verschiedenen Gnadengaben, die aus dieser einen Gabe entspringen, sind Bausteine für die Auferbauung der Kirche[42].

Der Geist ist nach dem Psalmenkommentar in der Verschiedenheit der Offenbarung seiner Gaben die eine Gabe an die Kirche, die in der Verschiedenheit die Einheit der Kirche bewirkt. Während die Einheit der Kirche in De Trinitate von Vater und Sohn als gemeinsamer Quelle der

---

text als Grundlage der Schriftzitate des Hilarius ausmachen zu wollen. Die Unterschiede zu bekannten Textrezensionen sind zu groß. Er weist auf die Anpassung mancher Bibelzitate an die Auslegung des Hilarius und auf Verbindungen zu Tertullian hin. Vgl. J. Doignon, Citations singulières et leçons rares du texte latin de l'Evangile de Matthieu dans „l'In Matthaeum" d'Hilaire de Poitiers, in: BLE 75 (1975) 187–196.

[38] Tr.Ps. 67, 12 (288, 1–2): ... licet in omnibus unus atque idem esset spiritus, numerosarum tamen uirtutum fieri mentionem ...

[39] Tr.Ps. 132, 3 (685, 17–27).

[40] Tr.Ps. 132, 3 (686, 11–14): hoc itaque populo dei congruit, sub uno patre fratres esse, sub uno spiritu unum esse, sub una domo unianimes incedere, sub uno capite unius corporis membra esse.

[41] Tr.Ps. 121, 5 (573, 6–10).

[42] Tr.Ps. 121, 3 (572, 8–13).

Gabe des Geistes ausgeht, stellt der Psalmenkommentar sie in Verbindung mit der einen Gabe des Geistes, an der die einzelnen Glieder des Leibes Christi auf verschiedene Weise Anteil erhalten. Von hier aus wird auch deutlich, daß die Kirche als Leib des auferstandenen Christus eine pneumatische Wirklichkeit ist, denn Christus schenkt im Geist sein Leben den Gliedern seines Leibes.

4.3 Die Wirkungen des Geistes

Die Wirkungen des Geistes im Leben der Gläubigen hängen eng zusammen mit den verschiedenen Gnadengaben des Geistes an die Kirche. Was H. J. Vogt über die Beziehung von Geist und Kirche hinsichtlich der Wirkung des Geistes bei Origenes schreibt, läßt sich auch auf Hilarius übertragen: „Die Wirkung des Hl. Geistes ist gewissermaßen der Schnittpunkt der Ekklesiologie und der Anthropologie des Origenes."[43]

Die Wirkungen des Geistes offenbaren sich im Leben der Kirche, vor allem in den Sakramenten und im Leben der Gläubigen, die Söhne Gottes sind, in denen der dreifaltige Gott Wohnung nimmt, und die die verschiedenen Gaben des Geistes zum allgemeinen Nutzen empfangen. Der Heilige Geist wird den Gläubigen gegeben zur Erkenntnis jener Wahrheit, die ihnen gewährt wurde (Trin. II, 32).

4.3.1 Belebende Wirkung

Als Leib Christi ist die Kirche berufen, am Leben des auferstandenen Herrn teilzunehmen. Hilarius beschreibt die belebende Wirkung des Geistes im Anschluß an Röm 8,9–11. Da der Geist Gottes in uns wohnt, sind wir nicht vom Fleisch, sondern vom Geist bestimmt. Deswegen sind wir alle spiritales, d. h. vom Geist bewegte und geführte Menschen. „Wir werden also wegen des in uns wohnenden Geistes Christi zum Leben erweckt durch den, der Christus von den Toten auferweckt hat. Und wenn auch dessen Geist uns innewohnt, der Christus von den Toten auferweckt hat, so ist dennoch der Geist Christi in uns; und dennoch ist es wiederum nicht der Fall, daß es nicht der Geist Gottes wäre, der in uns ist."[44] Der Text zeigt, daß es Hilarius vor allem um die eschatologisch lebenspen-

---

[43] H. J. Vogt, a. a. O. (s. o. Anm. 4), 333, Anm. 9.
[44] Trin. VIII, 21 (334, 18–22).

dende Funktion des Geistes geht, der Geist des Vaters und des Sohnes ist. Vom Geist bestimmt (spiritales) sind wir alle, wenn der Geist Gottes in uns wohnt. Dieses Leben im Geist ist das neue Leben, das in der Taufe grundgelegt wird und uns den Heiligen Geist schenkt[45].

Die belebende Wirkung des Geistes offenbart sich in letzter Konsequenz darin, daß wir den Geist Gottes als Unterpfand der Unsterblichkeit und zur Teilnahme an der göttlichen und unverweslichen Natur empfangen[46]. Dadurch werden wir bereits jetzt zu angenommenen Söhnen Gottes[47].

Die belebende Wirkung des Geistes, die uns alle ‚geistig‘ werden läßt, ist eine umfassende Erneuerung des Menschen und der Kirche. Anthropologisch besteht diese Erneuerung oder Wiedergeburt des ganzen Menschen darin, daß der Mensch den Leib mit seinen Begierden und Leidenschaften dem Geist unterwirft, der Teilnahme am geistigen Sein Gottes ist. Christologisch bedeutet diese Wiedergeburt, daß wir anerkennen, Glieder des Leibes Christi zu sein. Christus besitzt als auferstandener den Geist. Wiedergeburt ist dann Angleichung des ganzen Menschen an das Geheimnis von Tod und Auferstehung Jesu als Ermöglichung des neuen Lebens in Christus.

So ist der Geist die eschatologische Gabe des Vaters und des Sohnes, die dem einzelnen und der Kirche als Gemeinschaft der Glaubenden zeigt, zu welchem Ziel Gott uns bestimmt hat. Der Geist leitet uns auf dem Weg, der sich einst in der Auferstehung derer, die zu Christus gehören, als Verwandlung zur unverlierbaren Angleichung an die Herrlichkeit des Auferstehungsleibes Christi vollenden soll.

4.3.2 Erleuchtende Wirkung

Hilarius erwähnt die erleuchtende Funktion des Heiligen Geistes zur Erkenntnis der Glaubenswahrheiten mehrfach in De Trinitate. Er bezieht sich dabei besonders auf die johanneischen Parakletsprüche: „Und ich werde den Vater bitten, und er wird euch einen anderen Beistand geben, der für immer bei euch bleiben soll. Es ist der Geist der Wahrheit" (Joh 14, 16–17). „Er wird euch in die ganze Wahrheit führen. Denn er wird

---

[45] Tr.Ps. 64, 15 (246, 14–17).
[46] Trin. I, 36 (35, 10–13).
[47] Trin. VI, 45 (251, 27–28); XII, 13 (588, 1–3).

nicht aus sich selbst heraus reden, sondern er wird sagen, was er hört, und euch verkünden, was kommen wird. Er wird mich verherrlichen, denn er wird von dem, was mein ist, nehmen" (Joh 16,13–14)[48].

Die Erleuchtung des Heiligen Geistes ist notwendig, damit die Kirche zu jeder Zeit das Geheimnis der Einheit von Vater und Sohn und der Menschwerdung des Wortes Gottes authentisch bezeugt. Aus sich allein ist die menschliche Schwachheit zu diesem Bekenntnis unfähig[49]. Einheit von Vater und Sohn und Menschwerdung des Sohnes Gottes sind die grundlegenden Wahrheiten des christlichen Glaubens.

Immer wieder betont Hilarius in De Trinitate die Verbindung zwischen dem Bekenntnis zur Gottheit Christi und dem Besitz des Geistes. Ob wir den Geist besitzen, zeigt sich daran, ob wir Jesus Christus als wahren Gott bekennen. Der Glaube an Jesus Christus, der durch die Erleuchtung des Heiligen Geistes geschenkt wird, ist für Hilarius auch das Kriterium für die Unterscheidung der Geister: „Und keiner kann sagen: Jesus ist der Herr!, wenn er nicht aus dem Heiligen Geist redet (1 Kor 12,3). Empfindest du nun, was dir fehlt, wenn du Christus absprichst, was sein eigen ist? Wenn Christus dir wegen seines göttlichen Wesens als Herr gilt, dann hast du den Heiligen Geist; wenn er aber nur wegen eines angenommenen Namens dein Herr ist, dann hast du den Heiligen Geist nicht; dann lebst du vom Geist des Irrtums; denn niemand vermag Herr Jesus zu sagen, es sei denn im Heiligen Geist."[50] Die erleuchtende Funktion des Geistes führt uns in die Tiefen des göttlichen Geheimnisses (1 Kor 2,10–11). Zu diesen ungeahnten Tiefen gehört für Hilarius vor allem die Gottheit Jesu Christi, die nur der Geist erforscht[51].

Da das Geheimnis Jesu Christi der Kirche in der Schrift bezeugt ist, erleuchtet der Geist die Kirche in ihrem immer tieferen Eindringen in dieses Geheimnis, aus dem die Kirche lebt. Für den einzelnen Gläubigen bedeutet dies, daß er nur innerhalb der Kirche den wahren Sinn der Schrift erkennt[52].

---

48 Trin. II,33 (69,2–11).
49 Trin. II,33 (69,12–17).
50 Trin. VIII,28 (340,10–16).
51 Trin. IX,69 (449,1–11).
52 In Mt. 13,1 (I,296,5–7) ... eos qui extra Ecclesiam positi sunt nullam diuini sermonis capere posse intelligentiam.

4.3.3 Kultische Wirkung

Der Geist ist notwendig, um Gott in rechter Weise die Ehre zu geben. Gott wird in der ihm geziemenden Weise nur „im Geist und in der Wahrheit" (Joh 4,23) angebetet. Nur der von Gott ergriffene geistige Mensch kann Gott, der Geist ist, anbeten.

Da Gott Geist ist, ist seine Gegenwart nicht auf einen bestimmten Ort eingeschränkt, sondern durch den Heiligen Geist, der als Gabe Gottes der ganzen Welt geschenkt ist, ist Gott überall gegenwärtig, und deshalb hat der Mensch die Freiheit, Gott überall im Geist und in der Wahrheit anzubeten[53]. Doch in dieser räumlich entgrenzten Freigabe der Anbetung Gottes gibt es einen Ort, wo die frei vollzogene Anbetung besonders ausgeübt werden soll: Die Kirche, in der sich die wahre Gotteserkenntnis und wahre Gottesverehrung im Geist vollzieht[54].

Der Geist nimmt sich unserer Schwachheit an, da wir nicht wissen, worum wir in rechter Weise beten sollen (Röm 8,26). Er leitet unser Gebet zum Vater[55]. Er ist unserer Fürsprecher beim Vater, denn seine Gegenwart in uns ist die Voraussetzung, daß unser Gebet von Gott erhört wird. Er ruft in uns: „Abba, Vater" (Gal 4,6)[56]. Da das Gebet gelebter Glaube ist, ist der Geist, der in uns betet, der Geist des Glaubens[57].

Die Wirkungen des Geistes sind Entfaltungen seiner Gegenwart in der Kirche und im Leben der Gläubigen, da er die Gabe des erhöhten Christus an die Kirche ist. Die verschiedenen Gnadengaben und die Wirkungen des Geistes wollen die Kirche insgesamt und die einzelnen Glieder der Kirche immer tiefer in das Geheimnis Gottes einführen, das in der Menschwerdung Jesu Christi offenbar geworden ist.

Die Wirkungen des Geistes setzen uns auf den Weg zur eschatologischen Fülle[58], denn Leben in Fülle, Erleuchtung in Fülle und Anbetung Gottes im Geist und in der Wahrheit sind erst dann verwirklicht, wenn

---

[53] Trin. II, 31 (68,42–46): Adque ita natura et muneris et honoris significata est, cum in Spiritu Deum Spiritum docuit adorandum; et libertatem et scientiam adorantium et adorandi infinitatem, dum in Spiritu Deus Spiritus adoratur, ostendens.

[54] Trin. IV,6 (105,11): Nouit (ecclesia) in Spiritu Deum Spiritum.

[55] Trin. XII,55 (625,11–12); XII,56 (625,1 – 627,30); Tr.Ps. 64,3 (235,2–4); 142,12 (811,10–12). Vgl. auch D. Mollat, La Parole et l'Esprit, Paris 1980, 127–136: Le Saint Esprit maître de la prière chrétienne.

[56] Tr.Ps. 118,koph,2 (523,2–5); Trin. VI,44 (249,14 – 250,26).

[57] Tr.Ps. 140,1 (789,15–28) wird zugleich vom ‚spiritus fidei' und vom ‚spiritus orationis' gesprochen.

[58] Zum Geist als eschatologischer Gabe vgl. L. F. Ladaria, 228–256.

wir von der irdischen Kirche zur himmlischen Kirche übergegangen sind. Die Gabe des Geistes als gemeinsame Gabe von Vater und Sohn, aber auch als ‚anderer Beistand‘, der von Vater und Sohn unterschieden wird, ist das Verbindungsglied zwischen irdischer und himmlischer Kirche. Denn das, was bereits im Geist als Unterpfand der Unsterblichkeit in diesem Leben gegenwärtig ist: das neue Leben in Taufe und Sohnschaft Gottes, wird seine Vollendung finden in der endgültigen Angleichung an den geisterfüllten Auferstehungsleib Christi.

5. Typologie und Bilder der Kirche

Das große Geheimnis (Eph 5,32) zwischen Christus und Kirche wird in den biblischen Aussagen über die Kirche und in Bildern oder Symbolen der Kirche lebendig, die in ihrer Verschiedenheit Ausdruck des Reichtums und der Lebendigkeit des Kirchenverständnisses des Bischofs von Poitiers sind. Zu Beginn des Mysterienbuchs, das für die Typologie der Kirche besonders wichtig ist[1], schreibt Hilarius: „Da es meine Absicht ist, in diesem Büchlein zu zeigen, daß alle prophetischen Weissagungen in jeder Person, jeder Epoche und jedem Ereignis gleichsam wie in einem Spiegel das Bild der Ankunft Christi, seiner Verkündigung, seines Leidens, seiner Auferstehung und unserer Gemeinschaft in der Kirche vorwegnehmen, will ich nicht nur einiges in knapper Darstellung erwähnen, sondern ich werde alles der zeitlichen Reihenfolge nach behandeln, angefangen von Adam, mit dem unsere Kenntnis des Menschengeschlechts beginnt, damit man bereits seit dem Beginn der Welt in sehr vielen Bildern das vorausgebildet erkennt, was dann im Herrn seine Erfüllung gefunden hat.“[2] In diesem Vorhaben schließt sich Hilarius der Heiligen Schrift und der Vätertradition an. Bereits im Neuen Testament findet sich

---

[1] R. L. Foley, The Ecclesiology of Hilary of Poitiers, Diss. masch. Harvard (Cambridge) 1968, behandelt die ‚Ekklesiologie‘ des Hilarius nach der Gliederung des Mysterienbuchs.
[2] Myst. I,1 (74). In dem vorliegenden Text des Mysterienbuchs, der an mehreren Stellen lückenhaft überliefert ist, löst Hilarius sein Versprechen, alles von Adam ab darzustellen, nicht ein. Er behandelt nur einige Berichte aus der *Genesis* (Adam, Kain und Abel, Lamech, Noach, Abraham, Isaak, Jakob, Mose), eine Episode aus dem Buch *Josua* (Jos 2,1–24: die Kundschafter in Jericho und Rahab) und eine Weissagung aus dem Buch *Hosea* (Hos 2,20–25). Zu den fehlenden Stücken vgl. H. Lindemann, 20–27; A. Feder, in: CSEL 65, XV bis XIX; J.-P. Brisson, 61–64.

eine Typologie der Kirche. In der lateinischen Tradition des 3. Jahrhunderts gewinnt sie große Bedeutung bei Tertullian und Cyprian, die entscheidend auf Hilarius eingewirkt haben und im Matthäuskommentar genannt werden[3].

Die großen Personen und die entscheidenden Ereignisse des Alten Testaments sind Vorausbilder des Geheimnisses zwischen Christus und der Kirche[4]. Dabei nehmen die im Alten Testament genannten Frauen für die Typologie der Kirche eine besondere Stellung ein.

5.1 Eva aus der Seite Adams

Bei der Aufzählung der wichtigen Geheimnisse des Alten Testaments (Myst. I, 1) nennt Hilarius an erster Stelle den Schlaf Adams, in dem ein Geheimnis verborgen ist (I, 5).

J. Daniélou hat gezeigt, daß Hilarius in der ekklesiologischen Deutung des Schlafs Adams und der Geburt Evas aus seiner Rippe in der Tradition des Neuen Testaments steht und sich mit Tertullian, Methodius und Origines trifft[5].

Da die Kirche nicht von Christus getrennt werden kann, setzt Hilarius mit der Adam-Christus-Typologie ein. Er deutet den Namen Adam als „gē pyrra“, „terra flammea“, d. h. vom Feuer entflammte Erde. Mit Erde bezeichnet die Schrift oft den menschlichen Leib. Diese Etymologie, die sich neben der geläufigeren findet: Adam = Mensch, gilt im vollen Sinn nur für den zweiten Adam, dessen Leib in der Auferstehung vom Feuer der göttlichen Herrlichkeit entflammt wurde. Doch bereits seit dem ersten Augenblick seines menschlichen Lebens ist das Fleisch, das Jesus durch den Heiligen Geist aus der Jungfrau angenommen hat, geistiges Fleisch, das von einem göttlichen Prinzip belebt ist[6]. Deswegen spricht

---

[3] In Mt. 5,1 (I,150,8–12): De orationis autem sacramento necessitate nos commentandi Cyprianus uir sanctae memoriae liberauit. Quamquam et Tertullianus hinc uolumen aptissimum scripserit, sed consequens error hominis detraxit scriptis probabilibus auctoritatem. Zum Einfluß Cyprians und Tertullians auf Hilarius vgl. J. Doignon, Hilaire de Poitiers avant l'exil, 210–223; ders., Einl. zu Hilaire de Poitiers, Sur Matthieu, I (SC 254), 32 ff.

[4] Vgl. J. Daniélou, Sacramentum futuri. Études sur les origines de la typologie biblique, Paris 1950; ders., Les origines du christianisme latin, 248–253; H. Rahner, Symbole der Kirche. Die Ekklesiologie der Väter, Salzburg 1964; Y. Bodin, Saint Jérôme et l'église, 65–104.

[5] J. Daniélou, Sacramentum futuri, 37–40; K. Rahner, E latere Christi, 58–83.

[6] Myst. I,2 (76): Adam ipso nomine natiuitatem Domini praeformat; nam secundum linguam Hebraicam „Adam“, quod Graece „ge pyrra“, id Latine „terra flammea“ est et scriptura humani corporis carnem „terram“ solita est nuncupare. Quae per spiritum in Domino nata de uirgine, in nouam et alienam a se speciem mutata, conformis effecta est gloriae spiri-

Hilarius vom „himmlischen Leib" Jesu[7]. Seit der Empfängnis ist der Leib Jesu geistdurchwirkter Leib, was sich aber erst in voller Klarheit bei der Auferstehung zeigt. In der Auferstehung wird Jesus zweiter oder himmlischer Adam, auf den hin der erste Adam nur ein Vorausbild ist.

Wie der erste Adam ein Vorausbild des himmlischen Adam ist, so ist Eva ein Vorausbild der Kirche. „Es folgt dann: Während Adam schlief, wurde aus seiner Seite und seinem Bein Eva geboren. Als er dann aufwachte, folgt diese Weissagung: Das endlich ist Bein von meinem Bein und Fleisch von meinem Fleisch. Frau soll sie heißen, denn vom Mann ist sie genommen, und sie werden beide ein Fleisch (Gen 2, 23–24). Hier gibt es für mich nichts zu erklären, denn der Apostel sagt, nachdem er die Weissagung erwähnt hat: Dies ist ein großes Geheimnis, ich beziehe es auf Christus und die Kirche (Eph 5, 32). Doch wir lesen, daß Adam nur eine Rippe entnommen wurde. Wie kann es dann heißen: Fleisch von meinem Fleisch? Man kann dieses Geschehen mit der Wirklichkeit der gegenwärtigen Ereignisse in Verbindung bringen (von denen die Bibel berichtet): Denn die Rippe, die aus seiner Seite genommen und von Gott, der alles vermag, mit Fleisch bekleidet wurde zum Leib der Frau, ist dem Fleisch Adams entnommen und wurde durch die Bekleidung mit Fleisch zum Leib. Deshalb ist sie Fleisch von seinem Fleisch, wie sie Bein von seinem Bein ist. Doch als die Juden dem Herrn eine Falle stellen wollten wegen des Scheidebriefs, zeigt er im Evangelium, daß diese Worte eher von ihm selbst als von Adam gesprochen sind: Habt ihr nicht gelesen, daß der Schöpfer die Menschen am Anfang als Mann und Frau geschaffen und gesagt hat: Darum wird der Mann Vater und Mutter verlassen, und die zwei werden ein Fleisch sein (Mt 19, 4–5)? Das folgt nämlich nach der Aussage: Fleisch von meinem Fleisch. Die Weissagung folgt also der Wirklichkeit, die in Adam geschehen ist. Denn als der Herr, der Mann

---

tali secundum apostolum: Secundus homo de caelo et Adam caelestis (1 Kor 15,47), quia Adam terrestris imago est futuri (Röm 5,14). Vgl. zur Auslegung A. Fierro, 194; L. F. Ladaria, 136f.
Man kann unterschiedlicher Meinung sein bei der Erklärung von J.-P. Brisson, 76f, Anm. 2: „Pour saint Hilaire le Corps du Christ, par le seul fait que sa formation n'a été due à aucune intervention humaine, est dès son Incarnation un corps céleste et par conséquent glorieux." Brisson bezieht sich dabei vor allem auf Trin. X, 18. Doch wenn Hilarius dort von einem ‚himmlischen Leib' Jesu während des irdischen Lebens spricht, so muß diese einmalige Aussage in den Gesamtzusammenhang der Christologie des Hilarius eingeordnet werden. Dann ergibt sich, wie Fierro und Ladaria genau aufgezeigt haben, daß der ‚himmlische Leib' Jesu seine Verherrlichung erst bei der Auferstehung erfährt. Deshalb wird man wohl auch Myst. I, 2 nicht als eine Aussage über die Inkarnation (wie Brisson), sondern über die Auferstehung verstehen dürfen.
[7] Trin. X, 18 (473, 9).

und Frau geschaffen hat, sprach: Bein von meinem Bein und Fleisch von meinem Fleisch, da sprach er selbst durch Adam jene Worte, die sich ganz und gar in ihm selbst als (neuem) Adam erfüllen sollten. Er hat damit dem geschichtlichen Ereignis seine Glaubwürdigkeit nicht entzogen und (doch zugleich) gezeigt, daß das, was sich in einem anderen ereignen sollte, ein Vorausbild seiner selbst war. Das Wort ist Fleisch geworden und die Kirche ist Glied Christi, denn sie stammt aus seiner Seite, geboren durch das Wasser und belebt durch sein Blut. Das Fleisch, in dem das Wort, das von Ewigkeit her Gottes Sohn bleibt, geboren wurde, bleibt durch das Sakrament (der Eucharistie) in uns. So hat der Herr uns ganz deutlich belehrt, daß in Adam und Eva ein Vorausbild seiner selbst und der Kirche enthalten ist, denn er gibt uns zu erkennen, daß dieses Vorausbild nach dem Schlaf seines Todes durch die Gemeinschaft seines Fleisches geheiligt ist."[8]

Hilarius gibt der Geburt Evas aus der Seite Adams hier eine zugleich christologische und sakramentale Bedeutung. Eva ist im geistigen Verständnis die Kirche, die aus dem Fleisch des fleischgewordenen Wortes geboren ist. Aus der geöffneten Seite des am Kreuz entschlafenen Christus fließen Blut und Wasser (Joh 19,34), die Grundsakramente der Taufe und der Eucharistie, die der Kirche Leben schenken. Dieses Leben wird durch die Sakramente weitergegeben und heiligt die Kirche durch die Gemeinschaft mit dem Fleisch Christi, welches in der Kommunion empfangen wird.

Neben der christologisch-sakramentalen Interpretation der Geburt Evas findet sich bei Hilarius auch eine eschatologische Deutung. Ihre Geburt aus der Seite Adams ist ein Bild für die Auferstehung des Fleisches: „Man muß auch im Schlaf Adams und in der Erschaffung Evas die im Bild dargestellte Offenbarung eines verborgenen Geheimnisses sehen, das sich auf Christus und die Kirche bezieht; denn in ihm sind der Glaube und das Motiv (fides et ratio) der leiblichen Auferstehung enthalten. Bei der Erschaffung der Frau wird nämlich nicht mehr Staub genommen; weder wird die Erde zu einer Gestalt geformt noch der unbelebte Stoff durch den Hauch Gottes zu einem lebenden Wesen, sondern über das Gebein wächst Fleisch, dem Fleisch wird die Vollkommenheit des Leibes gegeben, der Vollkommenheit des Leibes folgt die Kraft des Geistes. Diese Reihenfolge der Auferstehung hat Gott durch Ezechiel (37,4–11) angekündigt, indem er uns in den Dingen, die sich ereignen werden, über die Macht seiner Kraft belehrt. Denn dort (bei Ezechiel) ist

---

[8] Myst. I, 3 (76–80). Vgl. K. Rahner, E latere Christi, 84.

alles vereint: das Fleisch ist da, der Geist fliegt hinzu, keines seiner Werke geht Gott verloren, dem zur Verwirklichung seines Leibes das bereitstand, was nicht war. Nach dem Apostel handelt es sich hier um ein Geheimnis, das von Ewigkeit her in Gott verborgen war (Eph 3,9; Kol 1,26): daß nämlich die Heiden zum selben Leib gehören und an seiner Verheißung in Christus teilhaben (Eph 3,6). Nach dem Wort desselben Apostels besitzt Christus die Macht, unseren armseligen Leib in den Leib seiner Herrlichkeit zu verwandeln (Phil 3,21). Nach dem Schlaf seines Leidens erkennt also der himmlische Adam in der Auferstehung der Kirche sein Bein, sein Fleisch, das nicht mehr aus Staub geschaffen und auch nicht durch Einhauchung belebt ist, sondern das dem Bein zuwächst und aus (seinem) Körper durch das Hinzukommen des Geistes zu einem Körper vollendet wird. Denn die in Christus sind, werden gemäß ihrer Zugehörigkeit zu Christus auferstehen, in dem die Auferstehung des gesamten Fleisches bereits vollendet ist, da er selbst in unserem Fleisch geboren wird aus der Kraft Gottes, in der er vor aller Zeit aus dem Vater gezeugt ist. Jude und Grieche, Fremder und Skythe, Sklave und Freier, Mann und Frau: alle sind eins in Christus (Gal 3,28; Kol 3,11). Denn man muß anerkennen, daß (alles) Fleisch von (seinem) Fleisch herkommt, die Kirche Leib Christi ist und das Geheimnis, welches in Adam und Eva gegenwärtig ist, eine prophetische Voraussage über Christus und die Kirche darstellt. So ist schon in Adam und Eva am Beginn der Weltzeit vollkommen verwirklicht, was der Kirche durch Christus bei der Vollendung der Zeit bereitet wird."[9]

Dieser Text enthält eine doppelte Symbolik. Die Geburt Evas aus der Seite Adams ist zunächst einmal Symbol der allgemeinen Auferstehung. Hilarius stellt dies heraus durch die Parallele mit der Vision Ezechiels von der Auferweckung Israels: Das Gebein wird mit Fleisch überkleidet und durch den Geist belebt. Die Auferstehung ist ein in Gott verborgenes Geheimnis: daß nämlich die Menschen teilhaben an der Auferstehung Jesu und unser Leib seinem verherrlichten Leib angeglichen wird.

Innerhalb dieser Symbolik einer allgemeinen Auferstehung ist die Entstehung Evas aus Adams Seite ein besonderes Symbol für die Auferstehung der Kirche. Kirche und Auferstehung werden in diesem Text in eine ganz enge Verbindung gebracht: Nach dem Schlaf des Todes erkennt Christus in der Kirche sein Fleisch, das durch die Kraft des Geistes lebt. Dieser Text bietet allerdings eine Schwierigkeit, da die Überlieferung des für die Beziehung von Kirche und Auferstehung entscheidenden Satzes

---

[9] Myst. I, 5 (82–84).

umstritten ist. A. Feder liest: agnoscit ergo post somnum passionis suae caelesti Adam resurgente ecclesia os suum...[10]. J.-P. Brisson schlägt vor: Agnoscit ergo post somnum passionis suae caelestis Adam resurgens (de) ecclesia suum os...[11]. Beide Herausgeber machen Konjekturen, die von den beiden erhaltenen Codices des Mysterienbuchs (Aretinus VI, 3 aus dem 9. Jahrhundert und Casiniensis 257 aus dem Jahr 1137) abweichen, wohl um den ungewöhnlichen Gedanken einer Auferstehung der Kirche zu entschärfen. Nach den beiden Codices ergibt sich folgender Wortlaut, der bereits für die Übersetzung zugrunde gelegt wurde: Agnoscit ergo post somnum passionis suae caelestis Adam resurgente ecclesia os suum. Daß Hilarius hier an die Auferstehung der Kirche denkt, ergibt sich neben der Rekonstruktion aus den Codices auch aus dem Kontext der zitierten Stelle. Hilarius führt den Gedanken in folgendem Sinn weiter: „Denn die in Christus sind, werden gemäß ihrer Zugehörigkeit zu Christus auferstehen." Das Sein in Christus ist eine ekklesiologische Bestimmung, wie Hilarius am Ende von Myst. I, 5 herausstellt. Doch es bleibt die Frage, die die Herausgeber durch ihre Konjekturen entschärfen wollten, wie Hilarius hier von einer Auferstehung der Kirche sprechen kann, denn Auferstehung setzt ein Subjekt voraus, an dem sich diese Tat Gottes ereignen kann.

Abgesehen von der beiläufigen Aussage, daß der Beginn der Kirche in Betlehem liege (Tr.Ps. 131, 13), ist für Hilarius der entscheidende Ursprung der Kirche die geöffnete Seite Christi. Die Kirche teilt das Schicksal Jesu, so daß Hilarius im Matthäuskommentar davon spricht, daß die Kirche mit dem toten Jesus unter dem Leichentuch begraben sei[12]. Dieses Begrabensein mit Christus ist die Voraussetzung für die Auferstehung der Kirche zur Teilnahme an der Auferstehung Jesu. Die Herausgeber des Mysterienbuchs haben diese Verbindung von Frühwerk und Spätwerk des Hilarius bei ihren Konjekturen nicht genügend gewürdigt. Denn die Verbindung von Früh- und Spätwerk macht den Gedanken einer Auferstehung der Kirche im Gesamtwerk des Hilarius durchaus plausibel.

---

[10] CSEL 65, 7, 10–11. L. F. Ladaria, 189, Anm. 78, nennt Feders Lesart wenig klar. Doch sie ist klar: „Wenn der himmlische Adam nach dem Schlaf seines Leidens aufersteht, erkennt also die Kirche ihr Gebein." Durch Feders Konjektur ‚caelesti' (Ablativ) gehört auch ‚resurgente' zu Adam: caelesti Adam post somnum passionis resurgente.

[11] Myst. I, 5 (84). J.-P. Brisson schreibt im Anhang zur 2. Aufl. (SC 19bis), 176f, daß er durch die Konjektur: ‚resurgens (de) ecclesia' den erstaunlichen Gedanken der Auferstehung der Kirche „historiquement confondue avec celle du Christ" (177) vermeiden wollte.

[12] In Mt. 33, 8 (II, 258, 13–14).

Die eschatologische Interpretation der Erschaffung Evas aus der Seite Adams als Symbol der Auferstehung der Kirche ist ein neues Element, das Hilarius in die traditionelle Auslegung eingebracht hat. Die ekklesiologische Interpretation der Erschaffung Evas aus der Seite Adams wird neben dem bereits erwähnten Tertullian[13] im 4. Jahrhundert nach Hilarius auch bei Zeno von Verona[14] und Gregor von Elvira[15] als ein Geheimnis dargestellt, das auf die eschatologische Interpretation des Hilarius offen ist.

Über das Geheimnis der Geburt Evas spricht Hilarius auch im Matthäuskommentar[16] und im Psalmenkommentar[17], doch er bringt an beiden Stellen keinen Gedanken, der über die Hauptstellen im Mysterienbuch hinausginge.

5.2 Arche und Kirche

Der Vergleich zwischen der Arche des Noach und der Kirche gehört zu den häufigsten Themen der Typologie der Väter[18]. Die Arche ist ein Symbol der Kirche, welche die Menschen vor dem drohenden Strafgericht

---

[13] Tert., De anima XI, 4 (CCL 2, 797, 33–36): Nam ... Adam statim prophetauit magnum illud sacramentum in Christum et ecclesiam: hoc nunc os ex ossibus meis ... (Gen 2, 23–24; Eph 5, 31–32).

[14] Zeno Veron., Tract.I, 3, X, 19–20 (CCL 22, 28, 161 – 29, 175): ... et quia suasione per aurem inrepens diabolus Euam uulnerans interemerat, per aurem intrat Christus in Mariam, uniuersa cordis desecat uitia uulnusque mulieris, dum de uirgine nascitur, curat. Signum salutis accipite! Corruptelam integritas, partum est secuta uirginitas. Adam similiter dominica circumciditur cruce, et quia per mulierem, quae sola lignum letale contigerat, exceperat uterque sexus interitum, e diuerso per uirum ligno suspensum uiuificatum est omne genus humanum. Ac ne non ex integro principium suo statui redditum uideretur, prior uir consummatur in cruce atque eo feliciter soporato similiter de eius latere ictu lanceae non costa diuellitur, sed per aquam et sanguinem, quod est baptismum atque martyrium, spiritale corpus spiritalis feminae effunditur, ut legitime Adam per Christum, Eua per ecclesiam renouaretur.

[15] Greg. Ilib., Tract. Orig. XV, 13 (CCL 69, 115, 85–92): Quis enim nesciat dominum nostrum, qui est fons aquae uiuae saliens in uitae perpetuitatem, cum in crucis ligno suspensus fuisset, non tantum de uulnere lateris sui sanguinem, sed aquas largo cursu manantes profu(d)isse, ostendens sponsam, id est ecclesiam exemplo protoplaustorum (-to-) de latere suo constare, sicut constitit et Eua de costa Adae, habentem scilicet duo baptismata, aquae et sanguinis, unde fideles in ecclesia et martires fiunt?

[16] In Mt. 19, 2 (II, 88, 1–11); 22, 3 (II, 144, 8 – 146, 17).

[17] Tr.Ps. 52, 26 (130, 3–8): Dissipauit ergo ossa deus hominibus placentium (Ps 52, 6). et ossa non haec corporalia dissipari intellegenda sunt, sed quia spes aeternitatis in ossibus significari solet, ex quo dictum est: hoc nunc os de ossibus meis (Gen 2, 23). quod beatus apostolus, quia magnum mysterium est, ad Christum et ad ecclesiam refert, quae ex Adae sui aeternitate aeternitatis substantiam mutuatur. Vgl. Tr.Ps. 138, 29 (764, 28 – 765, 6).

[18] Vgl. zur Symbolgeschichte J. Daniélou, Sacramentum futuri, 55–94; H. Rahner, Symbole der Kirche, 504–547.

Gottes durch das Wasser rettet. Die Deutung der Sintflut auf die Taufe und der Arche auf die Kirche entnehmen die Väter vor allem 1 Petr 3,18–21. H. Rahner, der die reiche Symbolgeschichte der Arche als Schiff des Heils untersucht hat, ist der Auffassung, daß in der christlichen Urtheologie die Arche nicht so sehr Typos des Kreuzesholzes und der Taufe (wie 1 Petr 3,21) gewesen sei, sondern zunächst und alles umgreifend Typos der Kirche[19].

Die Beziehung von Arche und Kirche hat für Hilarius ihr Fundament in der Typologie Noach–Christus. Daß Noach Vorausbild Christi ist, ergibt sich wieder durch die Etymologie. Noach bedeutet Ruhe, die erst in der eschatologischen Ruhe der kommenden Welt erfüllt ist, doch mit Christus bereits angebrochen ist.

Von der Typologie Noach–Christus her bekommt auch die Typologie Arche–Kirche einen eschatologischen Sinn, den Hilarius im Traktat über Noach entfaltet. Es geht ihm um den zukünftigen Noach, dessen Geheimnis sich in den berichteten Ereignissen des ersten Noach ankündigt: „Mit diesem Noach wird also unser Herr verglichen, der das fleischgewordene Wort ist und im Evangelium sagt: Kommt alle zu mir, die ihr euch plagt und schwere Lasten zu tragen habt. Ich werde euch Ruhe verschaffen. Nehmt mein Joch auf euch und lernt von mir; denn ich bin gütig und von Herzen demütig; so werdet ihr Ruhe finden für eure Seele. Denn mein Joch drückt nicht und meine Last ist leicht (Mt 11,28–30). Er läßt also ausruhen und schenkt der Seele Ruhe. Wegen des nahenden Gerichts gewährt er sowohl den Söhnen von Geburt (Juden) als auch denen, die dem Namen nach Söhne sind (Heiden), Obdach in der Arche seiner Lehre und seiner Kirche. Er verleiht ihnen den Heiligen Geist, er stirbt, wird verspottet, aufersteht von den Toten und setzt dem Menschengeschlecht die Strafe und die Heiligung fest für ihre guten oder schlechten Taten. In der Anordnung, die Noach erhält, die Arche zu besteigen, muß man ein Bild der Heiligung der Kirche erblicken. Denn es heißt in der Schrift: Geh in die Arche, du, deine Söhne, deine Frau und die Frauen deiner Söhne (Gen 6,18); und dann: Da sprach Gott zu Noach: Komm heraus aus der Arche, du, deine Frau, deine Söhne und die Frauen deiner Söhne (Gen 8,15–16). Beim Eintritt in die Arche wird jedes Geschlecht gesondert aufgeführt: Männer zu Männern, Frauen zu Frauen. Das ist ein Bild, daß nur

---

[19] H. Rahner, a.a.O., 506. Er bezieht sich dafür u.a. auf die ekklesiologische Deutung von 1 Petr 3,20 bei Hier., Adv. Jovin. 1,17 (PL 23,236 B).

Enthaltsame in die Kirche eintreten können. Später wird dann jeder die Möglichkeit haben, sich zu verheiraten..."[20]

Hilarius gibt dann eine typologische Deutung der zweiten und dritten Aussendung der Taube (Gen 8, 10–12). Der Text ist nicht ganz vollständig überliefert, und man kann annehmen, daß er vorher vom Raben und der ersten Aussendung der Taube gesprochen hat, da noch ein Fragment erhalten ist: „... da sie (die Taube) dreimal ausgesandt wurde".

Die Taube ist Symbol für den Heiligen Geist: „Es ist ganz klar, was die zweite Aussendung im Vorausbild bedeutet. Denn die Taube kehrt mit einem frischen Ölzweig zurück; man muß nicht mehr die Hand ausstrecken, um sie zu sich zu nehmen, sondern sie kommt im Flug zurück. Das hat sich aber erfüllt, als die siebzig Jünger den Heiligen Geist empfingen, zur Verkündigung des Evangeliums ausgesandt wurden (Lk 10, 1) und mit dem herrlichen Machterweis zurückkehrten, daß selbst die unreinen Geister ihnen untertan sind (Lk 10, 17), – denn der Heilige Geist bringt die Frucht des Erbarmens Gottes, die im Ölzweig vorausgebildet ist, zurück –. Da die Jünger aber später den Herrn verlassen, findet der Heilige Geist noch keinen Ort für seine Ruhe. Dennoch ist die Taube mit dem Ölzweig zu Noach zurückgekehrt, um in der zweiten Rückkehr sowohl die Früchte des Heiligen Geistes in der Unterwerfung der Dämonen im Bild vorauszunehmen als auch die Unmöglichkeit anzuzeigen, daß der Heilige Geist schon einen Ruheort finde, da die Jünger sich vom Herrn trennen. Die dritte Aussendung ist ein Bild für seine Einwohnung im Gläubigen, denn der gesandte Heilige Geist bleibt in Ewigkeit in der Seele der Gläubigen."[21]

Das Bild der Taube als Symbol für den Heiligen Geist hat ekklesiologische Bedeutung. Da die Noach-Christus-Typologie im Hintergrund steht, wird der Heilige Geist von Christus ausgesandt. Der Heilige Geist wird von Christus aus der Kirche (Arche) ausgesandt, die der Leib Christi ist, denn Noach ist ein Vorausbild des Menschen, den Jesus aus der Jungfrau angenommen hat (Myst. I, 12). Der Heilige Geist ist nicht von Christus zu trennen; er kann nur jene erfüllen, die bei Christus bleiben. Sonst findet er keine Ruhestelle und kehrt, wie die Taube, wieder in die Arche (Kirche) zurück. Doch er wird wieder ausgesandt, letztlich aus dem Leib des erhöhten Christus, um für alle Zeit in der Seele der Gläubigen zu bleiben.

---

[20] Myst. I, 13 (100–102). H. Lindemann, Des hl. Hilarius von Poitiers „liber mysteriorum", 90 und A. L. Feder, Kulturgeschichtliches in den Werken des hl. Hilarius von Poitiers, in: StML 81 (1911) 35 sehen an dieser Stelle einen Hinweis, daß Männer und Frauen zur Zeit des Hilarius getrennte Plätze in der Kirche hatten.
[21] Myst. I, 14 (102–104).

Hier ist der Ort der Ruhe des Heiligen Geistes. Der Gedanke der Ruhe verbindet die Typologie der Arche im Mysterienbuch mit Tr.Ps. 146,12, wo Hilarius sich mit dem Raben beschäftigt, den Noach nach den vierzig Tagen der Flut zunächst aus dem Fenster der Arche – gemeint ist die geöffnete Seite Jesu – hinausließ. Dieser Text, der wohl kurz nach der entsprechenden Stelle des Mysterienbuchs geschrieben ist, stellt eine Ergänzung zum verlorenen Stück Myst. I,13 (Schluß) dar. Während die Taube ein Symbol für die bleibende Gegenwart des Heiligen Geistes in den Gläubigen ist, symbolisiert der Rabe die Sünder, die die Kirche verlassen und nicht mehr zurückkehren: „Wir erinnern uns, daß der Rabe damals, als er, aus der Arche ausgesandt, nicht mehr zurückkehrt, zum Bild des Sünders geworden ist. Da es nirgendwo einen Ort gab, wo er Halt finden konnte, denn alles war von Wasser überflutet, kehrt er nicht zurück, während die Taube, die später auch keine Ruhestelle findet, zurückkehrt. Da an dieser Stelle die Arche die (kommende) Gestalt der Kirche in sich trägt, ist derjenige, der die Kirche verläßt, obwohl er anderswo niemals einen Halt finden könnte, zum Bild des Sünders geworden, der, obwohl er in der Welt keine andere Ruhe findet außer in der Kirche, dennoch lieber in den Nichtigkeiten der Welt verweilen will."[22] Hier wird die Ruhe, die im Psalmenkommentar Zeichen des ewigen Sabbats ist, mit der Kirche verbunden. Diese eschatologische Ruhe wirkt bereits in die Zeit hinein (in saeculo). Doch nur der erfährt bereits jetzt diese Ruhe, der in der Kirche bleibt und nicht die „Nichtigkeiten der Welt" der Zugehörigkeit zur Kirche vorzieht.

In der Typologie der Arche bringt Hilarius keinen Beitrag, der über die Tradition vor ihm hinausginge. Es läßt sich wieder das Erbe Tertullians, Cyprians und des Origenes erkennen. Der Einfluß Tertullians ist nicht exakt zu bestimmen. Doch Tertullian ist in der lateinischen Theologie des 2. Jahrhunderts der erste, der in der Arche einen Typos der Kirche sieht[23]. Der Gedanke, daß der Mensch nur in der Kirche Ruhe findet, erinnert an

---

[22] Tr.Ps. 146,12 (852,27 – 853,2): Coruum in formam peccatoris constitutum esse tum, cum ex arca emissus non redit, meminimus. cum enim consistendi nusquam locus esset aquis in uniuersa diffusis, ipse columba postea non reperta requie reuertente non rediit. cum enim illic arca ecclesiae formam habuerit, is, qui ecclesiam, cum numquam alibi posset consistere, derelinquit, peccatoris in eo exemplum est constitutum, qui, cum nullam aliam praeterquam ecclesiae requiem habeat in saeculo, mauult tamen in inanibus saeculi demorari.
Zur Typologie des Raben und der Taube vgl. auch Greg. Ilib., De Arca Noe 25–28 (CCL 69, 153,164 – 154,189).
[23] Tert., De bapt. 8,4 (CCL 1,283,27): ... ecclesia est arcae figura. De Idololatr. 24,4 (CCL 2,1124): Quod in arca non fuit, in ecclesia non sit. Vgl. J. Daniélou, Sacramentum futuri, 81f; ders., Les origines du christianisme latin, 248; H. Rahner, Symbole der Kirche, 524f.

Cyprian[24]. Bei Origenes findet sich die Typologie Noach–Christus und der Hinweis auf die geschlechtliche Enthaltsamkeit beim Eintritt in die Arche[25].

Auch die Typologie der Arche ist ein Zeichen der eschatologischen Ekklesiologie des Hilarius: „Wegen des nahenden Gerichts gewährt er (Christus) sowohl den Söhnen von Geburt als auch denen, die dem Namen nach Söhne sind, Obdach in der Arche seiner Lehre und seiner Kirche" (Myst. I, 13). Zwischen Kirche und Eschatologie (imminens iudicium) gibt es keinen Gegensatz, denn beide gehören derselben Wirklichkeit an: Wie der Bau der Arche dem Strafgericht der Flut vorausgeht, so geht die Kirche als Mittel der Rettung dem endzeitlichen Gericht voraus.

5.3 Vorausbilder der Kirche in den Patriarchen

Zwischen der Typologie der Kirche in Adam und Eva sowie Noach einerseits und dem mosaischen Gesetz anderseits stehen am Beginn der Geschichte Israels die drei großen Gestalten der Patriarchen: Abraham, Isaak und Jakob. In der Glaubensgerechtigkeit Abrahams, in der Geburt Isaaks und im Dienst Jakobs um Rahel sieht Hilarius ein Vorausbild der Heiligung, Erwählung und Loskaufung der Kirche (Myst. I, 1). Während in den Patriarchen das Verhalten Gottes zur Kirche dargestellt wird, kommt in ihren Frauen (Sara, Rebekka, Rahel) die Typologie der Kirche zur Sprache.

1) Der Traktat über Abraham ist nur sehr bruchstückhaft überliefert. Der überlieferte Text beginnt damit, daß Sara die Kirche und Hagar die Synagoge vorausbildet.

---

[24] Cypr., De unit. 6 (CCL 3, 253, 150–151): Si potuit euadere quisque extra arcam Noe fuit, et qui extra ecclesiam foris fuerit euadet. Vgl. auch Ep. 74, 11 (CSEL 3/2, 809, 10–14). Hier finden sich Anklänge an das Axiom: Salus extra Ecclesiam non est (Ep. 73, 21: 795, 3–4). Vgl. dazu M. Bévenot, ‚Salus extra ecclesiam non est‘ (St Cyprian), in: H. J. Auf der Maur u. a. (Hg.), Fides sacramenti – Sacramentum fidei. Studies in honour of Pieter Smulders, Assen 1981, 97–105.

[25] Orig., Genhom II, 3 (GCS 29 = Origenes VI, 31, 6–7): Dominus noster, verus Noe; II, 5 (34, 29–31): Spiritalis ergo Noe Christus in arca sua, in qua humanum genus de interitu liberat, id est in ecclesia sua; Sel. in Gen. (PG 12, 105 B): Ἐπεὶ καθαροὺς ἤθελε διαμένειν τοὺς εἰσελθόντας ἀνθρώπους εἰς τὴν κιβωτὸν ἀπὸ μίξεως, οὕτως αὐτοὺς εἰσάγει, κατὰ τὴν εἰσαγωγὴν κελεύων αὐτοῖς τὴν διατριβὴν ποιεῖσθαι ἐν τῇ κιβωτῷ. οὐ γὰρ ἔπρεπε, τῶν ὁμοίων ἀπολλυμένων, τούτους κοίταις καὶ παιδοποιίαις σχολάζειν. ὅτε μέντοι τὰ δεινὰ παρῆλθε, καὶ χρεία ἐκάλει τὴν γῆν ἀνθρώπων πληρωθῆναι, κατὰ γαμικὴν αὐτοὺς συζυγίαν ἐκβάλλει.

Es gibt in diesem Traktat einen Gedanken, der das Mysterienbuch mit dem vor dem Exil verfaßten Matthäuskommentar verbindet: Die Namensänderung von Abram in Abraham und von Sara in Sarra, der Hilarius in beiden Werken, die ungefähr zehn Jahre auseinanderliegen, ekklesiologische Bedeutung beimißt. Beiden Texten ist gemeinsam, daß sie ihr neutestamentliches Fundament in Mt 18,12 haben: „Wenn jemand hundert Schafe hat und eines von ihnen sich verirrt, läßt er dann nicht die neunundneunzig auf den Bergen zurück und sucht das verirrte?" Das Alpha, das dem Namen Abraham hinzugefügt wird: aus Abram wird Abraam (Myst. I, 18) oder Abraham (In Mt. 18,6), ist als erster Buchstabe des Alphabets ein Bild des einen verirrten Schafs, d.h. der Menschheit, welche Christus zur himmlischen Kirche zurückführt, um sie dadurch zu vollenden. Diese Vollendung wird angezeigt im Rho, das dem Namen Sara hinzugefügt wird, so daß sie als Vorausbild des himmlischen Jerusalems Sarra heißt. Erst durch die Hinzufügung des Alpha (Menschheit) zu den neunundneunzig Engeln wird die Hundertzahl (Rho) als Zeichen der Vollendung der Kirche erreicht. Abraham ist Vorausbild Christi, der die Menschheit zu dieser Vollendung führt, Sara Vorausbild der himmlischen Vollendung[26]. Der Gedanke, daß wir in Abraham als Typos Christi alle eins sind und daß diese Einheit in der himmlischen Kirche ihre volle Gestalt gwinnt, findet sich vor Hilarius wiederum bereits bei Tertullian[27] und Cyprian[28].

2) Bereits im Traktat über Abraham werden die Geburt Isaaks und seine Opferung erwähnt[29]. In der typologischen und allegorischen Exegese der Väter nehmen Geburt und Opferung Isaaks eine bedeutende Stellung ein als Vorausbild des Leidens Jesu. Dazu kommt als drittes Element in dem

---

[26] Myst. I,17–18 (106–108): ... Sarra etiam ecclesiam signat, Agar synagogam ... In littera Abrae addita unus est numerus, in ea, quae Sarrae accedit, centum habentur et saluator relictis nonaginta nouem in montibus abiit unam, quae errauerat, quaerere (Mt 18,12). Ergo unus numerus in littera Abrae additur. Unus est enim Dominus Iesus Christus, natus ex uirgine, et ab illo uno omnia crimina credentium mundata sunt. Et quod per se explendum erat in Abraam praefigurat; ille per adiectionem unius pater et redemptor gentium constituitur reddita Sarrae, id est ecclesiae primitiuae caelestis Ierusalem, centesima oue. Vgl. In Mt. 18,6 (II,80,14 – 82,23); 20,4 (II,106,16–19). Zur Parallele zwischen Myst. und In Mt. vgl. J.-P. Brisson, 51; J. Doignon, Hilaire de Poitiers avant l'exil, 328–332.

[27] Tert., De bapt. 15,1 (CCL 1,290,4–6): Vnum omnino baptismum est nobis ... quoniam unus Deus et una ecclesia in caelis.

[28] Cypr., Ad Quir. I,20 (CCL 3,19–21): Sarra sterilis diu mansit et sero in senecta de pollicitatione peperit filium Isaac, qui fuit typus Christi.

[29] Myst. I,17 (106): Semen autem uocatum in Ysaac Christum esse monstrat; in quo etiam praefiguratio passionis est edita, cum a patre ad hostiam uocatur, cum ligna sacrificii suscipit, cum ad consummationem hostiae aries assistit.

ebenfalls verstümmelten Traktat über Isaak die Ehe zwischen Isaak und Rebekka. „In Rebekka findet sich eine doppelt symbolische Bedeutung, nämlich ihre Ehe und ihre Mutterschaft, und in ihrer Ehe ist sie Typos der Kirche: sie tränkt die Kamele, d. h. die Christus ergebenen Heiden; durch ihre Ohrringe lehrt sie das Hören des Glaubens; ihre Armbänder zeigen den Schmuck der guten Werke. Als sie gefragt wurde, ob sie (Isaak) heiraten wolle, antwortet sie nach Art derer, die sich mit Christus verbinden wollen, um ihn zu sehen; sie verläßt das Haus ihres Vaters, um zu zeigen, daß niemand Knecht Christi sein kann, der nicht seinen Fehlern und Leidenschaften entsagt hat; aus den zwei Stämmen (Esau und Jakob) macht sie ein Bild der zwei Völker."[30]

J. Daniélou, K. Lehmann und J. Swetnam haben sich ausführlich mit der Typologie Isaaks beschäftigt[31]. Dabei kommen sie zu Ergebnissen, die auch für den schlecht überlieferten Traktat über Isaak bei Hilarius von Bedeutung sind. Nach J. Daniélou kann man zwei Quellen unterscheiden, aus denen die Väter geschöpft haben: die paulinische Typologie der Geburt und Opferung Isaaks und die allegorische Deutung der Ehe Rebekkas und Isaaks bei Philo von Alexandrien. In Gal 3, 16 wird die Nachkommenschaft Abrahams von Christus her verstanden. Obwohl sich die Typologie der Opferung Isaaks als Vorausbild des Leidens Christi, der sein Leben als Sühnopfer für Israel und alle Menschen hingegeben hat, nicht so deutlich bei Paulus findet wie die Typologie der Nachkommenschaft Abrahams, haben die Väter doch in Röm 8, 32 einen Bezug auf Gen 22, 16 gesehen: „Er (Gott) hat seinen eigenen Sohn nicht verschont, sondern ihn für uns alle hingegeben."

Auch der mystische Gedanke der Hochzeit Isaaks und Rebekkas, in dem Philo den Aufstieg der Seele zur Weisheit sieht, hat auf die Väter eingewirkt. Origenes löst diese Mystik Philos aus der hochzeitlichen Beziehung von ‚teleios' und ‚sophia' und überträgt sie auf die hochzeitliche Verbindung zwischen Gott und seinem Volk, zwischen Christus und Kirche, zwischen dem Wort Gottes und der Seele des Menschen. Hier tritt ein Gedanke in die Typologie der ehelichen Verbindung von Isaak und Rebekka, der in den Hoheliedkommentaren der Väter ein durchgängiges Element darstellt.

---

[30] Myst. I, 19 (108). Die Deutung der Kamele als Bild für die Heiden bringt Hilarius bereits In Mt. 2, 2 (I, 104, 19–23); 19, 11 (II, 100, 4–5).

[31] J. Daniélou, Sacramentum futuri, 97–128; ders., Les origines du christianisme latin, 244. Vgl. auch K. Lehmann, Auferweckt am dritten Tag nach der Schrift, 267–272; 298–301; J. Swetnam, Jesus and Isaac, 23–129.

Während sich die Typologie der Opferung Isaaks auch bei Tertullian und Cyprian findet[32] und die typologische Bedeutung Rebekkas für die Kirche in der Tradition weitverbreitet ist[33], kann man in der Hochzeit Rebekkas als Symbol für die Verbindung mit Christus, um zu seiner Anschauung zu gelangen, einen Gedanken entdecken, den Hilarius wohl in der Begegnung mit der östlichen Theologie aus dem Erbe Philos übernommen hat. Der Hinweis, daß Rebekka aus dem Haus ihres Vaters weggeht, um dadurch zu zeigen, daß man Christus nur gehören kann, wenn man dem eigenen Ich mit seinen ungeordneten Neigungen entsagt, erinnert sehr an den Weg der Loslösung von sich selbst, den Philo zum Erreichen der ‚sophia' weist[34].

Auch der abschließende Hinweis auf die zwei Kinder in Rebekkas Schoß als Symbol für die zwei Völker (Juden und Heiden) ist bereits bei Irenäus, Tertullian und Cyprian vorgegeben[35].

3) Der Traktat über Jakob ist bestimmt von den beiden Völkern, die in Esau und Jakob vorgebildet sind. Das Erstgeburtsrecht Esaus ist ein Bild für die Erwählung Israels durch Gott. Hilarius stützt seine Interpretation auf eine seltene Erklärung des Namens Esau. Den Ausgangspunkt dieser Erklärung bildet Gen 25,30: „Da sagte Esau zu Jakob: Gib mir doch etwas zu essen von diesem Gericht, denn ich vergehe (deficio). Deshalb heißt er Edom." Während die traditionelle Erklärung des Namens Edom nach dem hebräischen Text ‚Roter' ist, folgt Hilarius dieser Etymologie nicht, sondern erklärt Esau als Erschöpfung oder Verzweiflung (defectio) und Edom als Erschöpfter oder Verzweifelnder (deficiens)[36].

Von dieser Etymologie ist die Typologie der Erwählung Israels im Erstgeburtsrecht Esaus bestimmt. Hilarius gibt dem Erstgeburtsrecht eine eschatologische Wendung. Esau verkauft sein Erstgeburtsrecht nicht für die Zeit seines Lebens, denn nach dem Recht der Alten bleibt es ihm für seine Lebenszeit erhalten. Er verkauft es, weil ihm die ‚fleischlichen Be-

---

[32] Tert., Adv. Marc. 18,1–2 (CCL 1,531,7 – 532,14); Adv. Iud. 10,6; 13,20–21 (CCL 2,1376,34–41; 1388,113 – 1389,124). Cypr., De bono pat. 10 (CCL 3 A,123,183–185); Ps.-Cypr., De montibus Sina et Sion 3 (CSEL 3/3,106–107). Vgl. auch Zeno Veron., Tract. I,59,IV,8–9 (CCL 22,136,63–82).

[33] Vgl. J. Daniélou, Sacramentum futuri, 114f.

[34] Philo Alex., Quis rerum divinarum heres sit, 68–89 (Les œuvres de Philon d'Alexandrie 15), Paris 1966, 199–211.

[35] Iren., Adv. haer. IV,21,2 (SC 100,678); Tert., Adv. Iud. 1,4 (CCL 2,1340,22–26); Cypr., Ad Quir. I,19 (CCL 3,19).

[36] Tr.Ps. 59,13 (201,16): Esau defectio est et Edom secundum Genesim deficiens est. Tr.Ps. 136,12 (732,2–3) hingegen: Edom interpretatur terrenum. Vgl. dazu J. Daniélou, Hilaire et ses sources juives, in: Hilaire et son temps, 145f.

gierden' im Augenblick wichtiger sind als seine Zukunft. Darin ist Esau ein Symbol des auserwählten Volkes (formam populi in se agens): „Denn dieses Volk war als erstes erwählt zum Erbe Gottes, es hat aber die Hoffnung auf die Auferstehung und die Herrlichkeit Gottes verloren. Da es nur mit dem Verlangen des Leibes beschäftigt war, behauptete es, es sei an seiner Ehrenstellung verzweifelt, auf die es als Erstgeborener nach dem Tod hätte hoffen können."[37]

Vor diesem dunklen Hintergrund hebt sich der Segen Jakobs ab. In diesen Segen ist das neue Gottesvolk eingeschlossen, dessen Verhalten sich von der Hoffnungslosigkeit des ersterwählten Volkes unterscheidet, und das deshalb an die Stelle Israels tritt: „Die Glaubenden aber entsagen den gegenwärtigen Freuden, verlegen alle Hoffnung in die Zukunft, sind deshalb an Seele und Leib enthaltsam und nehmen so dem Älteren weg, was ihm bestimmt war."[38] In der Bekleidung Jakobs mit dem Festgewand Esaus (Gen 27, 15) sieht Hilarius einen Hinweis auf das Gewand der Unsterblichkeit, das der Vater im Evangelium dem verlorenen Sohn anziehen läßt (Lk 15, 22).

Hilarius zeigt aber eindrucksvoll, daß das Herz Isaaks (Gottes) an Esau (Israel) hängt. Er nimmt den Jakob gegebenen Segen zwar nicht zurück, als er die Täuschung erkennt, doch er entspricht zugleich der Bitte Esaus um einen Segen. Für Hilarius kommt darin zum Ausdruck, daß das sündige ältere Volk am Segen des jüngeren Volkes teilnehmen kann, wenn es sich zum Glauben bekehrt, „denn allen steht der Weg zum Heil offen"[39]. Diese Möglichkeit eines allgemeinen Heils sieht er vorgeformt in den Worten Isaaks über Esau: „Doch hältst du durch, so streifst du ab sein (Jakobs) Joch von deinem Nacken" (Gen 27, 40). Der Segen Israels wird solange aufgeschoben, bis das in Esau vorgebildete Volk das Joch des herrschenden Bruders abstreift. Dieses Abstreifen des Jochs ist der Übergang von der Knechtschaft der Gottlosigkeit zur Freiheit des Glaubens[40].

Hilarius beschäftigt sich an zwei Stellen des Psalmenkommentars mit Jakob. Ausgehend von der Umbenennung Jakobs in Israel nach Jakobs Kampf mit Gott (Gen 32, 23–33), sieht er in Jakob/Israel den Leib der Kirche vorgebildet. In Jakob ist das neue Gottesvolk erwählt, dem nun die Verheißungen Israels gelten. Israel ist der Besitz Gottes, denn Israel

---

[37] Myst. I, 20 (110).
[38] Myst. I, 22 (112).
[39] Myst. I, 25–26 (118–120).
[40] Myst. I, 26 (120): Sui ergo relinquitur iuris iugum deponere, quia unicuique ad fidem ius propriae uoluntatis est liberum benedictione tum digno, cum se in fidei libertatem ex inreligiositatis seruitute transtulerit.

hat Gott von Angesicht zu Angesicht gesehen (Gen 32, 31). Ekklesiologisch bedeutet Jakob die Erwählung des gesamten Volkes Gottes, das sich aus dem gläubigen Rest der Synagoge und den Heiden zum Leib der Kirche zusammenfügt. Israel ist eine eschatologische Aussage über die Kirche, die sich als ‚Schauen Gottes' letztlich auf die himmlische Kirche bezieht, aber bereits jetzt im Glauben Wirklichkeit ist[41].

Eine christologische Deutung Jakobs findet sich bei der Erklärung von Ps 147, 8: „Er verkündet Jakob sein Wort, Israel seine Gesetze und Rechte." Hilarius bezieht hier Jakob und Israel auf Christus, in dem die doppelt-eine Gestalt Jakob/Israel zur Vollendung gelangt[42].

Die christologische Deutung Jakobs, die Hilarius auch in De Trinitate erwähnt[43], fehlt im Mysterienbuch. Die Linie der Knechtschaft Jakobs, die Hilarius am Beginn (Myst. I, 1) zu den Geheimnissen der Kirche zählt, hält er im Traktat über Jakob nicht durch. Während er Sara und Rebekka erwähnt, fällt hier auf, daß er Rahel nicht nennt, um die Jakob sieben Jahre gedient hat. Im Dienst Jakobs um Rahel sieht z. B. Irenäus ein Vorausbild Christi, der sich erniedrigte, um die Kirche zu erwerben. Doch im Matthäuskommentar nennt Hilarius Rahel Typos der Kirche[44].

5.4 Mosaisches Gesetz und Freiheit der Kirche

Die gesamte Tradition des Christentums sieht in den Personen und Ereignissen des Exodus aus Ägypten Bilder des Neuen Testaments und der Sakramente der Kirche.

Im Mysterienbuch gliedert Hilarius den Traktat über Mose in zwei Teile: Der erste Teil (I, 27–32) stellt Mose als Typos Christi, des wahren Anführers des neuen Gottesvolkes, heraus. Der zweite Teil (I, 33–42) handelt vom Holz, das Mose ins Wasser von Mara wirft, und vom Manna als Zeichen der Erlösung und der himmlischen Nahrung.

1) Im ersten Teil steht die Mose-Christus-Parallele im Vordergrund. Das Binsenkörbchen, in dem der Knabe im Schilf am Nilufer ausgesetzt wird,

---

[41] Tr.Ps. 134, 5–6 (697, 6 – 698, 8). Daß Hilarius mit Israel die Erkenntnis und Anschauung Gottes verbindet (698, 7), hängt wohl mit einer verbreiteten Etymologie des Namens Israel zusammen: 'ijš ro'ēh (sehender Mann).

[42] Tr.Ps. 147, 7 (858, 16–26).

[43] Trin. IV, 30 (133, 3–4); IV, 31 (135, 11–12); IV, 32 (135, 4); IV, 42 (147, 4); V, 19 (169, 3); V, 20 (170, 3–4); V, 22 (173, 12); V, 39 (194, 4); XI, 34 (563, 12); XII, 46 (617, 17–20).

[44] In Mt. 1, 7 (I, 100, 4–6): Rachel Iacob uxor fuit diu sterilis, sed nullos ex his quos genuit amisit. Verum haec in Genesi Ecclesiae typum praetulit.

ist ein Hinweis auf das Geschick Christi: Wie Mose durch die Vorsorge seiner Mutter dem vom Pharao angeordneten Knabenmord entgeht und Führer des Volkes Israel wird, so entgeht Jesus durch die Flucht nach Ägypten dem Kindermord des Herodes und wird durch das Holz seines Kreuzes und das Wasser der Taufe Führer der Kirche. In der Schwester des Mose, die in seiner Nähe bleibt, sieht Hilarius ein Vorausbild des Gesetzes, das Christus bis zum Geheimnis des Kreuzes und des Wassers gefolgt ist. Die Tochter des Pharao ist Typos der Kirche aus den Heidenvölkern, die das Erbe der Synagoge in sich aufnimmt, denn die Tochter des Pharao bestellt auf Vorschlag der Schwester des Mose (Gesetz) dessen Mutter (Synagoge) zur Amme. Durch das Gesetz und die Synagoge wird Christus genährt, von der Kirche wird er adoptiert[45].

Hilarius verfolgt die Typologie weiter im Leben des Mose. In dem Bericht, daß Mose seine Brüder besucht und dabei einen Ägypter erschlägt, sieht er ein Vorausbild der öffentlichen Wirksamkeit Jesu, der zu den verlorenen Schafen des Hauses Israel gesandt ist und die Macht des Satans gebrochen hat. Hilarius schließt seine typologische Erklärung der Jugend des Mose mit dem Satz, in dem das mosaische Gesetz seine Erfüllung in der Freiheit der Gnade findet: „Die Nachahmung, die sich im Gesetzgeber findet, erlangt so ihre Vollendung im Gott der Gnade."[46]

Auch der brennende Dornbusch ist ein Bild für die Kirche, die durch Christus frei wird von den Bedrohungen und Verfolgungen durch die Sünder. Diese neue Freiheit der Kirche beschreibt Hilarius mit 2 Kor 4, 8–10 in den Paradoxen der Bedrängnis und der Errettung durch Jesu Todesleiden[47].

Ein letzter ekklesiologischer Hinweis in diesem Teil findet sich in dem dritten Zeichen, das Gott Mose zur Bestätigung seiner Sendung gibt: „Glauben sie aber selbst nach diesen beiden Zeichen nicht und lassen sie sich nicht überzeugen, dann nimm etwas Nilwasser und schütt es auf trokkenen Boden! Das Wasser, das du aus dem Nil geholt hast, wird auf dem Boden zu Blut werden" (Ex 4, 9). Hilarius sieht in diesem Zeichen ein Bild der sakramentalen Praxis seiner Zeit: Die Neugetauften (qui per aquam abluti) empfangen sogleich die Eucharistie (in cognitionem sint sanguinis transituri)[48].

---

[45] Myst. I, 28–29 (122–124). Vgl. Greg. Ilib., Tract. Orig. VII, 13 (CCL 69, 59, 102–105): Mater itaque Moysi figura erat sinagogae patrum et prophetarum, ex quorum origine Xpistus secundum carnem est natus, cuius tipum Moyses tunc temporis indicabat.
[46] Myst. I, 29 (124): Ita consummationem in Deo gratiae consequitur ea, quae in latore legis imitatio est.
[47] Myst. I, 30 (124).   [48] Myst. I, 31 (124–126).

131

Ekklesiologisch steht dieser erste Teil unter dem Zeichen der Erfüllung des Gesetzes in Christus, in dem die Gnade Gottes leibhaft erschienen ist und damit die Freiheit der Kirche, die in der Herausführung des erwählten Volkes aus dem Land der Knechtschaft vorgebildet ist.

2) Der zweite Teil beschäftigt sich mit einigen Ereignissen während der Wüstenwanderung, denen Hilarius eine christologische und ekklesiologische Deutung gibt.

An erster Stelle nennt er bei seinem Vorhaben, „mit der körperlichen Wahrheit eine geistige Nachahmung zu verbinden" (I, 32), das bittere Wasser von Mara, das süß wird, weil Mose auf Weisung des Herrn ein Stück Holz ins Wasser wirft (Ex 15, 22–25). Unter dem Wasser versteht Hilarius hier, wie auch im Psalmenkommentar[49], die Völker. Das Holz ist Symbol für das Kreuz Christi. Den Bezug zur christologischen Exegese findet Hilarius in Ex 15, 25: „Dort (in Mara) gab Gott (dem Volk) Gesetz (iustificationes) und Rechtsentscheidungen, und dort stellte er es auf die Probe." Im Geheimnis des Holzes, an dem Jesus hing und an das er alles geheftet hat, was dem Heil des Menschengeschlechts im Wege steht, vollzieht sich die Rechtfertigung, denn der Gerechte lebt aus dem Glauben (Röm 1, 17), das Gericht, denn „wer nicht glaubt, ist schon gerichtet" (Joh 3, 18), und die Erprobung, denn der Herr kommt durch das anstößige Zeichen des Kreuzes (per scandalum crucis)[50].

Der Zug von Mara nach Elim ist für Hilarius der Übergang vom Alten zum Neuen Testament, denn die zwölf Quellen weisen voraus auf die Verkündigung der zwölf Apostel, die aus dem Geheimnis des Holzes als Zeichen der Erlösung ihren Inhalt beziehen[51].

Obwohl Hilarius beim Fleisch der Wachteln und beim Manna von einem deutlichen Vorausbild der geistigen Wirklichkeit[52] spricht, ist es doch nicht ganz einfach, seinem Gedankengang zu folgen. Es vermischen sich hier zwei Gedanken, die mit der Erklärung des Manna verbunden werden und beide eine Stütze in der johanneischen Rede vom Himmelsbrot finden. Origenes versteht unter dem Manna vorrangig die Lehre der Schrift, während Cyprian eine eucharistische Deutung des Manna kennt[53]. Bei Hilarius finden sich zwar auch Elemente zu einer eucharisti-

---

[49] Tr.Ps. 123, 5 (594, 2–5).   [50] Myst. I, 36 (132).   [51] Myst. I, 37 (134).
[52] Myst. I, 38 (134): Iam uero in coturnicum carnibus et mannae cibo quanta et quam absoluta rei spiritalis est ratio!
[53] Vgl. die Texte bei J. Daniélou, Sacramentum futuri, 196, und J.-P. Brisson, 138, Anm. 1. Zu Origenes vgl. auch L. Lies, Wort und Eucharistie bei Origenes. Zur Spiritualisierungstendenz des Eucharistieverständnisses, Innsbruck 1978 (= ITS 1), 217–258.

schen Deutung des Manna[54], doch im Vordergrund steht die Aussage, daß das Manna zur Erprobung gegeben sei. Den bestimmenden Ausgangspunkt in der Erklärung des Manna bildet Ex 16,4: „Da sprach der Herr zu Mose: Ich will euch Brot vom Himmel regnen lassen. Das Volk soll hinausgehen, um seinen täglichen Bedarf zu sammeln. Ich will es prüfen, ob es nach meiner Weisung lebt oder nicht." Die Prüfung besteht darin, ob das Volk Gott gehorchen will und so würdig wird, das wahre Brot vom Himmel zu empfangen. Dieses wahre Brot vom Himmel ist letztlich nicht die Eucharistie, sondern die vollendete Ruhe in Gott. Deshalb deutet Hilarius das Manna auf die guten Werke, die der Mensch in diesem Leben vollbringen muß, um in die Ruhe Gottes einzugehen. Dabei bezieht er sich auf zwei Anordnungen des biblischen Textes: Vom gesammelten Manna darf nichts bis zum nächsten Morgen übrigbleiben. Die Israeliten hörten aber nicht auf Mose. Was sie übrigließen, wurde wurmig (Ex 16,19–20). Hilarius sieht darin einen Hinweis auf alle Güter, die der Mensch im Ungehorsam gegen Gott in seinem Leben zusammenrafft. Man kann hier an Mt 6,19–20 denken. Diese Schätze haben keinen Bestand, wenn Christus zum Gericht wiederkommt[55]. Daneben gibt es die Weisung, am sechsten Tag auch die Nahrung für den Sabbat vorzubereiten (Ex 16,5.23). Hier kommt am deutlichsten zum Ausdruck, was Hilarius unter Erprobung versteht. Die Zeit des Lebens ist der sechste Tag, an dem vorgesorgt werden muß für die eschatologische Ruhe des siebten Tages, denn zum Genuß (usus) der himmlischen Ruhe werden wir dann nichts anderes finden, als was wir vorher durch unsere guten Werke vorbereitet haben[56].

Hilarius bezieht mit Origenes das Sammeln des Manna auf die Werke, die der Mensch im Einklang mit der Weisung Gottes in diesem Leben vollbringt. Dieser Gedanke tritt noch einmal am Ende des Traktats über Mose hervor, wenn es um die Anweisung geht, ein Gomer Manna für die

---

[54] Myst. I,40 (136–138): Mane (manna) inuenitur: hoc enim in resurrectione Domini caelestis cibi tempus est. Wie J.-P. Brisson, 137, Anm. 2 schreibt, kann man hier einen Hinweis auf die altkirchliche Praxis sehen, daß die Neugetauften am Ostermorgen die Eucharistie empfangen. In Myst. I,40 wird das Manna zweimal „cibus caelestis" genannt.

[55] Myst. I,40 (138).

[56] Myst. I,41 (140): In hoc igitur aetatis nostrae tempore operandum est, quo uti possimus in requie. Tempus autem huius sexti millesimi anni est, quod sub numero diei sexti significatur propheta dicente: Quia anni mille in conspectu Domini tanquam dies una (Ps 89,4). Alitur ergo populus die septimo, id est requie Domini, cibis pridie conditis et his, quae praeparauerat, utitur non reperturus septimo, quo ali possit, multis in campum prodeuntibis et nihil repperientibus, conclusis scilicet temporibus saeculorum nihil aliud in usum requiei nostrae, quam quod ante a nobis sit praeparatum et conditum, reperturi. Vgl. Tr.Ps. 91,10 (353,13 – 354,20).

späteren Generationen aufzubewahren (Ex 16,32). Das Gefäß, in dem Aaron das Manna aufbewahrt, ist der Mensch, der auf die Weisung Gottes hört, dessen Leib eine Gott wohlgefällige Wohnstatt ist für seine geistige Nahrung. Ein solcher Mensch ist kostbar in den Augen Gottes und erlangt Ewigkeit[57].

Hilarius stellt im Traktat über Mose[58] die ekklesiologische Bedeutung, die er in den vorausgehenden Betrachtungen stets im Auge hatte, nicht so deutlich heraus. Doch es geht ihm auch hier um den Übergang vom Alten zum Neuen Testament. Das Gesetz des Mose findet seine Vollendung in der Freiheit der Gnade, die sich in Christus ereignet hat. Es geht Hilarius um jene Freiheit, die den Menschen durch das Kreuz Christi als wirksames Zeichen der Befreiung von der Macht des Bösen geschenkt ist. Diese angebotene Freiheit stellt den Menschen in die Erprobung, ob er sein Leben unter das Wort Gottes stellen will. Ohne die Verbindung mit der „himmlischen Gabe und der himmlischen Lehre" (I, 40) bringt der Mensch keine Frucht, die für die Ewigkeit Bestand hat.

5.5 Der Übergang von der Synagoge zur Kirche: Die doppelte Berufung der Juden und der Heiden

Im Matthäuskommentar kreisen die Gedanken des Hilarius immer wieder um das Verhältnis von Gesetz und Evangelium, von Synagoge und Kirche aus den Heiden und dem Rest Israels. Es gibt kaum eine Perikope, die er nicht auf diese Mitte hin auslegt. Mit dem Übergang des Heils von Israel auf die Kirche nimmt Hilarius ein wichtiges Element des Matthäusevangeliums auf. Doch er interpretiert diesen Übergang nicht so sehr aus der Theologie des Matthäusevangeliums[59], sondern im Licht von Röm 5–11, wo Paulus von der Rechtfertigung aus dem Glauben, von der Freiheit vom Gesetz, von der bleibenden Erwählung, vom Ungehorsam und zugleich von der Errettung Israels spricht. Hier kommt eine

---

[57] Myst. I, 42 (140): ... per speciem aurei uasis et mannae in conspectu Dei conditae et in futuras generationes reseruatae pretiosum eum et aeternum futurum, qui acceptam corpore suo tamquam uase aureo mannam reseruaturus esset, ostendit Deo suscepti huius a nobis spiritalis cibi incontaminatam custodiam contenti.
[58] Die wichtigsten Ereignisse des Exodus werden auch erwähnt In Mt. 12,22 (I, 290,7 bis 292,14).
[59] Vgl. dazu W. Trilling, Das wahre Israel, München ³1964; R. Hummel, Die Auseinandersetzung zwischen Kirche und Judentum im Matthäusevangelium, München 1963; H. Conzelmann, Heiden – Juden – Christen, Tübingen 1981.

durchgehende Linie im Werk des Hilarius zum Ausdruck: die häufige Bezugnahme auf paulinische Texte.

Die ganze Breite des Gegensatzes von Gesetz und Evangelium (Glaube, Rechtfertigung) bei Hilarius kann hier nicht entfaltet werden[60]. Aus diesem umgreifenden Thema soll nur der Übergang von der Synagoge zur Kirche behandelt werden.

1) Im Matthäuskommentar wird dieser Übergang mit dem Unglauben Israels in Zusammenhang gebracht. Im Unglauben sieht Hilarius ein durchgehendes Motiv der Geschichte Israels, wobei er sich auf das Wort Jesu stützt: „O du ungläubige und unbelehrbare Generation! Wie lange muß ich noch bei euch sein?" (Mt 17,17). Hilarius stellt dieses Wort Jesu in einen Kontext, der bereits in den Aposteln den Übergang von der Synagoge zur Kirche beinhaltet. Während Jesus mit Petrus, Jakobus und Johannes auf dem Berg der Verklärung ist, halten sich die übrigen Apostel bei der großen Zahl der Menschen auf (Mt 17,14). Hilarius sieht darin ein Zeichen, daß der Glaube der Apostel in der Zeit der Abwesenheit Jesu erschlafft sei. Deswegen gilt Mt 17,17 zunächst den Aposteln, die aus Israel berufen sind und deshalb in Gefahr sind, wieder in die Gewohnheit der alten Ungläubigkeit des Volkes Israel zurückzufallen. Mit dem Ausruf über die ungläubige Generation will Jesus den Aposteln sagen, „daß diejenigen kein Heil bringen können, die in der Zeit zwischen dem Evangelium und der zweiten Ankunft sich vom Glauben entfernen, so als wäre der Herr abwesend"[61].

In der Betonung des Unglaubens Israels steht Hilarius im Gefolge der Schrift (z.B. Röm 11,30; Eph 2,2; Kol 3,6), Tertullians[62] und Cyprians[63]. Weil die Juden nicht an die Geheimnisse des Reiches Gottes geglaubt haben, haben sie auch das Gesetz verloren, das Gott ihnen gegeben hat[64]. Hilarius entfaltet diesen Gedanken genauer bei der Erklärung von Mt 12,43–45: Das Haus, das der böse Geist verlassen hat und bei seiner Rückkehr sauber und geschmückt vorfindet, ist ein Bild für das Volk Israel, das durch das Gesetz gereinigt wurde. Weil Israel aber nicht an Jesus

---

[60] Vgl. dazu W. Wille, 109–208; J. Doignon, Hilaire de Poitiers avant l'exil, 344–353; A. Peñamaria de Llano, La salvación por la fe, 100–119.

[61] In Mt. 17,6 (II,66,7–9); 4,25 (I,144,5).

[62] Tert., Adv. Iud. 1,6 (CCL 2,1340,36–39): Nam et secundum diuinarum scripturarum memorias populus Iudaeorum, id est antiquior, derelicto deo idolis desaeuiuit et diuinitate abrelicta simulacris fuit deditus.

[63] Ad Quir. I,1 (CCL 3,6): Iudaeos in offensam Dei grauiter deliquisse, quod Dominum reliquerint et idola secuti sint.

[64] In Mt. 13,2 (I,296,6–7).

geglaubt und das Ärgernis seines Leidens nicht angenommen hat, geht es ihm am Ende schlimmer als vorher (Mt 12,45). Denn das Gesetz geht bis zu Johannes, dann kommt für Israel die Entscheidung, ob es Jesus annimmt oder nicht[65]. Da die Synagoge sich nicht zu Jesus bekennt, teilt sie mit den Juden den Unglauben[66].

Der Übergang von der Synagoge zur Kirche ist ein schmerzlicher Prozeß. In diesem Sinn deutet Hilarius das Weinen Rahels. In ihr weint die Kirche, weil sie von der Synagoge verfolgt wird[67]. Obwohl Jesus zunächst zu Israel gesandt ist und zum Zeichen dessen auch oft die Synagoge betritt, verläßt er doch schließlich die ungläubige Synagoge und bleibt in der Kirche der Heiden[68]. Auch die Apostel werden zunächst zu den verlorenen Schafen Israels gesandt mit der Predigt vom Himmelreich. Doch Israel verweigert sich dieser Verkündigung: „Den einen (Israel) wird Christus gepredigt, von den anderen (Zöllnern und Sündern) wird er anerkannt; den einen wird er geboren, von den anderen wird er geliebt. Die Seinen stoßen ihn zurück, Fremde nehmen ihn auf; seine eigenen Leute verfolgen ihn, seine Feinde umarmen ihn."[69] Hier wird an der Person Jesu als Zeichen des Widerspruchs der Unglaube der Synagoge und der Glaube der Heiden, der in den Zöllnern und Sündern vorgebildet ist, aufgezählt.

Von Israel geht die Verkündigung zunächst nach Griechenland und von da zu allen Völkern[70].

Während Hilarius mit der Synagoge stets den Unglauben verbindet und unter den Heiden ganz allgemein zunächst die Ungläubigen versteht, gibt es doch auch in Israel und bei den Heidenvölkern Menschen, die Christus annehmen. Aus ihnen erhält die Kirche als neues Gottesvolk ihre Glieder. Die Entgrenzung des Heilsangebots, das zunächst Israel galt, auf die Heiden sieht Hilarius angedeutet in der Heilung der zwei Blinden (Mt 9,27–31)[71], in der Sendung des Gottesknechts, den Völkern das Recht zu verkünden (Mt 12,18), und in der Heilung eines blinden und stummen Besessenen (Mt 12,22)[72]. Sowohl in Israel gibt es einen gläubi-

---

[65] In Mt. 12,23 (I,292–294).
[66] In Mt. 14,7 (II,16,8–11): Sed Israelem lex admonebat, ne opera gentium infidelitatemque sibi iungeret. Gentibus enim socia infidelitas est, quae ipsis tamquam uinculo coniugalis amoris adnexa est. Vgl. 4,25 (I,144,5); 21,9 (II,134,11).
[67] In Mt. 1,7 (I,100,4–15).
[68] Z. B. In Mt. 11,10 (I,264,4–6); 15,2 (II,34,10–12); 21,5 (II,128,14–15).
[69] In Mt. 11,7 (I,258,8 – 260,26).
[70] In Mt. 10,14 (I,232,7–10).
[71] In Mt. 9,10 (I,214,12).
[72] In Mt. 12,11 (I,278,12–16).

gen Rest als auch unter den Heiden Gläubige, wie z. B. den Hauptmann von Kafarnaum[73].

Hilarius spricht im Matthäuskommentar von einer doppelten Berufung aus dem Haus Israel und einer doppelten Berufung aus den Heidenvölkern. Erst beide Berufungen bilden die Kirche aus Juden und Heiden.

Die doppelte Berufung aus Israel ist an erster Stelle der Übergang der Jünger des Johannes zu Jesus (Mt 14,12). Da das Gesetz in Johannes sein Ende findet, wird hier schon der Übergang der Synagoge zu Christus angedeutet. Die zweite Berufung ist der Übergang der Pharisäer zu Christus durch die Predigt der Apostel[74]. Bei den Pharisäern denkt Hilarius wohl besonders an Paulus, der sich selbst als Pharisäer und Sohn von Pharisäern bezeichnet (Apg 23,6).

Die doppelte Berufung der Heiden bezieht sich auf die Samaritaner, die sich einst vom Gesetz getrennt haben, und auf die übrige Heidenwelt. Samaria ist durch Philippus zum Glauben gelangt (Apg 8,5). Im heidnischen Hauptmann Kornelius wird durch die Predigt des Petrus die Heidenwelt Christus zugeführt (Apg 10,5)[75].

Israel wird durch die Apostel und durch Johannes aus dem Gesetz gerettet, doch „innerhalb Jerusalems", denn Hilarius erwähnt die doppelte Berufung Israels in Zusammenhang mit der Mutter der Zebedäussöhne, die Jesus bittet, daß ihre beiden Söhne in seinem Reich rechts und links von ihm sitzen dürfen (Mt 20,20–21). Die Mutter verkörpert für Hilarius das Gesetz, das innerhalb Jerusalems für seine Nachkommenschaft bittet[76].

Die Berufung der Heiden zur Kirche, die im Glauben an Christus gründet, geschieht „außerhalb Jerusalems", denn als Jesus sich Jerusalem nähert, schickt er zwei Jünger voraus in das Dorf, um eine angebundene Eselin und ihr Fohlen zu ihm zu bringen, da er sie brauche. Die Eselin und das Fohlen sind ein Symbol für die in Irrtum und Unwissenheit verstrickten Heiden, die durch die Apostel für Jesus gewonnen werden[77]. Neben den erwähnten Stellen taucht das Verhältnis von Juden und Heiden, Synagoge und Kirche noch häufig im Matthäuskommentar auf[78].

---

[73] In Mt. 7,3 (I,182,10–11): De tribuno posuisse me satis sit principem esse gentium crediturarum.
[74] In Mt. 20,11 (II,114,2–4).
[75] In Mt. 21,1 (II,120,9 – 122,22).
[76] In Mt. 20,9–13 (II,112–120).   [77] In Mt. 21,1 (II,120,1–9).
[78] In Mt. 4,13 (I,130,7–10); 9,6 (I,210,12–14); 11,8 (I,260,6 – 262,25); 11,10 (I,264,4–6); 11,11 (I,266,4–6); 12,3 (I,270,9–11); 12,7 (I,274,3–5); 13,2 (I,292,6–8); 14,7 (II,16,1–6); 14,9 (II,20,5–6); 14,11 (II,22,12 – 24,16); 14,19 (II,32,6–15); 15,5 (II,40,7–14); 18,2 (II,76,14 – 78,23).

2) Der Übergang von der Synagoge zur Kirche aus den Heidenvölkern kommt auch im Psalmenkommentar zur Sprache. Auch in diesem Werk beschäftigt sich Hilarius ausführlich mit Gesetz und Evangelium[79], und auch hier finden sich wieder zahlreiche Zitate aus dem Corpus Paulinum[80].

Hilarius nimmt im Spätwerk Gedanken auf, die aus dem Matthäuskommentar bekannt sind: Die Predigt vom Himmelreich richtet sich zunächst an Israel, doch da Israel dieser Botschaft nicht glaubt, „reißt der Glaube der Heiden diesen Besitz an sich"[81]. Der letzte Grund des Unglaubens ist auch hier, daß Israel den erwarteten Messias nicht in Jesus erkannt hat, sondern ihn bereits in den Propheten verfolgt und getötet hat. Deshalb geht das Heil von „Israel dem Fleisch nach" auf die Kirche über[82]. Doch auch der paulinische Gedanke der Errettung Israels, wenn die Heiden das Heil erlangt haben, wird erwähnt. Dennoch bleibt es ungewiß, ob Hilarius sich der Aussage des Apostels anschließt, daß ganz Israel gerettet wird. Er bezieht sich wohl eher auf den gläubigen Rest Israels (quod Israhel sit relicum)[83], der im Matthäuskommentar in der doppelten Berufung aus dem Volk Israel herausgestellt wird. Der Übergang von der Synagoge zur Kirche aus dem Rest des erwählten Volkes und aus den Heiden wird aber im Psalmenkommentar in einen weiteren Rahmen gestellt als im Matthäuskommentar. Zunächst tritt der bekannte Gedanke auf, daß Christus bei der Annahme des Fleisches alle Menschen angenommen und deshalb zum Heil durch die Kirche berufen hat.

Im Psalmenkommentar kennt Hilarius auch eine positive Bedeutung des Volkes Israel. Er verbindet hier Israel nicht nur mit dem Unglauben, sondern sieht in Israel die Gesamtheit der Völker enthalten, aus der das neue Volk Gottes gebildet wird[84]. Doch nicht alle Heiden nehmen das Angebot an, sich zum neuen Volk Gottes zu bekehren[85].

---

[79] Vgl. z. B. Tr.Ps. 118, aleph (358, 22 – 369, 14).
[80] Vgl. A. Souter, The Quotations from the epistles of St. Paul in St. Hilary on the Psalms, in: JThS 18 (1917) 73–77.
[81] Tr.Ps. 2, 46 (73, 2–4).
[82] Tr.Ps. 13, 5 (83, 4–8); 52, 19 (132, 16–19); 52, 20 (133, 8–14); 55, 1 (162, 26–28); 58, 1 (181, 24 bis 182, 1); 58, 6 (184, 23 – 185, 18); 58, 11 (188, 18–20; 189, 6–12); 59, 2 (193, 8–9); 59, 12 (201, 5–7); 60, 5 (205, 19–21); 67, 19 (294, 14–15); 67, 20 (295, 6–10); 67, 28 (303, 13–18); 68, 18 (328, 27 – 329, 1); 68, 32 (339, 25 – 340, 1); 118, lamed, 6 (460, 6–8); 118, zade, 7 (519, 20–24); 120, 10 (565, 19–22); 126, 15 (623, 10–14); 134, 6 (697, 25– 698, 8); 134, 23–25 (709, 1 – 710, 20); 138, 40 (773, 19–23); 143, 6 (816, 26 – 817, 14); 143, 17 (823, 21–30).
[83] Tr.Ps. 58, 11 (188, 18–20; 189, 17–19).
[84] Tr.Ps. 2, 7 (41, 28 – 42, 5); 52, 21 (134, 2–16).
[85] Tr.Ps. 58, 8 (187, 12–14).

Obwohl Hilarius auch im Psalmenkommentar auf den Unglauben Israels hinweist als Anlaß, daß die ursprünglichen Verheißungen auf die Heiden übergehen, erwähnt er doch zugleich die Kontinuität zwischen Israel und der Kirche. Der Grund dieser Kontinuität liegt in der Person Jesu Christi, der als Gesetzgeber neuer Mose und Führer des alttestamentlichen Volkes ist und der zugleich als Verkünder des Evangeliums das neue Gottesvolk aus Juden und Heiden sammelt[86].

3) Der Gegensatz von Juden und Heiden und zugleich die Verbindung von Synagoge und Kirche durchzieht auch das Mysterienbuch. Den Übergang von der Synagoge zur Kirche deutet Hilarius gleich am Beginn des Mysterienbuchs im Traktat über Adam an, indem er 1 Tim 2,14–15 erwähnt: „Und nicht Adam hat gesündigt, sondern die Frau hat durch Übertretung des Gebotes gesündigt. Sie wird aber dadurch gerettet werden, daß sie Kinder zur Welt bringt, wenn diese nur im Glauben bleiben." In der Nachkommenschaft der Frau ist die Kirche aus Zöllnern, Sündern und Heiden vorgebildet[87]. Auch bei der typologischen Behandlung der Patriarchen erwähnt Hilarius die Entgrenzung des Heils auf die Heiden[88]. Im Traktat über Josua sieht er in Josua einen Typos Christi; er nennt Josua Führer der Synagoge und Jesus Anführer der Kirche[89].

4) In De Trinitate kommt der Gegensatz zwischen Synagoge und Kirche nur selten vor. Es handelt sich dabei nicht um eine grundsätzliche Erörterung des Verhältnisses von Synagoge und Kirche, sondern nur um eine beiläufige Erwähnung[90], denn das Thema ‚Gesetz und Evangelium' spielt in der Auseinandersetzung mit den Arianern keine entscheidende Rolle.

Wenn auch Hilarius in seinem Gesamtwerk den Unglauben Israels deutlich herausstellt und in diesem Unglauben eine Ursache des Übergangs des Heils von der Synagoge zur Kirche sieht, so ist er sich doch bewußt, daß Israel die Wurzel der Kirche ist.

Im Matthäus- und Psalmenkommentar kann man keine antijüdische Polemik feststellen, sondern – trotz des Bedauerns und mancher harter Worte über Israels Unglauben – den Versuch, die Synagoge mit der Kirche zu verbinden.

---

[86] Tr.Ps. 67,17 (292,13–14).
[87] Myst. I,3 (80).
[88] Myst. I,18 (108); I,19 (108); I,26 (118–120).
[89] Myst. II,6 (150).
[90] Trin. XII,36 (606,1–3): Et o te miser heretice, qui indulta ecclesiae aduersum synagogam arma contra fidem ecclesiasticae praedicationis inuadis ... Es geht Hilarius um die wahre Gottheit Jesu, welche die Synagoge nicht annimmt.

Die Aussagen des Hilarius zum Übergang von der Synagoge zur Kirche bilden ein Verbindungsglied, das von der Typologie zu den Bildern der Kirche führt.

5.6 Die Kirche als Schiff

Das Symbol des Schiffs gehört zu den bekanntesten ekklesiologischen Bildern. H. Rahner und E. Peterson haben die Geschichte dieses Symbols in der Alten Kirche nachgezeichnet[91].

Das neutestamentliche Symbol des Schiffs ist grundsätzlich von der Typologie der Arche zu unterscheiden. Wenn auch Schiff und Arche in der patristischen Literatur ineinander übergehen können, so hat doch jedes seinen eigenen Ursprung und Sinngehalt. Das Schiff gehört zu den Bildern der Kirche. Mit den Bildern der Kirche verbindet Hilarius vor allem die Neuheit der Kirche, die in der Neuheit des Christusereignisses gründet.

Wenn die Kirchenväter vom Schiff der Kirche sprechen, muß man unterscheiden zwischen ihrer Auslegung der neutestamentlichen Erzählung vom Schiff im Seesturm (Mk 4, 35–41; Mt 8, 23–27; Lk 8, 22–25) und ihrer allgemeinen Bezeichnung der Kirche als Schiff ohne Bezug auf das Neue Testament. Die älteste lateinische Bezugnahme auf die neutestamentliche Erzählung vom Seesturm findet sich bei Tertullian. Hier werden in der Symbolsprache die wichtigsten Elemente genannt, die Hilarius später ebenfalls gebraucht: Das Schiff bedeutet die Kirche, das Meer symbolisiert die Welt. Wie das Schiff von Wellen überflutet wird, so wird die Kirche Verfolgungen und Versuchungen ausgesetzt[92].

1) Im Matthäuskommentar wird die Kirche überall dort als Schiff bezeichnet, wo der biblische Bericht vom Boot spricht, vom Seesturm, oder daß Jesus ans andere Ufer fährt.

Die ganze Symbolik ist gleich dort enthalten, wo Hilarius zum erstenmal die Kirche mit einem Schiff vergleicht: „Denn die Kirche ist gleich-

---

[91] H. Rahner, Symbole der Kirche, 239–564; E. Peterson, Frühkirche, Judentum und Gnosis. Studien und Untersuchungen, Freiburg i. Br. 1959, 92–96. Vgl. auch J. Doignon, Hilaire de Poitiers avant l'exil, 301, Anm. 4.

[92] Tert., De bapt. 12, 7 (CCL 1, 288, 38–43): Ceterum nauicula illa figuram ecclesiae praeferebat quod in mari, id est in saeculo, fluctibus id est persecutionibus et temptationibus inquietetur domino per patientiam uelut dormiente, donec orationibus sanctorum in ultimis suscitatus compescat saeculum et tranquillitatem suis reddat. Auch bei Cyprian bedeutet das Meer die Welt. Vgl. De mort. 1 (CCL 3 A, 17, 4–5); Ad Donat. 14 (CCL 3 A, 11, 283).

wie ein Schiff – an vielen Stellen wird sie so genannt –, welches Passagiere aus den verschiedensten Rassen und Völkern aufnimmt, allen Stürmen und dem Seegang ausgesetzt ist, und so gerät sie in Seenot durch den Ansturm der Welt und der unreinen Geister. Und wenn wir in das Schiff Christi, d. h. in die Kirche, einsteigen, so steht uns der Sturm jeglicher Gefahr bevor, denn wir wissen, daß wir nun von Wellen und Wind gejagt werden."[93]

Bei der Perikope vom Sturm auf dem See macht Hilarius eine inhaltliche Aussage zum Bild der Kirche als Schiff: Jene Kirchen (ecclesiae) erleiden Schiffbruch, in denen das Wort Gottes nicht wachgehalten wird und deshalb Christus infolge unseres Schlafs nicht wirken kann[94]. Wenn Hilarius hier von schiffbrüchigen Kirchen spricht, so meint er Teilkirchen, denn die Gesamtkirche (Ecclesia) ist das Schiff, in dem sich das Wort des Lebens befindet und verkündet wird[95]. Im Bild vom Schiffbruch der Kirchen, in denen das Wort Gottes nicht wachgehalten wird, könnte ein häresiegeschichtliches Motiv vorliegen, das sich auf die Christus leugnenden Arianer bezieht. Durch neuere Forschungen steht fest, daß Hilarius bereits in seinem Frühwerk Kenntnis des Arianismus besaß[96].

Das Bild vom Schiff gewinnt bei Hilarius auch eine eschatologische Dimension, die ihm in der Tradition stets zu eigen war[97]. Der eschatologische Gedanke wird erwähnt bei der Auslegung des Gangs Jesu über das Wasser (Mt 14,22–33). Als Jesus mit Petrus in das Boot steigt, legt sich der Wind (Mt 14,32). Hilarius sieht darin einen Hinweis auf den Frieden und die Ruhe der himmlischen Kirche nach der Wiederkunft des Herrn in Herrlichkeit[98]. Solange die Kirche in der Zeit lebt, ist der Herr bei ihr, denn er steigt ins Boot (Mt 15,39) zum Zeichen seiner bleibenden Gegenwart in der Kirche[99].

Die weiteren Stellen über die Kirche als Schiff bringen nur den Hinweis, daß das Boot, in welches Jesus einsteigt und in das er alle einsteigen läßt, ein Vorausbild der Kirche ist[100].

---

[93] In Mt. 7,9 (I, 188, 6–13).
[94] In Mt. 8,1 (I, 192,9 – 194,12); 14,14 (II, 28, 3–4).
[95] In Mt. 13,1 (I, 296,7–10).
[96] Vgl. P. Smulders, La doctrine trinitaire de S. Hilaire de Poitiers, 39; P. Galtier, Saint Hilaire de Poitiers, 22–25; C. F. A. Borchardt, Hilary of Poitiers' Role in the Arian Struggle, 16 f; M. Simonetti, Note sul Commento a Matteo di Ilario di Poitiers, in: VetChr 1 (1964) 35–64; P. C. Burns, The Christology in Hilary of Poitiers' Commentary on Matthew, 16–22.
[97] Vgl. E. Peterson, Das Schiff als Symbol der Kirche in der Eschatologie, a. a. O.
[98] In Mt. 14,18 (II, 32, 2–8).
[99] In Mt. 15,10 (II, 46, 20–22).
[100] In Mt. 7,10 (I, 190, 21–23); 8,4 (I, 198, 32–33); 14,9 (II, 20, 1–2); 14,13 (II, 26, 6–9).

2) Die Symbolik von Schiff und Hafen verwendet Hilarius auch in De Trinitate[101]. Durch die Irrlehre des Arianismus ist die Kirche gleichsam in einen Seesturm geraten. Hilarius ist sich bewußt, daß er in einer sehr schwierigen und rauhen Zeit es unternommen hat, eine Abhandlung gegen die Irrlehre der Gottlosen zu schreiben[102]. So vergleicht er sein Unternehmen der Glaubensverteidigung mit einer Fahrt. Vielleicht sind in diesen Vergleich autobiographische Elemente seiner Reise in die Verbannung nach Phrygien eingeflossen. „Aus hafenlosem Land sind wir bei stürmischem Meer in die hohe See gestochen. Weder Rückfahrt noch Vorwärtsfahrt ist ohne Gefahr möglich."[103] Die Gefahr steht ihm deutlich vor Augen: „Ich fahre nicht etwa aus Unkenntnis über die Gefahr eines Schiffbruchs aus dem Hafen auf die hohe See."[104] Die Gefahr des Schiffbruchs liegt darin, daß Hilarius bei der Verteidigung des wahren Glaubens an die Gottheit Christi mehr sagen muß, als der menschliche Verstand begreifen kann. Alles, was er sagt, gilt nur analog von Gott, denn „die irdischen Wirklichkeiten können nicht mit Gott verglichen werden"[105]. Doch Hilarius vertraut bei allem Wissen um die Schwierigkeit seines Unterfangens auf die Führung des Heiligen Geistes. So schreibt er am Beginn des 12. Buchs: „Wir streben nun doch einmal unter der günstigen Förderung des Heiligen Geistes zum geschützten und ruhigen Hafen sicheren Glaubens. Und zwar genauso, wie es sehr oft denjenigen zuzustoßen pflegt, die von hoher See und starkem Wind umgetrieben werden, daß sie zunächst zwar an der Hafeneinfahrt aufgehalten werden und schwerer Seegang manchmal Verzögerung verursacht, daß aber zuletzt eben jenes Wüten des ungeheueren und erschreckenden Wogenganges (sie) in den vertrauten und sicheren Halteplatz hineintreibt. Das wird uns hoffentlich zuteil, die wir in diesem zwölften Buch gegen den Sturm der Irrlehren ankämpfen, daß wir nämlich den Wogen des überaus schweren Irrglaubens das sichere Heck bieten und die Strömung selbst uns in die Bucht der ersehnten Ruhe hineintreibt."[106]

---

[101] Vgl. A. Antweiler, Hilarius, I (BKV² 5), 22 ff.

[102] Trin. VI, 1 (196, 1–3). Das Bild vom Seesturm für die kirchliche Lage findet sich ebenso bei Basilius, De Spir. Sanct. 30 (SC 17 bis, 520–530).

[103] Trin. II, 8 (45, 1–2).

[104] Trin. VII, 3 (261, 5–6).

[105] Trin. I, 19 (19, 3–4): Conparatio enim terrenorum ad Deum nulla est. Vgl. IX, 37 (411, 1–10).

[106] Trin. XII, 1 (579, 1–11). Auch Quintilian, Inst. orat. 12, prooem. 2–3 spricht von einer Schiffsreise, die er im letzten Buch unternehmen will. Zu Ähnlichkeiten und Unterschieden zwischen Quintilian und Hilarius in der Symbolik der Schiffahrt vgl. E. P. Meijering, 5 f; 84.

Es zeigt sich hier, wie Hilarius die biblische Erzählung vom Seesturm auf die Kirche seiner Zeit überträgt. Es ist der Wogengang des arianischen Kampfes, der das Kirchenschiff fast scheitern läßt. Schiff und Hafen gehören zusammen, denn die Kirche ist beides: Sie ist immer noch auf gefährlicher Fahrt und zugleich schon im Hafen angekommen, denn die Vollendung der Kirche wirkt bereits in die Gegenwart hinein. Deshalb kann Hilarius im Psalmenkommentar sagen, daß es nur im Schiff der Kirche Ruhe gibt gegen die Stürme der Welt und der Irrlehren. Es ist die Ruhe des Hafens, in den die Kirche in der Vollendung einfährt[107].

5.7 Die Kirche als Haus Gottes

Der Tradition vor Hilarius ist das Bild der Kirche als Haus geläufig. Cyprian verbindet damit den Gedanken der Einheit der Kirche[108]. Auch bei Tertullian finden sich in der Verbindung von Stadt oder Gemeinde (civitas) und Kirche[109] Elemente, die Hilarius aufnimmt.

1) Im Matthäuskommentar gebraucht Hilarius das Bild vom Haus im Zusammenhang mit der Aussendungsrede. Die Weisung Jesu an die Zwölf lautet: „Wenn ihr in eine Stadt kommt, erkundigt euch, wer es wert ist, euch aufzunehmen; bei ihm bleibt, bis ihr den Ort wieder verlaßt. Wenn ihr in ein Haus kommt, dann wünscht ihm Frieden" (Mt 10,11–12). Die Zwölf sollen nicht bei jenen einkehren, die Christus verfolgen oder nicht kennen; sie sollen in jeder Stadt fragen, wer es wert ist, sie aufzunehmen. Wenn dort eine Kirche vorhanden ist und Christus dort wohnt, dann haben sie das Haus gefunden, wo sie bleiben können[110]. Hilarius bezeichnet dieses Haus auch als Kirche, die ‚katholisch' genannt wird[111], ein Name, der seit Tertullian und Cyprian zum Eigennamen der Kirche geworden ist[112]. In der Kirche sieht Hilarius einen bergenden Ort, da sie der

---

[107] Vgl. Tr.Ps. 146,12 (852,33 – 853,2).
[108] Cypr., De unit. 8 (CCL 3,255,215–216): In domo Dei, in ecclesia Christi unianimes habitant, concordes et simplices perseuerant. De mort. 6 (CCL 3 A, 20,91–94).
[109] Tert., De praescr. haer. 20,5 (CCL 1,202,18–22); 42,10 (220,21–23). Zur Kirche als Haus Gottes vgl. auch Chr. Mohrmann, Études sur le latin des chrétiens, II, Rom 1961, 73–79; IV, Rom 1977, 211–230; J. Ratzinger, Volk und Haus Gottes in Augustins Lehre von der Kirche, München 1954; J. Gaillard, Domus Dei, in: DSp III, 1558–1567.
[110] In Mt. 10,7 (I,224,10–15).
[111] In Mt. 10,9 (I,226,13–14); vgl. Syn.39 (512 C – 513 A): catholica domus; 78 (531 A): catholica Ecclesia.
[112] Tert., De praescr. haer. 26,9 (CCL 1,208,24); Cypr., Ep. 49,2 (CSEL 3/2,611). Vgl. P. M. Brlek, De vocis „catholica" origine et notione (disquisitio historico-iuridica), in: Anton. 38 (1963) 263–287.

Ort der Gegenwart Christi (intra Ecclesiam) ist[113]. Vom Bild der Kirche als Haus Gottes wird auch die Aussage verständlich, daß die Gläubigen in der Kirche wohnen[114].

2) Der Gedanke, daß die Gläubigen in der Kirche wie in einem Haus wohnen, findet sich auch im Psalmenkommentar[115]. Doch das eigentliche Haus ist für Hilarius das himmlische Jerusalem, zu dem wir durch das gegenwärtige Haus der Kirche hinaufsteigen[116]. Von dieser eschatologischen Deutung des Hauses her löst Hilarius das Bild aus der räumlichen Vorstellung. Als himmlisches Haus ist die Kirche der räumlich entgrenzte Auferstehungsleib Christi[117]. Sie ist gegenwärtig als das geistige Haus, zu dem die Gläubigen als lebendige Steine auferbaut werden (1 Petr 2, 5)[118].

Die wichtigste Aussage macht Hilarius bei der Erklärung von Ps 126, 1: „Wenn nicht der Herr das Haus baut, müht sich umsonst jeder, der daran baut." Hilarius beginnt mit einer allgemeinen Beschreibung: Das Haus ist die Bleibe des Bewohners. Nach menschlichem Sprachgebrauch gibt es einen Ort, wo wir zu Hause sind. Für die Heimat im Glauben ist dieser Ort die Kirche, die wir nach der Schrift Haus oder Tempel Gottes nennen. Doch Gott ist nicht in die Mauern der Häuser eingeschlossen, wie Hilarius mit Jes 66, 1 und Apg 17, 24 ausführt. Gottes Gegenwart ist der neue Tempel, der von Christus als Baumeister in den Leibern der Gläubigen errichtet wird. Die lebendigen Steine sind die Heiligkeit, Gerechtigkeit und Enthaltsamkeit des Menschen. Von Gott wird dieses Haus gebaut, doch vom Menschen muß es in den genannten Grundhaltungen bewahrt werden.

Das eine Haus, die selige Gemeinschaft der Vollendung, wird auferbaut durch viele Häuser, die Leiber der Gläubigen. Zur vollen Ausstattung des Hauses gehört, daß mit der Vollzahl der Heiden auch Israel gerettet wird (Röm 11, 25–26)[119].

Neben dem Gedanken des eschatologischen Hauses findet sich auch der Hinweis, daß die Gesamtkirche Teilkirchen umfaßt, die es in jeder Stadt gibt. In der Verschiedenheit der Teilkirchen betont Hilarius die Einheit der Gesamtkirche[120].

---

[113] In Mt. 14, 13 (II, 26, 9). Vgl. auch A IV, 6 (53, 17): … basilicam, dei domum, ecclesiam Christi.
[114] In Mt. 4, 13 (I, 130, 10).
[115] Tr.Ps. 14, 17 (96, 3); 124, 4 (600, 9–11).
[116] Tr.Ps. 133, 2 (691, 21–24).
[117] Tr.Ps. 64, 6 (238, 15–22); 128, 9 (643, 16–19).
[118] Tr.Ps. 51, 22 (115, 4–9); 64, 6 (238, 8–9); 121, 10 (576, 8).
[119] Tr.Ps. 126, 6–10 (617, 3 – 620, 12). Vgl. In Mt. 24, 1 (II, 180, 6–10).
[120] Tr.Ps. 14, 3 (86, 6–8).

3) Im Mysterienbuch ist das Haus der Dirne Rahab ein Bild für die sündige Kirche. Die Kundschafter, die sie aufnimmt, sind das Gesetz und die Propheten, die den Glauben der Menschen erforschen sollen. In diesem Haus müssen sich alle versammeln, denn wer außerhalb der Kirche bleibt, ist schuld an seinem eigenen geistigen Tod. Durch die Aufnahme der Kundschafter wird die Kirche gerettet, weil sie in ihnen die wahre Botschaft Jesu bekannt hat, seine Menschwerdung und sein Leiden am Kreuz[121].

5.8 Die Kirche als Licht

Zum Bekenntnis der Gottheit Jesu bedarf die Kirche des Lichtes Christi, um selbst Licht zu werden für die Menschen auf dem Weg in die himmlische Kirche.

1) Im Matthäuskommentar sagt Hilarius, daß Christus die Quelle des Lichtes ist. Er sieht dies angedeutet im Wort Jesu: „Man zündet auch nicht ein Licht an und stülpt ein Gefäß darüber, sondern man stellt es auf den Leuchter; dann leuchtet es allen im Haus" (Mt 5,15). Das Licht, über das sich die Synagoge wie ein Gefäß stülpen möchte, ist Christus, der am Holz des Kreuzes gleichsam auf den Leuchter gestellt wird, um allen im Haus der Kirche ewiges Licht zu schenken[122]. Das Licht, das Christus der Kirche schenkt, soll zunächst in den Aposteln und durch sie in allen Christen leuchten, damit unsre guten Werke zur Ehre Gottes in unserer Umgebung aufleuchten. Hilarius denkt hier an die ungläubige Umwelt, die ohne die Erkenntnis Gottes dunkel ist. Die Kirche und die Christen sollen hier eine erleuchtende Funktion einnehmen, „damit sie (die Menschen) eure guten Werke sehen und euren Vater im Himmel preisen" (Mt 5,16). Die Erleuchtung durch Christus, die in der Taufe geschenkt wird[123], verändert den Menschen radikal. Das empfangene Licht soll so sehr zur ‚Natur' des Christen werden, daß auch sein unbewußtes Handeln Zeugnis des Lichtes ist[124].

---

[121] Myst.II,8–10 (152–156). Ein ähnlicher Gedanke findet sich bei Cypr., Ep. 69,4 (CSEL 3/2, 753).
[122] In Mt. 4,13 (I, 130,3–10). Vgl. Cypr., De unit. 5 (CCL 3, 253, 129–138); Tert., Adv. Marc. 3,18,7 (CCL 1, 533,21–27).
[123] In Mt. 27,4 (II, 206,7–9).
[124] In Mt. 4,13 (I, 132,13–15): … quia omnia in honorem Dei agenda sunt, sed ut, dissimulantibus licet nobis, opus nostrum his inter quos uiuemus eluceat.

Das Licht wird der Kirche geschenkt zur Erkenntnis Gottes. Mit der Geburt Jesu ist dieses Licht in die Welt gekommen und hat die Magier auf ihrem Weg zu Jesus geleitet[125].

Das Geschenk des Lichtes geht so in die Kirche über, daß sie selbst Licht wird. Dieser Gedanke steht im Hintergrund, wenn Hilarius davon spricht, daß es außerhalb der Kirche keine Einsicht in das Wort der Schrift gibt[126]. Das Eindringen in den inneren Sinn der Schrift ist nur möglich durch die erleuchtende Funktion der Kirche.

Auch die Wiederkunft Christi beschreibt Hilarius mit Bildern des Lichtes (claritas)[127]. Dann wird Christus die Kirche endgültig in die Herrlichkeit seines Lichtes aufnehmen.

2) Bei der Verteidigung des Glaubens an die Gottheit Christi in De Trinitate schöpft Hilarius aus dem Licht der Lehre der Kirche[128]. Im Prolog (I, 1–14) stellt Hilarius in literarischer Stilisierung seinen Weg zum Glauben und zur Taufe dar. Die Taufe bringt er in Zusammenhang mit der neuen Geburt, wie er sie in Joh 1, 1–14 und Kol 2, 8–15 ausgedrückt findet[129]. Diese Schriftstellen waren bei seinem Suchen nach dem Sinn des Lebens das Licht, das ihn zur Taufe geführt hat[130].

3) Auch im Psalmenkommentar sieht Hilarius in der Taufe eine Erleuchtung, die den Menschen zum Eintritt in das wahre Licht disponiert, das zwar jetzt schon im Glauben und in der Liebe zu Gott aus ganzem Herzen leuchtet, das aber seine Fülle erst findet, wenn wir von Herrlichkeit zu Herrlichkeit verwandelt werden[131].

Ein ähnlicher Gedanke wie im Matthäuskommentar findet sich bei der Auslegung von Ps 118, 105: „Dein Wort ist meinem Fuß eine Leuchte, ein Licht für meine Pfade." Hilarius faßt hier die aus dem Matthäuskommentar bekannte dreifache Bestimmung des Lichtes zusammen: Das Wort Gottes, das in der Kirche als himmlische Lehre gegenwärtig ist, wird durch die Apostel, die Jesus Licht der Welt nennt, bezeugt, so daß die Apostel Licht der Kirche sind. Dieses Licht soll auch uns in der Dunkelheit der uns umgebenden Welt leiten. Da aber das Licht, das die Gläubigen von Christus durch die Kirche empfangen haben, stets bedroht ist,

---

[125] In Mt. 1, 5 (I, 98, 1–9).
[126] In Mt. 13, 1 (I, 296, 5–7).
[127] In Mt. 10, 14 (I, 232, 16); 14, 18 (II, 32, 2); 21, 4 (II, 128, 25); 25, 8 (II, 192, 17–19).
[128] Trin. VII, 4 (262, 1–2).
[129] Trin. I, 10 (9–10); I, 13 (12–13).
[130] Vgl. dazu J. Doignon, Hilaire de Poitiers avant l'exil, 85–156.
[131] Tr.Ps. 118, gimel, 9 (383, 5–14).

weist Hilarius auf die Mahnung Jesu hin: „Eure Lenden seien umgürtet, und eure Lampen sollen brennen" (Lk 12,35). Von Christus her ist der Leib der Kirche Licht, doch dieses Licht muß vom einzelnen übernommen werden in der Ausrichtung seines Lebens am Licht des Wortes Gottes[132].

5.9 Die Kirche als Mutter

Die Bilder der Kirche finden ihren Höhepunkt im Bild der Kirche als Mutter, das die Väter häufig anführen[133], das aber bei Hilarius verhältnismäßig selten und wenig entfaltet vorkommt. Doch das Bild der Kirche als Mutter steht immer dort im Hintergrund, wo Hilarius von der Familie Gottes spricht, die an die Stelle des alten Gottesvolkes tritt[134].

1) Im Matthäuskommentar kommt der Begriff Ecclesia mater nur einmal vor, und zwar in einem Zusammenhang, der an Cyprian erinnert. Das Gebot, Vater und Mutter zu ehren (Ex 20,12; Dtn 5,16), bezieht Hilarius auf Gott als Vater und die Kirche als Mutter[135]. Doch auch im Weinen Rahels über ihre verlorenen Kinder zeigt sich die Kirche als Mutter, die über Abfall und Verfolgung durch die Synagoge weint[136].

2) Im Matthäuskommentar und in De Trinitate nennt Hilarius die irdische Kirche Mutter. Im Kampf gegen die christologischen Irrlehren schreibt er, daß die Kirche als Mutter alle Menschen in ihrem Schoß bergen möchte[137]. Das Bild von der Kirche als Schiff und als Haus ist hier im Bild der Kirche als Mutter vereinigt.

---

[132] Tr.Ps. 118,nun,2–5 (475,1 – 477,10); 138,34 (768,11–22).
[133] J. C. Plumpe, Ecclesia mater. An Inquiry into the Concept of the Church as Mother in the early Christianity, Washington 1943 (= SCA 5); H. Rahner, Mater Ecclesia. Lobpreis der Kirche in dem ersten Jahrtausend, Einsiedeln 1944; V. Stoppa, L'Ecclesia Mater negli autori della fine del III° sec. e di tutto il IV°, Torino 1950; K. Delahaye, Erneuerung der Seelsorgsformen aus der Sicht der frühen Patristik. Ein Beitrag zur theologischen Grundlegung kirchlicher Seelsorge, Freiburg i. Br. 1958 (= UTS 13), 35–82; A. P. Orbán, Der Ursprung des Ausdrucks mater ecclesia, in: ABG 21 (1977) 114–119.
[134] Tr.Ps. 2,31 (60,18–19); 137,3 (686,11–14).
[135] In Mt. 19,5 (II,94,12–14). Vgl. Cypr., De laps. 9 (CCL 3, 225,178–179); De unit. 6 (CCL 3, 253,149–150): Habere iam non potest Deum patrem qui ecclesiam non habet matrem.
[136] In Mt. 1,7 (I,100,4–10).
[137] Trin. VII,4 (263,10–13).

3) Im Psalmenkommentar wird besonders die himmlische Kirche, die in Zion und Jerusalem vorgebildet ist, als Mutter bezeichnet[138]. Der Bezug auf Gal 4,26 ist hier deutlich.

4) Im Mysterienbuch finden sich in Sara und in der Frau des Hosea Hinweise auf die Kirche als Mutter. In Sara zeigt sich die Geborgenheit, die die Kirche schenkt, denn in ihrem lange unfruchtbaren Schoß, einem Bild für die himmlische Kirche, wird die von Christus erlöste Menschheit geborgen, und erst dann ist die Freude der Mutter vollkommen[139]. Die Dirne, mit der sich Hosea nach Gottes Weisung verbindet, empfängt Kinder, die zu Söhnen Gottes umbenannt werden, obwohl sie von einer ehebrecherischen Mutter stammen[140].

5.10 Die Kirche unter dem Leichentuch Jesu

Ein originelles Bild bringt Hilarius im Matthäuskommentar bei der Auslegung des Begräbnisses Jesu (Mt 27,57–61). Mit dem toten Jesus wird die Kirche in das Leinentuch gehüllt und mit ihm begraben: „Josef (von Arimathäa) bittet Pilatus um den Leichnam Jesu, hüllt ihn in ein Leichentuch, legt ihn in ein neues Grab, das in einen Felsen gehauen ist, und wälzt einen Stein vor den Eingang des Grabes. Obwohl dies nun die Reihenfolge der Handlungen ist – denn auch der mußte begraben werden, der von den Toten auferstehen sollte –, so sind doch die einzelnen Handlungen nicht ohne Bedeutung… (Josef) hüllt den Leichnam in reines Linnen. Wir sehen, daß auf eben diesem Leinentuch alle möglichen Arten von Lebewesen vom Himmel her zu Petrus herabkommen (Apg 10,11–12). Deshalb ist es wohl nicht übertrieben, wenn man dieses Leinentuch in dem Sinn versteht, daß die Kirche mit Christus begraben ist, denn sowohl in dem Leinentuch als auch im Bekenntnis der Kirche ist die Verschiedenheit reiner und unreiner Lebewesen versammelt. Der Leib des Herrn wird gleichsam durch die Lehre der Apostel in die leere und neue Ruhe des behauenen Felsens gelegt, d.h. Christus wird in das verhärtete Herz der Heiden, das durch die Unterweisung behauen wird, getragen, in das Herz, das roh, neu und vorher dem Zutritt der Furcht Gottes unzugänglich war. Und weil nichts außer ihm (Christus) in unser

---

[138] Tr.Ps. 2,26 (57,2–3); 67,30 (306,7–16); 136,5 (726,13–14); 145,7 (844,3–7); 149,2 (867,14–17).

[139] Myst. I,18 (108) mit In Mt. 18,6 (II,80,15 – 82,23).

[140] Myst. II,4 (148). Vgl. Myst. I,3 (80): ipsa (Eua/Ecclesia) peccatrix per generationem filiorum in fide manentium erit salua.

Herz eindringen soll, wird ein Stein vor den Eingang gewälzt; denn wie keiner vor ihm zu uns kam, der uns Kunde von Gott brachte, so soll auch keiner nach ihm in uns Platz finden."[141]

Die Kirche teilt das Schicksal Jesu. Wie Hilarius ihren Beginn in Betlehem ansetzt (Tr.Ps. 131,13), so sieht er sie jetzt mit Jesus unter dem Leichentuch begraben. Das Begräbnis der Kirche mit Christus (consepeliri), ein Anklang an Röm 6,4, drückt die innige Verbindung zwischen Christus und Kirche aus. Hilarius ist sich der Kühnheit dieses Vergleichs des Leichentuchs mit der Kirche bewußt (non superflue intelligitur).

Bei Cyprian ist das Tuch, aus dem das nahtlose Gewand Jesu gewoben ist, ein Symbol der Einheit der Kirche[142]. Auch Hilarius sieht in dem Leinentuch (Apg 10,11–12), das er mit dem Leichentuch Jesu verbindet, die Einheit der Kirche symbolisiert, die sich aus Reinen und Unreinen zusammensetzt. Der Stein vor dem Grab, in dem die Kirche mit Christus begraben ist, verschließt sie jedem Zugriff von außen. Im Herzen der Kirche soll allein Jesus gegenwärtig sein, denn nur durch ihn hat sie Kunde von Gott.

6. Die Kirche in der eschatologischen Spannung

Das Geheimnis der Kirche zeigt sich zusammenfassend im eschatologischen Kirchenverständnis des Hilarius. Wie Origenes, Tertullian und Cyprian vor ihm, so betonen nach ihm Hieronymus, Ambrosius und Augustinus, um nur die wichtigsten zu nennen, den eschatologischen Charakter der Kirche: Sie ist Stadt Gottes, Leib Christi, das neue Jerusalem, dessen Vorausbild die Stadt Davids ist[1]. Die entscheidende Blickrichtung geht in die Zukunft auf die Offenbarung der himmlischen Kirche. Hilarius beschreibt diese Ausrichtung auf die himmlische Kirche

---

[141] In Mt. 33,8 (II,256,1 – 258,24).
[142] Cypr., De unit. 7 (CCL 3,254,163–168.175–176): Hoc unitatis sacramentum, hoc uinculum concordiae inseparabiliter cohaerentis ostenditur quando in euangelio tunica Domini Iesu Christi non diuiditur nec scinditur sed, sortientibus de ueste Christi, quis Christum potius indueret, integra uestis accipitur et incorrupta adque indiuisa tunica possidetur ... possidere non potest indumentum Christi qui scindit et diuidit ecclesiam Christi.
[1] Vgl. P.-Th. Camelot, Die Lehre von der Kirche, 53 f; G. Bardy, La Théologie de l'Église de saint Irénée au concile de Nicée, 158–165.

im Psalmenkommentar: „Der Leib der Kirche ist einer... durch die Einheit des Glaubens, durch die Gemeinschaft in der Liebe, durch die Eintracht im Wollen und Handeln, durch die einzigartige Gabe des Sakraments an alle: Wir sind alle eins... Und wenn sich verwirklicht hat, was geschrieben steht: Die Gemeinde der Gläubigen war ein Herz und eine Seele (Apg 4, 32), dann werden wir die Gottesstadt sein, dann werden wir das heilige Jerusalem sein, denn Jerusalem ist als eine Stadt erbaut, deren gesamte Teile sich zur Einheit sammeln."[2]

6.1 Irdische und himmlische Kirche

Als Bild der himmlischen Vollendung ist die irdische Kirche die Erwartung des himmlischen Zion und Jerusalem. Sie ist auf der Erde ein Bauplatz, denn der Bau der Kirche wird erst am Ende der Welt abgeschlossen sein[3]. Zwischen irdischer und himmlischer Kirche besteht für Hilarius kein Gegensatz, sondern häufig das Verhältnis von Vorausbild und Erfüllung. Doch es gibt im Psalmenkommentar eine Stelle, die bereits die irdische Kirche als himmlisches Jerusalem beschreibt. Hilarius erwähnt diesen charakteristischen Gedanken bei der Auslegung von Ps 124, 1: „Die auf den Herrn vertrauen, sind wie der Zionsberg; in Ewigkeit wird nicht wanken, wer in Jerusalem wohnt." Da Jerusalem Vorausbild der Kirche ist, fordert Hilarius die Gläubigen auf, jetzt schon in der Kirche, dem himmlischen Jerusalem, Wohnung zu nehmen. Wenn wir jetzt in der irdischen Kirche eine Heimat haben, werden wir einst in der himmlischen Kirche zu Hause sein. In diesem Zusammenhang schreibt er, daß sowohl diese (irdische) als auch jene (zukünftige) Kirche himmlisch sei. Kirche ist für Hilarius stets eine himmlische Wirklichkeit, die er nur nach der Erscheinungsform unterscheidet. Dahinter steht in ekklesiologischem Kontext Hebr 12, 22–23: „Ihr seid... zum Berg Zion hingetreten, zur Stadt des lebendigen Gottes, dem himmlischen Jerusalem, zu Tausenden von Engeln, zu einer festlichen Versammlung und zur Gemeinschaft der Erstgeborenen, die im Himmel verzeichnet sind; zu Gott, dem Richter aller, zu den Geistern der schon vollendeten Gerechten..."[4]

Die Einheit von irdischer und himmlischer Kirche hat vor allem ein christologisches Fundament. Bei der Beschreibung der Kirche als Leib

---

[2] Tr.Ps. 121, 5 (573, 6–16).
[3] Tr.Ps. 121, 4 (572, 22 – 573, 3).
[4] Tr.Ps. 124, 4 (600, 9–18).

Christi wurde ein Gedanke ausgespart, der hier wichtig wird: Es geht um die Aussage des Hilarius, daß Christus bereits während seines irdischen Lebens einen himmlischen Leib besaß[5]. An dieser umstrittenen Stelle, die noch bis in jüngste Zeit Anlaß war, von einem christologischen Doketismus bei Hilarius zu sprechen[6], läßt sich die Einheit von irdischer und himmlischer Kirche aufzeigen.

In Trin. X, wo Hilarius vom himmlischen Leib Christi spricht (X, 18), geht es um die Erklärung der Todesangst und des Leidens Christi, welche die Arianer zum Vorwand nahmen, die Wesensgleichheit von Vater und Sohn zu leugnen. Hilarius stellt diese Ereignisse des Lebens Jesu, die er nicht auf die göttliche Natur bezieht, sondern die Jesus freiwillig auf sich genommen hat, in den Zusammenhang „des Geheimnisses der Seele und des Leibes des Herrn Jesus Christus"[7]. Die Menschwerdung ist für Christus zwar eine Entäußerung, da er die Knechtsgestalt (als exterior accessio: Tr.Ps. 68,25) annimmt[8], doch er verliert dadurch nicht seine Göttlichkeit, denn sein Ursprung liegt im Himmel, aus dem er herabgestiegen ist, in dem er aber auch als menschgewordener gegenwärtig ist, „weil das fleischgewordene Wort sein Fortdauern als Wort nicht verloren hat"[9]. Der Akzent liegt bei Hilarius auf dem göttlichen Ursprung Jesu, denn er hat durch sich selbst unter der Wirksamkeit des Heiligen Geistes Fleisch angenommen „aus der Jungfrau, die in Erfüllung ihres mütterlichen Amtes bei der Empfängnis und Geburt des Menschen die Wesensaufgabe ihres Amtes betätigt hat"[10]. Das Geheimnis der zeitlichen Geburt Jesu liegt darin, daß er nicht menschlichem, sondern göttlichem Ursprung entstammt, doch von der Jungfrau aus der Empfängnis des Heiligen Geistes geboren ist: „Wenn sie ihn auch in der Weise ihres

---

[5] Vgl. dazu Trin. X, 18 (473,9); Myst. I, 2 (76).

[6] Zu den verschiedenen Meinungen über den Ursprung des Leibes Christi vgl. X. Le Bachelet, Hilaire (saint), in: DThC VI/2, 2436 ff; P. Coustant, Praef. gen., 72–73; in: PL 9, 41 B–D. P.-Th. Camelot, Hilaire de Poitiers, in: Cath. V, 733, spricht von einer Tendenz zum Doketismus bei Hilarius: „La christologie de S. Hilaire est dans une certaine mesure assez déficiente. On a pu déceler chez lui une tendance au docétisme. Le corps du Christ est un *corpus caeleste,* créé par le Verbe lui-même, tiré de la substance de Marie (X, 18). Ce corps, normalement impassible, n'a souffert que par miracle et par une volonté positive du Verbe. Le Christ n'a eu faim et soif que parce qu'il l'a bien voulu. Hilaire ainsi aurait une certaine tendance à croire que le Christ n'a souffert qu'en apparence (X, 23, 24)."

[7] Trin. I, 32 (31, 18–19).

[8] Vgl. P. Galtier, La „forma Dei" et la „forma servi" selon saint Hilaire, in: RSR 48 (1960) 101–118.

[9] Trin. X, 16 (472, 15–16).

[10] Trin. X, 17 (472, 5–7). Vgl. auch A. Grillmeier, Jesus der Christus im Glauben der Kirche, I, 580–588.

Geschlechts zur Welt gebracht hat, so hat sie ihn dennoch nicht in der grundsätzlichen Art menschlicher Empfängnisweise (in sich) aufgenommen. Sie hat nämlich den Leib (zwar) aus sich geboren, aber den sie vom Heiligen Geist empfangen hatte. Er besitzt in sich zwar einen wirklichen Leib, aber nicht die Schwachheit des Wesens, da einerseits jener aus der Jungfrau geborene Leib ein wirklicher Leib ist, er aber anderseits außerhalb der Schwachheit unseres Leibes besteht, da er in geistiger Empfängnis seinen Ursprung gewann."[11]

Diese Aussagen des Hilarius in Trin. X bilden den Hintergrund, um seine Lehre vom himmlischen Leib Christi, die nur in De Trinitate auftritt, zu verstehen. Er erwähnt die wirkliche Menschheit Jesu, der aus Maria geboren ist. Doch es geht ihm in De Trinitate vor allem um die Gottheit Christi. Deshalb stellt er den „himmlischen Leib" Christi heraus, denn das Geheimnis der menschlichen Geburt liegt im himmlischen Ursprung Jesu. Von hier aus verliert Trin. X, 18 den Anschein des Doketismus und ist ein Bekenntnis zur einzigartigen Geburt Jesu aus der trinitarischen Wirksamkeit und der Beanspruchung der Jungfrau Maria, die Christus geboren hat. Von diesen Voraussetzungen her muß man die Aussage des himmlischen Leibes Christi verstehen: „Der Herr selbst aber hat das Geheimnis seiner Geburt mit diesen Worten geoffenbart: Ich bin das wahre Brot, der ich vom Himmel herabgestiegen bin. Wenn jemand von meinem Brot gegessen hat, wird er in Ewigkeit leben (Joh 6, 51). Er nennt sich Brot, denn er selbst ist der Ursprung seines Leibes. Damit man nicht glaube, daß des Wortes Kraft und Wesen ihm (bei der Menschwerdung zum Fleisch herabgemindert sei, hat er (seinen Leib) wiederum sein Brot genannt; deswegen, weil das Brot vom Himmel herabstieg, sollte nicht die Meinung aufkommen, der Ursprung des Leibes entstamme menschlicher Empfängnis, da er doch als himmlischer Leib erwiesen wird."[12] Himmlischer Leib bedeutet nicht Scheinleib, sondern daß das Wort selbst Ursprung seines Leibes ist, der in geistiger Empfängnis gebildet wurde. Es ist ein wirklicher menschlicher Leib, dem aber aufgrund seines himmlischen Ursprungs besondere Eigenschaften zukommen: „Jener Leib, d. h. jenes Brot, entstammt dem Himmel, und jener Mensch entstammt Gott. Er hat zwar einen Leib mit der Bestimmung zum Leiden, und er hat gelitten, er besitzt aber kein Wesen, das dem Schmerz zugänglich wäre. Ein nur ihm ganz eigentümliches Wesen besitzt sein Leib, der auf dem

---

[11] Trin. X, 35 (488, 9 – 489, 16).
[12] Trin. X, 18 (473, 1–9). Vgl. Tert., De carne Christi 19, 5 (CCL 2, 908, 35): caro spiritalis.

Berg der himmlischen Herrlichkeit gleichgestaltet wurde..."[13] Der wahre menschliche Leib ist für Hilarius aufgrund seines göttlichen Ursprungs bereits während des irdischen Lebens ein himmlischer Leib, dessen Offenbarwerden aber der Auferstehung und Erhöhung vorbehalten ist.

Diese christologische Aussage gewinnt nun ekklesiologische Bedeutung. Für Hilarius ist bereits die irdische Kirche eine himmlische Wirklichkeit, da sie Leib Christi ist, dessen irdischer Leib bereits himmlisch ist. Doch wie der himmlische Leib Christi ein wahrer menschlicher Leib ist, so löst Hilarius die irdische Kirche nicht in die himmlische auf. Er bejaht die irdische Kirche durchaus in ihrer sichtbaren sakramentalen Struktur. Deshalb wird man ihm nicht gerecht, wenn man in seinem Kirchenverständnis Ansätze zu einem ekklesiologischen Doketismus sieht[14]. Sein Anliegen ist vielmehr, die Kirche vor allem in ihrer himmlischen Herrlichkeit darzustellen, deren Vorausbild bereits in der irdischen Kirche aufleuchtet.

Die Ausrichtung auf die himmlische Kirche, die den Vätern durchaus vertraut ist, kann bei Hilarius auch mit den Besonderheiten seines Lebens und der damaligen Zeit zusammenhängen. In Tr.Ps. 146,12 beschreibt er die Kirche als Ort der Ruhe. In der Kirche seiner Zeit hat Hilarius erst in den letzten Lebensjahren äußere Ruhe gefunden. Er hat für den Glauben des Konzils von Nikaia gekämpft, er wurde wegen dieses Glaubens und wohl auch aus politischen Gründen verbannt, er hat vergeblich an Konstantius II. appelliert, um noch in letzter Minute dem Glauben von Nikaia Gehör zu verschaffen, und er hat schließlich gegen den arianisierenden Bischof Auxentius von Mailand Partei ergriffen. Erfolg war ihm bei seinen Bemühungen nicht beschieden. Obwohl sich dieses kämpferische und entsagungsvolle Leben kaum in seinen Schriften und gar nicht in seinem Kirchenverständnis bemerkbar macht, wird man doch vermuten dürfen, daß auch die Zeitumstände Hilarius dazu geführt haben, nach der himmlischen Kirche Ausschau zu halten, in der endgültige Ruhe verheißen ist.

Hilarius spricht vorrangig von der himmlischen Kirche als Ziel der irdischen Kirche[15]. Dieser Vorrang ist heilsgeschichtlich begründet, da die

---

[13] Trin. X, 23 (478, 27–31). Vgl. A. Beck, Die Lehre des hl. Hilarius von Poitiers über die Leidensfähigkeit Christi, in: ZKTh 30 (1906) 110–122; 305–310; G. Rauschen, Die Lehre des hl. Hilarius von Poitiers über die Leidensfähigkeit Christi, in: ThQ 87 (1905) 424–439; ZKTh 30 (1906) 295–305; X. Le Bachelet, a. a. O., 2438–2449.

[14] Vgl. R. L. Foley, The Ecclesiology of Hilary of Poitiers, 138.

[15] In Mt. 18,6 (II, 82, 18); Tr.Ps. 14,5 (88, 4–7); 51,4 (99, 7–16); 54, 12 (155, 24–25); 124,4 (600, 9–18); 125,7 (652, 19–20); 134, 27 (712, 30–31).

Kirche als Leib des auferstandenen Christus ihre Heimat im Himmel hat. Der paulinische Gedanke, daß das himmlische Jerusalem unsere Mutter ist (Gal 4,26), bestimmt dabei entscheidend das Kirchenverständnis des Hilarius.

6.1.1 Zion und Jerusalem

Hilarius weist immer wieder in seinen exegetischen Werken darauf hin, daß Zion und Jerusalem Vorausbilder der Kirche sind. Da dieser Gedanke schon im Zusammenhang mit Christus und der Kirche erwähnt wurde, soll hier nur die eschatologische Ausrichtung auf das himmlische Zion und Jerusalem herausgestellt werden.

1) Im Matthäuskommentar läßt sich ein doppelter Sinn Jerusalems erkennen. Auf der einen Seite steht das irdische Jerusalem als Bild (praefiguratio) der Kirche, welche die Stadt des großen Königs ist[16]. Als Vorausbild der Kirche ist Jerusalem die heilige Stadt. Doch dem irdischen Jerusalem steht Hilarius zurückhaltend gegenüber. Er weist mehrfach auf die Eroberung Jerusalems und die Zerstörung des Tempels (70 n. Chr.) hin[17], die eine Folge des Hochmuts Jerusalems über die Heiden sind[18]. Wie er im Matthäuskommentar von einem Übergang der Synagoge zur Kirche spricht, so ist auch hier das „Außerhalb Jerusalems" entscheidend für das Vorausbild der Kirche: Christus wurde außerhalb Jerusalems hingerichtet und zum Grundstein für die Auferbauung der Kirche[19]. Das „Außerhalb Jerusalems" ist Hinweis auf die Kirche aus Juden und Heiden. Erst das kommende Jerusalem ist frei von den Fehlern des irdischen Jerusalem und dann auch unzerstörbar.

2) Im Psalmenkommentar unterscheidet Hilarius ebenfalls zwischen dem irdischen Zion und Jerusalem, einer verlorenen und mörderischen Stadt, und dem wahren Zion und Jerusalem, das als himmlische Stadt Bild der Kirche ist, die von jenen bewohnt wird, die im Leiden des Herrn auferstehen[20]. Deshalb richtet er seine Aufmerksamkeit auf den Berg Zion, der in Christus seine wahre Gestalt gefunden hat, und auf das

---

[16] In Mt. 4,24 (I,144,10–14).
[17] In Mt. 4,24 (I,144,11–12); 25,2 (II,182,30–32).
[18] In Mt. 12,14 (I,280,3–8).
[19] In Mt. 22,2 (II,142,7–10; 144,16–19).
[20] Tr.Ps. 2,26 (56,28–57,4). Vgl. auch J. Pettorelli, Le thème de Sion, expression de la théologie de la rédemption dans l'œuvre de saint Hilaire de Poitiers, in: Hilaire et son temps, 213–233.

himmlische Jerusalem, das als himmlische Mutter bereits der irdischen Kirche hilft, ihre Bestimmung zu erkennen. Im Gegensatz zum irdischen Jerusalem ist die Kirche neues Jerusalem, denn die himmlische Neuheit wirkt bereits derart in die irdische Kirche hinein, daß auch sie himmlische Kirche ist. Dennoch ist die irdische Kirche nur bruchstückhaft himmlisches Jerusalem oder Zion, denn es gibt einen Weg zur Vollendung, der sowohl für den einzelnen als auch für die Kirche als Gemeinschaft der Glaubenden erforderlich ist, um zum Ziel, dem Sabbat in Gott, zu gelangen. Dieser Weg besteht vorrangig darin, immer inniger dem Leib Christi eingefügt zu werden, da Hilarius häufig mit Zion und Jerusalem den Leib Christi verbindet, in dem die Kirche enthalten ist. Immer wieder tauchen die Verbindungen Zion–Kirche, Zion–Leib Christi, himmlisches Jerusalem-Kirche auf. Bis zur Wiederkunft Christi wird an diesem himmlischen Jerusalem gebaut, da es aus lebendigen Steinen erbaut wird. Dabei ist die irdische Kirche aber bereits mit der himmlischen Kirche verbunden, denn sie wird von den Engeln beschützt. Hier gewinnt Hebr 12,22–23 für Hilarius seine volle ekklesiologische Bedeutung. Als neues, himmlisches Jerusalem, als von Christus her verstandener Berg Zion verdankt die Kirche ihre Vollendung zum Ort der Seligkeit, zur Stadt des Friedens und zur himmlischen Heimat Jesus Christus, der sie als seinen Leib angenommen und deshalb bereits – bei aller irdischen Unvollkommenheit – in seine himmlische Herrlichkeit versetzt hat[21]. Hilarius spricht davon, daß Gott selbst den heiligen Berg Zion und das himmlische Jerusalem als einträchtige Gemeinschaft der Gläubigen und als sichtbares Zeichen der Heiligung des inneren Menschen (animae) durch die Sakramente der Kirche erwählt hat[22]. Die Initiative liegt bei Gott, denn „der Herr baut Jerusalem wieder auf, er sammelt die Versprengten Israels" (Ps 146,2). Das himmlische Jerusalem ist Tat Gottes, der die neue Stadt aus lebendigen Steinen erbaut, in der die von ihm Erwählten teilnehmen an der Herrlichkeit der Auferstehung Christi.

---

[21] Tr.Ps. 13,4 (81,22 – 82,5); 52,18 (131,24 – 132,2); 54,12 (155,24 – 156,2); 60,7 (208,3–5); 64,2 (234,1–13); 67,30 (306,7–16); 68,32 (339,1–15); 118,koph,12 (529,13–21); 121,2 (571,16–24); 124,4 (600,5–18); 126,2 (614,6–13); 128,9 (643,16–19); 132,6 (689,5–8); 133,2 (691,21–24); 134,27 (712,27 – 713,2); 136,5 (726,13–15); 136,11 (731,13–17); 136,12 (732,14–18); 145,6 (843,24–26); 145,7 (844,3–7); 146,1 (844,19–24); 147,2 (854,26 – 855,18); 147,7 (858,8–16); 148,8 (865,2–6); 149,2 (867,14–18).
[22] Tr.Ps. 131,23 (680,1–7).

6.1.2 Himmlisches Zelt und heilige Stadt

Auch diese beiden ekklesiologischen Bestimmungen sind in Jerusalem und im Tempel symbolisiert. Deshalb schreibt Hilarius, daß Christus die Kirche betritt, wenn er in den Tempel geht[23]. Der Psalmenkommentar bringt eine entfaltete Theologie des himmlischen Zeltes und der heiligen Stadt. Drei Bedeutungen lassen sich unterscheiden, die jedoch innig miteinander zusammenhängen:

1) Die entscheidende Grundlage für die Bezeichnung der Kirche als Zelt und Stadt ist Christus selbst. Bereits im Matthäuskommentar wird der Leib Christi als Stadt bezeichnet, in der die Gesamtheit des Menschengeschlechts geeint ist[24]. Dieser Gedanke taucht verstärkt im Psalmenkommentar auf. Der wahre Tempel, auf den die Psalmen im Bild verweisen, ist der Leib Christi, in dem die Gläubigen wohnen und an dem sie teilhaben[25].

2) Von Christus her gehen diese Bestimmungen auf die Gläubigen über. Häufig erwähnt Hilarius deshalb 1 Kor 3, 16–17: „Wißt ihr nicht, daß ihr Gottes Tempel seid und der Geist Gottes in euch wohnt? Wer den Tempel Gottes verdirbt, den wird Gott verderben. Denn Gottes Tempel ist heilig, und der seid ihr." Daneben findet sich die Aussage, daß wir selbst die heilige und selige Stadt Gottes sind. Beide Bezeichnungen können nicht von der Wirksamkeit Gottes in Jesus Christus getrennt werden, denn Hilarius weist immer wieder darauf hin, daß wir nur als von Gott Geheiligte Tempel und heilige Stadt sind. Dabei kommt auch die eschatologische Spannung zum Ausdruck. Hilarius erwähnt sie im Zusammenhang mit Ps 64, 5: „Wir wollen uns an den Gütern deines Hauses sättigen; dein Tempel ist heilig, wunderbar in Gerechtigkeit." Er gibt dem Tempel Gottes, der in den Leibern aller Gläubigen anwesend ist, eine dynamische Bedeutung, die sich einst im endgültigen Wohnen im Zelt Gottes erfüllt. Hilarius nennt die guten Werke, die aus dem Glauben kommen, und das Gebet als Voraussetzungen, um zur Gemeinschaft der Seligkeit im Zelt Gottes zu gelangen: „(Schon jetzt) sind diejenigen zwar selig, die von Gott erwählt sind, in seinen Vorhöfen zu wohnen. Doch es ist angemes-

---

[23] In Mt. 21,4 (II, 126, 1–2).
[24] In Mt. 4,12 (I, 130, 3–9).
[25] Tr.Ps. 51,16 (108, 5–7). Vgl. Orig., JohCom X, 263–297 (SC 157, 542–566).

sen, daß wir auf die Gemeinschaft dieser Seligkeit zueilen. Wir erlangen sie durch gute Werke und Gebete."[26]

Mit dem Gedanken der heiligen Stadt verbindet Hilarius die Einheit der Kirche, da es nur einen Leib der Kirche gibt, der sich aus der Verschiedenheit der Menschen zusammensetzt (ex multis in unum conuenientibus: Tr.Ps. 126,9).

Doch auch im Zusammenhang mit der heiligen Stadt weist Hilarius auf die irdisch noch unvollkommene Vorwegnahme des eschatologischen Zieles hin. Durch die Verkündigung des Reiches Gottes wurde der Bau der himmlischen Stadt begonnen. Da sie aber aus lebendigen Steinen erbaut ist, wird der Bau täglich erweitert, bis er einst seinen Abschluß in der Versammlung der vollendeten Fülle findet[27].

Diese Texte zeigen, daß die christologische Bestimmung der Kirche (ipse est enim ecclesia) durch die Erwählung Gottes auf die Gläubigen übergeht: Sie sind Tempel Gottes und heilige Stadt. Doch in dieser Aussage liegt eine Spannung auf die Endgültigkeit hin, denn das Geschenk Gottes muß durch ein Leben aus dem Glauben, der sich in guten Werken bewährt, übernommen werden, um in die Ewigkeit einzugehen. Die Sammlung der Menschheit zu dieser Stadt hat zwar bereits begonnen, doch der Bau ist noch unvollendet.

3) Dieser Gedanke zeigt sich besonders am irdischen Jerusalem. Hilarius erwähnt ihn bei der Auslegung von Ps 121,3: „Jerusalem wird als Stadt erbaut." Er weist darauf hin, daß hier nicht das irdische Jerusalem gemeint sein kann, sondern das Bild der himmlischen Stadt: „Denn jene Erbauung der irdischen Stadt und des Tempels sowie die Einrichtung des Zeltes war ein Vorausbild jener ewigen und himmlischen Stadt. Und weil die Erbauung dieser Stadt stets bis zur Vollendung der Zeit durch alle Geschlechterfolgen vervollständigt werden muß, deshalb heißt es: (Jerusa-

---

[26] Tr.Ps. 64,6 (238,8–25; Zitat 22–25). Vgl. Tr.Ps. 118,zade,3 (516,20–21): templum enim dei, secundum apostolum, corpora sunt, quae in Christo sanctificata sunt. 126,7 (618,13–14): sanctitas, aequitas, continentia humana deo templum est. 137,6 (738,1–4): templum autem deo esse sanctum quemque apostolus docet dicens: uos estis templum dei, et spiritus dei habitat in uobis (1 Kor 3,16). habitatio ergo, quae ex nobis deo digna est, deo templum est.

[27] Tr.Ps. 147,4 (856,10–16): per hancque uelocem transcursionem (regni dei) aedificatio beatae huius ciuitatis est coepta, quae auditis opulentiae suae copiis cotidie ubique uiuis fidelium lapidibus structa usque ad incolatus sui plenitudinem conparatur, cuius in congregandis omnibus ex quattuor partibus mundi uelox sermo percurrit, rursum ad confrequentandam hanc beati regni ciuitatem in coetum consummatae plenitudinis congregandis. Vgl. Tr.Ps. 14,5 (88,4–7); 121,5 (573,6–24); 121,15 (579,11 – 580,6); 126,9–10 (619,12 – 620,12).

lem) wird als Stadt erbaut, bis die Fülle der Heiden eintritt (Röm 11,25).
Dann wird auch der Rest Israels gerettet."[28]

Der Gedanke, daß die eschatologische Fülle der himmlischen Stadt
noch aussteht, da sie für uns zunächst nur Angebot Gottes ist, das durch
ein entsprechendes Leben übernommen werden muß, führt Hilarius
dazu, vor dem beherrschenden Hintergrund der himmlischen Vollendung
zugleich auf die Unvollkommenheit der irdischen Kirche hinzuweisen.

6.2 Unvollkommenheit der irdischen Kirche

Es gibt nur wenige Stellen, an denen Hilarius die Unvollkommenheit der
irdischen Kirche erwähnt. Dabei läßt sich eine doppelte Bedeutung von
Unvollkommenheit feststellen:

1) Von einer moralischen Unvollkommenheit spricht Hilarius im Matthäuskommentar. Dort bildet der Bericht von der Tempelreinigung den
Anlaß, die Fehler der irdischen Kirche zu erwähnen, die bei der Wiederkunft Christi gereinigt werden[29]. Diese Unvollkommenheit hängt mit den
Menschen zusammen, aus denen sich die Kirche zusammensetzt.

Im Psalmenkommentar weist Hilarius auf die Gefahren hin, die auch
den ‚Geistigen' (spiritales) drohen. Bei der Erklärung von Ps 123,7: „Unsere Seele ist wie ein Vogel dem Netz der Jäger entkommen.", sieht er in
dem Netz den ständigen Ansturm von Bequemlichkeit, Geldgier, Gel-
tungssucht und Wollust. All das richtet sich gegen die Seele des Menschen, die diesem Netz immer mehr entkommen und zur Freiheit der
vollkommenen Herrlichkeit gelangen soll. Das Streben nach Freiheit vom
Netz der Sünde gibt Hilarius den Gliedern der Kirche mit als Ansporn
auf dem Weg in die himmlische Kirche[30].

Die moralische Unvollkommenheit hängt auch damit zusammen, daß
das Wort Gottes, das in der Kirche verkündet wird, oftmals – ja sogar immer, wie Hilarius schreibt, – durch unsere Unachtsamkeit nicht genügend

---

[28] Tr.Ps. 121,4 (572,22 – 573,5): quia illa terrenae ciuitatis (Hierusalem) et templi extructio
et tabernaculi institutio speciem illius aeternae et caelestis ciuitatis praefigurabat. et quia in
omne tempus et usque ad saeculi consummationem et per omnium generationum aetatem
aedificatio caelestis huius ciuitatis explenda est, ideo aedificari eam sine temporis defini-
tione significat dicens: aedificatur ut ciuitas, donec, ut apostolus ait, intret plenitudo gentium, et tunc quod est reliquum Israhel saluabitur.
[29] In Mt. 21,4 (II,128,24–25). Vgl. zu diesem Gedanken Tert., Adv. Marc. III,7,7 (CCL 1,
517,9 – 518,11).
[30] Tr.Ps. 123,8–9 (595,5–23).

aufgenommen wird, denn unsere Gedanken sind fern von den himmlischen Worten. Während das Wort Gottes verkündet wird, denken wir eher an Zorn und Ungerechtigkeit, Ausschweifung und Unzucht. Hilarius stellt diese Unvollkommenheit der Christen deutlich heraus, um zu zeigen, daß die Wirksamkeit des Wortes oft durch die Beschäftigung mit den Dingen dieser Welt beeinträchtigt wird[31]. Wenn er zu einem dem geistigen Menschen entsprechenden Leben auffordert, so betont er dabei, daß dieses Leben Geschenk Gottes ist, der das Netz der Sünde zerrissen hat und so unsere Hilfe geworden ist[32]. Deshalb muß sich die irdische Kirche von Christus endzeitlich retten lassen, um in die himmlische Kirche überzugehen[33].

2) Die moralische Unvollkommenheit ist Ausdruck einer wesentlichen Unvollkommenheit der irdischen Kirche. Es gehört zum Wesen und zur Wirklichkeit der irdischen Kirche, daß sie sich aus Guten und Bösen zusammensetzt, daß sie Ecclesia mixta ist. Hilarius gebraucht diesen augustinischen Gedanken zwar noch nicht, doch es finden sich bei ihm bereits Ansätze, die in diese Richtung deuten[34].

Da die Unvollkommenheit zum Wesen jeder irdischen Einrichtung gehört, ist Hilarius auch in der Kirche seiner Zeit – wie zu aller Zeit – dieser Unvollkommenheit begegnet. Weil er aber davon überzeugt war, daß die Kirche nicht nur eine irdische Einrichtung ist, sondern bereits jetzt der Leib des auferstandenen Herrn, hat er unter den christologischen Kämpfen seiner Zeit gelitten. In den Streitigkeiten der Kirche seiner Zeit sieht er einen Hinweis auf die Menschlichkeit der Kirche und ihre wesentliche innerweltliche Unvollkommenheit.

Im Psalmenkommentar, der nicht mehr vom erfahrenen Leid an der unfertigen irdischen Kirche spricht, wird die Unvollkommenheit der Kirche mit einem Bauplatz verglichen. Hilarius spricht von einem Wachstum der irdischen Kirche in den Gläubigen (excrescit), bis die Schönheit und

---

[31] Tr.Ps. 135,1 (713,15–25): sed plerumque, immo semper, uitio nostro accidit, ut, quae legi in ecclesia audiamus, auribus atque animis nostris longe ab his peregrinantibus neglegamus, ut per audiendi incuriam uilescat apud nos dictorum caelestium dignitas. cum in lectionis tempore rationes supputamus, iras concipimus, iniurias cogitamus, luxus recolimus, stupra meditamur, tunc ad haec occupatis nobis surdae aures sunt et hebes mens est; et si quid forte in aures nostras eorum, quae leguntur, inciderit, uirtutem tamen dictorum obrutus saeculi curis animus non sentit; et quorum intellegentiam non consequitur, leuem existimabit auctoritatem.

[32] Tr.Ps. 123,9 (595,24 – 596,6).

[33] Myst. II,10 (156).

[34] Z. B. In Mt. 33,8 (II,258,14–16); Myst. I,3 (80): Ecclesia igitur ex publicanis et peccatoribus et gentibus est.

Fülle der himmlischen Kirche als Stadt der Seligkeit erreicht ist. Da diese Vollendung Geschenk Gottes ist, ist Christus der Baumeister der himmlischen Kirche. Mit der Sammlung der Menschheit in seinen verherrlichten Leib hat der Bau der Kirche begonnen, doch der begonnene Bau ist noch nicht die Vollendung, sondern durch ihn wird die Endgültigkeit vorbereitet[35].

Von dieser wesentlichen Unvollkommenheit her zeigt sich nochmals die innige Verbindung zwischen Christus und Kirche. Sie ist sein Leib, der aber noch dynamisch auf die umfassende Angleichung mit dem Auferstehungsleib Christi ausgerichtet ist. Es ist die Unfertigkeit des Wachstums, die auf die volle Ausgestaltung des in ihr angelegten Erbes hinzielt. Wie aber jede Phase des Wachstums ihren Sinn in sich hat, so überspringt Hilarius – bei allem Eingeständnis der Unvollkommenheit – nicht die irdische Kirche. Doch da ihr Baumeister Christus ist, ist sie bereits jetzt im Keim himmlische Kirche. In ihr sollen wir wohnen, um für die Ewigkeit einen Ruheplatz zu haben[36].

6.3 Ist die Kirche Sünderin?

Es ist seit jeher Überzeugung der ganzen Kirche, daß die Heiligkeit zu den wesentlichen Eigenschaften der Kirche gehört. Wenn Hilarius von der Kirche der Heiligen[37] oder von der Versammlung der Heiligen[38] spricht, so ist damit im Vollsinn die himmlische Kirche gemeint, die aber keine rein zukünftige Größe ist, sondern bereits in die Gegenwart hineinragt. Sie ist der heilige Ort der Gegenwart Gottes[39], denn sie ist geheiligt in der Annahme des Fleisches durch Christus. Wenn Hilarius von der Heiligkeit der Kirche schreibt, nimmt er ein biblisches Thema auf (z. B. Eph 5,27) und steht in der Tradition von Tertullian, Cyprian und Origenes, die immer wieder die Heiligkeit der Kirche herausgestellt haben[40].

---

[35] Tr.Ps. 126,8–10 (618,15 – 620,12; Zitat: 620,7–12): hae igitur ciuitates, id est sancti cuiusque corporis atque animae deo placitus incolatus et coetus hunc unum habent perfectae huius habitationis artificem. aedificanda ergo per dominum haec ciuitas est, ut in augmentum consummationis suae crescat. non enim iam aedificatio coepta perfectio est, sed per aedificationem perfectionis consummatio conparatur.

[36] Tr.Ps. 124,4 (600,9–18).

[37] Tr.Ps. 51,4 (99,7–8).

[38] Tr.Ps. 121,5 (573,17); 146,3 (846,20).

[39] Tr.Ps. 67,8 (282,16).

[40] Vgl. W. Simonis, Ecclesia visibilis et invisibilis, 29–35; H. J. Vogt, Das Kirchenverständnis des Origenes, 258–264.

Doch Hilarius entwirft kein hochmütiges Bild einer Gemeinschaft der Heiligen, die nur Vollkommene, Reine oder vorherbestimmte Heilige enthielte. Er kannte den Rigorismus Novatians und der novatianischen Gemeinden, welche die heiligen Glieder der Kirche von den Sündern absonderten, so daß die novatianische Sonderkirche in dem Bewußtsein lebte, nur eine Gemeinschaft der Heiligen zu sein[41].

Hilarius weiß, daß die Kirche der Heiligen in der Gegenwart durch die Werke der Hoffnung und des Glaubens auferbaut werden muß[42]. Weil die Endgültigkeit (ut non moueamur in aeternum: Tr.Ps. 124,4) noch aussteht, ist die Kirche hienieden eine gemischte Gemeinschaft. Reine und unreine Lebewesen sind in ihr vereint[43]. Im Psalmenkommentar heißt es, daß die Sünder auch dann in der Kirche bleiben, wenn sie die Weisungen der Kirche nicht beachten[44].

Es ist hier nicht möglich, eine Sündenlehre des Hilarius zu entfalten und vor allem die Frage nach der Blasphemie gegen den Geist (Mt 12,31)[45] zu entscheiden. Doch es kommt häufig zum Ausdruck, daß die Zugehörigkeit zur Kirche durch die Sünde geschwächt wird. Deshalb fordert Hilarius, der bei der Neigung zur Sünde auch auf den „Antrieb der Natur" hinweist, immer wieder zur Umkehr auf, die keinen Aufschub verdient[46]. Hilarius sieht durchaus die irdische Wirklichkeit der Kirche: Sie ist in ihrer Grundausstattung von Christus her die makellose Braut (vgl. 2 Kor 11,2), „ohne Flecken, Falten und andere Fehler" (Eph 5,27), doch sie ist in ihren Gliedern nie ohne Sünde, denn die Kirche der Heiligen setzt sich in der Zeit zugleich aus Zöllnern, Sündern und Heiden zusammen[47].

Kann man aber die Kirche selbst als Sünderin bezeichnen? Bisher war von den Sündern die Rede, die zwar in der heiligen Kirche bleiben. Das Bild der casta meretrix gehört zu den immerwährenden Motiven der Ekklesiologie der Väter[48]. Doch weder bei Origenes noch bei Tertullian oder Cyprian findet sich deutlich der Gedanke, die Kirche selbst sei Sünde-

---

[41] Vgl. H. J. Vogt, Coetus Sanctorum, 212ff. Die Kenntnis Novatians muß Hilarius im Exil gewonnen haben, da sich erst in De Trinitate Verbindungen zu Novatian finden. Vgl. dazu M. Simonetti, Ilario e Novaziano, in: RCCM 7 (1965) 1034–1047.

[42] Tr.Ps. 146,3 (846,20–21): quorum (electorum, vgl. Mt 24,31) congregatio coetum sanctae ciuitatis efficiet, quae hodie per spei et fidei opus aedificatur in nobis.

[43] In Mt. 33,8 (II,258,14–16).

[44] Tr.Ps. 1,9 (24,27 – 25,2).

[45] In Mt. 12,17–18 (I,282–286).

[46] Vgl. In Mt. 8,8 (I,202,5–8); Tr.Ps. 1,9 (25,3–8).

[47] Myst. I,3 (80).

[48] Vgl. H. U. von Balthasar, Sponsa Verbi, 203–305.

rin[49]. Hilarius spricht jedoch an zwei Stellen im Mysterienbuch von der sündigen Kirche (ecclesia peccatrix).

Er erwähnt sie zunächst im Zusammenhang mit dem Geheimnis ihrer Vorausbildung in Adam und Eva. Dabei führt er 1 Tim 2,14 an: „Und nicht Adam hat gesündigt, sondern die Frau hat durch Übertretung (des Gebots) gesündigt. Sie wird aber dadurch gerettet, daß sie Kinder zur Welt bringt, wenn diese nur im Glauben fest bleiben." Der Gedanke der sündigen Kirche steht hier vor dem Hintergrund des zweiten, himmlischen Adam, der allein sündlos ist. In die Sünde Evas ist die Kirche eingeschlossen. Hilarius erwähnt zugleich mit der sündigen Kirche ihre endzeitliche Rettung, da sie Kindern durch die Taufe das Leben schenkt, die dem Glauben treu bleiben[50].

Auch bei der allegorischen Interpretation der Dirne Rahab spricht Hilarius von der sündigen Kirche. Wie Rahab die beiden Kundschafter in ihr Haus aufnahm, so nimmt die sündige Kirche Gesetz und Propheten auf, die den Glauben der Menschen erkunden sollen, denn in der Kirche lebt das Bekenntnis fort: „Gott ist droben im Himmel und hier unten auf der Erde" (Jos 2,11)[51].

Der Gedanke der sündigen Kirche ist kein durchgängiges Motiv bei Hilarius. Er tritt nur flüchtig im Spätwerk auf. Dennoch bringt er etwas Wichtiges zum Ausdruck: Hilarius überspringt nicht die irdische Kirche in ihre himmlische Vollendung hinein. Wenn sie auch zum himmlischen Leib Christi gehört, so hat Christus sie doch in ihren Vorausbildern als Sünderin vorgefunden und geheiligt. Deshalb sieht Hilarius unter anderem die Kirche symbolisiert in den Frauen der Schrift, hier in Eva und Rahab, die begnadete Sünderinnen sind.

Der Gedanke der sündigen Kirche verbietet aber auch, von einem ekklesiologischen Doketismus bei Hilarius zu sprechen. Wie Christus durch die Annahme eines menschlichen Leibes die sündige menschliche Natur angenommen und dadurch geheiligt hat, so hat er die konkrete sündige Kirche durch die Einfügung in seinen Leib geheiligt. Die irdische Kirche ist nur heilig, weil sie der Sünde entrissen ist. Aus sich selbst ist sie auf-

---

[49] Vgl. H. J. Vogt, Das Kirchenverständnis des Origenes, 251–258; W. Simonis, a.a.O., 20–23.

[50] Myst.I,3 (80): Ecclesia igitur ex publicanis et peccatoribus et gentibus est; solo suo secundo et caelesti Adam non peccante ipsa peccatrix per generationem filiorum in fide manentium erit salua.

[51] Myst. II,9 (154): Duos ab Hiesu missos terrae exploratores meretrix domi suscepit: legem et prophetiam ad explorandam hominum fidem missam peccatrix ecclesia recepit, per quam confitetur Deus et in caelo susum et in terra deorsum.

grund ihrer Menschlichkeit Sünderin. Sie ist nur heilig, weil sie stets von Christus gereinigt wird. Doch diese Reinigung setzt das Eingeständnis der eigenen Sündigkeit voraus: „Wo das Bekenntnis der Sünde ist, da ist auch die Heiligung durch Gott."[52]

Wenn Hilarius von der sündigen Kirche oder häufiger von den Sünden der Glieder der Kirche spricht, geschieht dies stets in heilsgeschichtlichem Zusammenhang, denn die Fehler der Kirche werden bei der Parusie von Christus endgültig getilgt. Die Zeit der irdischen Kirche ist die Zeit der Spannung zwischen der bereits geschenkten Heiligkeit als Vorwegnahme des Ziels und der faktischen Sünde in der Kirche, die der Kirche nicht äußerlich bleibt, da sie selbst sündige Kirche ist.

6.4 Die Kirche als neue Gemeinschaft

Die Einheit in der Verschiedenheit von irdischer und himmlischer Kirche, aber auch die Einheit von Gesamtkirche und Teilkirchen[53] kommt in der Theologie der Communio zum Ausdruck. Aus der vielschichtigen Bedeutung dieses Begriffs bei den Vätern[54] soll hier nur die bereits in Christus verwirklichte Einheit von irdischer und himmlischer Kirche hervorgehoben werden, denn im grundlegenden Sinn bezeichnet das Wort Communio die durchgehende Gemeinschaft der Gläubigen mit Christus. Diese grundlegende Gemeinschaft mit Christus stellt Hilarius bei der Salbung Christi heraus, die nicht seine Gottheit, sondern seine Menschheit betrifft und in ihr alles, „was von ihm in dem Geheimnis des Fleisches als Knechtswesen übernommen wurde" (Trin. XI, 19). Von hier aus kann Hilarius dann sagen: „Gemeinsam soll uns sein der Vater und gemeinsam auch Gott, sofern wir Knechte sind; und vor den Gefährten soll er in demjenigen Wesen gesalbt werden, in dem die Gefährten gesalbt werden (vgl. Ps 44, 8), er freilich mit Vorrecht gesalbt. In dem Geheimnis des Mittlers soll er sein Dasein haben, wie als wahrer Mensch, so als wahrer Gott, selbst Gott aus Gott, mit uns in gemeinsamem Besitz des Vaters

---

[52] Tr.Ps. 125, 10 (611, 23–24): ubi peccati confessio est, ibi et iustificatio a deo est. Vgl. Tr.Ps. 14, 11 (92, 17–18): misericordiam dei peccati confessione promeruit publicanus (Lk 18, 13).
[53] Tr.Ps. 14, 3 (86, 6–8): etsi in orbe ecclesia una sit, tamen unaquaeque urbs ecclesiam suam obtinet; et una in omnibus est, cum tamen plures sint, quia una habetur in pluribus.
[54] Vgl. H. J. Sieben, Koinōnia, III. Chez les Pères: sens sacramentaire et ecclésiologique, in: DSp VIII, 1750–1754; W. Popkes, Gemeinschaft, in: RAC 9, 1100–1145; Y. Congar, in: My-Sal IV/1, 379–408. Vgl. auch J. N. D. Kelly, Altchristliche Glaubensbekenntnisse, 381 bis 390.

und Gottes, in derjenigen Gemeinschaft, durch die er (unser) Bruder ist."[55] Diese christologische Gemeinschaft enthält die gemeinsame Teilhabe an den Gaben, die Christus geschenkt hat: am Glauben, am Leib und Blut Christi. Die Gemeinschaft mit Christus soll sich im Leben der Christen äußern.

Die ekklesiologische Bedeutung der Gemeinschaft mit Christus durchzieht das gesamte Werk des Hilarius. Dabei verschränken sich drei Begriffe: communio, congregatio und coetus.

1) Im Matthäuskommentar nennt Hilarius die Kirche eine neue Gemeinschaft, die über die natürliche Gemeinschaft der Familie und der Verwandtschaft aufgrund der Geburt (ratione nascendi) hinausgeht. Er entwickelt diesen Gedanken bei der Auslegung der wahren Verwandten Jesu (Mt 12,46–49). Die Gemeinschaft mit Christus schafft eine Gemeinschaft, die über die natürlichen Verbindungen hinausgeht, da Jesu Verhalten zu seiner Mutter und seinen Brüdern typologisch verstanden werden muß. In der Mutter und den Brüdern Jesu sieht Hilarius ein Vorausbild der Synagoge und der Israeliten, die nicht in seine neue Gemeinschaft der Kirche eintreten wollen[56]. Er folgt hier wohl der Exegese Tertullians[57]. Dennoch bleibt es erstaunlich, daß er in der Mutter Jesu hier ein Vorausbild der Synagoge erblickt, mit der im Matthäuskommentar vielfach der Unglaube verbunden wird. Dazu kommt der Befund, daß Maria, die bei den Vätern häufig als vollkommenes Bild der Kirche bezeichnet wird, bei Hilarius ekklesiologisch keine Bedeutung einnimmt. Sie wird zwar mehrfach in De Trinitate erwähnt (24 mal), doch dabei geht es Hilarius um ihre mütterliche Funktion, dem Sohn Gottes einen menschlichen Leib zu bereiten. Marias Bedeutsamkeit ist für Hilarius ganz auf das Geheimnis der Menschwerdung des Sohnes Gottes begrenzt.

Die Gemeinschaft mit Christus wird auch erwähnt im Zusammenhang mit Mt 23,8–12. Die Auslegung der Worte Jesu gegen die Schriftgelehrten und Pharisäer führt Hilarius zur Mahnung an die Christen, daß sie alle Brüder sind, d.h. Söhne eines Vaters, und daß dadurch eine die natürliche Gemeinschaft übergreifende neue Gemeinschaft geschaffen ist, weil alle nur einen Lehrer haben, Christus, und weil für alle die wahre Größe im Dienst an den anderen besteht[58].

---

[55] Trin. XI,20 (551,6–12).
[56] In Mt. 12,24 (I,294,1–17).
[57] Tert., De carne Christi 7,13 (CCL 2, 889,79–90).
[58] In Mt. 24,2 (II,166,2–9).

Da die Kirche bereits im Alten Testament vorausgebildet ist, gibt es bereits bei der Erscheinung Jesu eine Gemeinschaft der Kirche, die er nach dem Gesetz, den Propheten und Johannes zur Vergebung gegenüber dem sündigen Bruder auffordert. Diese Aufforderung gilt primär dem widerspenstigen Israel, doch Hilarius weitet die Sicht auf die Gemeinschaft der gesamten Kirche, in der die einzelnen von der gegenseitigen Vergebung als Zeichen der göttlichen Vergebung leben[59].

2) Im Psalmenkommentar wird die Gemeinschaft der Kirche als Gemeinschaft der Heiligen oder Gemeinschaft mit heiligen Personen verstanden, denn Hilarius will hier durch den Gedanken der Gemeinschaft die irdische Kirche der Gläubigen mit der himmlischen Kirche der Heiligen verbinden[60]. Er spricht von der einträchtigen Versammlung der Gläubigen[61], von der Zusammenführung der Menschen in die Gemeinschaft der heiligen Stadt, die jetzt im Glauben und in der Hoffnung in uns aufgebaut wird[62]. Diese Stadt findet ihre Vollendung in der Gemeinschaft der Heiligen, die in der Auferstehung der Herrlichkeit Gottes angeglichen werden[63]. Häufig nennt er Zion oder das himmlische Jerusalem Gemeinschaft oder Versammlung der Gläubigen[64].

Das Zeichen der neuen Gemeinschaft der Kirche ist die Liebe. Hilarius beschreibt dieses Erkennungszeichen der Christen bei der Auslegung von Ps 132, 1: „Seht doch, wie gut und schön es ist, wenn Brüder miteinander in Eintracht wohnen." Das einträchtige Wohnen sieht er in der Versammlung der Kirche verwirklicht. Da in der Kirche alle Brüder sind, sind sie einmütig in der Liebe eines einzigen Willens versammelt[65]. Durch die Liebe wird die neue Gemeinschaft der Kirche bereits jetzt sichtbar. In ihr wird die irdische Kirche bereits auf die endgültige Gemeinschaft mit der himmlischen Kirche überstiegen.

Das Gefühl der innigen Gemeinschaft der ganzen Kirche in ihren verschiedenen Ausprägungen als irdische und himmlische Kirche ist ein entscheidender Grund, daß Hilarius bereits in der irdischen Kirche die himmlische Kirche sieht. Dies zeigt sich an einem zentralen Text zum

---

[59] In Mt. 18, 7 (II, 82, 12–17).
[60] Tr.Ps. 132, 6 (689, 6–8): Sion autem est secundum doctrinam caelestem ecclesia, uel quae nunc est, uel quae erit sanctorum, quae per resurrectionem glorificatorum et laetantium angelorum coetu frequentatur.
[61] Tr.Ps. 131, 23 (680, 1–3).
[62] Tr.Ps. 146, 3 (846, 20–26).
[63] Tr.Ps. 147, 2 (855, 1–18); 147, 4 (856, 10–16).
[64] Z. B. Tr.Ps. 121, 5 (573, 17).
[65] Tr.Ps. 132, 2 (685, 12–14).

Kirchenverständnis, der schon angeführt wurde: „Wenn wir nämlich in dieser (Kirche) wohnen, werden wir auch in jener (Kirche) wohnen, denn diese (Kirche) ist die Form jener... Doch sowohl diese als auch jene (Kirche) ist himmlisch; sowohl diese als auch jene ist Jerusalem; sie ist die Kirche unzählbarer Scharen von Engeln; sie ist aber auch die Kirche der Erstgeborenen, sie ist auch die Kirche der Geister, die im Herrn gegründet sind."[66] Wenig später schreibt Hilarius, daß die Engel und Heiligen, die Apostel, Patriarchen und Propheten die Kirche auf Erden mit ihrem Schutz umgeben[67].

Obwohl die Gemeinschaft der Heiligen zur Zeit des Hilarius noch nicht zum Glaubensbekenntnis der Kirche gehörte, finden sich doch bei ihm Elemente, die zur Zusatzklausel des Apostolischen Glaubensbekenntnisses von der Gemeinschaft der Heiligen am Ende des 4. Jahrhunderts führten. Das erste erhaltene Bekenntnis, das ihr Auftreten bezeugt, ist die von Niceta von Remesiana (gest. nach 414) kommentierte Formel[68]. Doch bereits vor ihm scheint diese Formel bei Hieronymus eine Rolle gespielt zu haben[69]. Bei Hilarius ist aber bereits zu erkennen, daß die Gemeinschaft der irdischen Kirche mit der Kirche der Erlösten im Himmel zum Glaubensbewußtsein des 4. Jahrhunderts gehört. Von dieser Gemeinschaft her erhält auch die eschatologische Spannung im Kirchenverständnis des Hilarius ihre inhaltliche Fülle, denn das Ziel leitet die Kirche auf ihrem Weg durch die Zeit in die volle Gemeinschaft der Heiligen.

3) Das Bewußtsein von der Gemeinschaft der Heiligen äußert sich bei Hilarius auch in der Verehrung der Reliquien der Heiligen und des Blutes der Märtyrer[70]. Die Heiligen im engeren Sinn sind die Blutzeugen, die durch ihr Leben bezeugt haben, wie weit die Gemeinschaft mit Christus (Trin. XI, 20) führen kann. Hier steht Hilarius im Gefolge seiner Zeit, denn im 4. Jahrhundert tritt nach Beendigung der Verfolgung der Kirche eine gewaltige Zunahme der Verehrung der Märtyrer auf. Doch bereits seit frühester Zeit hat die Kirche diese Verehrung ihren Heiligen und glorreichen Toten entgegengebracht. Damit verbunden ist der Gedanke

---

[66] Tr.Ps. 124,4 (600,9–18).
[67] Tr.Ps. 124,6 (601,10–12).
[68] Vgl. dazu Z. Senjak, Niceta von Remesiana, 85–91.
[69] Vgl. G. Morin, Un symbole inédit attribué à saint Jérôme, in: RBen 21 (1904) 1–19; P.-Th. Camelot, Die Lehre von der Kirche, 60.
[70] C. Const. 8 (584 B): Sanctus ubique beatorum Martyrum sanguis exceptus est, et veneranda ossa quotidie testimonio sunt.

der Einheit der streitenden Kirche mit der Kirche der Heiligen und das Bewußtsein der Fürbitte der Heiligen für die irdische Kirche[71].

4) Die Gemeinschaft der irdischen Kirche, die in der Liebe sichtbar wird, hat als Fundament den Glauben an die wahre Gottheit Jesu Christi. Dieser Gedanke, der das Hauptwerk durchzieht, wird auch im Liber de Synodis zum Kriterium der Gemeinschaft mit Christus (communio dominica). Die Gemeinschaft der Kirche setzt den gemeinsam bekannten Glauben voraus[72]. Doch es gibt auch die Möglichkeit, sich von der Gemeinschaft der Heiligen und vom Leib der Kirche durch Sünde[73], Hochmut und Streit[74] zu trennen.

---

[71] Vgl. J. N. D. Kelly, a.a.O., 389. Zur Gemeinschaft der Heiligen vgl. auch W. Elert, Die Herkunft der Formel Sanctorum Communio, in: ThLZ 74 (1949) 577–586; S. Benko, The Meaning of sanctorum communio, London 1964; J. Mühlsteiger, Sanctorum communio, in: ZKTh 92 (1970) 113–132; H. de Lubac, Credo ... Sanctorum Communionem, in: IKaZ 1 (1972) 18–32.

[72] Syn. 4; 8 (483 B; 485 A).

[73] Gemeint ist die Sünde in letzter Konsequenz: die Blasphemie gegen den Heiligen Geist, d. h. die Leugnung der Gottheit Christi. Vgl. In Mt. 12, 17–18 (I, 282, 6 – 288, 30).

[74] Tr.Ps. 121, 5 (573, 16–19).

Zweiter Teil

DAS LEBEN DER KIRCHE

Das Geheimnis der Kirche ist eine lebendige Wirklichkeit, denn wir leben aus diesem Geheimnis. Deshalb soll in diesem zweiten Teil das Leben der Kirche untersucht werden, wie es sich in den Schriften des Bischofs von Poitiers zeigt. Dabei geht es um die konkreten Lebensvollzüge der Kirche, nicht um eine historische Darstellung des kirchlichen Lebens im 4. Jahrhundert. Das innerkirchliche Leben zwischen Nikaia und Chalkedon hat K. Baus zusammenfassend beschrieben[1].

Über die Anfänge des Christentums im Poitou ist wenig bekannt. Für das christliche Leben in diesem Gebiet gibt es vor Hilarius keine schriftlichen Quellen. Es ist nicht einmal möglich festzustellen, ob es vor Hilarius schon Bischöfe in Poitiers gab. J. Doignon, der die Christianisierung des Poitou untersucht hat, kommt zu dem Ergebnis, daß auch die ‚archäologischen Spuren‘ an Sarkophagen keinen Hinweis auf die Anfänge des christlichen Glaubens in dieser Region geben. Er weist auf ein Fortleben des Heidentums bis in das späte 4. Jahrhundert hin und deutet die Möglichkeit an, daß gegen Ende der Regierungszeit Konstantin des Großen (337) neuplatonische Strömungen nach Gallien eingedrungen sind[2].

Die neue Religion hat sich nur langsam in Gallien durchgesetzt. Nach Sulpicius Severus hat sie erst am Ende des 4. Jahrhunderts in Gallien richtig Fuß gefaßt[3]. Doch die ‚Bekehrung‘ Konstantins zum Christentum (312/313) hat die Verbreitung des Evangeliums sicher gefördert. É. Griffe meint deshalb mit Recht, daß die Jahre zwischen 350 und 370/380 entscheidend waren für die Christianisierung der Stadtbevölkerungen, während die Bekehrung der Landbevölkerung erst mit dem Bischofsamt Martins von Tours (um 371) einsetzt. Die Zahl der Katechumenen stieg sprunghaft an[4]. Als Beweis zitiert É. Griffe einen allerdings recht unbe-

---

[1] HKG (J) II/1, 187–435.
[2] J. Doignon, Hilaire de Poitiers avant l'exil, 30–47.
[3] Vgl. J.-R. Palanque, La Gaule chrétienne au temps de saint Hilaire, in: Hilaire et son temps, 11–17.
[4] É. Griffe, La Gaule chrétienne à l'époque romaine, I: Des origines à la fin du IVᵉ siècle, Paris/Toulouse 1947, 273.

stimmten Text aus dem Psalmenkommentar: „Täglich aber wird durch den Zuwachs gläubigen Volkes das Bekenntnis des Gotteslobs vermehrt, denn man gibt den heidnischen Aberglauben auf, die gottlosen Märchen der Mythologie, die Altäre der Dämonen und die Nichtigkeiten der Götzenbilder; alle richten den Weg und den Fortschritt auf das Heil."[5]

Zur Zeit, als Hilarius in das Licht der Geschichte tritt (nach 350), waren die Christen in den Städten Galliens noch in der Minderheit[6].

Auch die Liturgie, die zur Zeit des Hilarius gefeiert wurde, bleibt unbestimmt. Die Untersuchungen zum Ursprung der gallikanischen Liturgie von L. Duchesne, J. Quasten und É. Griffe[7] betreffen eine viel spätere Zeit.

Das Leben der Kirche von Poitiers bleibt für die Zeit vor Hilarius unbekannt, und der Bischof Hilarius gibt auch kaum Hinweise auf das kirchliche Leben seiner Zeit in Poitiers oder in Gallien[8]. Doch es gibt eine Nachwirkung des Hilarius[9]. In seinem Jesajakommentar schreibt Hieronymus, daß der heilige Mann und wortgewaltige Märtyrer Cyprian und der Bekenner Hilarius die Kirche Gottes auferbaut haben[10]. Mit dieser Auferbauung der Kirche ist sicher auch gemeint, daß die Kirche Galliens Hilarius das Feststehen im Glauben gegen die Irrlehre des Arianismus verdankt[11].

---

[5] Tr.Ps. 67,20 (295,6–10).
[6] Vgl. É. Griffe, a.a.O., 268.
[7] J. Duchesne, Les origines du culte chrétien. Études sur la liturgie latine avant Charlemagne, Paris 1889; J. Quasten, Oriental influence in the gallian liturgy, in: Tr. 1 (1943) 55–78; É. Griffe, La Gaule chrétienne à la fin du IV³ siècle, III: La cité chrétienne, Paris 1965, 164–213.
[8] Einige kurze Hinweise auf das kirchliche und gesellschaftliche Leben im Poitou des 4. Jh. finden sich bei A. L. Feder, Kulturgeschichtliches in den Werken des hl. Hilarius von Poitiers, in: StML81 (1911) 30–45.
[9] Ch. Kannengiesser, L'héritage d'Hilaire de Poitiers, I: Dans l'ancienne église d'occident et dans les bibliothèques médiévales, in: RSR 56 (1968) 435–455.
[10] Hier., Com. in Esaiam XVII, 60, 13/14 (CCL 73 A, 702, 32–35): Ac ne longo sermone sensum traham, uir sanctus et eloquentissimus martyr, Cyprianus, et nostri temporis confessor Hilarius, nonne tibi uidentur excelsae quondam in saeculo arbores, aedificasse Ecclesiam Dei?
[11] Vgl. Sulp. Sev., Chron, II, 45, 7 (CSEL 1, 99, 5–7): illud apud omnes constitit unius Hilarii beneficio Gallias nostras piaculo haeresis liberatas.

7. Kirche und Heilige Schrift

7.1 Verständnis der Schrift durch die Kirche

Es wurde bereits erwähnt, daß Hilarius das Gleichnis Jesu vom Licht, das man nicht unter den Scheffel, sondern auf den Leuchter stellen solle, auf die Synagoge und die Kirche bezieht[1]. Die Kirche selbst ist Licht, weil Christus am Kreuz gleichsam auf den Leuchter gestellt wurde und nun denen ewiges Licht schenkt, die in der Kirche beheimatet sind. Diese erleuchtende Funktion Christi in der Kirche wirkt sich für Hilarius auch darin aus, daß die Heilige Schrift nur in der Kirche richtig verstanden wird. Grundlegend ist hier die Aussage daß jene, die außerhalb der Kirche sind, keine Einsicht des Wortes Gottes gewinnen können[2].

1) Hilarius unterscheidet in den exegetischen Werken den einfachen Sinn (sensus simplex, sensus litteralis, ratio absoluta), der allen zugänglich ist, vom inneren oder himmlischen Sinn (ratio typica, ratio allegorica, caelestis intelligentia, sermo spiritalis, sermo diuinus). Der innere Sinn der Schrift ist nicht ohne die Kirche zu gewinnen, da sie allein über die richtige Auslegung der Schrift ‚verfügt‘. Obwohl Hilarius nicht häufig das richtige Verständnis der Schrift an die Vermittlung der Kirche bindet, sieht er doch allgemein im geistigen Eindringen in den Sinn der Schrift den „Tisch des Wissens", den die Kirche ihren Gläubigen neben dem „Tisch des Opfers" bereitet[3].

a) Im Matthäuskommentar schreibt Hilarius, daß es nichts Kostbareres und Heiligeres gibt als die göttlichen Vorschriften und Verheißungen. Da sie in der Heiligen Schrift niedergelegt und deshalb Besitz der Kirche sind, darf man die göttlichen Geheimnisse weder den Heiden ausliefern noch mit den Häretikern darüber diskutieren[4]. Man wird hier nicht mehr an eine Arkandisziplin denken müssen; im Hintergrund steht vielmehr das Bewußtsein, daß den Heiden und Häretikern der Sinn für die wahre Bedeutung der göttlichen Verheißungen fehlt, weil sie entweder noch nicht zur Kirche gehören oder sich von ihr getrennt haben.

Doch das Verhältnis von Schrift und Kirche besteht nicht nur darin,

---

[1] In Mt. 4, 13 (I, 130, 7–10).
[2] In Mt. 13, 1 (I, 296, 5–7).
[3] Tr.Ps. 68, 19 (329, 10 – 330, 2).
[4] In Mt. 6, 1 (I, 170, 4–10).

daß die Kirche allein die Schrift richtig auslegt, sondern ebenfalls in der grundlegenden Bedeutung der Schrift für das Bleiben der Kirche in der Wahrheit. Deshalb nennt Hilarius die Kirchen, in denen das Wort Gottes nicht wacht (Mt 8,25), schiffbrüchig[5]. In dieser Bezeichnung kommt zum Ausdruck, daß die Kirche nur dann den Schlüssel zum Verständnis der Schrift besitzt, wenn sie stets in ihrer Mitte das erleuchtende Licht Christi hat.

b) Der christologische und ekklesiologische Charakter des geistigen Verständnisses der Psalmen wird oft im Psalmenkommentar betont. Auch hier ist der Fortschritt vom einfachen zum inneren Sinn der Schrift ein ekklesiales Ereignis. Bereits in der Instructio Psalmorum erwähnt Hilarius diesen Gedanken. Was in den Psalmen gesagt ist, muß von der Verkündigung des Evangeliums her verstanden werden, denn es bezieht sich auf Christus und unsere eschatologische Bestimmung[6], von der wir durch die Einfügung in die Kirche Kunde haben. Da alles, was in den prophetischen Büchern aufgeschrieben ist, der Menschheit zum Fortschritt des Heiles und der Lehre dienen soll[7], bedarf es zu dieser Erkenntnis der Verwurzelung in der irdischen Kirche, denn sie ist die Form der zukünftigen Kirche.

In den Schriftkommentaren ist das Verständnis der Schrift durch die Kirche für Hilarius eine Wirklichkeit, über die nicht besonders nachgedacht werden muß.

2) In den dogmatisch-polemischen Werken geht es Hilarius um die Abgrenzung des Verständnisses der Schrift. Wenn er sich mit Irrlehrern auseinandersetzt, an den Kaiser appelliert oder den Glauben von Nikaia verteidigt, beruft er sich häufig auf das Schriftverständnis der Kirche, das im Gegensatz zur Auslegung einzelner Schriftstellen durch die Arianer steht. Hier gewinnt die kirchliche Schriftauslegung dogmatische Bedeutung.

a) Der Glaube der Kirche ist für Hilarius in De Trinitate das Prinzip der einzig richtigen Schriftauslegung, denn der Glaube der Kirche ist der Glaube des Evangeliums und der Apostel[8]. Dabei steht der Glaube der Kirche in einer Glaubensgeschichte: Die prophetische Weissagung ist Ankündigung, das Evangelium Zeugnis, Paulus Interpret, und die Kirche

---

[5] In Mt. 8,1 (I,192,9 – 194,10).

[6] Instr.Ps. 5 (6,1–6); vgl. Tr.Ps. 63,2 (225,11–25).

[7] Tr.Ps. 135,2 (713,26 – 714,7).

[8] Trin. VI,9 (204,14–15): euangelica et apostolica ecclesiae fides.

bekennt den Glauben[9]. Während die Irrlehrer einen einzelnen Satz der Schrift isolieren und so zu einer falschen Aussage kommen (z. B. die Einzigkeit Gottes: Dtn 6, 4), ordnet Hilarius die einzelnen biblischen Aussagen in die Fülle der Schrift ein, denn das Bekenntnis der Kirche stützt sich stets auf den Sinn der ganzen Schrift. Dabei ist die Kirche nicht auf sich allein gestellt, denn sie kann den rechten Glauben nur bezeugen, weil Gott selbst für uns Zeuge und Urheber des Glaubens ist[10].

Weil Gott selbst die Kirche in der Wahrheit des Glaubens hält, kann Hilarius immer wieder gegen die Irrlehrer feststellen: Der Glaube der Kirche verurteilt oder kennt nicht ihre Erklärung der Stellung Christi zum Vater[11]. Durch den Glauben besitzt die Kirche eine Einsicht, die sie vom Unglauben der Synagoge und vom Unverständnis der Philosophie unterscheidet[12].

Hilarius spricht in De Trinitate oft vom Glauben oder der Lehre der Kirche[13]. Inhalt und Mitte des kirchlichen Glaubens ist, daß Christus wahrer Gott und wahrer Mensch ist, daß das Wort Fleisch geworden ist[14]. Hierin kann man die regula fidei des Hilarius sehen. Diese Glaubensregel ist Kanon der Wahrheit, denn in ihr ist der grundlegende Inhalt der Lehre der Kirche enthalten, der aus der Schrift und der Tradition geschöpft ist[15]. Hilarius sieht in dieser Glaubensregel keine Überforderung des Menschen, denn der Glaube besteht in der Einfachheit. Gott ruft uns

---

[9] Trin. V, 34 (188, 7–10): Profetia loquitur, euangelium testatur, apostolus interpraetatur, ecclesia confitetur Deum uerum esse qui uisus sit, cum tamen Deum Patrem uisum nemo fateatur.

[10] Trin. III, 26 (100, 12–14).

[11] Z. B. Trin. VI, 9 (204, 14–15): euangelica et apostolica ecclesiae fides nescit. VI, 10 (206, 22–23): Manicheum secundum hereticae insaniae praedicatores pia ecclesiae fides damnat. Vgl. auch IV, 6 (105, 3–4).

[12] Trin. VIII, 52 (365, 25–29).

[13] Trin. IV, 6 (105, 3–20); V, 31 (183, 6); V, 39 (194, 18); VI, 11 (207, 2–3; 208, 16–17); VI, 12 (209, 27–28); VI, 17 (216, 13); VI, 37 (241, 1–2); VI, 38 (243, 17–19); VI, 45 (250, 2); VII, 1 (259, 23); VII, 4 (262, 1 – 263, 4); VII, 7 (267, 13–14); VII, 19 (279, 1–2); VII, 31 (298, 16–17); VIII, 2 (314, 16); VIII, 34 (348, 44); IX, 19 (389, 1–2); IX, 36 (409, 1); IX, 51 (429, 10–11); X, 1 (458, 11–19); X, 52 (505, 1–3); XII, 36 (606, 1–3).

[14] Trin. IX, 3 (374, 20–23): Haec igitur humanae beatitudinis fides uera est, Deum et hominem praedicare, uerbum et carnem confiteri, neque Deum nescire quod et homo sit, neque carnem ignorare quod uerbum sit.

[15] Zur ‚regula fidei/veritatis‘ vgl. B. Haeglund, Die Bedeutung der „regula fidei" als Grundlage theologischer Aussagen, in: StTh 12 (1958) 1–44; N. Brox, Offenbarung, Gnosis und gnostischer Mythos bei Irenäus von Lyon. Zur Charakteristik der Systeme, Salzburg 1966 (= SPS 1); A. C. de Veer, La „regula veritatis", in: BAug 31 (1968) 832 ff; V. Grossi, Regula veritatis e narratio battesimale in sant' Ireneo, in: Aug. 12 (1972) 437–463; R. Braun, Deus christianorum. Recherches sur le vocabulaire doctrinal de Tertullien, Paris ²1977.

nicht durch schwierige Fragen zum seligen Leben, sondern es kommt letztlich auf die gläubige Übernahme des Bekenntnisses an, daß Jesus durch Gott von den Toten auferweckt wurde und daß er der Herr ist[16].

Wie die regula fidei sich auf die Schrift und die Tradition, die vor allem durch den Bischof repräsentiert wird, stützt, so ist auch bei Hilarius im Bekenntnis der Kirche die Tradition eingeschlossen, die besonders durch den Glauben von Nikaia ausgedrückt wird. Hilarius sieht in dieser Auslegung des Glaubens die konsequente Entfaltung der neutestamentlichen Offenbarung, welche im Evangelium bezeugt und vom Apostel interpretiert wird. Deshalb ist für Hilarius die Kirche die Instanz, welche die einmal gegebene Offenbarung ständig neu, aber unverfälscht durch die Jahrhunderte im Geist Jesu vergegenwärtigt.

b) Hilarius spricht bei seinen Ausführungen über das Konzil von Nikaia von einer Entwicklung der Lehre des Evangeliums und der Apostel auf diesem Konzil. Ziel dieser Entwicklung war, das vollkommene Licht der katholischen Einheit herauszustellen[17]. Diese Einheit wird in der Liebe verwirklicht. Die Einheit in der Liebe setzt aber voraus, daß die Schrift nicht nur gelesen, sondern auch verstanden wird. Im Gegensatz zu den Häretikern (Manicheus und Markion), welche die Schrift nicht zur Auferbauung, sondern zur Zerstörung des Glaubens zitieren, dient das rechte Verständnis der Schrift dem Wachstum der Liebe[18].

Am Schluß des Liber ad Constantium legt Hilarius ein persönliches Bekenntnis seines eigenen Glaubens an die Gottheit Jesu Christi ab, das aus dem Schriftverständnis der Kirche gespeist ist. Er hat diesen Glauben in der Taufe empfangen. Der Glaube schließt ein Wissen der Lehre des Evangeliums ein. Der aktuelle Glaubensvollzug steht unter der Leitung des Heiligen Geistes und ist bezeugt durch den Glauben der Väter von Nikaia[19]. Deshalb weiß sich Hilarius im ‚Besitz‘ der Glaubenswahrheit.

---

[16] Trin. X, 70 (526, 26–31): In simplicitate itaque fides est, in fide iustitia est, in confessione pietas est. Non per difficiles nos Deus ad beatam uitam quaestiones uocat, nec multiplici eloquentis facundiae genere sollicitat. In absoluto nobis ac facili est aeternitas, Iesum et suscitatum a mortuis per Deum credere, et ipsum esse Dominum confiteri. Vgl. N. Brox, Der einfache Glaube und die Theologie. Zur altkirchlichen Geschichte eines Dauerproblems, in: Kairos 14 (1972) 157–187.

[17] B II, 9, 7 (149–150).

[18] Ad Const. 9 (204, 10–11): scripturae enim non in legendo sunt, sed in intellegendo neque in praeuaricatione sunt, sed in caritate.

[19] Ad Const. 11 (205, 13–17): haec ergo in spiritu sancto ita credidi, ut ultra hanc de domino Iesu Christo fidem non possim doceri, non per haec adimens patrum fidei religionem, sed secundum regenerationis meae symbolum et doctrinae euangelicae scientiam ab ea iuxta ista non dissonans. Vgl. A. Blaise, Saint Hilaire de Poitiers, 109 ff.

Dieser ‚Besitz' ist aber nicht eigene Leistung, sondern Annahme der Verkündigung der Kirche, welche die Schrift auslegt.

7.2 Schriftauslegung als Predigt der Kirche

Die Verkündigung der Kirche speist sich nach Hilarius ausschließlich aus der Heiligen Schrift. Ein Beispiel dafür ist der Psalmenkommentar, den Hilarius wohl zunächst in Poitiers mündlich vorgetragen (364–367) und dann überarbeitet hat. Wenn auch vor allem die Schriftwerke des Hilarius einen Einblick in seine Verkündigung als Bischof geben, so geht es ihm doch auch in den anderen Werken um Verkündigung (praedicare, praedicatio, praedicator)[20].

1) Im Matthäuskommentar wird die Predigt Jesu vom Himmelreich zur Norm der Predigt der Apostel und dadurch der Kirche[21]. Die Kirche steht in Kontinuität mit der Predigt der Propheten und Johannes des Täufers, der mit seinem Ruf zur Umkehr wegen der Nähe des Himmelreichs das Alte mit dem Neuen Testament verklammert[22].

Das Ziel der Predigt ist die Sammlung der Menschheit in den Herrschaftsbereich Christi und dadurch ihre Befreiung aus der Enge des Daseins, denn Christus führt uns aus der Verhaftung an die Welt in die Freiheit und Fülle seines Lichts. Hilarius vergleicht in diesem Zusammenhang die Verkündigung Jesu mit einem Netz: „Weiter ist es mit dem Himmelreich wie mit einem Netz, das man ins Meer warf" (Mt 13,47)[23]. Diese Sammlung gehört zur Aufgabe der Apostel. Hilarius betont, daß ihre wesentlichen Aufgaben die Verkündigung[24] und das Zeugnis des geistigen Geschehens sind[25]. Die Verkündigung der Kirche ist zunächst an Israel gerichtet[26], doch die Predigt vom Himmelreich geht dann, weil die Synagoge sich der Botschaft von der Auferstehung Jesu verschlossen hat[27], zunächst nach Griechenland über und dann zu allen Völkern. Obwohl Jesus zunächst das Heil für Israel wünschte, war er doch froh, daß

---

[20] Vgl. zur Terminologie Chr. Mohrmann, Praedicare, tractare, sermo. Essai sur la terminologie de la prédication paléochrétienne, in: dies., Études sur le latin des chrétiens, II, Rom 1961, 63–72.
[21] In Mt. 7,2 (I,180,4–8); 10,4 (I,218,6 – 220,13).
[22] In Mt. 5,6 (I,154,11–14).
[23] In Mt. 13,9 (I,302,1–9).
[24] In Mt. 9,9 (I,214,18).
[25] In Mt. 16,8 (II,54,3 – 56,4); 17,3 (II,64,17–18).
[26] In Mt. 11,10 (I,264,4–8); 10,14 (I,232,7–10).
[27] In Mt. 9,8 (I,212,3–7).

der Glaube nach seiner Heimkehr zum Vater auch den Heiden verkündet wird[28].

Im Gegensatz zur Predigt der Propheten, die sich an das kranke Israel richtet[29], ist die Predigt der Apostel eine neue Predigt[30]. Diese Neuheit wirkt sich extensiv und intensiv aus. Sie richtet sich zunächst extensiv an alle Menschen[31]: Petrus, der zur Predigt bestimmt ist, senkt als Menschenfischer den Angelhaken seiner Verkündigung in die Welt hinein, um aus ihr unterschiedslos die Menschen in die Gemeinschaft mit Christus zu ziehen[32].

Wenn sich auch die Predigt Jesu, der Apostel und der Kirche an alle Menschen richtet – zunächst allerdings an Israel –, so erreicht sie intensiv doch nicht alle: Deshalb wird die Predigt des Evangeliums mit einem Schwert verglichen (Mt 10, 34–36), denn sie ist Verkündigung einer neuen Botschaft, an der sich die Menschen scheiden, so wie durch das Schwert Seele und Geist, Gelenk und Mark geschieden werden (Hebr 4, 12). Mit dem Schwert ist die Entscheidung für Christus gemeint, die eine Scheidung unter den Menschen bedeutet.

Zur Annahme der Verkündigung des Evangeliums gehört der Glaube, der Gabe Gottes ist. Hilarius erwähnt bei der Erklärung des Gleichnisses von den Talenten (Mt 25, 14–30) das Maß des Glaubens, das jeder in unterschiedlicher Weise besitzt, um die Verkündigung des Evangeliums vom gesandten Prediger anzunehmen[33].

Doch Hilarius spricht im Matthäuskommentar nicht nur vom Akt, vom Empfänger und Ziel der Verkündigung, sondern er geht auch auf den Inhalt der Verkündigung ein. Hier zeigt sich deutlich, daß die Verkündigung der Kirche ihre bleibende Grundlage in der Schrift hat. Der Inhalt der Verkündigung ist Christus als ewiger Sohn des Vaters[34], denn Gott wird in der Menschheit Jesu offenbar[35]. Dieses Bekenntnis konnte von den Aposteln erst nach dem Leiden und der Auferstehung Jesu verkündet werden[36], da in der Auferstehung der Anspruch Jesu von Gott bestätigt wurde.

Da diese Botschaft eine anstößige Verkündigung ist, wird sie nicht von

---

[28] In Mt. 11, 11 (I, 266, 4–6).
[29] In Mt. 13, 4 (I, 298, 9–10). Vgl. auch 11, 2 (I, 252, 5–7); 14, 7 (II, 16, 1–3).
[30] In Mt. 14, 9 (II, 20, 9); 17, 13 (II, 74, 9–10).
[31] In Mt. 20, 7 (II, 110, 8–9).
[32] In Mt. 17, 13 (II, 72, 1–4).
[33] In Mt. 27, 6 (II, 210, 11–13).
[34] In Mt. 16, 4 (II, 52, 5–17).
[35] In Mt. 20, 13 (II, 118, 12–13).
[36] In Mt. 21, 14 (II, 138, 6–9).

allen angenommen. Hilarius weist darauf hin, daß die Passion Jesu für die Welt ein Ärgernis ist und daß die menschliche Unwissenheit den Herrn der Herrlichkeit nicht in der Häßlichkeit (deformitas) des Kreuzes annehmen wollte[37]. Deswegen ist der Kirche bei ihrer Verkündigung kein selbstverständlicher Erfolg beschieden: „Den einen wird Christus gepredigt, und von anderen wird er anerkannt."[38]

2) Die Bindung der Verkündigung der Kirche an die Schrift betont Hilarius auch in De Trinitate. Hier setzt er sich aber vor allem mit den „neuen Predigern" der Häresie des Arianismus auseinander, die den Glauben verändern und eine andere Kirche erfinden, in der Jesus nicht der ewige wesensgleiche Sohn ist, sondern ein Geschöpf, das Gott auf besondere Weise adoptiert hat[39]. Der Glaube der Gesamtkirche hingegen, der sich auf die Lehre der Apostel stützt, bekennt Jesus als wahren Gott und wahren Menschen: „Aber mitten unter diesen irrgläubigen und haltlosen Meinungen weiß die Kirche um eine Geburt in Christus und kennt keinen Anfang, wohlunterwiesen durch die Lehren der Apostel. Sie weiß um die Heilsanordnung, aber sie weiß nichts von einer Trennung. Sie duldet Jesus Christus nicht (in der Weise), daß Jesus nicht selbst Christus sei. Sie trennt auch nicht den Menschensohn vom Gottessohn, damit man nicht etwa den Gottessohn nicht als Menschensohn erkenne. Sie läßt nicht den Gottessohn im Menschensohn aufgehen. Sie zerreißt auch nicht Christus in dreigeteiltem Glauben, dessen von oben her gewebtes Gewand unzerteilt ist: so daß sie Jesus Christus sowohl in das Wort wie in eine Seele und in einen Leib teile; sie läßt aber auch nicht Gott das Wort in eine Seele und in einen Leib aufgehen. Ein Ganzes ist für sie Gott das Wort, ein Ganzes ist für sie der Mensch Christus. Dieses eine hält sie in ihrem geheimnisvollen Bekenntnis fest: weder Christus für etwas anderes in ihrem Glauben zu halten als Jesus, noch auch Jesus als etwas anderes zu verkünden denn als Christus."[40] Inhaltlich geht es Hilarius bei der Verkündigung der Kirche um das Bekenntnis zu Jesus Christus[41]. Diese Verkündigung, zu der er sich als Bischof verpflichtet weiß[42], soll den

---

[37] In Mt. 18,3 (II,78,3–7).

[38] In Mt. 11,7 (I,260,18–19).

[39] Trin. VI,38 (243,12 – 244,27). Zur ‚Ekklesiologie der Arianer' vgl. M. Meslin, Les Ariens d'Occident 335–430, 325–352.

[40] Trin. X,52 (505,1 – 506,14).

[41] Trin. XII,2 (580,13–15): Nostra uero tantum haec solum religio est, Filium confiteri non adoptiuum sed natum, non electum sed generatum.

[42] Trin. VI,2 (196,2–3): … ecclesiae episcopus praedicationis euangelicae debeo ministerium.

Glauben der Menschen wecken oder stärken[43]. Der anspruchsvolle Inhalt der Verkündigung muß aber so dargeboten werden, daß er den Hörer auch erreicht. Hilarius meint, der Glaube werde am besten verkündet, wenn er sich auf das Evangelium und die Lehre der Apostel stütze, wenn er nach Art der Fischer (piscatorie), nicht befrachtet mit philosophischen Fragen (non in quaestione philosophiae)[44], ausgelegt werde. Die Kirche bringt durch ihre Lehre und Verkündigung Licht in das Unwissen der Welt über ihre letzte Bestimmung. Das Wissen der Welt, die Philosophie, beurteilt Hilarius vorwiegend negativ. Die Philosophie konnte ihm nicht den letzten Sinn seines Lebens aufzeigen (Trin. I, 1–14). Die negative Haltung zur Philosophie hängt aber noch mehr damit zusammen, daß Hilarius die folgenschweren philosophischen (mittel- und neuplatonischen) Elemente im Gottesbild des Arius[45] erkennt, die zu einer Unterordnung des Sohnes unter den Vater führen. Hilarius will den Glauben nicht an eine Philosophie binden, sondern zeigen, daß der Glaube jedes philosophische System sprengt. Bei den Arianern hatte er gesehen, daß sie durch ihr philosophisches Apriori unfähig waren, die Grenzen der menschlichen Vernunft zu überschreiten, um sich dem Geheimnis der Offenbarung über Jesus Christus zu nähern[46].

Diese Erkenntnis wirkt sich aus in der Anleitung des Hilarius, wie der von der Schrift gespeiste Glaube der Kirche verkündet werden soll: „Zunächst mußten diejenigen Menschen, die ein rechtgläubiges Wissen um die göttlichen Dinge vorzogen, die gewundenen Fragen einer verschlagenen Philosophie wegwerfen und mehr dem Glauben folgen, der in Gott

---

[43] Trin. XI,9 (538,43–44).
[44] Ad Const. 8 (203,12–17). Zu ‚piscatorie‘ vgl. A. Grillmeier, Mit ihm und in ihm. Christologische Forschungen und Perspektiven, Freiburg i. Br. 1975, 283–300: „Piscatorie" – „Aristotelice". Zur Bedeutung der „Formel" in den seit Chalkedon getrennten Kirchen.
[45] Vgl. zum Gottesbild des Arius A. Grillmeier, Jesus der Christus im Glauben der Kirche, I, 360–373.
[46] Vgl. dazu genauer H. D. Saffrey, Saint Hilaire et la philosophie, in: Hilaire et son temps, 247–265. Nach der Darstellung der negativen Haltung des Hilarius zur Philosophie (z. B. Trin. I,13), schreibt Saffrey: „D'une autre façon, et plus concrète, Hilaire a rendu à la philosophie un immense office. Il est vrai qu'il s'agit de philosophie en un sens très spécial; mais à l'époque de S. Hilaire c'était un sens tout nouveau et déjà populaire. On appelait alors philosophie la vie monastique. Or l'on sait l'appui constant trouvé par S. Martin auprès de S. Hilaire, et finalement la fondation, dans le diocèse de Poitiers, de Ligugé. A Ligugé, Martin et ses frères devaient pratiquer la philosophie selon le cœur d'Hilaire. C'est un rare bonheur pour S. Hilaire que cette philosophie-là soit toujours vivante au milieu de nous" (265). Vgl. dazu auch J. Fontaine, Hilaire et Martin, in: Hilaire de Poitiers, évêque et docteur, 59–86; ders., Sulpice Sévère, Vie de S. Martin, I (SC 133), 155–159; II (SC 134), 608–616. Zu Philosophie und Mönchtum vgl. auch J. Leclercq, Études sur le vocabulaire monastique du Moyen âge, Rome 1961 (= StAns 48).

gegründet ist, und zwar überall da, wo die Wahrheit der evangelischen und apostolischen Verkündigung im Vorrang war. Leicht nämlich kann die Verschlagenheit einer verfänglichen Frage einen schwachen Geist des Schutzes seines Glaubens berauben... Vorher hat der selige Apostel Paulus das schon vorausgesehen, wie wir bereits oft dargelegt haben. Deswegen hat er zur Vorsicht gemahnt mit seinem Wort: Gebt acht, daß euch niemand mit seiner Philosophie und falscher Lehre verführt, die sich nur auf menschliche Überlieferung stützen und sich auf die Elementarmächte der Welt, nicht auf Christus berufen. Denn in ihm allein wohnt wirklich die ganze Fülle Gottes (Kol 2, 8–9). Zurückhalten muß man sich also gegen die Philosophie, und die Bemühungen menschlicher Überlieferung gilt es nicht so sehr zu meiden als zu widerlegen. Auch darf man diesen nicht nachgeben, als ob sie mehr Sieg gewönnen, als sie Täuschung verüben. Wir nämlich verkünden Christus als Gottes Kraft und Gottes Weisheit (1 Kor 1, 24); darum ist es nur billig, wenn wir die menschlichen Lehren nicht so sehr fliehen als tatkräftig zurückweisen; und es ist auch angemessen, den einfachen Gläubigen (simpliciores) mit Hilfe und Lehre beizustehen, damit sie von ihnen (den menschlichen Lehren) nicht (des wahren Glaubens) beraubt werden. Denn da (die Weisheit) alles vermag und Gott eben in ihr alles mit Weisheit wirkt und weder der Kraft die Vernunft noch der Vernunft die Kraft fehlt, müssen diejenigen, die Christus der Welt verkünden, den irrgläubigen und unvollkommenen Lehren der Welt mit dem Wissen allmächtiger Weisheit begegnen, nach jenem Wort des seligen Apostels: Unsere Waffen sind nämlich nicht irdischer Art, sondern sie haben durch Gott die Macht, Festungen zu schleifen; mit ihnen reißen wir alle hohen Gedankengebäude nieder, die sich gegen die Erkenntnis Gottes auftürmen (2 Kor 10, 4–5). Der Apostel hat keinen hilflosen und vernunftlosen Glauben hinterlassen. Wenn der Glaube auch vor allem zum Heil dient, so kann er doch nur durch Lehre dargelegt werden. Zwar besitzt er unter den Widrigkeiten einen sicheren Hort der Zuflucht, nicht aber ist er fortdauernd davor behütet, sich nicht wehren zu müssen... Die unverschämten Wortgefechte gegen Gott gilt es also zu zerschlagen, die Bollwerke trügerischer Gründe zu vernichten, die zum Irrglauben hochgereckten Geister zu zertrümmern, und das nicht mit Waffen des Fleisches, sondern des Geistes, nicht mit irdischer Lehre, sondern mit himmlischer Weisheit."[47]

---

[47] Trin. XII, 19–20 (592, 1 – 594, 31).

In den übrigen dogmatisch-polemischen Werken stellt Hilarius immer wieder heraus, daß nur derjenige Christus richtig verkündigt, der sich mit der Verkündigung des Evangeliums und des Apostels identifiziert[48].

7.3 Größe und Verantwortung der Verkündigung

Auch im Psalmenkommentar geht es Hilarius um die wahre und treue Verkündigung des Evangeliums[49]. Er weist hier auf die Predigt des Apostels als Modell der kirchlichen Verkündigung hin. Die Predigt dient der Auferbauung der Menschen zur Stadt Gottes[50].

Neben diesen bekannten Gedanken findet sich im Psalmenkommentar aber ein neuer Hinweis: Hilarius spricht an zwei Stellen von den Anforderungen, die an den Prediger gestellt werden. Es geht ihm darum, daß der Prediger die Größe und Verantwortung seiner Aufgabe als Verkünder des Wortes Gottes klar erkennt und der Botschaft entsprechend lebt.

„Der Apostel, der uns in vielem unterweist, belehrt uns auch darüber, daß das Wort Gottes mit aller Ehrfurcht behandelt werden muß, denn er sagt: Wer redet, der rede gleichsam die Worte Gottes (1 Petr 4, 11). Denn es darf nicht nach Art unserer Rede in den Worten Gottes eine unterschiedslose Leichtigkeit vorhanden sein; sondern wenn wir über das reden, was wir gelernt und gelesen haben, dann müssen wir durch die Sorgfalt unserer Rede dem Urheber (auctori) Ehre erstatten. Als Beispiel, wie wir die himmlische Lehre verkünden sollen, kann uns die Gewohnheit der Menschen dienen. Wenn nämlich der Sprecher des Königs die Worte seines Herrn darlegt und seine Anordnungen dem Volk zu Gehör bringt, bemüht er sich sorgfältig, der Würde des Königs durch ehrfurchtsvolle Erfüllung seines Auftrags genugzutun, so daß alles mit Ehrerbietung und Gewissenhaftigkeit vorgetragen und gehört wird. Wie viel mehr müssen wir, die wir Gottes Wort den Menschen verkünden, uns dieses Amtes würdig erweisen? Denn wir sind ein klingendes Instrument des Heiligen Geistes, durch welches die Mannigfaltigkeit seiner Stimme und seiner Lehre auf verschiedene Weise gehört werden soll. Wir müssen deshalb sorgfältig darauf achten, daß wir nichts Unpassendes sagen, denn wir sollen das Wort der Schrift fürchten: Verflucht, wer den Auftrag des

---

[48] Vgl. Syn. 92 (546 A); C. Const. 2.7.16.24 (579 B; 583 A; 594 A; 600 A); C. Aux. 2.3 (610 C; 611 A/B).
[49] Tr.Ps. 63, 2 (225, 18–21); 65, 17 (260, 12–13); 118, iod, 12 (446, 9–12); 118, lamed, 11 (463, 18–21).
[50] Tr.Ps. 121, 15 (579, 20–22).

Herrn lässig betreibt (Jer 48, 10). Hingegen wird die Ehrfurcht und Sorgfalt derer belohnt, die in Ehrerbietung und Gottesfurcht die heiligen Schriften als Gottes Wort annehmen und sie mit der ihnen gebührenden Würde den Hörern verkünden, denn der Herr sagt: Auf wen werde ich blicken, wenn nicht auf den Demütigen und Sanftmütigen und auf den, der vor meinem Wort zittert? (Jes 66, 2). Die Prediger sollen also bedenken, daß sie nicht so sprechen, wie Menschen miteinander sprechen; die Hörer sollen wissen, daß ihnen nicht Menschenworte verkündet werden, sondern Gottes Satzungen und Gebote. Beide, Prediger und Hörer, müssen sich um die größtmögliche Ehrfurcht bemühen. Denn es ist äußerst gefährlich, über die göttlichen Schätze, die verborgenen Geheimnisse und das ewige Vermächtnis Gottes etwas Leichtfertiges zu verkünden oder darüber einen nachlässigen Prediger zu hören. Alles muß im Herzen versiegelt und der Gesinnung anvertraut werden, denn es gibt kein Wort Gottes, das nicht erfüllt werden soll; und alles, was gesagt worden ist, muß notwendigerweise ins Leben übersetzt werden, da die Worte Gottes Weisungen sind."[51]

An dieser Stelle nimmt Hilarius Gedanken des Origenes auf. Auch Origenes verlangt vom Verkünder ein seiner Verkündigung entsprechendes Leben[52], und auch bei ihm findet sich ein Hinweis auf den Gedanken des Hilarius, daß der Prediger ein klingendes Instrument des Heiligen Geistes ist[53]. Doch Hilarius geht noch weiter. Er entwickelt hier eine Theologie der Verkündigung, die von der Ehrfurcht vor der Größe der dem Prediger anvertrauten Botschaft bestimmt ist. Sowohl die Verkündigung des Wortes Gottes als auch die Annahme der Verkündigung müssen in Ehrfurcht vor dem Wort Gottes geschehen. Die Verkündigung verlangt deshalb eine ihrem Gegenstand angemessene Sprache[54].

Hilarius kommt noch einmal darauf zurück, daß der Prediger sich seines Amtes würdig erweisen muß. Er spricht davon im Zusammenhang mit Ps 118, 43: „Entziehe meinem Mund nicht das Wort der Wahrheit!

---

[51] Tr.Ps. 13, 1 (78, 19 – 79, 23). Vgl. M. Meslin, Hilaire de Poitiers, 92 f.

[52] Vgl. H. J. Vogt, Das Kirchenverständnis des Origenes, 285.

[53] Orig., Fragm. in Matth. 5, 9 (GCS 41 = Origenes XII/1, 5, 27–31).

[54] Hier wurde Tr.Ps. 13, 1 nur unter dem Gesichtspunkt der Verkündigung behandelt. J. Fontaine weist an dieser Stelle auf den Beitrag des Hilarius zu einer Theorie des theologischen Stils hin, in dem sowohl die Erhabenheit Gottes als auch seine Selbsterniedrigung (humilitas) zum Ausdruck kommen. Der theologische Begriff der Selbsterniedrigung Gottes wird in der Verkündigung dadurch konkret, daß Gott nur mit schwachen menschlichen Begriffen ausgesagt werden kann. J. Fontaine weist bei den Vorbildern der theologischen Ausdrucksweise des Hilarius auch auf Cicero und Quintilian hin. Vgl. J. Fontaine, L'apport d'Hilaire de Poitiers à une théorie chrétienne de l'esthétique du style (remarques sur In psalm. 13, 1), in: Hilaire et son temps, 287–305.

Ich hoffe so sehr auf deine Entscheide." Hilarius erwähnt, daß der Prophet diese Bitte vorträgt im Bewußtsein, daß es Sünden gibt, die seinem Mund das Wort der Wahrheit entziehen. Denn Gott spricht zum Sünder: „Warum zählst du meine Gebote auf?" (Ps 49,16). Hilarius erklärt diese beiden Stellen im Zusammenhang mit der Verkündigung des Wortes Gottes: „(Gott) sagt nämlich nicht: Warum denkst du nicht an meine Gebote? Er ermahnt vielmehr den Sünder, sich des Predigtamtes zu enthalten. Denn er will, daß der Verkünder der himmlischen Lehre von Sünde frei sei; er will, daß seine Worte mit dem reinen Mund eines reinen Leibes verkündet werden. Deswegen müssen wir uns vorsehen, daß nicht einst die Verkündigung des Wortes der Wahrheit aus unserem Mund weggenommen wird. Hierher gehört die Mahnung des Apostels: Vernachlässige nicht die Gnadengabe, die in dir ist (1 Tim 4,14), damit wir nicht durch Nachlässigkeit und Untätigkeit unwürdig werden, das Wort Gottes zu verkünden."[55]

Die Predigt der Kirche ist ein ,Zusammenwirken' von Gott und Verkünder. Die Verkündigung des Wortes der Wahrheit wird dem Prediger von Gott genommen, wenn er sich nicht in seinem Leben der Botschaft entsprechend verhält. Hilarius führt diesen Gedanken im Psalmenkommentar nicht näher aus. Konkrete Hinweise lassen sich aber in seiner Schrift gegen den arianisierenden Bischof Auxentius von Mailand finden. Auxentius hat nicht den Christus verkündet, zu dem sich die Kirche nach dem Zeugnis der Apostel bekennt. Er hat mit Worten gespielt und so die Erwählten getäuscht, denn er hat es vermieden, sich in seiner Predigt klar zu seiner Position zu bekennen[56]. Dem Bischof von Poitiers geht es aber gerade um die Eindeutigkeit der Verkündigung, die auch ein eindeutiges christliches Leben des Verkünders einschließt.

7.4 Das Bekenntnis der Zeugen

Im Mysterienbuch erwähnt Hilarius die Sendung der siebzig Jünger und der Apostel zur Verkündigung des Evangeliums, um den Glauben zu wekken[57]. Am Schluß des Mysterienbuchs schreibt er, daß die Verkündigung des Heilsratschlusses Gottes auch Israel gilt. Der Text ist zwar schlecht überliefert, doch der Gedanke läßt sich rekonstruieren: Die Schrift enthüllt uns das innere Wesen Gottes und sein Heilshandeln mit der Menschheit. Nach Gottes Heilsratschluß wird Israel endzeitlich gerettet

[55] Tr.Ps. 118,uau,5 (413,21 – 414,2).
[56] C. Aux. 2.10 (610C; 615B).
[57] Myst. I,14 (102); I,37 (134).

(Röm 11,25–36). Die Bekehrung Israels hängt mit der Sendung des Propheten Elija am Ende der Zeit zusammen. Seine Aufgabe ist, die Predigt der Wahrheit zu vollenden. Diese vollkommene Predigt der Wahrheit hat zum Ziel, die Juden, unsere Väter im Glauben, zu jenem Glauben zu bekehren, den der prophetische Geist bereits in den Söhnen, den Christen aus den Heidenvölkern, befestigt hat[58]. Inhalt und Ziel der Predigt ist für Hilarius an dieser Stelle die Verkündigung des Heilratschlusses Gottes, der allen Menschen gilt. Hilarius erwähnt ausdrücklich Israel als Adressaten der Verkündigung des Heilshandelns Gottes.

Sowohl für die Juden als auch für die Heiden bedeutet die Annahme der Predigt aber eine Bekehrung im Sinn der Abkehr von der Verstockung oder vom Heidentum und eine gemeinsame Hinwendung zum Glauben, der Juden und Heiden in Christus verbindet. Nach dem Wort des Propheten Maleachi (3,24), das Hilarius in diesem Zusammenhang anführt, ist der Glaube das Herz sowohl der Juden als auch der Heiden: „Er (Elija) wird das Herz der Väter wieder den Söhnen zuwenden und das Herz der Söhne ihren Vätern."

Das Bekenntnis der Zeugen bringt Licht in die Welt, indem die Zeugen des Wortes der Welt die Verkündigung der Kirche von Gott in Jesus Christus vorlegen. Doch diese Botschaft wird stets auf Ärgernis und Unverständnis stoßen. Sie muß jedoch verkündet werden, ob man sie hören will oder nicht (2 Tim 4,2). Hilarius weiß um die Grenzen der Verkündigung, die sich an das selbstgefällige Wissen der Welt (inprudentia mundi) richtet. Wenn die Welt auch die Geheimnisse des Glaubens nicht annehmen will, so soll sie dennoch erkennen, daß die Kirche nicht müde wird, die Wahrheit des Glaubensgeheimnisses gegen die Irrlehrer zu verkünden[59].

Hilarius ist zugleich der Überzeugung, daß das Wort Gottes sich durchsetzt, auch wenn die Irrlehrer es in die Verbannung schicken. Diese Überzeugung beschreibt der verbannte Hilarius in einem persönlichen Bekenntnis, das zugleich die Durchsetzungskraft des Wortes Gottes bezeugt: „Doch mag jetzt auch die gesunde Lehre in der Verbannung sein, weit weg von den vielen, die sich nach ihrem Begehren Lehrer zusammensuchen; dennoch wird die Wahrheit der Verkündigung von keinem Heiligen weit in die Verbannung ziehen. Als Verbannte sprechen wir nämlich in diesen Büchern; und frei wird Gottes Wort herauseilen, das man nicht fesseln kann (2 Tim 2,9), in seiner Mahnung über eben diese Zeit der apostolischen Vorausschau. Es soll nämlich über die Zeit kein Zweifel mehr

---

[58] Myst. II,15 (160–162). Vgl. den Kommentar v. J.-P. Brisson, 162f.
[59] Trin. VII,4 (262,1 – 263,4).

vorhanden sein, wenn man das Hören auf die Wahrheit ungern hinnimmt und sich nach menschlichem Begehren Lehrer zusammensucht. Vielmehr soll man erkennen, daß in dieser Zeit auch die Wahrheit verbannt ist, wenn die Verkünder des wahren Glaubens in der Verbannung leben. Doch über die Zeiten wollen wir uns nicht beklagen. Ja, wir wollen uns sogar freuen, daß durch diese Zeit unserer Verbannung die Sünde sich offen gezeigt hat, denn sie hat in ihrer Unduldsamkeit gegen die Wahrheit die Lehrer der gesunden Lehre entfernt, um nach ihrem Begehren sich Lehrer zusammensuchen zu können; wir freuen uns über die Verbannung und jubeln im Herrn, daß die Fülle der apostolischen Verkündigung in uns Bestand gehalten hat."[60]

8. Kirche und Sakramente

Die Sakramente gehören von Anfang an zum Selbstvollzug der Kirche, doch in der Väterzeit findet sich zunächst keine ausdrückliche Lehre von den Sakramenten. Erst Augustinus kommt unter den lateinischen Vätern die größte Bedeutung für die Entfaltung des Sakramentsbegriffs zu. Er befaßt sich eingehend mit dem Verständnis der Sakramente, die er als heilige Zeichen versteht. Doch auch Augustins Verständnis der Sakramente führt noch nicht zu einer ausgeprägten Sakramentenlehre. Erst die Frühscholastik arbeitet eine allgemeine Sakramentenlehre aus, die dann Anwendung findet bei der Behandlung der einzelnen Sakramente[1].

In der heutigen Theologie ist das Wort ‚Sakrament' ein ausgesprochener Fachbegriff. Er bezeichnet die von Christus eingesetzten heiligen Zeichen, die eine innere Gnade anzeigen und diese unter den im einzelnen festgelegten Voraussetzungen beim Vollzug des heiligen Zeichens dem Empfänger des Sakraments verleihen. Die orientalische Kirche verwendet für die von der Kirche gespendeten Heilszeichen das Wort mysterion,

---

[60] Trin. X, 4 (461, 1 – 462, 16). Vgl. Trin. I, 37 (35, 1–7): Ego quidem hoc uel praecipuum uitae meae officium debere me tibi, Pater omnipotens Deus, conscius sum, ut te omnis sermo meus et sensus loquatur. Neque enim ullum aliud maius praemium hic ipse usus mihi a te concessus loquendi potest referre, quam ut praedicando te tibi seruiat, teque quod es, Patrem scilicet unigeniti Dei, aut ignoranti saeculo aut neganti heretico demonstret.
[1] Vgl. J. Finkenzeller, Die Lehre von den Sakramenten im allgemeinen. Von der Schrift bis zur Scholastik, Freiburg i. Br. 1980 (= HDG IV/1 a).

die lateinische Kirche sacramentum. Beide Ausdrücke sind keine christlichen Neuschöpfungen; sie haben bereits in der vorchristlichen klassischen Gräzität und Latinität eine feste Bedeutung, die dann von den christlichen Schriftstellern allmählich übernommen, vielfältig modifiziert und eingeschränkt wird, bis es zu dem für die Väterzeit repräsentativen Sakramentsverständnis Augustinis und, abhängig von ihm, Isidors von Sevilla (gest. 636) kommt.

Innerhalb dieser noch unabgeschlossenen Entwicklung einer Präzisierung des Sakramentsbegriffs steht Hilarius. Bei ihm finden sich, verstreut über alle Werke, die Begriffe sacramentum und mysterium, vereinzelt auch die Zusammenfügung beider Begriffe: sacramentum mysterii (Trin. V, 27; Myst. I, 5). In seinem Verständnis des vieldeutigen Begriffs sacramentum ist Hilarius vor allem von Tertullian und Cyprian beeinflußt[2]. Bei ihnen finden sich bereits die Grundgedanken, die Hilarius mit dem Wort sacramentum verbindet.

Wir dürfen bei Hilarius noch keine Theologie der uns bekannten sieben Sakramente erwarten. Erst das Konzil von Trient hat die Siebenzahl der Sakramente definiert. Doch es finden sich bei Hilarius viele Hinweise auf einige Selbstvollzüge der Kirche, die man später als Sakramente bezeichnet hat.

8.1 Sacramentum bei Hilarius

Das Wort sacramentum war Hilarius aus der klassischen Latinität und aus den afrikanischen Bibelübersetzungen bekannt, die mysterion mit sacramentum wiedergegeben.

Bei den Römern bedeutet sacramentum im militärischen Bereich den Fahneneid der Soldaten. Im juristischen Bereich wird damit die Kaution

---

[2] Vgl. zusammenfassend ebd., 25–32, J. de Ghellinck u. a., Pour l'histoire du mot ‚sacramentum‘, I: Les anténicéens, Louvain/Paris 1924 (= SSL 3).
Zu *Tertullian* vgl. A. Kolping, Sacramentum Tertullianeum, I: Untersuchungen über die Anfänge des christlichen Gebrauchs der Vokabel sacramentum, Münster 1948; Chr. Mohrmann, Sacramentum dans les plus anciens textes chrétiens, in: dies., Études sur le latin des chrétiens, I, Rom 1958, 233–244; T. Burgos Nadal, Concepto de sacramentum en Tertuliano, in: Helm. 10 (1959) 227–256; D. Michaélidès, „Sacramentum" chez Tertullien, Paris 1970; R. Braun, Deus christianorum. Recherches sur le vocabulaire doctrinal de Tertullien, Paris ²1977.
Zu *Cyprian* vgl. J. C. Navickas, The Doctrine of St. Cyprian on the Sacraments, Würzburg 1924; G. Nicotra, La dottrina di Cipriano sull' efficacia dei sacramenti, in: ScC 58 (1940) 496–504; 583–587; W. Simonis, Ecclesia visibilis et invisibilis, 12–23.

bezeichnet, die jeder Prozessierende als Bürgschaft hinterlegen mußte. So kann sacramentum auch den Gerichtsprozeß bezeichnen. Beide Bedeutungen und auch der biblische Begriff mysterium finden sich bei Hilarius.

J. de Ghellinck hat auf den Bedeutungsreichtum von sacramentum bei Hilarius hingewiesen[3]. Die Vielschichtigkeit dieses Begriffs hat J.-P. Brisson am Beispiel des Mysterienbuchs knapp skizziert[4]. Ausführlich hat sich L. Małunowicz mit sacramentum bei Hilarius beschäftigt[5].

8.1.1 Sakrament als eidliche Verpflichtung

Die klassische Bedeutung schwingt mit, wenn Hilarius sacramentum als Eid versteht. So verpflichtet sich Herodes eidlich (sacramento iurantis), der Tochter der Herodias alles zu geben, was sie sich wünsche[6]. Im geistigen Schriftverständnis ist der Eid des Herodes ein Hinweis auf Israel, das sich wie Herodes der Genußsucht hingegeben hat, als sei es eidlich zur Sünde gezwungen[7].

Subjekt des Eides ist besonders im Psalmenkommentar Gott selbst. In reuelosem Eid hat Gott Christus zum ewigen Priester eingesetzt (Ps 109,4)[8], und eidlich hat er sich verpflichtet, den Gerechten den versprochenen Lohn und den Frevlern die gerechte Strafe zuzuteilen[9]. Auch der Psalmist und der Gerechte verpflichten sich, Gottes Gebote zu halten[10]. Ps 131,3–5 bezieht Hilarius auf die eidliche Verpflichtung Christi: „Nicht will ich mein Zelt betreten noch mich zur Ruhe betten, nicht Schlaf den Augen gönnen noch Schlummer den Lidern, bis ich eine Stätte finde für den Herrn, ein Zelt für den Gott Jakobs."[11]

Die eidliche Verpflichtung (sacramentum) kann auch in Form eines Gelübdes (uotum) geschehen. Hilarius verbindet im Psalmenkommentar beide Begriffe: uoti sacramentum[12]. In dieser Zusammenstellung liegt der

---

[3] A.a.O., 17: ... la langue d'Hilaire ... prête au vieux mot *sacramentum* ... une richesse de significations et de nuances nouvelles qui appellent une pénétrante étude ... Le travail ... demande de nouvelles études et promet de livrer au travailleur assez constant et assez perspicace pour l'embrasser dans toute son ampleur, des résultats vraiment rémunérateurs."
[4] J.-P. Brisson, SC 19 bis, 24.
[5] L. Małunowicz, De voce „sacramenti" apud S. Hilarium Pictaviensem, Lublin 1956.
[6] In Mt. 14,3 (II,12,12; 14,15); 14,8 (II,18,4).
[7] In Mt. 14,7–8 (II,16,1 – 18,20; 18,7 – 20,16).
[8] Tr.Ps. 149,3 (868,7–11).
[9] Tr.Ps. 91,2 (346,23–27); 91,8 (352,5–7); 91,10 (353,15 – 354,2); 131,18 (675,15–19).
[10] Tr.Ps. 118,nun,6.8.12.13.16 (477,11–17; 478,9–12; 481,19–20; 482,16–19; 484,8–11); 62,12 (223,17–22).
[11] Tr.Ps. 131,2.5.12 (663,11–15; 664,15–21; 671,21–26).
[12] Tr.Ps. 131,10.11.15 (670,1–3; 671,2–4; 674,1–2).

Akzent auf dem Gelübde. Sacramentum hat hier den abgeschwächten Sinn von Voraussetzung oder Bedingung (conditio), um das Gelübde abzulegen[13].

Die christliche Übernahme des klassischen Wortes sacramentum kommt vor allem in der Taufe zum Ausdruck. Hilarius erwähnt das Taufbekenntnis (sacramentum professionis), das jene ablegen, die zur Taufe kommen[14]. Sacramentum hat hier den Sinn von Bekenntnis als bleibende Verpflichtung, denn die Täuflinge schwören dem Satan, der Welt und der Sünde ab und verpflichten sich, an den Sohn Gottes, sein Leiden und seine Auferstehung zu glauben. Sacramentum wird hier mit sponsio verbunden, einem Begriff, der ein feierliches Versprechen beinhaltet. Verborum sponsio, sacramentum professionis und sacramentum sponsionis haben auf dieser ersten Stufe des Begriffs sacramentum die Bedeutung: feierliche Verpflichtung oder Eid. Damit gibt aber Hilarius dem klassischen lateinischen Wort eine Bedeutung, die aus dem militärischen Bereich (Fahneneid) herausgelöst wird. Doch die erwähnte juristische Bedeutung bleibt erhalten, da Hilarius mit sacramentum sowohl eine Verpflichtung Gottes zur Belohnung oder Bestrafung der Taten der Menschen als auch eine Verpflichtung der Täuflinge zur Übernahme des kirchlichen Glaubens verbindet.

8.1.2 Sakrament als Geheimnis

Mit sacramentum verbindet Hilarius vor allem den Inhalt des griechischen Wortes mysterion, das schon vor 350 in lateinischen Bibeltexten mit sacramentum übersetzt wurde. Sacramentum bezeichnet das Geheimnis, das in der Schrift offenbar wird.

1) Sacramentum ist der verborgene Heilsratschluß Gottes mit den Menschen, der in Christus geoffenbart ist, daß wir nämlich Miterben sind, zu demselben Leib gehören und an derselben Verheißung in Christus teilhaben[15]. Es geht hier um das Geheimnis unseres Heils, das in Christus gewirkt ist[16]. Die ewige Zeugung des Sohnes ist das Geheimnis schlechthin, da es die Fassungskraft des menschlichen Verstandes übersteigt[17]. Doch

---

[13] Vgl. L. Małunowicz, 19.
[14] In Mt. 15,8 (II,42,2 – 44,10); Tr.Ps. 14,4 (94,1–5).
[15] Tr.Ps. 91,9 (353,1–5); 138,30–31 (765,26 – 766,5).
[16] Tr.Ps. 53,12 (144,11–12); 54,6 (151,4–5); 138,2 (745,18); Trin. II,1 (38,8); III,25 (98,19); V,18 (168,4); V,22 (173,11–12); VI,23 (223,36); IX,56 (435,1–2).
[17] Trin. II,9 (46,1–5).

Hilarius weiß zugleich, daß es im Hören auf die Botschaft des Glaubens ein Wissen um das Geheimnis (sacramenti scientia) gibt, welches der Mensch nur erlangen kann, weil das Geheimnis geoffenbart ist. Dieses Wissen um das Geheimnis bezieht Hilarius auf jene Herrlichkeit, die Gott den Menschen einst schenken will[18].

Das Geheimnis des göttlichen Ratschlusses steht im Hintergrund, wenn Hilarius mit Bezug auf Ps 138,15 davon spricht, daß alle Geheimnisse der Hoffnung der Kirche verborgen waren, bis sie in Christus geoffenbart wurden[19]. Unter diesen Geheimnissen versteht er die Heilsordnungen und Taten Gottes, die der Kirche in Christus Hoffnung schenken, da die Kirche an der Gegenwartsweise des erhöhten Herrn teilnimmt.

2) Das lateinische Äquivalent sacramentum für mysterion kann auch einen weiteren Sinn anzeigen und allgemein als Zeichen verstanden werden. Dieser Sinn ist besonders mit dem Schriftverständnis des Hilarius verbunden, denn sacramentum bezeichnet den verborgenen Sinn, die Kraft, die Eigenschaft oder den inneren Grund eines biblischen Wortes oder einer Tat. So verweist sacramentum über den Buchstaben hinaus auf den Geist der Schrift[20]. Die prophetische Vorausschau auf Jesus Christus wird in diesem Zusammenhang als sacramentum bezeichnet, denn im Licht des neutestamentlichen Glaubens haben bereits die Propheten vom Geheimnis der Menschwerdung und des Leidens des Gottessohnes gesprochen[21]. So wird sacramentum im exegetischen Vokabular ein umfassender Begriff, in dem die typologischen Termini figura, symbolum, imago, exemplum, species und allegoria zusammengefaßt werden können[22]. Hilarius verbindet in diesem Sinn mit sacramentum häufig den Bezug auf die Zukunft, die im Alten Testament geheimnisvoll angekündigt ist und in Christus ihre Erfüllung gefunden hat. Diese Erfüllung in Christus ist wiederum offen auf die Verwirklichung in der Kirche. Sie wird für

---

[18] Trin. XI,38 (565,1 – 566,16).
[19] Tr.Ps. 138,30 (765,13 – 766,3): Quod autem omnia ecclesiasticae spei sacramenta in occulto fuerint, testatur et apostolus dicens (es folgen Eph 3,4–6; Kol 1,25–27). occultum itaque mysterium fuit, quod reuelatum est. esse deo gentes coheredes et concorporales et conparticipes pollicitationis eius in Christo. occultum etiam mysterium est, quibus uoluit ostendere diuitias gloriae sacramenti dei inter gentes, quod est Christus in uobis spes gloriae.
[20] Instr.Ps. 11 (11,11–14); Tr.Ps. 14,2 (85,3–4): atque ut breuitatis ipsius conmendabilior esse possit ópulentia, quid in singulis uerbis sacramenti sit, prosequemur. Vgl. Tr.Ps. 51,2 (97,13–16).
[21] Tr.Ps. 53,7 (140,18–21); 68,1 (313,22–23); 131,1 (660,10–11); 131,7 (667,14–17); 138,1 (744,20–21);Trin. V,17 (166,3–6).
[22] Vgl. L. Małunowicz, 35–45; J. Doignon, Hilaire de Pointiers avant l'exil, 291 ff.

den einzelnen und die Kirche als Gesamtheit des Menschengeschlechts erst in der himmlischen Kirche voll verwirklicht sein.

3) Im Psalmenkommentar mißt Hilarius auch der Einteilung des Psalters in dreimal fünfzig Psalmen und der Zählung der Psalmen eine geheimnisvolle Bedeutung zu. Er spricht vom sacramentum numeri, wobei er besonders die Zahl acht erwähnt (sacramentum ogdoadis)[23]. Hier nimmt Hilarius die Zahlenmystik der Pythagoräer auf, die sich bei den Kirchenvätern großer Beliebtheit erfreute.

8.1.3 Sakrament als Glaubenslehre der Kirche

Sehr häufig bezeichnet Hilarius mit sacramentum die Glaubenslehre der Kirche: Die Lehre von der Trinität, den beiden Naturen in Christus und der Erlösung sind Geheimnisse, die der menschliche Verstand nicht zu begreifen vermag[24].

Da die Kirche bereits im Alten Testament vorgebildet ist, spricht Hilarius vom Gesetz und den Geboten (sacramenta legis et mandatorum), die Mose Israel gegeben hat und die geheimnisvoll die Ankunft Christi vorbereiten. Gesetz und Gebote sind eine ganzheitliche Belehrung des Menschen, denn sie wollen im Glauben angenommen, im Leben erfüllt und im Kult ausgeführt werden[25].

Dieser umfassende Begriff von sacramentum findet sich neutestamentlich, wenn Hilarius den ganzen Glauben der Kirche sacramentum nennt: Er hat sein Zentrum in der Gottheit Jesu Christi und seiner Einheit mit dem Vater. Es geht hier vor allem um den im Bekenntnis der Kirche gegen Andersgläubige formulierten Glauben, den der Täufling bei der Taufe übernimmt[26]. Deshalb wird mit sacramentum auch das Glaubensbekenntnis der Täuflinge bezeichnet. Da dieses Bekenntnis seine Mitte im Glauben an Jesus Christus hat, wird das Bekenntnis zu Jesus als „das ganze Geheimnis" (totum sacramentum[27]; omne sacramentum[28]) oder als „das

---

[23] Instr.Ps. 9 (10,10–14); 11 (10,27 – 11,14); 13 (12,15–19); 14 (12,20–29); Tr.Ps. 150,1 (870,9 – 871,16).

[24] Trin. V,21 (172,1–4): Non est de Deo humanis iudiciis sentiendum. Neque enim nobis ea natura est, ut se in caelestem cognitionem suis uiribus ecferat. A Deo discendum est, quid de Deo intellegendum sit, quia nonnisi se auctore cognoscitur.

[25] In Mt. 27,8 (II,218,1–9); Tr.Ps. 1,1 (20,9–11); 2,50 (74,21–23); 53,3 (136,20–26); 118,gimel,10 (383,15–22); 118,koph,12 (528,23 – 529,14); 131,16 (674,9–13); Trin. IX,26 (399,1–16).

[26] Tr.Ps. 64,15 (246,14–18).

[27] Trin. XI,22 (551,3).

[28] Trin. VIII,51 (364,15).

ganze und unbezweifelbare Geheimnis des Glaubens gemäß dem Evangelium" (totum adque absolutum fidei euangelicae sacramentum)[29] bezeichnet. Der Offenbarung dieses Geheimnisses entspricht auf seiten des Menschen der Glaube, der sich auf die „wahren und lauteren Geheimnisse des Glaubens gemäß dem Evangelium" (uera et sincera fidei euangelicae sacramenta)[30] stützt.

So ist die allgemeine Bedeutung von sacramentum in diesem Zusammenhang: Glaubenslehre der Kirche, die ihr Fundament im Evangelium und in der Lehre der Apostel hat. Die Auslegung der Geheimnisse (sacramentorum expositio)[31] ist für Hilarius im Liber de Synodis gleichbedeutend mit der regula oder dem symbolum fidei.

Die Glaubenslehre der Kirche hat die Grundgeheimnisse zum Inhalt, in denen sich ihr Glaube ausspricht.

8.1.3.1 Das Geheimnis der Dreifaltigkeit

Das Geheimnis der Dreifaltigkeit bezieht sich auf die Einheit von Vater, Sohn und Heiligem Geist[32]. In diesem Geheimnis, das die Voraussetzungen für das Geheimnis Jesu Christi ist, sieht Hilarius gegen die Häretiker die Wahrheit des vollkommenen Geheimnisses[33]. Er betrachtet dieses Geheimnis nicht nur in sich (immanente Trinität), sondern bezieht es auf den Menschen und spricht von der neuen Geburt des Menschen durch das Bekenntnis zum dreifaltigen Gott (ökonomische Trinität). Das Geheimnis des dreifaltigen Gottes, das zur Zeit des Hilarius noch nicht voll entfaltet war, vor allem hinsichtlich des Heiligen Geistes, ist der Hintergrund, auf dem Hilarius das Geheimnis Jesu Christi darstellt. Er muß sich dabei mit der Einzigkeit Gottes, welche die Arianer überbetonten, auseinandersetzen und zugleich die Göttlichkeit Jesu wahren. Vater und Sohn sind eins in der göttlichen Natur, doch verschieden als Personen[34].

---

[29] Trin. XI, 1 (529, 1–2).
[30] Trin. VIII, 11 (323, 15–16).
[31] Syn. 39 (513 A).
[32] In Mt. 13, 7 (I, 300, 1–2); Trin. I, 36 (35, 8): regenerantis trinitatis sacramentum.
[33] Trin. II, 4 (40, 20–21); I, 36 (35, 5): totius fidei absolutio.
[34] Vgl. unter vielen anderen Stellen Trin. IV, 42 (148, 39 – 149, 44): Cum enim audit Istrahel, quod sibi Deus unus sit (Dtn 6, 4), et Filio Dei Deo non alter Deus deputetur, absolute Pater Deus et Filius Deus unum sunt, non unione personae sed substantiae unitate, quia Filio Dei Deo deputari ad alterum Deum non sinit profeta, quod Deus est.

8.1.3.2 Das Geheimnis Jesu Christi

Sehr häufig gebraucht Hilarius sacramentum, um das Geheimnis Jesu Christi auszudrücken. Zusammenfassend sieht er in der Glaubensaussage über Jesus das Geheimnis des Glaubens, von dem 1 Tim 3, 16 spricht: „Und es ist nach dem Bekenntnis aller ein großes Geheimnis des Glaubens, das offenbar wurde im Fleisch, gerechtfertigt im Geist, sichtbar für die Engel, den Heiden verkündet, im Glauben angenommen in dieser Welt, aufgenommen in Herrlichkeit."[35] Innerhalb dieses Geheimnisses des Glaubens stehen die Aussagen des Hilarius zum christologischen Sakrament. Das Geheimnis des Glaubens ist das Geheimnis der Geburt Christi, wobei Hilarius an eine doppelte Geburt denkt: die ewige Geburt des Sohnes aus dem Vater und die Menschwerdung (conditio adsumpta)[36]. Es ist das Geheimnis des menschgewordenen Gottes (sacramentum dei corporati)[37].

Hilarius nennt die menschliche Geburt Jesu ein Geheimnis, weil hier göttliche und menschliche Natur in der Person Jesu Christi geeint sind. In diesem Sinn spricht er vom „Geheimnis der Annahme (einer menschlichen Natur) in der unveränderlichen (göttlichen) Natur"[38], vom „Geheimnis der Annahme der Knechtsgestalt"[39] oder vom „Geheimnis der angenommenen Niedrigkeit"[40], welches generell das Geheimnis der Annahme des menschlichen Fleisches ist.

Hilarius spricht vor allem vom Geheimnis Jesu Christi, wenn er die Verbindung der göttlichen und menschlichen Natur in Christus erwähnt[41]. Es geht ihm dabei um das Geheimnis, daß der ewige Sohn Gottes eine schwache menschliche Natur annimmt (sacramentum natiuitatis humanae, nati hominis, filii hominis)[42].

Aus dem Geheimnis der Annahme einer menschlichen Natur folgt das Paradox, daß das göttliche Wort, das aufgrund seiner Gottheit dem Leiden nicht ausgesetzt ist, sich selbst leidensfähig macht, so daß Hilarius von dem großen Geheimnis spricht, daß Jesus weint, Hunger und Durst

---

[35] Trin. XI,9 (537,11–15). Vgl. Trin. X,61 (515,4–5); XI,13 (541,1); XI,16 (545,22–23); XI,17 (545,7); XI,43 (571,8–9); Tr.Ps. 61,2 (210,18–19).
[36] Trin. XI,13 (541,1 – 542,3).
[37] Tr.Ps. 1,5 (22,15); 63,2 (225,23–24); Trin. XII,36 (607,19); XII,45 (616,13–17).
[38] Trin. IX,66 (446,25 – 447,2).
[39] Trin. IX,53 (430,1–2).
[40] Trin. IX,54 (431,3).
[41] Trin. IX,14 (385,6–11); X,52 (505,1 – 506,14); X,60 (514,1–4); Tr.Ps. 2,33 (62,12–25).
[42] Trin. VII,36 (304,14); VII,26 (293,48); IX,66 (446,20).

verspürt[43]. Er erwähnt im Zusammenhang mit dem Geheimnis der Menschheit Christi das Geheimnis seines Todes, das zugleich aber das Geheimnis seiner Auferstehung und brüderlichen Verbindung mit uns ist, da das Geheimnis des Todes sich am ganzen Leib Christi vollzieht, wie sich auch das Geheimnis der Brüderlichkeit Christi (sacramentum fraternitatis) mit uns im Fleisch, d.h. im angenommenen Leib, auswirkt[44].

8.1.3.3 Das Geheimnis der Erlösung

Von Gott her ist das Geheimnis Christi ein Geheimnis der Heilsordnung für uns, da es das Geheimnis unserer Erlösung ist. Daß Gott Mensch wird, ist nicht für ihn, sondern für uns Heilsordnung (dispensatio). Deshalb ist im Geheimnis Jesu Christi das Geheimnis der Kirche und jedes einzelnen, der von Christus angenommen ist, eingeschlossen. Dieser Gedanke zeigt sich darin, daß Hilarius mit sacramentum auch das Heilswerk Jesu Christi bezeichnet. Sacramentum wird in diesem Zusammenhang gleichsam zum Synonym für Heilsordnung (dispositio). Nach Gottes ewigem Ratschluß hat das Wort Fleisch angenommen, und das ganze Leben Jesu war vom Gehorsam gegenüber dem Willen des Vaters bestimmt. Die Frucht des Gehorsams des Sohnes bis in den Tod ist für uns die Erlösung (sacramentum salutis nostrae)[45], die den Zugang zur Ewigkeit in Gott eröffnet. Deshalb ist die Voraussetzung für das Geheimnis des menschlichen Heils das Geheimnis des Leidens und Todes des Gottessohnes[46], welches sich im Geheimnis des Kreuzes erweist[47].

---

[43] Trin. X,24 (478,1 – 479,20); X,55 (510,1 – 511,21).

[44] Trin. XI,15 (543,18 – 544,26): Nouit sacramentum in eo fratrum etiam apostolus, ut primogenitum eum in mortuis, ita primogenitum in multis fratribus praedicans. Secundum id ergo est in multis fratribus primogenitus, secundum quod est primogenitus ex mortuis. Et cum sacramentum mortis in corpore sit, sacramentum quoque fraternitatis in carne est. Fratres itaque ex carne sunt Deo, quia et uerbum caro factum est et habitauit in nobis; ceterum unigenitus Deus in unigeniti exceptione sine fratribus est.

[45] In Mt. 2,5 (I,110,17–18); 21,14 (II,138,8–9); 31,7 (II,234,10–11); Trin. II,1 (38,8–9); III,25 (98,14–20); V,18 (168,4–5); V,22 (173,10–12); VI,23 (223,34–38); VI,43 (247,8–9); VII,6 (266,22–23); VIII,42 (355,20–22); VIII,44 (357,10–11); IX,56 (453,1–2); XI,6 (534,1–3); B II,11,5 (154,10–11); Tr.Ps. 53,12 (144,11–12); 54,6 (151,4–5); 56,5 (171,12–13); 67,23 (298,12–15); 68,13 (323,15–16); 131,6 (666,3–4); 138,2 (745,14–20); 139,2 (778,1–3). Vgl. P. C. Burns, The Christology in Hilary of Poitiers' Commentary on Matthew, 113–131.

[46] Trin. V,32 (185,5–6); IX,55 (434,11–13); X,11 (467,6–10); X,27 (482,3–6); X,48 (502,20–21); Syn. 43 (514B); Tr.Ps. 118,gimel, 18 (388,12–14); 131,4 (663,15–23).

[47] In Mt. 17,9 (II,70,3–5); 20,8 (II,110,3–4); 28,2 (II,218,1–4); Tr.Ps. 67,23 (298,1–3); Myst. I,36 (132).

Es hat sich gezeigt, daß das Wort sacramentum bei Hilarius eine Schlüsselstellung einnimmt. Nach L. Małunowicz kommt es 537 mal im Gesamtwerk vor. Davon entfallen fast zwei Drittel auf De Trinitate (321 mal). Aus dieser Aufteilung kann man ahnen, warum Hilarius sehr viel häufiger als Tertullian und Cyprian dieses Wort gebraucht. Auf dogmatischem Gebiet ist Hilarius der erste Lateiner des Abendlandes, der ein großes Werk über die Glaubensgeheimnisse der Dreifaltigkeit und der wahren Gottheit Jesu Christi verfaßt hat. Wie er selbst anmerkt, übersteigen diese Wahrheiten die Kraft des menschlichen Verstandes. Er schreibt, daß er durch die Häretiker dazu gedrängt wurde, die Armut unserer Sprache in den Dienst des unaussprechlich reichen Geheimnisses Gottes zu stellen[48]. Von hier aus wird verständlich, daß Hilarius immer wieder bei der Darlegung der Offenbarung über die Dreifaltigkeit und über Jesus Christus vom Geheimnis spricht.

Die Verwendung von sacramentum in den Schriftwerken hängt mit der exegetischen Methode des Hilarius zusammen, den inneren Sinn jedes Wortes oder Ereignisses herauszustellen, der in vielen Fällen zunächst ein verborgener Sinn ist und sich dem Gläubigen nur unter der Führung der Kirche erschließt. In diesem Sinn ist das Geheimnis der Schrift die Wahrheit der Schrift.

8.2 Die Taufe

Eine Zusammenfassung dessen, was Hilarius unter der Taufe als sakramentaler Eingliederung in Christus versteht, ist das Bekenntnis über seine eigene Taufe. Nachdem Hilarius die Zeugen genannt hat, auf denen sein Glaube beruht (Mose, David, Salomo, Jesaja, Ezechiel, Matthäus, Johannes, Simon, Paulus)[49], schreibt er: „Von diesen bin ich in den Glaubenswahrheiten unterwiesen, von ihnen unheilbar angesteckt. Vergib mir, allmächtiger Gott, daß ich mich davon nicht frei machen kann, daß ich damit sterben kann. Erst spät hat mich die Situation dieser Zeit mit jenen Lehrern bekannt gemacht, die ich als äußerst gottlos erachte. Viel zu spät

---

[48] Trin. II,2 (38,1 – 39,9): Sed conpellimur hereticorum et blasfemantium uitiis inlicita agere, ardua scandere, ineffabilia eloqui, inconcessa praesumere. Et cum sola fide expleri quae praecepta sunt oporteret, adorare uidelicet Patrem, et uenerari cum eo Filium, sancto Spiritu abundare, cogimur sermonis nostri humilitatem ad ea quae inenarrabilia sunt extendere, et in uitium uitio coartamur alieno, ut quae contineri religione mentium oportuissent, nunc in periculum humani eloquii proferantur.
[49] Trin. VI,20 (218,1 – 219,23).

hatte mein Glaube, den du unterwiesen hast, diese Lehrer. Bevor ich ihre Namen hörte, habe ich derart an dich geglaubt, bin ich derart durch dich wiedergeboren worden, daß ich nun ganz dir gehöre."[50] Hier kommen schon die wichtigsten Elemente der Taufe zur Sprache. Auf dem Weg des Suchens nach dem Sinn des Lebens war die Taufe für Hilarius eine Erleuchtung, die das unruhige Suchen beendete. Zugleich wird in der Taufe der ganze Glaube überliefert, der Hilarius ein festes Fundament gibt gegen die spätere Bekanntschaft mit falschen Lehrern. Die Taufe ist eine neue Geburt (renatus sum).

Diese Gedanken finden sich noch reicher im Gesamtwerk entfaltet[51].

1) Im Matthäuskommentar kommt die Taufe mit ihren Wirkungen mehrfach zur Sprache. Hilarius erwähnt sie zum erstenmal im Zusammenhang mit der Predigt Johannes des Täufers: „Er wird euch mit dem Heiligen Geist und mit Feuer taufen" (Mt 3, 11). Hilarius verbindet mit dieser Aussage des Täufers einen eschatologischen Sinn. Die Taufe mit dem Geist ist der Beginn eines Weges, der erst im Feuer des Gerichts vollendet wird[52]. Er nimmt hier den Gedanken Tertullians auf, daß der Glaube, der nach der Wassertaufe wieder schwach geworden ist, im Gericht von neuem mit Feuer getauft werden muß[53]. Auch im Psalmenkommentar schreibt Hilarius, daß mit der Wassertaufe noch nicht die vollkommene Reinheit der Unschuld und des himmlischen Lebens gegeben sei[54].

Wenn Hilarius mit der Taufe noch nicht die vollkommene Reinigung und Heiligung verbindet, so geschieht das aus der Erkenntnis heraus, daß auch im Getauften die Sünde noch wirksam ist. Er betrachtet hier die Taufe nicht so sehr von Gott her, der dem Getauften vollkommene Reinheit schenkt, sondern vom Menschen her, der den Weg zu Gott auf eine neue Weise beginnt. Doch beide Seiten können nicht voneinander getrennt werden. Daneben zeigt sich aber auch an dieser Stelle, daß die Theologie der Taufe zur Zeit des Hilarius noch nicht jene Reife erreicht hat, die sich bei Ambrosius und vor allem bei Augustinus findet, der sich mit den Donatisten und Pelagianern auseinandersetzt[55].

---

[50] Trin. VI, 21 (219, 1 – 220, 7). Vgl. J. Doignon, Un sermo temerarius d'Hilaire de Poitiers sur la foi (De Trinitate 6, 20–22), in: Fides sacramenti – Sacramentum fidei, 211–217.

[51] Vgl. F. X. Poxrucker, Die Lehre des hl. Hilarius von Poitiers von der Heiligung, 141–147; J. Doignon, Hilaire de Poitiers avant l'exil, 143–156; L. F. Ladaria, 196 ff.

[52] In Mt. 2, 4 (I, 108, 13–16): Salutis igitur nostrae et iudicii tempus designat (Ioannes) in Domino dicens: Baptizabit uos in Spiritu sancto et igni, quia baptizatis in Spiritu sancto reliquum sit consummari igne iudicii. Vgl. In Mt. 4, 10 (I, 128, 14–15); 4, 27 (I, 148, 11).

[53] Tert., De bapt. 10, 7 (CCL 1, 286, 42–45).

[54] Tr.Ps. 118, gimel, 5 (380, 6–18).

[55] Vgl. B. Neunheuser, Taufe und Firmung, Freiburg i. Br. ²1983 (= HDG IV/2), 62–73.

Neben dieser Stelle finden sich folgende Aussagen zur Taufe: Die Taufe Jesu ist ein Bild für die Heiligung des Menschen durch das Wasserbad. Die Taufe wird verbunden mit der Gabe des Heiligen Geistes, der, wie auf Christus, so auch auf uns herabkommt[56]. Wie Christus nach der Taufe in der Wüste vom Satan versucht wurde, so weist Hilarius darauf hin, daß auch in den durch die Taufe Geheiligten die Versuchungen des Teufels noch gegenwärtig sind[57]. Obwohl die Versuchung nach der Taufe stets droht, spricht Hilarius beim Empfang der Taufe von einer Erneuerung, durch welche wir von den Sünden unseres Ursprungs getrennt werden, den alten Menschen mit seinen Sünden und seiner Ungläubigkeit ablegen und durch den Geist an Leib und Seele erneuert werden[58]. Diese Erneuerung schließt die Bereitschaft zur Kreuzesnachfolge ein, denn nur der kann aus der empfangenen Taufgnade leben, der das Kreuz Christi annimmt als Zeichen seiner Bereitschaft, mit Christus zu leiden, zu sterben, begraben zu werden und aufzuerstehen[59]. Von diesem Bewußtsein her, daß das Leben der Gläubigen durch die Taufe dem Leben Christi gleichgestaltet wird, kann Hilarius mit innerer Gelassenheit feststellen, daß wir den Tod in der Neuheit des Lebens annehmen können, denn durch die Verbindung mit Christus ist dem kurzen irdischen Leben Ewigkeit verheißen[60].

Den Gedanken der neuen Geburt und der Erleuchtung durch die Taufe erwähnt Hilarius mehrfach im Matthäuskommentar[61]. Er nennt als Wirkung der Taufe die Vergebung der Sünden und die Heiligung[62], die er aber noch nicht als vollkommene Reinheit des Menschen versteht.

Mit der Taufe ist stets das Bekenntnis (professio oder sponsio) verbunden. Hilarius weist auf die Verbindung von Glaubensbekenntnis und Taufe hin, ohne daß sich mit Sicherheit sagen ließe, wie er die Zuordnung von Glaube und Taufe versteht. Es gibt einige Hinweise, daß die Taufe die Besiegelung (signaculum) des Glaubens ist. Dies würde mit dem persönlichen Bekenntnis in Trin. VI, 21 übereinstimmen, daß der Glaube zur Taufe führt. Die Verbindung von Glaube und Taufe beschreibt Hilarius in einem Text, dem auch liturgische Bedeutung zukommt: „Denn die zur Taufe kommen, bekennen zuvor, daß sie an den Sohn Gottes, sein Leiden

---

[56] In Mt. 2, 5–6 (I, 110).
[57] In Mt. 3, 1 (I, 112, 22–25).
[58] In Mt. 10, 24 (I, 244, 1 – 246, 7).
[59] In Mt. 10, 25 (I, 248, 6–9).
[60] In Mt. 10, 26 (I, 248, 5–10).
[61] In Mt. 20, 4 (II, 106, 6–11); 24, 2 (II, 166, 4–7); 27, 4 (II, 206, 7–9).
[62] In Mt. 21, 15 (II, 140, 7–8); 18, 10 (II, 86, 18–19): gratia salutis.

und seine Auferstehung glauben, und diesem eidlichen Bekenntnis wird die Zustimmung des Glaubens gegeben. Und damit diesem verbalen Versprechen auch eine gewisse Wahrheit der Taten selbst folge, fastet man während der Zeit des Leidens des Herrn, indem man sich mit ihm verbindet in einer gewissen Teilnahme an seinem Leiden. So verbringt man sowohl durch die eidliche Verpflichtung als auch durch das Fasten die ganze Zeit mit dem Herrn in seinem Leiden."[63] Dem Textzusammenhang nach geht es Hilarius vor allem darum, die drei Tage zu erklären, welche die viertausend Menschen mit Jesus verbringen, ohne etwas zu essen zu haben (Mt 15,32). Diese drei Tage des Fastens rufen das triduum sacrum des Ostergeheimnisses in Erinnerung[64]. Innerhalb dieses Rahmens steht der Hinweis auf die Taufe, wobei sich Hilarius auf Tertullian und Cyprian bezieht[65]. Der Täufling wird nach seinem Glauben gefragt und antwortet mit dem Bekenntnis zum Sohn Gottes. Vor der Taufe findet ein dreitägiges Fasten statt. Dieses Fasten ist Vereinigung mit dem Leiden des Herrn und zugleich Glaubenszeugnis des Täuflings, der sich ganz dem Herrn anschließt. Doch auf den Taufritus zur Zeit des Hilarius kann man von dieser Stelle her nicht schließen. Aus dem dreigliedrigen Taufbekenntnis, von dem bereits Tertullian spricht[66], erwähnt Hilarius nur das Bekenntnis zum Sohn, wie der Kontext nahelegt. Daraus kann man aber nicht auf eine Taufe im Namen Jesu bei Hilarius schließen, denn bereits das Konzil von Arles (314) spricht von der rechten Spendung der Taufe auf den Namen des Vaters und des Sohnes und des Heiligen Geistes[67].

Hilarius beschäftigt sich noch einmal mit der Taufe im Zusammenhang mit dem Gast ohne Hochzeitsgewand (Mt 22,11–14). Das Hochzeitsgewand deutet er als „die Herrlichkeit des Heiligen Geistes und die weiße Farbe der himmlischen Tracht, welche man nach dem Bekenntnis auf die richtige Befragung (Taufgelübde) erhält und welche bis zur Versammlung im Himmelreich unbefleckt und rein bewahrt wird"[68]. Die weiße

---

[63] In Mt. 15,8 (II,42,2 – 44,10): Venturi enim ad baptismum prius confitentur credere se in Dei filio et in passione ac resurrectione eius et huic professionis sacramento fides redditur. Atque ut hanc uerborum sponsionem quaedam rerum ipsarum ueritas consequatur, toto in ieiuniis passionis dominicae tempore demorantes quadam Domino compassionis societate iunguntur. Igitur siue sponsionis sacramento siue ieiunio omne illud passionis dominicae cum Domino agunt tempus. Zur „professio baptismi" vgl. auch In Mt. 29,2 (II,220,17–18).

[64] Vgl. In Mt. 16,2 (II,48,3–11).

[65] Vgl. zu In Mt. 15,8 J. Doignon: II,44f, Anm. 15; ders., Hilaire de Poitiers avant l'exil, 117, Anm. 2; 354, Anm. 3.

[66] Tert., Adv. Prax. 16,9 (CCL 2, 1198,58–60).

[67] Konzil von Arles (314), c.9(8) (CCL 148, 10,26 – 11,36; SC 241,50).

[68] In Mt. 22,7 (II,150,15–18).

Farbe der himmlischen Tracht ist für Tertullian[69] und für Hilarius der Glaube.

H. J. Vogt will an dieser Stelle zeigen, daß Hilarius zur Zeit der Abfassung des Matthäuskommentars den Novatianismus noch nicht kannte: „Hier wird es ganz deutlich, daß Hilarius den Novatianismus noch nicht kannte, sonst hätte er sich vorsichtiger ausgedrückt, denn so läuft seine Erklärung Gefahr, von den Feinden der Buße mißbraucht zu werden. Wenn das hochzeitliche Gewand, ohne das man nicht am ewigen Hochzeitsmahl teilnehmen kann, die seit der Befragung (d. h. seit dem Taufgelübde) unbefleckt bewahrte Herrlichkeit des Hl. Geistes ist, dann wäre die streng logische Folgerung, daß ein nach der Taufe wieder in Sünde Gefallener nicht zur ewigen Herrlichkeit gelangen kann. Daß Hilarius diese Schlußfolgerung ganz fern liegt, zeigt sich an etlichen Stellen seines Matthäuskommentars."[70] H. J. Vogt erwähnt aber nicht die entscheidende Stelle In Mt. 2,4, daß zum Eintritt in die ewige Herrlichkeit die Feuertaufe des Gerichts notwendig ist. Die Taufe ist für Hilarius ein Beginn, der zwar die Vollendung bereits in sich birgt, doch zwischen Beginn und Vollendung liegt die freie Entscheidung des Menschen, die sich in diesem Leben bewähren muß und im Feuer des Gerichts von ihren Unvollkommenheiten gereinigt wird. Von hier aus kann man nicht nur mit H. J. Vogt folgern, daß Hilarius den Novatianismus noch nicht kannte, sondern man kann sagen, daß seine Einstellung zur Taufe im Gegensatz zu den Novatianern steht, denn für Hilarius gibt es die Buße nach der Taufe[71] und vor allem die Vollendung der Taufe im Gericht.

2) Auch in De Trinitate spricht Hilarius von der Erneuerung des Menschen durch die Taufe. Sie ist das Sakrament der Wiedergeburt[72], das uns zu Söhnen Gottes umgestaltet. Diese Umgestaltung wird erreicht durch die Gemeinschaft der Getauften mit Christus, wie Hilarius mit Verweis auf Röm 6,3–6 erwähnt. Neben diese bekannte Stelle der Tauftheologie tritt Kol 2,11–12: „In ihm (Christus) habt ihr eine Beschneidung empfangen, die man nicht mit Händen vornimmt, nämlich die Beschneidung, die Christus gegeben hat. Wer sie empfängt, sagt sich los von seinem vergänglichen Körper. Mit Christus wurdet ihr in der Taufe begraben, mit ihm auch auferweckt, durch den Glauben an die Kraft Gottes, der ihn von den

---

[69] Tert., De bapt. 13,2 (CCL 1, 289,5–10); De pudic. 20,7 (CCL 2, 1324,31–35): candor fidei.

[70] H. J. Vogt, Coetus Sanctorum, 212f.

[71] In Mt. 12,10 (I,276,12–13); 27,4 (II,206,19): Mora sponsi paenitentiae tempus est.

[72] Trin. VI,36 (239,5–6); VI,44 (249,21–23); VIII,7 (320,13); VIII,9 (321,3); IX,9 (380,12).

Toten auferweckt hat." Hilarius nimmt diese beiden Schriftstellen zum Anlaß, um auf die Wirkungen der Taufe hinzuweisen. In unserer Taufe werden wir in die Taufe Jesu hineingenommen. Diese Gemeinschaft mit Christus setzt voraus, daß wir den alten Menschen ablegen. So ist die Taufe Vorwegnahme des ewigen Lebens mit Christus[73].

Auch die Verbindung von Glaube und Taufe betont Hilarius: „In ihm (Christus) erleben wir nämlich die Auferstehung durch den Glauben an Gott, der ihn von den Toten auferweckt hat. Man muß also an Gott glauben, durch dessen Wirken Christus von den Toten auferweckt worden ist; denn dieser Glaube kommt zugleich mit Christus zur Auferstehung."[74] Dieser Glaube ist das Taufsymbol, welches das Bekenntnis zum dreifaltigen Gott einschließt, wie Hilarius nun deutlich sagt[75]. Mehrfach wird nun auch erwähnt, daß die Taufe auf den Namen des Vaters und des Sohnes und des Heiligen Geistes gespendet wird[76]. Dabei bezieht sich Hilarius auf den Taufbefehl des Auferstandenen (Mt 28, 19).

Die wichtigsten Aussagen zur Taufe finden sich in Trin. VIII. Dort geht es Hilarius um das Verständnis der Einheit von Vater und Sohn sowie der Einheit der Gläubigen. Die Arianer deuten die Einheit der göttlichen Personen nur als Einheit des Willens, nicht der Natur. Ebenso sehen sie in der Einheit der Gläubigen nur eine Einheit des gemeinsamen Willens. Dabei berufen sie sich u. a. auf Apg 4, 32: „Die Gemeinde der Gläubigen war ein Herz und eine Seele." Sie wollten dadurch beweisen, „daß die Verschiedenheit der Seelen und Herzen durch das Zusammenstimmen desselben Willens als Einheit in einem Herzen und einer Seele bestehe"[77]. Hilarius zeigt hingegen, daß die Einheit der Gläubigen ein noch tieferes Fundament besitzt: Die Wurzel der Willenseinheit liegt in der Einheit der Gläubigen als Glieder des einen Leibes Christi, wie Hilarius mit Eph 4, 4–6 betont. In der Taufe und im Glauben wird den Gläubigen als Gliedern des Leibes Christi eine Einheit geschenkt, die in ihrem ‚Sein in Christus' begründet ist. „Alle waren nämlich zur Unschuld wiedergeboren, zur Unsterblichkeit, zur Erkenntnis Gottes, zum Glauben der Hoffnung. Und wenn das nicht gegenseitig verschieden sein kann, weil die Hoffnung eine ist und Gott einer, wie auch der Herr einer ist und die Taufe zur Wiedergeburt eine; und wenn diese mehr aus Willenserklärung als dem Wesen nach eins sind, so schreibe auch denjenigen die Einheit des Wil-

---

[73] Trin. I, 13 (14, 29–34); IX, 9 (380, 10–12).
[74] Trin. IX, 9 (380, 14–17).
[75] Trin. XII, 57 (627, 3–7).
[76] Trin. I, 21 (20, 2–5); II, 1 (38, 3–5.13–14); II, 5 (41, 3–5); XII, 57 (627, 4); Syn. 85 (538 A).
[77] Trin. VIII, 5 (318, 9–11).

lens zu, die dazu wiedergeboren sind! Wenn sie aber zum Wesen eines Lebens und einer Ewigkeit wiedergeboren sind, wodurch ihre Seele und ihr Herz eins war, so schwindet in denjenigen die Einheit des Willensentschlusses, die eins sind aufgrund der Wiedergeburt des gleichen Wesens."[78] In der Taufe wird den Menschen eine neue ‚Natur' geschenkt, die sie untereinander vereint. Mit der wesensmäßigen Einheit der Gläubigen durch die eine Taufe bringt Hilarius in De Trinitate einen Gedanken, der in der Tauftheologie des 4. Jahrhunderts neu ist, obwohl er sich auf das Neue Testament bezieht.

Die Verbindung von Glaubensbekenntnis als Taufgelübde und Taufe betont Hilarius auch im Liber ad Constantium. Das Bekenntnis ist trinitarisch strukturiert[79].

Im Liber contra Auxentium erwähnt Hilarius ebenfalls, daß jeder durch das Sakrament der Taufe wirklich Sohn Gottes wird. In der Argumentation gegen den arianischen Bischof Auxentius unterscheidet er die Sohnschaft durch die Taufe von der Sohnschaft Christi aufgrund seiner göttlichen Natur[80].

3) Im Psalmenkommentar nimmt Hilarius die Grundaussagen zur Taufe wieder auf. Er spricht im Spätwerk oftmals vom Sakrament der Taufe[81]. Sakrament hat hier den Sinn von Geheimnis als verborgenem Ratschluß Gottes mit den Menschen. Diese Bedeutung zeigt sich in Tr. Ps. 1,17, wo Hilarius von den Geheimnissen der Taufe spricht. Das Heilsgeheimnis der Taufe besteht in der neuen Geburt des Menschen, welche zugleich Sündenvergebung und heilshafte Eingliederung in Christus ist. Mit Christus sterben wir und werden in der Taufe begraben, um dann in der Neuheit des Lebens zu wandeln und zu einem neuen Menschen wiedergeboren zu werden[82]. Die Taufe ist für Hilarius eine Auferstehung vom Tod, denn der durch die Sünde verdorrte Mensch (aridus) wird durch das lebendige Wasser der Taufe wiedergeboren[83]. Hilarius spricht auch im Psalmenkommentar von der Erleuchtung des inneren Menschen durch

---

[78] Trin. VIII,7 (319,9 – 320,18). Vgl. Trin. VIII,8 (320,9 – 321,16); VIII,40 (354,15–17); XI,1 (529,13–15); XI,13 (532,8–11).
[79] Ad Const. 4 (199,10 – 200,7).
[80] C. Aux. 6 (613 A).
[81] Tr.Ps. 1,17 (31,28 – 32,7); 63,7 (229,15–20); 64,15 (246,14–18); 67,33 (308,22–24); 118,gimel,5 (380,6); 118,gimel,9 (383,9–11); 121,5 (573,9–10); 136,7 (728,2–5); 138,6 (749,7–9).
[82] Tr.Ps. 2,41 (68,16–22); 62,3 (217,17–21); 63,11 (232,6–8); 91,9 (353,5–14); 118,samech,13 (495,2–10); 129,8 (654,8–10); 138,42 (774,17–19); 150,1 (871,7–13).
[83] Tr.Ps. 136,7 (728,2–5).

die Taufe[84]. Der eine Baum des Lebens, der im neuen Jerusalem zwischen der Straße der Stadt und dem Strom des Lebens steht (Offb 22,2), ist ein Hinweis auf die Taufe, durch welche die Menschen Eintritt in diese Stadt erlangen[85]. Hilarius erwähnt auch hier die Befragung nach dem Glauben vor der Taufe. Der Täufling widersagt dem Satan, der Welt und den Sünden und verpflichtet sich für immer (usque in finem) zum Glauben an sein Taufbekenntnis[86].

Doch Hilarius entwickelt im Psalmenkommentar die Tauftheologie weiter. Sinnbild der Taufe ist der Übergang Israels über den Jordan (Jos 3,1–17). Dieses Vorausbild findet in Christus seine Erfüllung. Hilarius ist der Ansicht, daß Christus die Taufe eingesetzt hat, als er selbst von Johannes im Jordan getauft wurde. Dort hat das Wasser eine heiligende Kraft empfangen: „Wie das Volk durch den Jordan in das verheißene Land einzog, so beginnt mit ihm (dem Volk Israel) für uns der Weg in das himmlische Reich und im Bad der neuen Geburt der Besitz eines ewigen Leibes, da das Wasser (des Jordan) durch die Taufe des Herrn geheiligt ist ... Dort freuen wir uns über den Beginn des himmlischen Heilsgeheimnisses."[87] Hilarius spricht hier von der Johannestaufe, die auch Jesus empfangen hat. Als Wirkung dieser Taufe erwähnt er die Abwaschung der Sünden: „Welches Heil gewährt aber mir, der ich so viel später geboren bin, der damals trocken gewordene Jordan? Er nützt mir sehr viel (zum Heil). Durch die Wasser desselben ist nämlich zuerst die Abwaschung der Sünden geschenkt worden, indem Johannes Buße predigte."[88] Die Predigt des Täufers ruft zur Buße auf. Die Vergebung der Sünden ist die Wirkung dieser Predigt und der Taufe. Doch die Taufe, die Jesus eingesetzt hat, bleibt bei dieser subjektiven Wirkung nicht stehen. Sie schenkt – im späteren sakramentalen Verständnis – eine neue Wirklichkeit, die Hilarius als neue Geburt (noua natiuitas, noua generatio, generatio uitae spiritalis oder renasci in nouum hominem) bezeichnet. Mit der Taufe als Eingliederung in Tod und neues Leben Jesu Christi beginnt für den Christen der Weg in das himmlische Reich. Die Taufe ist der erste Schritt zum Heil. Der Mensch wird objektiv neu durch die Vergebung der Sünden[89]. Durch das Sakrament der Taufe werden wir mit Freude erfüllt, denn wir empfangen anfanghaft den Heiligen Geist (initia spiritus

---

[84] Tr.Ps. 118,gimel,9 (383,9–11).
[85] Tr.Ps. 1,17 (31,24 – 32,7). Vgl. Tr.Ps. 121,5 (573,9–10).
[86] Tr.Ps. 14,14 (94,1–4).
[87] Tr.Ps. 65,11 (255,16–19; 256,5).
[88] Tr.Ps. 65,11 (255,13–16).
[89] Instr.Ps. 11 (11,5–7).

sancti)[90]. Die Gabe des Geistes muß sich aber nach der Taufe in einem dem Geist entsprechenden Leben entfalten.

In diesen Zusammenhang gehört auch die umstrittene Stelle Tr.Ps. 118, gimel, 5: „Und falls jemand glauben sollte, ihm sei im Sakrament der Taufe jene Reinheit zurückgegeben, die zur Unschuld und zum himmlischen Leben würdig mache, so möge er sich an das Wort Johannes des Täufers erinnern: Ich taufe euch nur mit Wasser (zum Zeichen) der Umkehr. Der aber (nach mir) kommt, ist stärker als ich; er wird euch mit dem Heiligen Geist und mit Feuer taufen (Mt 3, 11). Er möge sich daran erinnern, daß der Herr selbst, der während seines irdischen Lebens von Johannes getauft wurde, gesagt hat: Ich muß noch mit einer anderen Taufe getauft werden (Lk 12, 50). Man darf also annehmen, daß die vollkommene Reinheit noch nach dem Wasser der Taufe hinterlegt ist. Die vollkommene Reinheit kommt durch die Heiligung der Ankunft des Heiligen Geistes, durch das Feuer des Gerichts, durch die Gewalt des Todes als Reinigung vom Fall und von der Gemeinschaft des todverfallenen Leibes, durch das Martyrium als Reinigung aufgrund des gottergebenen und treuen Blutes."[91]

Nach dem Wasserbad der Taufe spricht Hilarius hier von vier anderen Formen der Taufe: Die Taufe mit dem Heiligen Geist und mit Feuer bezieht sich auf Mt 3, 11. Die Taufe des Todes, die wir alle erleiden müssen, und die Taufe des Martyriums gehen auf die „andere Taufe" (Lk 12, 50) zurück, d. h. auf die Todeshingabe Jesu.

Die Interpretation dieser Stelle ist unterschiedlich. Sie muß auch letztlich offen bleiben, da Hilarius noch keine geschlossene Theologie der Taufe vorlegt. Weil die Tauftheologie bei Hilarius noch unabgeschlossen ist, denkt P. Coustant bei der Taufe mit dem Heiligen Geist an die Firmung[92]. L. F. Ladaria weist hingegen auf die reinigende Wirkung des Heiligen Geistes und des Feuers beim Übergang von diesem Leben in das ewige Leben Gottes hin. Erst in der Ewigkeit wird der Beginn, der in der Taufe gesetzt ist, vollendet[93]. Dieser Gedanke einer eschatologischen Erfüllung der Taufe und des Taufgelübdes durch den Heiligen Geist und das reinigende Feuer des Gerichts (emundatio puritatis perfectae) paßt in den Zusammenhang von In Mt 2,4: Die Gerechten müssen durch das Feuer des Gerichts vollendet werden (reliquum sit consummari igne iudicii).

---

[90] Tr.Ps. 64, 15 (246, 14–16).
[91] Tr.Ps. 118, gimel, 5 (380, 6–18).
[92] PL 9, 519 D – 520 D, Anm. d und e.
[93] L. F. Ladaria, 246 ff.

Tr.Ps, 118, gimel, 5 zeigt, daß Hilarius zwar mit der Taufe grundsätzlich die eschatologisch wirksame Gemeinschaft der Getauften mit Christus verbindet. Zwischen Anfang und Vollendung des Weges zur himmlischen Herrlichkeit steht aber die Bewährung des Lebens. Diese Bewährung findet ihr unüberbietbares Zeugnis im Martyrium für Christus. Doch auch für jene, die nicht zum Blutzeugnis berufen sind, gibt es die Vollendung des Weges zu Gott durch den Heiligen Geist und das Feuer des Gerichts. Auch dem Tod mißt Hilarius eine reinigende Wirkung auf dem Weg zur Vollendung bei, wenn er in der Neuheit des Lebens angenommen wird.

Wenn es auch bei Hilarius noch keine voll entfaltete Tauflehre gibt, so finden sich doch Hinweise auf die Einsetzung des Taufsakraments und vor allem auf die Wirkungen der Taufe. Durch die Taufe nimmt Gott Wohnung in uns[94]. Das Taufbekenntnis verleiht uns die Annahme an Kindesstatt[95].

Die Notwendigkeit der Taufe zur Erlangung der Seligkeit stellt Hilarius heraus in den Aussagen, die die Gleichgestaltung mit Christus durch die Taufe betonen. Das ‚Sein in Christus‘ durch die Taufe ist gleichsam die sakramentale Struktur der Inklusion des gesamten Menschengeschlechts in Christus aufgrund der Menschwerdung und vor allem aufgrund der Erhöhung zur Rechten des Vaters.

Durch den Jordan, dessen Wasser durch die Taufe Christi geweiht wurde, und durch den das Volk Israel in das Land der Verheißung gelangt ist, ist auch uns der Weg zum Himmel anfanghaft bereitet. Die entscheidende Voraussetzung, um in das Reich Gottes endgültig einzugehen, ist für Hilarius das ‚Sein in Christus‘, das sich im ‚Bleiben in Christus‘ bewähren muß.

8.3 Die Salbung und Handauflegung

1) Neben den deutlichen Aussagen des Hilarius zur Taufe finden sich im Matthäuskommentar andere Hinweise auf Zeichen, die den Heiligen Geist verleihen. Diese Hinweise sind aber so spärlich, daß man in ihnen noch keinen Aufschluß über das Sakrament der Firmung finden kann[96].

---

[94] In Mt. 25,1 (II,180,6–10).   [95] Trin. VI,44 (249,21–23).
[96] Vgl. zur Geschichte des Firmsakraments B. Welte, Die postbaptismale Salbung. Ihr symbolischer Gehalt und ihre sakramentale Zugehörigkeit nach den Zeugnissen der alten Kirche, Freiburg i. Br. 1939 (= FThSt 51); B. Neunheuser, a.a.O. (s.o. Anm. 55), 60–73; B. Botte, Le vocabulaire ancien de la confirmation, in: MD 54 (1958) 5–22; L. Ligier, La confirmation. Sens et conjoncture oecuménique hier et aujourd'hui, Paris 1973 (= ThH 23).

Bereits die Taufe ist Mitteilung des Heiligen Geistes, doch Hilarius spricht nur von den initia spiritus sancti (Tr.Ps. 64,15), die wir in der Taufe empfangen. Er erwähnt mehrmals in De Trinitate die Salbung Jesu mit Heiligem Geist[97]. Diese Salbung bezieht sich nicht auf die Gottheit Jesu, sondern auf die Heiligung der angenommenen Menschennatur. Hilarius verbindet deshalb die Salbung Jesu nicht nur mit der Taufe des Herrn (Apg 10,37–38), sondern auch mit seinem Königtum: „Du liebst das Recht und haßt das Unrecht, darum hat Gott, dein Gott, dich gesalbt mit dem Öl der Freude wie keinen deiner Gefährten" (Ps 44,8)[98]. Hilarius versteht die Salbung Jesu als geistige Salbung: „Daß aber mit Geist Gottes Gott der Vater bezeichnet wird, muß meiner Meinung nach aus dem Bekenntnis des Herrn Jesus Christus erschlossen werden, der Geist des Herrn sei über ihm, deshalb habe er ihn gesalbt und zur Verkündigung des Evangeliums ausgesandt (Lk 4,18). Die Kraft des väterlichen Wesens wird nämlich in ihm offenbar. Er erwies die Gemeinschaft seines Wesens mit dem Sohn auch noch nach der Geburt des Sohnes im Fleisch durch das Geheimnis dieser geistigen Salbung (Mt 3,16), als man nach der Geburt der vollzogenen Taufe auch diese Bezeichnung des ihm eigentümlichen Wesens vernahm, da eine Stimme vom Himmel sprach: Mein Sohn bist du, heute habe ich dich gezeugt (Ps 2,7; Lk 3,22)."[99]

Der Gedanke der geistigen Salbung steht auch im Vordergrund, wenn Hilarius von der Taufe Christis her auf die Taufe der Christen zu sprechen kommt. Es ist nicht zu entscheiden, ob er diese Salbung als postbaptismale Salbung versteht. Die einzige Stelle im Matthäuskommentar, die von der Salbung spricht, bleibt zu ungewiß. Nachdem Hilarius die Taufe Jesu behandelt hat, schreibt er: „Aus dem, was in Christus vollendet wurde, sollen wir erkennen, daß nach dem Wasserbad der Heilige Geist vom Himmel auf uns herabkommt, wir mit der Salbung der himmlischen Herrlichkeit erfüllt werden und durch die Annahme der Stimme des Vaters Söhne Gottes werden."[100]

Hilarius spricht hier von der Salbung nach der Taufe. Von Tertullian her kannte er sicher den Ritus der postbaptismalen Salbung. Tertullian gibt dem Ritus der Salbung eine geistige Bedeutung, wie er auch dem Ritus des Untertauchens in der Taufe einen geistigen Sinn beimißt: die Be-

---

[97] Trin. VIII,25 (336,1–14); XI,10 (539,11–13); XI,18 (548,20–25); XI,19 (548,1 – 550,49); XI,20 (551,7–12).
[98] Trin. IV,35 (138,4 – 139,31).
[99] Trin. VIII,25 (336,1–9).
[100] In Mt. 2,6 (I,110,10–13). Vgl. zu dieser Stelle J. Doignon, La scène évangélique du baptême de Jésus ..., in: Epektasis, 63–73.

freiung von den Sünden. Die Salbung scheint zum Sakrament der Taufe zu gehören, da auch ihre geistige Wirkung in der Befreiung von den Sünden besteht[101]. Bei Hilarius findet sich kein Hinweis auf eine rituelle Salbung nach der Taufe. Die Salbung mit himmlischer Herrlichkeit erwähnt er im Zusammenhang mit der Taufe Jesu und versteht sie analog zur Salbung Jesu, die er „Salbung der väterlichen Liebe" nennt[102]. Deshalb wird man in dieser Salbung noch nicht ein neues Geschehen sehen können, das nach der Taufe stattfindet und in der späteren Zeit Firmung genannt wird. Die Salbung mit himmlischer Herrlichkeit ist Vorausbild jener himmlischen Herrlichkeit[103], die denen bestimmt ist, die im Wasserbad wiedergeboren sind, und auf die der Heilige Geist bereits anfanghaft herabgekommen ist. In der Tradition ist das Sakrament, das später Firmung genannt wird, nicht nur mit einer Salbung, sondern vor allem mit der Handauflegung verbunden. In der Apostelgeschichte wird zwischen dem Wasserbad und der Handauflegung unterschieden (Apg 8,15–17; 19,1–7). Bei Tertullian folgt nach Wasserbad und Salbung „die Handauflegung, durch Segen (Segenswort) den Heiligen Geist herabrufend und einladend"[104]. Auch Hilarius spricht von der Handauflegung, die das Geschenk des Heiligen Geistes verleiht[105]. Diese Handauflegung geschieht unter Gebet und Bitte, daß Gott die Gabe des Heiligen Geistes auf uns ausgieße[106]. Hier kann man an den postbaptismalen Ritus der Handauflegung denken und Ansätze zum Sakrament der Firmung sehen, obwohl letztlich unentschieden bleibt, ob sich die Handauflegung bei Hilarius auf die Taufe oder ein von ihr unterschiedenes, sie aber ergänzendes Sakrament bezieht. Für die Tradition, in der Hilarius steht, gehören Salbung und Handauflegung in den Taufbereich.

Anders verhält es sich mit In Mt 4,10 und 4,27. P. Coustant[107], F. X.

---

[101] Tert., De bapt. 7 (CCL 1, 282): Exinde egressi de lauacro perungimur benedicta unctione de pristina disciplina qua ungui oleo de cornu in sacerdotium solebant ex quo Aaron a Moyse unctus est; unde christi dicti a chrismate quod est unctio quae (et) domino nomen adcommodauit, facta spiritalis quia spiritu unctus est a deo patre, sicut in Actis: Collecti sunt enim (uero) in ista ciuitate aduersus sanctum filium tuum quem unxisti (Apg 4,27). Sic et in nobis carnaliter currit unctio sed spiritaliter proficit, quomodo et ipsius baptismi carnalis actus quod in aqua mergimur, spiritalis effectus quod delictis liberamur.

[102] In Mt. 2,6 (I,110,4): paternae pietatis unctione perfunditur.

[103] In Mt. 2,6 (I,110,13–15).

[104] Tert., De bapt. 8,1 (CCL 1, 283,1–2): Dehinc manus inponitur per benedictionem aduocans et inuitans spiritum sanctum.

[105] In Mt. 19,3 (II,92,16–17).

[106] In Mt. 10,2 (I,218,15–16).

[107] PL 9,942 D, Anm. e.

Poxrucker[108] und X. Le Bachelet[109] führen diese Stellen als Hinweis auf das Sakrament der Firmung bei Hilarius an. Die wichtigere Stelle In Mt 4, 27 spricht von den Sakramenten der Taufe und des Geistes. Hilarius erwähnt diese Sakramente im Zusammenhang mit Mt 5, 44–45: „Ich aber sage euch: Liebt eure Feinde und betet für die, die euch verfolgen, damit ihr Söhne eures Vaters im Himmel werdet; denn er läßt seine Sonne aufgehen über Bösen und Guten, und er läßt regnen über Gerechte und Ungerechte." Mit den Sakramenten der Taufe und des Geistes will Hilarius hier keine liturgische Ordnung angeben, wie J. Doignon feststellt[110], sondern nur die biblischen Begriffe Sonne und Regen erklären. Die Sonne oder Erleuchtung ist die Taufe; der Regen ist, wie der Psalmenkommentar herausstellt[111], der Heilige Geist, den Jesus auf die gesamte Menschheit, die sein Erbe ist, herabströmen läßt. Deshalb kann man hier keine zwei verschiedenen Sakramente sehen. Die Überlieferung der Stelle ist zudem unterschiedlich. J. Doignon hat sich (nach P. Coustant) für sacramentis entschieden, obwohl es Handschriften aus dem 9. und 11. Jahrhundert gibt, die „in baptismi et Spiritus sancti sacramento" enthalten.

In Mt 4, 10 schreibt Hilarius, daß „die Apostel ... (wie Johannes bezeugt) durch das Sakrament des Wassers und des Feuers vollendet worden sind"[112]. Es geht ihm an dieser Stelle um den geistigen Sinn von Mt 5, 13: „Ihr seid das Salz der Erde. Wenn das Salz seinen Geschmack verliert, womit kann man es wieder salzig machen? Es taugt zu nichts mehr; es wird weggeworfen und von den Menschen zertreten." Damit die Apostel ihre dem Salz der Erde vergleichbare Aufgabe als Künder der himmlischen Dinge und Sämänner der Ewigkeit ausüben können, bedürfen sie des Sakraments der Taufe und des Feuers. Durch dieses eine Sakrament, das Mt 3, 11 in Erinnerung ruft, werden die Apostel auf ihre neue Aufgabe vorbereitet. Doch im Sakrament des Wassers und des Feuers kann man noch nicht die Unterscheidung von zwei Sakramenten sehen.

Schon beim Sakrament der Taufe wurde gesagt, daß Tr.Ps. 118, gimel, 5 nicht als Hinweis auf die Firmung verstanden werden kann, wie P. Coustant und F. X. Poxrucker meinen[113].

---

[108] A.a.O. (s. o. Anm. 51), 153 ff.

[109] DThC VI/2, 2452.

[110] In Mt. 4, 27 (I, 148, 9–12). Vgl. den Kommentar z. St.: I, 149, Anm. 29.

[111] Tr.Ps. 67, 9–13 (283, 15 – 289, 4).

[112] In Mt. 4, 10 (I, 128, 10–15).

[113] P. Coustant, in: PL 9, 519 D – 520 D, Anm. d und e; F. X. Poxrucker, a. a. O., 153 f.

2) Vom späteren Verständnis der Firmung her kann man im Psalmenkommentar eine Andeutung auf die Befestigung im Glauben durch die
Firmung sehen. Hilarius erwähnt diese Befestigung (fides firmata) bei der
Auslegung von Ps 63,3–5: „Verbirg mich vor der Schar der Bösen, vor
dem Toben derer, die Unrecht tun. Sie schärfen ihre Zunge wie ein
Schwert, schießen giftige Worte wie Pfeile, um den Schuldlosen von ihrem Versteck aus zu treffen." Er erklärt diese Stelle von der Taufe und
von der confirmatio her: „Nicht den Heiligen, nicht den Gläubigen, nicht
den Gerechten, sondern den Schuldlosen treffen die Pfeile, denjenigen,
dem durch das Sakrament der Taufe eben erst der Schmutz und die
Schandflecken der alten Vergehen abgewaschen worden sind, denjenigen, der noch nicht so gefestigten Glaubens ist ..., sondern der noch einfach und aufgrund der neuen Geburt in zartem Kindesalter ist."[114] Mit
der Befestigung im Glauben kann hier eine neue Heilstat Gottes nach der
Neuheit der Taufe gemeint sein, obwohl man auch an das Wachstum des
Glaubens innerhalb des Lebens denken kann, ohne daß hier eine confirmatio im eigentlichen Sinn stattfindet.

Alle angeführten Stellen zeigen, daß es bei Hilarius noch keine entwik-
kelte Lehre der Firmung gibt. In der Deutlichkeit der Aussagen über die
Salbung und Handauflegung bleibt er hinter Tertullian zurück. Dennoch
finden sich bei ihm einige Hinweise, die im 5. Jahrhundert in Gallien aufgenommen, theologisch weiter durchdacht und dann als Sakrament der
Firmung oder Handauflegung bezeichnet wurden.

8.4 Die Eucharistie

In der Eucharistie verdichtet sich das „Geheimnis des menschgewordenen Gottes" (Tr.Ps. 1,5). Die Eucharistie ist das sichtbare Zeichen, daß
Christus das Fleisch der gesamten Menschheit angenommen hat. Wie die
Annahme des Fleisches vor allem mit der Auferstehung Jesu verbunden
wird, so gibt Hilarius auch der Eucharistie eine eschatologische Ausrichtung. Sie verbindet die Empfänger bereits jetzt mit Christus und untereinander, doch sie bereitet die Gläubigen vor allem durch die Gemeinschaft
mit dem sakramentalen Leib auf die noch ausstehende Verbindung mit
dem heiligen Leib des verherrlichten Christus und der himmlichen Kirche vor.

---

[114] Tr.Ps. 63,7 (229,15–20).

Über die Feier der Eucharistie im 4. Jahrhundert erfahren wir nichts bei Hilarius. Sie gehört zu den unaussprechlichen Geheimnissen, die im Herzen der Kirche gefeiert werden und mit menschlichen Worten nicht angemessen ausgedrückt werden können (Trin. II, 2).

Hilarius spricht in allen Werken von der Eucharistie[115]. In den Schriftwerken und De Trinitate erwähnt er das Sakrament der Eucharistie. Im Psalmenkommentar, den historischen Fragmenten und der Schrift gegen Konstantius findet sich vereinzelt der Opfergedanke der Eucharistie.

Im Eucharistieverständnis des Bischofs von Poitiers läßt sich eine Entwicklung feststellen. Im Matthäuskommentar steht die geistige Exegese im Vordergrund. Hier kann man an eine Tendenz zur Spiritualisierung der Eucharistie denken. In De Trinitate geht es Hilarius um die wirkliche Gegenwart des Herrenleibes in der Eucharistie, während im Psalmenkommentar die eschatologische Wirkung der Eucharistie vorherrscht.

1) Die Tendenz zur Spiritualisierung zeigt sich im Matthäuskommentar bei der geistigen Exegese der Speisung der Fünftausend (Mt 14, 13–21). Die Vermehrung einer begrenzten Speise (5 Brote und 2 Fische) zu überreicher himmlischer Nahrung ist Hinweis auf die Sättigung der Menge durch das Wort Gottes, welches nach der Zeit des Gesetzes und der Propheten kommt. Zugleich ist die Speisung der Fünftausend ein typologischer Hinweis auf jene Fünftausend, die aus der Fülle des Volkes Israel aufgrund der Predigt des Petrus und Johannes zum Glauben gelangt sind (Apg 4, 4). Die Spiritualisierung dieses Geschehens hängt damit zusammen, daß die Apostel noch nicht von Christus die Vollmacht empfangen hatten, das Brot zur wahren und wirklichen Speise des ewigen Lebens zu vollenden und darzureichen[116].

Im Zusammenhang mit der Fastenfrage (Mt 9, 14–17) spricht Hilarius von der Freude über die Anwesenheit des Bräutigams. In dieser Freude soll das Geheimnis der heiligen Speise genossen werden. Während die Jünger des Johannes und die Pharisäer fasten, brauchen die Jünger Jesu nicht zu fasten. Wenn der Bräutigam ihnen einst durch Tod und Erhöhung in seiner leiblichen Gegenwart entzogen ist, haben die Jünger immer noch die geistige Gegenwart Jesu (in conspectu mentis). Nur jene

---

[115] Vgl. L. Małunowicz, 181–188; B. Bobrinskoy, L'eucharistie et le mystère du salut chez saint Hilaire de Poitiers, in: Hilaire et son temps, 235–241; J. Betz, Eucharistie. In der Schrift und Patristik, Freiburg i. Br. 1979 (= HDG IV/4a), 147.

[116] In Mt. 14, 10–11 (II, 20, 1 – 22, 22). Der Ausdruck: ad uitae aeternae cibum caelestem panem conficere (II, 20, 10 – 22, 11) erinnert an Tert., De orat. 24 (CCL 1, 272, 7): eucharistiam facere.

müssen fasten, die nicht an die Auferstehung Jesu glauben, denn sie haben dadurch nicht die Speise des Lebens: „Denn im Glauben an die Auferstehung wird das Sakrament des himmlischen Brotes empfangen, und wer ohne Christus ist, der ist zum Fasten bestimmt, da er ohne die Speise des Lebens ist."[117] Hier wird schon die eschatologische Bedeutung der Eucharistie angesprochen. Die Eucharistie ist Zeichen des Glaubens an die Auferstehung Jesu. Diese eschatologische Dimension der Eucharistie erwähnt Hilarius nochmals im Zusammenhang mit dem Paschamahl Jesu. Dieses Mahl in der Darreichung des Brotes und des Bechers wird ohne Judas vollzogen, da er der Teilnahme an den ewigen Geheimnissen nicht würdig war. Er konnte damals nicht mit dem Herrn aus einem Becher trinken, da er nicht im Reich Gottes aus diesem Becher trinken sollte, denn alle, die jetzt von der Frucht des Weinstocks trinken, sollen nach der Verheißung des Herrn auch im himmlischen Reich diesen Trunk mit ihm genießen[118].

2) Das Geheimnis der Eucharistie als Band der Einheit zwischen Gott und uns steht in der Mitte des achten Buchs von De Trinitate. Hilarius entwickelt seine Eucharistielehre innerhalb der Kontroverse mit den Arianern. Diese hatten behauptet, die Einheit des Vaters und des Sohnes sei nur eine Einheit des Willens, nicht des Wesens, wie auch die Einheit zwischen uns und Gott nur auf Unterordnung (obsequium) und dem Willen zur Frömmigkeit beruhe, nicht aber auf einer eigentlichen wesensmäßigen Gemeinschaft[119]. Hilarius gibt zwar einen Zusammenhang zwischen beiden Verhältnissen zu, lehnt aber die arianische Verengung der Einheit auf die Willenseinheit zwischen Gott und uns ab. Die Einheit zwischen uns und Gott ist vor allem eine wesensmäßige Einheit, die durch Christus gewirkt ist. Wesensmäßige Einheit bedeutet für Hilarius, daß wir gnadenhaft in das Wesen Jesu Christi eintreten, Söhne im Sohn sind. So gibt es in der Einheit für Hilarius eine Rangordnung: der Vater in Christus, Christus in uns[120]. Für diese gestufte Einheit führt Hilarius Joh 17,22–23 an: „Denn sie sollen eins sein, wie wir eins sind, ich in ihnen und du in mir. So sollen sie vollendet sein in der Einheit." Die Einheit zwischen Gott und uns wird vor allem konkret in der eucharistischen Einheit zwischen Christus und uns. Unsere Einheit mit Christus besteht darin, daß Christus wirklich (uere) Mensch geworden ist und wir im Her-

---

[117] In Mt. 9,3 (I,206,10–18).
[118] In Mt. 30,2 (II,222,1–11).
[119] Trin. VIII,17 (328,1 – 329,10).
[120] Trin. VIII,15 (327,1–7) mit Verweis auf Joh 14,19–20.

renmahl (cibus dominicus) wirklich das Wort empfangen, das Fleisch geworden ist[121].

Es geht Hilarius hierbei auch um ein pastorales Anliegen: Die Eucharistie soll zur lebendigen Erfahrung der Einheit der Christen mit Christus werden. Wer die wesensmäßige Einheit von Vater und Sohn leugnet, der leugnet zugleich die wirkliche eucharistische Gemeinschaft mit Christus: „Wenn Christus also wirklich das Fleisch unseres Leibes angenommen hat und Christus wirklich jener Mensch ist, der aus Maria geboren wurde, und wenn wir wirklich im Geheimnis das Fleisch seines Leibes empfangen und so eins sind, weil der Vater in ihm und er in uns ist: Mit welchem Recht behauptet man da die Einheit des Willens, da die wesensmäßige sakramentale Eigenart das Geheimnis der vollkommenen Einheit ist?"[122] Aus Joh 6, 57–58 leitet Hilarius ab, daß wir in derselben Weise durch das Fleisch Christi leben, wie er durch den Vater lebt[123].

Es kommt nun entscheidend darauf an, ob Christus durch sein tatsächliches Wesen (per naturae ueritatem) oder durch die Gleichgestimmtheit des Willens (per concordiam uoluntatis) in uns ist[124]. Hilarius macht hier das Verständnis der Eucharistie zum Schlüssel für die Lösung des Problems. Die Antwort lautet für ihn: „Über die Wirklichkeit des Fleisches und Blutes ist keinem Zweifel Raum gelassen. Denn jetzt ist nach der eigenen Lehre des Herrn und auch nach unserem Glauben in Wahrheit (sein) Fleisch (gegenwärtig) und in Wahrheit (sein) Blut. Wenn wir das empfangen und trinken, dann ist ihre Wirkung, daß wir in Christus sind und Christus in uns ist."[125] In der Eucharistie haben wir „in unserer Leiblichkeit Christus, der in seiner Leiblichkeit bleibt. Wir werden durch ihn in derselben Weise leben, wie er durch den Vater lebt."[126] Die durch das Sakrament der Eucharistie gestiftete Einheit zwischen Christus und uns ist eine wesensmäßige und vollkommene Einheit. Hilarius wird in Trin. VIII, 13–17 nicht müde, immer wieder diese wesensmäßige Einheit gegen die Arianer zu betonen. Wenn schon wir durch die Eucharistie wesensmäßig mit Christus vereint sind, dann herrscht erst recht zwischen Vater und Sohn Wesenseinheit.

Der Glaube des Hilarius an die wirkliche Gegenwart des Leibes und Blutes Christi in der Eucharistie ist unerschütterlich. Doch man darf den

---

[121] Trin. VIII, 13 (325, 7–13).
[122] Trin. VIII, 13 (325, 18 – 326, 24).
[123] Trin. VIII, 16 (327, 1 – 328, 22).
[124] Trin. VIII, 13 (325, 5–7).
[125] Trin. VIII, 14 (326, 11–15). Vgl. Trin. X, 18 (473, 1–16); X, 37 (490, 3–4).
[126] Trin. VIII, 16 (328, 12–15).

eucharistischen Realismus des Bischofs von Poitiers noch nicht nach den Kriterien der späteren Eucharistielehre interpretieren.

Die Eucharistie ist auch geistige Speise und deshalb Vergöttlichung des Menschen. Hilarius stellt seinen Glauben an die Wirklichkeit des eucharistischen Leibes und Blutes in einen soteriologischen Rahmen. Durch die Erlösungstat Christi hat ein wunderbarer Tausch (admirabile commercium) stattgefunden. Es geht Hilarius deshalb nicht nur um die wirkliche Gegenwart Christi in uns, sondern um die gegenseitige Präsenz Christi im Glaubenden und des Glaubenden in Christus: „Die Wirkung (dieser Gemeinschaft) ist, daß wir in Christus sind und Christus in uns ist ... Er selbst ist also in uns durch sein Fleisch, und wir sind in ihm: Was wir sind, ist nämlich mit ihm in Gott."[127]

Wenn die Eucharistie uns die Erfahrung einer tiefgreifenden Einheit mit Christus schenkt, die Hilarius wesensmäßige Einheit nennt, dann müssen wir auch bekennen, daß der Sohn wesensmäßig dem Geist nach den Vater in sich hat, da er durch den Vater lebt[128]. Hilarius verbindet hier unsere Einheit mit Christus und die Einheit des Sohnes mit dem Vater. Für beide Formen der Einheit gebraucht er das Wort ‚naturaliter'. Doch darf man den Unterschied zwischen der natürlichen Sohnschaft Jesu Christi und unserer geschenkten Sohnschaft nicht übersehen, denn es geht Hilarius gerade darum, die Einzigartigkeit der Sohnschaft Christi gegen die Arianer herauszustellen.

Der Hinweis auf die Eucharistie, um die Gottheit des fleischgewordenen Wortes und unsere eigene Vergöttlichung herauszustellen, findet sich nicht mit gleicher Deutlichkeit bei den anderen großen Verteidigern der Orthodoxie gegen den Arianismus: Athanasius, Didymus, Phoebadius von Agen, Eusebius von Vercelli, Marius Victorinus. Die Reflexion des Hilarius über das Geheimnis der Eucharistie hat sich im Exil in der Auseinandersetzung mit der arianischen Häresie zu einer in seiner Zeit unerreichten Tiefe entwickelt.

Trin. VIII zeigt, daß Hilarius von der lebendigen Wirklichkeit der Eucharistie im Leben der Kirche ausgeht, um das Geheimnis der Trinität zu ergründen. Der Weg geht von Joh 6 zu Joh 17, denn das Geheimnis der Eucharistie mündet im Geheimnis der Trinität, an deren Leben uns die Eucharistie teilnehmen läßt.

Die kraftvollen Aussagen des Hilarius zur wirklichen Gegenwart des Leibes und Blutes Christi haben eine Wirkungsgeschichte. Im zweiten

---

[127] Trin. VIII, 14 (326, 14–15; 327, 17–18).
[128] Trin. VIII, 16 (328, 15–18).

Abendmahlsstreit, den Berengar von Tours (gest. 1088) auslöste, beruft sich Guitmund von Aversa (gest. um 1095) bei der Verteidigung der Realität des Herrenleibes in der Eucharistie ausführlich auf Hilarius (Trin. VIII, 13–17)[129].

Auch die eschatologische Wirkung der Eucharistie als Nahrung für das ewige Leben klingt kurz in De Trinitate an[130].

3) Im Psalmenkommentar und im Mysterienbuch wird das gläubige Nachdenken des Hilarius über die Eucharistie von neuen Elementen bereichert, die eine Ergänzung zum Eucharistieverständnis der früheren Werke darstellen.

a) Die Eucharistie schenkt Heil und Vergöttlichung. In Tr.Ps. 91,9 fragt Hilarius, auf welche Weise die Gerechten in die Ruhe Gottes eingehen. Die Antwort findet er in Christus: „Wenn Christus die Ruhe Gottes ist, dann werden auch die, die in Christus sind, in der Ruhe Gottes sein … Weil das Wort Fleisch geworden ist, … sind wir jetzt versöhnt durch den Leib seines Fleisches. Durch die Verbindung mit dem Fleisch, das er angenommen hat, sind wir in Christus … Durch die Vereinigung mit dem Fleisch (Christi) steht allen der Zugang zu Christus offen."[131]

b) Die Eucharistie ist Vorbereitung und Vorwegnahme des ewigen Sabbats und des himmlischen Mahles. Diese eschatologische Bedeutung der Eucharistie findet sich am häufigsten im Psalmenkommentar. Die Eucharistie bereitet uns auf die endgültige Gemeinschaft mit Gott vor[132]; sie ist das himmlische Manna[133], das lebendige Brot, das Leben schenkt[134], das Sakrament der Einheit und des Friedens[135].

c) Die eucharistische Gemeinschaft mit Christus läßt uns teilhaben an der Erlösungsfrucht Christi. In diesem Zusammenhang stellt Hilarius den Opfercharakter der Eucharistie heraus. Der Himmel ist das wahre Allerheiligste (sancta sanctorum), der wahre Tempel, in den der ewige Priester Christus durch seine Auferstehung eingetreten ist, nachdem er durch sein Blut unsere Sünden gesühnt hat. Hier bringt er dem Vater sein Ver-

---

[129] De corporis et sanguinis Christi veritate in Eucharistia, 3 (PL 149, 1474 B – 1478 D). Vgl. dazu J. Geiselmann, Die Eucharistielehre der Vorscholastik, Paderborn 1926 (= FChLDG 15, 1–3), 268; 271; 307; 321; 378–381; H. de Lubac, Corpus mysticum, 177–206; B. Neunheuser, Eucharistie in Mittelalter und Neuzeit, Freiburg i. Br. 1963 (= HDG IV/4b), 19–23; J. Betz, Eucharistie als zentrales Mysterium, in: MySal IV/2, 231–243.

[130] Trin. VIII, 42 (355, 8–22); VIII, 44 (357, 13–15).

[131] Tr.Ps. 91,9 (352, 12–16.26.28; 353, 1.5–6).

[132] Tr.Ps. 64, 14 (245, 18–21); 68, 17 (327, 19–27); 91, 10 (354, 4–11).

[133] Tr.Ps. 118, zade, 8 (520, 13–18). Vgl. Myst. I, 40–42 (136–140).

[134] Tr.Ps. 127, 6 (632, 1–5); 127, 10 (635, 14–16).

[135] Tr.Ps. 121, 12 (577, 18–20).

söhnungsopfer für das Volk dar (libationis hostiam pro populo offerens)[136]. Die Christen, die mit Christus ihre Heimat bereits im Himmel haben, sollen in das Opfer Christi, das er dem Vater übereignet, eingehen, indem sie sich selbst Gott als Gabe darbringen[137].

In der Menschwerdung hat Christus das gesamte Menschengeschlecht angenommen. Durch die Auferweckung und Erhöhung wird Christus vom Vater in die himmlische Herrlichkeit aufgenommen, in der sein Erlösungsopfer bleibende Gegenwart ist. In der Eucharistie nehmen wir Christus an und sind bereits jetzt von ihm angenommen. Durch die Eucharistie nehmen wir teil am Paschageschehen Jesu. Die Eucharistie wird sich vollenden in der endzeitlichen Auferstehung des Leibes, welche zugleich Auferstehung der Kirche und des einzelnen ist[138].

d) Die Eucharistie ist pneumatische Speise. Hilarius entwickelt diesen in seinem Werk seltenen Gedanken im Zusammenhang mit Ps 64,10: „Der Bach Gottes ist reichlich gefüllt mit Wasser, du hast ihnen Nahrung bereitet; so ordnest du alles." Er erklärt diesen Vers vom Heiligen Geist her und beruft sich dabei auf Joh 4,13–14; 7,38–39[139]. Ps 64 ist seiner literarischen Gattung nach ein Dankpsalm für die Gaben Gottes. In der Auslegung des Psalms dankt Hilarius für die Gaben des Geistes, durch die wir reichlich getränkt werden. Zu diesen Gaben gehört die Speise, die uns bereitet ist (cibus paratus). Diese Speise ist die Eucharistie, durch die wir bereits jetzt (in praesens) gerettet werden und die uns zugleich auf die Zukunft bei Gott vorbereitet[140].

4) In den historischen Fragmenten erwähnt Hilarius in den Zwischenbemerkungen (textus narrativus), durch die er die gesammelten Dokumente zum arianischen Streit verbindet, die Eucharistie als Sakrament des Heils[141] und hebt ebenfalls den Opfercharakter der Eucharistie hervor. Hier findet sich der Hinweis, daß das Opfer ohne den Priester nicht vollzogen werden kann (sacrificii opus sine presbytero esse non potuit)[142].

---

[136] Tr.Ps. 119,5 (546,19 – 547,22); vgl. 68,19 (329,7–23); 51,16 (108,3 – 109,7).
[137] Tr.Ps. 67,30 (306,7–16).
[138] Myst. I,5 (82–84); I,42 (140).
[139] Zur Auslegung dieser beiden Stellen vgl. L. F. Ladaria, 197, Anm. 91. Von Joh 4,14 ausgehend, biegt Hilarius den Sinn von Joh 7,38–39a um. Es geht ihm nicht um die Ströme lebendigen Wassers, die aus dem Inneren des Glaubenden entspringen, sondern um das Wasser (Geist), das der Glaubende von Christus empfängt.
[140] Tr.Ps. 64,14 (245,5–24).
[141] B II,5,3 (141,19–22); B II,11,5 (154,8–11).
[142] B II,5,1 (140,11–12).

5) Auch im Liber contra Constantium bezeugt Hilarius den Glauben an die leibhaftige Gegenwart Christi in der Eucharistie. Er wirft dem Kaiser sein Wüten (furor) gegen die Kirche von Toulouse vor. Dort habe man die Hand gegen Christus selbst erhoben. Wenn auch der Vorwurf: „in ipsum Christum manus missae" nicht ganz eindeutig ist, kann man doch darin mit P. Coustant einen Hinweis auf die eucharistische Gegenwart Christi im Sakrament des Leibes und Blutes sehen[143].

Die Bedeutung, die Hilarius der Eucharistie für das gegenwärtige und zukünftige Leben beimißt, macht es sehr wahrscheinlich, daß auch jenes Fragment von ihm stammt, das die 4. Synode von Toledo (633) unter seinem Namen anführt: „Der heilige Hilarius sagt: das tägliche Brot gib uns heute. Denn was will Gott so sehr, als daß Christus täglich in uns wohnt, der das Lebensbrot und das Brot vom Himmel ist? Und weil wir täglich beten sollen, sollen wir auch beten, daß er uns täglich gegeben werde."[144] Man kann hier in Hilarius einen frühen Zeugen für das Anliegen der täglichen Kommunion sehen.

8.5 Das Bekenntnis

Der Begriff Bekenntnis (confessio) hat bei Hilarius eine zweifache Bedeutung. Er ist nicht eingeschränkt auf das Bekenntnis der Sünden, das zum Bußsakrament gehört. Hilarius spricht niemals vom Sakrament der Buße. Es findet sich bei ihm auch keine Theologie der kirchlichen Buße[145].

Unter Bekenntnis versteht Hilarius sowohl das Bekenntnis des Lobes (confessio laudis) als auch das Sündenbekenntnis (confessio peccati)[146].

1) Eine Zusammenfassung der wichtigsten Elemente der Buße findet sich im Matthäuskommentar bei der Erklärung des Auftretens Johannes

---

[143] C. Const. 11 (589 A). Vgl. den Kommentar P. Coustants z. St.: 589 C, Anm. d; vgl. auch C. F. A. Borchardt, Hilary of Poitiers' Role in the Arian Struggle, 170–177.

[144] Fragmenta minora B: Ex tractatibus in Iob III (231, 2–6). Zur Zuordnung dieses Fragments zu Hilarius vgl. A. Feder: CSEL 65, LXXVI f. Zur Erwähnung des Fragments auf der 4. Synode von Toledo vgl. Mansi 10, 621 B/C; A. Gonzalez, Collectio canonum ecclesiae Hispanae, Madrid 1808, 370.

[145] Vgl. B. Poschmann, Paenitentia secunda. Die kirchliche Buße im ältesten Christentum bis Cyprian und Origenes, Bonn 1940 (= Theoph. 1); H. Vorgrimler, Buße und Krankensalbung, Freiburg i. Br. 1978 (= HDG IV/3); F. X. Poxrucker, a. a. O., 147–153.

[146] Tr. Ps. 66, 6 (273, 23 – 274, 8); 118, heth, 15 (431, 26 – 432, 2); 135, 3 (714, 25 – 715, 2); 137, 1 (734, 28–29). Hilarius spricht von der confessio auch im Zusammenhang mit dem Glauben und allgemein mit Gott: z. B. In Mt. 5, 12 (I, 164, 29–30).

des Täufers (Mt 3,1–2). Seinen Ruf zur Umkehr, der in der Folge der Propheten steht[147], erklärt Hilarius in einem Satz, der bereits im Frühwerk sein ganzes Bußverständnis bestimmt: „(Johannes) ruft auch zur Buße auf, da das Himmelreich nahe ist. Durch die Buße findet eine Rückkehr vom Irrtum, eine Abwendung von der Schuld statt, und nach der Scham über die Vergehen das Versprechen, davon zu lassen. Denn die Wüste von Juda soll sich daran erinnern, daß sie denjenigen aufnehmen wird, in dem sich das Himmelreich befindet, damit sie in Zukunft nicht mehr leer sei, wenn sie sich von den alten Verfehlungen durch das Bekenntnis der Reue gereinigt hat."[148] Die Befreiung von der Sünde ist Frucht der Erlösung durch Christus, die uns durch das Bad der Taufe geschenkt wird. Die christologische Begründung der Befreiung von der Sünde ist der Grund, daß Hilarius im ganzen Leben des Menschen die Chance zur Buße als Abkehr von den eigenen Fehlern und Sünden sieht[149]. Die Zeit des Lebens ist die Zeit der Buße.

Es gibt eine Stelle im Matthäuskommentar, die darauf hinweisen könnte, daß Hilarius die Sündenvergebung als eine unmittelbare Wirksamkeit Christi am Menschen betrachtet, ohne daß der Kirche dabei eine Funktion zukäme. Bei der Exegese der Perikope von der Heilung des Gelähmten (Mt 9,1–8), wo der Menschensohn von seiner Vollmacht spricht, hier auf Erden Sünden zu vergeben, deutet Hilarius diese Vollmacht Jesu in umfassendem Sinn: „Man muß sich nämlich sehr davor fürchten zu sterben, ohne daß die Sünden von Christus vergeben sind, denn es gibt keine Rückkehr in die himmlische Wohnung für denjenigen, dem die Verzeihung der Sünden nicht gewährt ist."[150] Während Hilarius hier von der Sündenvergebung als einem unmittelbaren Geschehen zwischen Christus und dem Sünder spricht, erwähnt er im Matthäuskommentar aber auch die Aussendung der Apostel und ihre Vollmacht der Sündenvergebung, die Christus ihnen verliehen hat. Die Binde- und Lösegewalt, die er kurz beim Messiasbekenntnis des Petrus anführt[151], versteht er bei der Auslegung von Mt 18,18 als richterliche Vollmacht der Apostel. Die Apostel üben die Vollmacht des Bindens und Lösens in richterlicher Form (sententia) aus. Vollmacht zu binden bedeutet, daß sie jene, die ohne den Willen zur Buße in der Sünde verstrickt sind, auch von der himmlischen

---

[147] In Mt. 2,4 (I,106,6–7).
[148] In Mt. 2,2 (I,104,13–19).
[149] In Mt. 12,10 (I,276,12–13); 12,20 (I,288,6–18); 26,4 (II,196,8 – 198,16); 27,4 (II,206,19).
[150] In Mt. 8,8 (I,202,5–8); vgl. 10,18 (I,236,16–17).
[151] In Mt. 16,7 (II,54,10–14).

Gemeinschaft ausschließen. Jene aber, die sie aufgrund des Bekenntnisses und der Vergebung in die lebendige Gemeinschaft mit Christus aufgenommen haben, sind für die Ewigkeit gerettet. Hilarius spricht hier vom unverrückbaren Gericht der apostolischen Strenge (immobile seueritatis apostolicae iudicium)[152]. Dennoch kann man an dieser Stelle keinen Hinweis auf die Bußpraxis zur Zeit des Hilarius erkennen, obwohl der Bußritus im 4. Jahrhundert schon durch synodale, bischöfliche und päpstliche Weisungen geregelt war.

Die Vollmacht der Apostel zur Sündenvergebung wird zwar erwähnt, bildet aber kein durchgängiges Element des Bußverständnisses, denn Hilarius stellt auch den eschatologischen Aspekt der Verurteilung oder Rechtfertigung des Menschen im Endgericht heraus: „Aus den Worten des Bekenntnisses müssen wir entweder verurteilt oder gerechtfertigt werden."[153]

Nur am Rand weist Hilarius auf die Vollmacht der Apostel zur Sündenvergebung hin. Wichtiger ist ihm die Buße als Grundhaltung des ganzen Lebens, da sie über das ewige Schicksal des Menschen entscheidet.

Hilarius erwähnt im Matthäuskommentar auch Sünden, die nicht vergeben werden. Er bezieht sich dabei auf das Wort Jesu: „Jede Sünde und Lästerung wird dem Menschen vergeben werden, aber die Lästerung gegen den Geist wird nicht vergeben" (Mt 12,31). Der Grund, daß die Blasphemie gegen den Geist nicht vergeben wird, liegt in der Verschließung des Menschen vor dem Geheimnis der Gottheit Jesu[154]. Hilarius meint auch, daß die Juden durch die Ablehnung Jesu ohne Entschuldigung seien[155]. Doch ein Teil des erwählten Volkes (populus ex Pharisaeis) hat sich nach der Auferstehung Jesu zum Glauben bekehrt (paenitens credidit)[156].

Am Beispiel des Petrus weist Hilarius darauf hin, daß die Sünde oft der Schwäche des Fleisches entspringt. Obwohl Petrus von Jesus bereits auf die künftige Verleugnung hingewiesen wurde und so gewarnt war, konnte er doch aus Schwäche diese Sünde nicht vermeiden. Die Reue, die die Sünde vergibt, sieht Hilarius in den Tränen des Petrus[157]. Das Beispiel des Petrus kann das Bußverständnis im Matthäuskommentar erläutern. Ob-

---

[152] In Mt. 18,8 (II,82,1 – 84,7).
[153] In Mt. 12,19 (I,288,5–8).
[154] In Mt. 12,17–18 (I,282,1 – 286,39). Vgl. denselben Gedanken (Ende 359) in Ad Const. 6 (201,17): quasi in spiritum sanctum pecasse sit uenia.
[155] In Mt. 12,20 (I,288,11–14).
[156] In Mt. 21,13 (II,138,8–18); vgl. 20,11 (II,114,2 – 116,20).
[157] In Mt. 32,4 (II,242,1 – 244,9).

wohl der Christ nach der Taufe die Sünde hassen muß, ist ihm von Gott doch die Zeit des Lebens als Zeit der Buße gewährt. Hilarius teilt uns zwar nichts über die kirchliche Bußpraxis seiner Zeit mit. Doch man kann vermuten, daß er für die Sünden aus der Schwäche des Menschen stets die Vergebung durch Gott annimmt, wenn der Mensch die Zeit der Umkehr nutzt. Von der rigoristischen Bußdisziplin des 2. und 3. Jahrhunderts findet sich nichts mehr bei Hilarius.

2) Ausführlicher beschäftigt sich Hilarius mit Buße, Sündenbekenntnis und Vergebung im Psalmenkommentar. Nur in einem Nebensatz weist er auf die Binde- und Lösegewalt des Petrus hin[158]. Die Vollmacht der Apostel zur Sündenvergebung (Mt 18, 18) erwähnt er im Zusammenhang mit der Vollmacht des Petrus ebenfalls nur flüchtig[159]. So findet sich auch im Spätwerk kein Hinweis auf die Bedeutung der Kirche im Bußgeschehen. Umkehr und Buße sind vor allem ein Ereignis zwischen Gott und Mensch.

Theologiegeschichtlich ist wichtig, daß Hilarius nach der Rückkehr aus dem Exil Kenntnis einer rigoristischen Lehre in der Bußdisziplin hat, die man als novatianisch bezeichnen kann. Ein Hinweis auf die Novatianer findet sich bei der Auslegung von Ps 137, 2: „Ich will deinem Namen gegenüber mein Bekenntnis ablegen für deine Huld und Treue." Hilarius versteht diesen Psalmvers als Argument gegen jene, „die nicht an die menschliche Natur und Schwäche denken, sondern einen erbarmungslosen Gott verkünden und den Sünden der Büßer weder Verzeihung noch Trost gewähren"[160]. H. J. Vogt schließt aus dieser Stelle, „daß Hilarius erst im Osten Kenntnis von der Sekte bekommen hat. Aber auch nach der Rückkehr in den Westen ist ihm der Novatianismus keine bekämpfenswerte Haeresie. Denn an den vielen anderen Stellen seines Psalmenkommentars, wo er auf die Buße zu sprechen kommt, erwähnt er nie die Novatianer. Nun kann man freilich sagen, der Bischof von Poitiers sei so sehr von dem Kampf für das Nicaenum in Anspruch genommen gewesen, daß er für andere Probleme kein Auge gehabt hätte, aber Athanasius war nicht minder engagiert für das Nicaenum und hat doch klar gegen Novatian Stellung bezogen und das zu wiederholten Malen. Man wird

---

[158] Tr.Ps. 131,4 (663, 19–20); vgl. 119, 11 (552, 8–9).
[159] Tr.Ps. 67,35 (310, 1–4).
[160] Tr.Ps. 137,8 (739, 3–6). P. Coustant hat in PL 9, 788 B den Abschnitt überschrieben: Contra Novatianos. Doch der Name des Gegenpapstes muß Hilarius spätestens kurz vor dem Exil bekannt gewesen sein, da er im Brief der Synode der Orientalen von Serdika (343/344) in der Form ‚Nouatus' erscheint (CSEL 65, 65, 16). Dieses Aktenstück gehört nach A. L. Feder, Studien I, 184 zum Liber I aduersum Ualentem et Ursacium (geschrieben 356).

also festhalten müssen, daß der Novatianismus in den Tagen des hl. Hilarius und in den Räumen, in denen er seine Haupttätigkeit entfaltete, also in Gallien und Norditalien, keine wirkliche Bedeutung mehr hatte."[161] Wenn auch Hilarius die Novatianer nicht mit Namen nennt, so können doch implizit die Aussagen des Psalmenkommentars zur Langmut Gottes gegen die Sünder eine Antwort auf den Rigorismus der Novatianer sein[162]. Die Langmut Gottes schließt zwar den Zorn Gottes über den Sünder und die Strafe für die Sünde nicht aus. Doch der Zorn Gottes ist keine Gemütsbewegung des unveränderlichen Gottes, sondern die schmerzliche Erfahrung des Menschen, daß er sich durch die Sünde die Strafe Gottes zugezogen hat (poena enim patientis ira esse creditur decernentis)[163].

Vom Bekenntnis der Sündigkeit nimmt Hilarius keinen Lebenden aus[164]. Die Zeit des Lebens ist Zeit der Umkehr. Diese Umkehr muß verbunden sein mit dem Vorsatz, von der Sünde zu lassen, denn „wo das Bekenntnis der Sünde ist, da ist auch die Vergebung Gottes"[165]. Wenn das irdische Leben beendet ist, gibt es kein Bekenntnis mehr. Hilarius stellt hier wieder die doppelte Bedeutung des Bekenntnisses heraus: Die Toten können Gott nicht mehr loben und auch nicht mehr ihre Schuld bekennen, um Verzeihung zu erlangen[166].

Hilarius vergleicht die Sünde mit dem Tod: Gott will die Buße des Sünders und nicht seinen Tod, der Trennung von Gott bedeutet[167]. Deswegen mahnt er immer wieder zur Umkehr während der Lebenszeit. Es gibt einen scheinbaren Glanz der Sünde, der zum Verharren in der Sünde verleitet und deshalb die Umkehr erschwert[168]. Gegen diese Verlockungen der Sünde muß sich die Umkehr behaupten.

Das Bekenntnis der Sünde setzt die klare Einsicht in die Sünde voraus und den Vorsatz, das Leben zu ändern: „Das Bekenntnis der Sünde ist der Vorsatz, (von der Sünde) zu lassen."[169] Ohne Vergebung ist, wer die Sünde erkannt hat und sie doch nicht bekennt[170]. Hilarius erwähnt in diesem Zusammenhang das Bekenntnis als Gesinnungswandel und gibt da-

---

[161] A.a.O. (s.o. Anm. 70), 213f.
[162] Tr.Ps. 2,20 (52,17–21); 118,heth, 18 (433,23–26); 128,8 (642,10–13).
[163] Tr.Ps. 2,17 (49,5–13).
[164] Tr.Ps. 118,he,16 (409,19–20).
[165] Tr.Ps. 125,10 (611,23–24).
[166] Tr.Ps. 51,23 (116,9–117,4).
[167] Tr.Ps. 132,7 (690,2–3).
[168] Tr.Ps. 144,19 (837,18–26); vgl. 140,8 (794,9–12).
[169] Tr.Ps. 137,3 (735,28–29); vgl. 118,phe,13 (514,20–21); 135,3 (715,9–18); 144,18 (837,15–16).
[170] Tr.Ps. 135,3 (715,17–18).

mit gleichsam eine Definition dessen, was er unter Bekenntnis versteht: „Das Bekenntnis ist die eingestandene Erkenntnis einer bisher nicht gewußten Sache, denn es ist der Fortschritt von der ersten Bewertung zu einer entgegengesetzten Einsicht." (confessio est rei scilicet eius, quae ignorabatur, professa cognitio, ex alterius iudicii opinione in alterius intellegentiae proficiens sententiam.) Diese sehr abstrakte Definition wird an Beispielen erklärt: „Jemand mag es zunächst als nützlich und angenehm empfunden haben zu rauben, zu morden, zu stehlen, hochmütig zu sein, zu trinken und ausschweifend zu leben; doch wenn er erkannt hat, daß dies alles der ewigen Verdammnis preisgegeben ist, bekennt er seinen Irrtum, nachdem er dies erkannt hat."[171] Diese Aufzählung weist in einigen Punkten auf die Kapitalsünden hin[172].

Das Bekenntnis der Sünden muß umfassend und allgemein sein: „Man muß, wie der Prophet lehrt, mit ganzem Herzen bekennen, nicht zum Teil und indem noch irgendein Werk der erkannten Sünde in uns zurückbleibt."[173] Wie das Bekenntnis des Lobes ständig zum Leben des Christen gehört, so auch das Sündenbekenntnis. Hilarius schränkt das Sündenbekenntnis nicht auf das jeweilige Bekenntnis einer aktuellen Sünde ein, sondern versteht es als Bußgesinnung des Christen: „Man muß aber immer bekennen, nicht weil man immer sündigen müsse, um immer bekennen zu können, sondern weil das unermüdliche Bekenntnis der alten Sünde nützlich ist."[174] Als Beispiel führt er Paulus an, der nach seiner Berufung zum Apostel immer noch bekennt, nicht würdig zu sein, Apostel genannt zu werden, da er die Kirche Gottes verfolgt habe (1 Kor 15,9).

Auf die Frage, ob das Bekenntnis der erkannten Sünden öffentlich vor der Kirche oder privat abgelegt wird, gibt Hilarius keine Antwort. Nach dem Psalmenkommentar ist das Bekenntnis der Sünde ein Ausschütten des Herzens vor Gott, dem nichts verborgen ist. Er bezieht sich dabei auf Ps 61,9: „Vertrau ihm, Volk (Gottes), und schüttet euer Herz vor ihm aus! Denn Gott ist unsere Zuflucht."[175]

Daß das Sündenbekenntnis unmittelbar vor Gott abzulegen ist, ergibt sich auch aus der genannten Nähe von Bekenntnis des Lobes und Sündenbekenntnis. Bei der Auslegung von Ps 51,11 erwähnt Hilarius beide

---

[171] Tr.Ps. 135,3 (715,9–15); vgl. 137,3 (736,3–4): desinendum ergo a peccatis est, postquam in confessione est cognitio peccati.
[172] Vgl. auch Tr.Ps. 137,3 (736,7–17): Diebstahl, unlautere Vermehrung des Geldes, Unzucht, Trunkenheit, Mord, Lästerei.
[173] Tr.Ps. 137,3 (736,4–6).
[174] Tr.Ps. 135,4 (715,19–21).
[175] Tr.Ps. 61,6 (213,2–14).

Formen des Bekenntnisses und fügt hinzu: „(Der Prophet) lehrt, daß vor niemand anderem das Bekenntnis abzulegen sei als vor dem, der den Ölbaum fruchtbar gemacht hat durch die Barmherzigkeit der Hoffnung."[176]

Der Gedanke der Barmherzigkeit Gottes verbindet diese Stelle mit einem Text, der ausdrücklich vom Sündenbekenntnis spricht: „Durch die Barmherzigkeit Gottes unterstützt, bekennt er (der Sünder), nachdem er lange gebetet hat, indem bereits alle Sünden aufhören."[177] Diese beiden Stellen und noch andere, die vom Sündenbekenntnis sprechen[178], legen den Schluß nahe, daß das Sündenbekenntnis ein Vorgang zwischen Gott und Mensch ist. Von Gott erhält der Sünder Vergebung, wenn er sein Vergehen bereut, denn Gott erforscht unser Herz und unsere Nieren, er kennt unsere Gedanken[179].

Hilarius weist bei der Reue auf einen ganzheitlich menschlichen Akt hin, der sich nicht nur in der inneren Abkehr von der Sünde äußert, sondern auch – wie bei Petrus – in Tränen der Reue[180]. Die Reue ist der Schmerz über das Begangene (dolor admissi)[181]. Nach Ps 2,9 ist unsere Reue eine Tat Gottes an uns, denn sie ist das Zerschlagen des alten sündigen Menschen[182] und seine Erneuerung. Gott selbst wendet das Geschick seines Volkes (Ps 52,7). Diese Wendung des Geschicks besteht darin, daß das Bekenntnis unserer Buße Gott angenehm ist und er die verborgenen Sünden nicht mehr anrechnet, sondern alles neu wird: eine neue Freiheit, neue Söhne, ewige Freude[183].

Die wichtigsten Aussagen zum Sündenbekenntnis finden sich bezeichnenderweise bei der Auslegung jener Psalmen, die für Gottes Hilfe und Huld danken. Von hier aus wird auch deutlich, daß Hilarius auf die ständige Vergebung Gottes vertraut, wenn der Mensch sich von der Sünde abwendet. Diese Abwendung von der Sünde ist Zeugnis des Glaubens: „Beides gehört zu unserem Glauben: daß wir Gott loben und die erkannten Sünden bekennen."[184] Der gesamte Vorgang der Erkenntnis der

---

[176] Tr.Ps. 51,23 (117,3–4).
[177] Tr.Ps. 137,4 (736,23–25).
[178] Tr.Ps. 1,9 (24,26 – 25,8); 52,20 (133,8–14); 66,5 (273,1–16); 118,gimel,19 (388,19); 119,11 (552,3–5); 124,7 (603,4–11); 125,10 (611,23–24).
[179] Tr.Ps. 119,11 (552,2–3).
[180] Tr.Ps. 52,12 (125,14–21); 118,phe,13 (514,10–14): haec enim paenitentiae uox est, lacrimis orare, lacrimis ingemescere et per hanc confidentiam dicere: lauabo per singulas noctes lectum meum, lacrimis stratum meum rigabo (Ps 6,7). haec uenia peccati est, fonte fletuum flere et largo lacrimarum imbre madefieri.
[181] Tr.Ps. 144,19 (837,26).
[182] Tr.Ps. 2,38 (65,19–23).
[183] Tr.Ps. 52,23 (133,8–14); vgl. Instr.Ps.11 (11,5–7).
[184] Tr.Ps. 137,4 (736,25–26).

Sünde, der Reue und des Bekenntnisses ist umgriffen von der Barmherzigkeit Gottes, die dem Menschen durch die Abwendung von der Sünde eine neue Freiheit schenkt.

Ohne Vergebung bleibt, wer eine Sünde erkannt hat und sie dennoch nicht bekennt, denn Hilarius sieht darin eine Verhärtung in der Sünde. Zu den bereits erwähnten Sünden ohne Vergebung, die im Matthäuskommentar genannt werden, rechnet Hilarius im Psalmenkommentar auch den Verlust der Gnade aus Furcht vor der Welt, wobei er sich auf die Bergpredigt bezieht: „Selig seid ihr, wenn man euch verfolgt und schmäht um der Gerechtigkeit willen; freut euch und jubelt, denn euer Lohn ist groß im Himmel" (Mt 5,11–12)[185]. Die Furcht vor der Welt schließt deshalb von der Vergebung aus, weil in ihr ein tiefgreifendes Mißverständnis des christlichen Lebens vorliegt. Der Christ, der bereits durch die Taufe zu einer neuen Freiheit berufen ist, soll nur das Wort Gottes fürchten.

In der Fülle der Aussagen zur Buße und zum Bekenntnis der Sünden übertrifft der Psalmenkommentar, schon bedingt durch die literarische Gattung der Psalmen (z. B. Dank- und Bußpsalmen), die Hinweise auf die Buße im Matthäuskommentar. Doch substantiell hat sich die Auffassung des Bischofs von Poitiers nicht geändert, sondern nur verfeinert. Ein sakramentales Geschehen im Sündenbekenntnis kann man aus seinen Schriften nicht erkennen. Obwohl die Funktion der Kirche im Sündenbekenntnis nicht ausgeschlossen wird, geht es Hilarius doch entscheidend um die Beziehung zwischen Gott und Mensch beim Bekenntnis. X. Le Bachelet meint, daß in Tr.Ps. 61,6 eine Anspielung auf die sakramentale Buße vermutet werden könne[186]. Hilarius schreibt dort: „Nichts darf im Herzen verheimlicht, verschlossen oder verborgen bleiben, wenn es um das Bekenntnis vor Gott geht."[187] Doch da diese Stelle im Zusammenhang steht mit der Aufforderung, das Herz (adfectus) vor Gott auszuschütten, gehört auch sie zu den vielen Stellen, die vom Sündenbekenntnis vor Gott sprechen, ohne daß eine sakramentale Bußpraxis erwähnt wird.

Das Bußverständnis des Hilarius wird in seinen exegetischen Werken zwar in Umrissen sichtbar, doch es finden sich keine Hinweise auf die Bußpraxis seiner Zeit. Dazu hat sicher auch beigetragen, daß es in der

---

[185] Tr.Ps. 118,sin,2 (536,16–25).
[186] Hilaire (saint), in: DThC VI/2, 2453f.
[187] Tr.Ps. 61,6 (213,4–5): nihil occultum, nihil clausum, nihil obligatum sub dei confessione in corde retinendum est.

zweiten Hälfte des 4. Jahrhunderts in Gallien keine Bußstreitigkeiten gab, wie z. B. zur Zeit Tertullians oder Cyprians, deren Bußlehre nur am Rand auf Hilarius eingewirkt hat[188].

9. Die Gläubigen in der Kirche

Um die Wende zum 4. Jahrhundert waren die Christen bereits in drei Gruppen gegliedert: Laien, Kleriker und Mönche. Das Mönchtum beginnt in Gallien mit der Ankunft Martins in Ligugé Ende 360 oder Anfang 361[1].

Nach dem Bericht des Sulpicius Severus begab sich Martin nach Beendigung der Militärzeit nach Poitiers, um Hilarius kennenzulernen, „dessen Glaube in theologischen Angelegenheiten (schon) damals erprobt und anerkannt war". Der Bischof von Poitiers erkannte den Wert Martins und versuchte, ihn als Diakon für seine Diözese zu gewinnen. Doch Martin widersetzte sich diesem Angebot. Schließlich willigte er ein, als Exorzist Kleriker der Diözese Poitiers zu werden[2].

Wie Hilarius durch seinen Kontakt mit Martin entscheidend zum Beginn des Mönchtums in Gallien beigetragen hat, so war er auch in den

---

[188] Vgl. B. Poschmann, a. a. O., 261–427. Im Verständnis der Buße ist Hilarius mehr von Tertullian (vgl. In Mt. 2,2; 18,8) als von Cyprian beeinflußt. Zur Bußlehre Tertullians in De paenitentia schreibt Poschmann Sätze, die auch auf Hilarius zutreffen: „Wenn wir nunmehr an die umstrittene Frage der kirchlichen Rekonziliation herangehen, so ist zunächst festzustellen, daß der Traktat direkt von einer Wiederaufnahme der Büßer in die Kirche oder von einer ihnen gewährten kirchlichen Verzeihung nirgends spricht. Es geht ihm überall um die Versöhnung mit Gott ... So wichtig der kirchliche Akt sein mag, er bleibt deswegen immer nur Mittel für die Versöhnung mit Gott, und diese steht deswegen bei dem Aufruf zur Buße naturgemäß im Vordergrund" (289).

[1] Vgl. R. Lorenz, Die Anfänge des abendländischen Mönchtums im 4. Jahrhundert, in: ZKG 77 (1966) 1–61; É. Griffe, Der hl. Martinus und das gallische Mönchtum, in: K. S. Frank (Hg.), Askese und Mönchtum in der Alten Kirche, 255–280.
[2] Vgl. Sulp.Sev., Vita Sancti Martini 5,1–2 (SC 133,262): Exinde, relicta militia, sanctum Hilarium Pictauae episcopum ciuitatis, cuius tunc in Dei rebus spectata et cognita fides habebatur, expetiit et aliquandiu apud eum commoratus est. Temptauit autem idem Hilarius inposito diaconatus officio sibi eum artius inplicare et ministerio uincire diuino, sed cum saepissime restitisset, indignum se esse uociferans, intellexit uir altioris ingenii uno eum modo posse constringi, si id ei officii imponeret in quo quidam locus iniuriae uideretur. Itaque exorcistam eum esse praecepit. Quam ille ordinationem, ne despexisse tamquam humiliorem uideretur, non repudiauit. Vgl. den Kommentar v. J. Fontaine z. St.: SC 134,539–552; ders., Hilaire et Martin, in: Hilaire de Poitiers, évêque et docteur, 79–84.

zehn Jahren, in denen er die Diözese Poitiers geleitet hat, Lehrer seiner Gläubigen. Die Schriftwerke, die während der Zeit seines Bischofsamtes in Poitiers entstanden sind, ermöglichen einen Rückschluß auf den Inhalt seiner Glaubensverkündigung. Die drei Schriftwerke sind zwar keine Homilien, sondern literarische Werke, denn Hilarius war mehr Schriftsteller als Redner. Schon Hieronymus weist darauf hin, daß der Stil des Bischofs von Poitiers manchmal schwer verständlich ist (Gallicano coturno adtollitur)[3], denn er schließt sich der gebildeten Sprache der gallischen Rhetorenschule an, die für die einfachen Gläubigen kaum verständlich war. Dennoch kann man in den Schriftwerken das Echo der Predigttätigkeit des Hilarius sehen. Es geht ihm darum, den Christen ihre Würde zu zeigen und sie zu einem dieser Würde entsprechenden Leben anzuleiten. Das beste Mittel der Glaubensstärkung sieht Hilarius in der Auslegung der Heiligen Schrift, deren Weisungen er kompromißlos herausstellt. Mit seiner Verkündigung und seinen Schriften suchte Hilarius den Prozeß der Christianisierung in Gallien zu fördern. Zu seiner Zeit nahmen die Stadtbevölkerungen in geschlossenen Gruppen den neuen Glauben an. Da sie aber noch in einer weitgehend heidnischen Umwelt lebten, drohte die Gefahr, daß der Eifer des Anfangs wieder erlahmte und die Mittelmäßigkeit im Volk Gottes Fuß faßte. Um die Mitte des 5. Jahrhunderts stellt Salvianus von Marseille dieses Nachlassen des christlichen Eifers fest. Er fügt aber hinzu, daß es in der durch die Welt bedrängten Kirche einige hervorstechende Persönlichkeiten gab, die man „Heilige" nenne[4]. Zu ihnen gehören Hilarius und Martin.

9.1 Das königliche Priestertum der Gläubigen

9.1.1 Die Voraussetzung: Das Priestertum Jesu Christi

Die Verbindung von Priestertum und Königtum in der Person Jesu Christi gehört zu den wichtigsten Themen der Ekklesiologie und Erlösungslehre des Hilarius[5].

Hilarius beschreibt diese Verbindung am Anfang des Matthäuskommentars, indem er den Unterschied in der Genealogie Jesu bei Mt und Lk

---

[3] Hier., Ep. 58,10 (CSEL 54, 539,17–20).
[4] Vgl. Salv., De gubernatione Dei 3,9; 4,12–14; 7,3 (SC 220,190.240–242.430–432).
[5] Vgl. J. Lécuyer, Le sacerdoce royal des chrétiens selon Saint Hilaire de Poitiers, in: ATh 10 (1949) 302–325.

herausstellt: Mt behauptet die Abstammung Jesu aus königlichem Geschlecht, welches von Juda ausgeht; Lk hingegen geht von Natan aus, dem Sohn Davids und Bruder Salomos (1 Chr 14,4), und weist so darauf hin, daß Jesus auch zum priesterlichen Stamm Levi gehört[6]. Das alttestamentliche Priestertum, vor allem der priesterliche Dienst des Stammes Levi, ist Vorausbild des Priestertums Jesu[7]. Dem Psalmisten stand in prophetischer Schau das Priestertum Jesu vor Augen, als er vom ewigen Priester nach der Ordnung Melchisedeks sprach. In der geheimnisvollen Gestalt Melchisedeks sieht Hilarius ein doppeltes Vorbild: Wie der König von Salem, so ist Christus zugleich König und Priester der Heidenvölker[8].

9.1.1.1 Die doppelte Salbung Jesu Christi

Die exegetische Methode des Hilarius wirkt sich aus bei der Erwähnung der priesterlichen Salbung Aarons: „Aaron ist mit einem Salböl, das aus verschiedenen Duftstoffen hergestellt war, zum Priester gesalbt worden. Gott hatte Wohlgefallen an dieser Salbung seines ersten Priesters. Doch wir wissen, daß auch unser Herr unsichtbar und nicht dem Leib nach gesalbt wurde, denn es heißt: Dein Gott hat dich gesalbt mit dem Öl der Freude (Ps 44,8). Diese Salbung ist nicht nach irdischer Art, sie ist unkörperlich und unsichtbar: nicht mit Öl, wie bei der Salbung des Priesters und des Propheten, nicht mit dem Füllhorn, wie bei der Salbung des Königs, sondern mit dem Öl der Freude wird (Christus) gesalbt."[9] Die Salbung Christi geschieht nicht mit einem irdischen Stoff (non materies creaturae est). Jesus wird mit Heiligem Geist und göttlicher Kraft gesalbt, wie die Taufe im Jordan bezeugt. Die Stimme des Vaters erweist den

---

[6] In Mt. 1,1 (I,90,7–13): Atque ita dum Matthaeus paternam originem quae ex Iuda proficiscebatur recenset, Lucas uero acceptum per Nathan ex tribu Leui genus edocet, suis quisque partibus Domini nostri Iesu Christi, qui est aeternus et rex et sacerdos, etiam in carnali ortu utriusque generis gloriam probauerunt.
Der Unterschied der beiden Genealogien findet sich bereits bei Victorinus von Pettau (gest. 304), In apoc. 4,4 (CSEL 49, 51,9 – 52,8). Victorinus hat in seinem verlorengegangenen Matthäuskommentar dem Westen exegetisches Material aus dem Matthäuskommentar des Origenes überliefert. Vgl. dazu W. Wille, 46–49. Doch Victorinus nimmt bei der Unterscheidung der Genealogien Jesu eher einen Gedanken des Julius Africanus (gest. nach 240) auf, der in seinem fragmentarisch erhaltenen Brief an Aristides über die Differenzen in den Stammbäumen Jesu bei Mt und Lk handelt (TU 34,3, Leipzig 1909, 53,1 – 55,20).
[7] Tr.Ps. 118,gimel,7 (381,8–21).
[8] Tr.Ps. 149,3 (868,12–14): quo (Christo) regnante secundum ordinem Melchisedech, id est gentium et rege et sacerdote.
[9] Tr.Ps. 132,4 (686,22 – 687,3).

Menschen Jesus als seinen Sohn: „Durch dieses Zeugnis seines geheiligten Leibes sollte die geistige Salbung der Kraft erkannt werden."[10]

Christus ist Priester, weil er eine doppelte Salbung empfangen hat. Die erste Salbung ist die Salbung mit der Gottheit, die auf den ewigen Ursprung des Sohnes Gottes verweist. Durch die Einigung der göttlichen und der menschlichen Natur in der Person Jesu Christi ist er Mittler zum Heil der Kirche[11]. Mit dem Gedanken des Mittlers ist nach Hebr 9, 15 der priesterliche Charakter verbunden. Hier wirkt sich nochmals der Gedanke aus, der beim Verhältnis von Christus und Kirche erwähnt wurde: In der Annahme einer individuellen menschlichen Natur hat Christus die gesamte Menschheit angenommen. Deshalb ist seine priesterliche Mittlerfunktion auf das Heil der Kirche bezogen. In der Verbindung von göttlicher Natur und allumfassend angenommener menschlicher Natur zeigt sich für Hilarius die Vollendung des priesterlichen Mittlertums Christi, da sich Menschheit und Gottheit in der Person Jesu Christi wirklich begegnen[12]. Der hervorragende Ort dieser Begegnung ist die Eucharistie, die die Gläubigen über den Abstand der Zeit hinweg stets von neuem ursprünglich mit dem Mittler Jesus Christus verbindet.

Die zweite Salbung ist die sichtbare Salbung Jesu mit Heiligem Geist bei der Taufe. Hilarius verbindet mit dieser Salbung das Geheimnis unserer Annahme als Söhne Gottes[13].

9.1.1.2 Die Verbindung von Priestertum und Opfer Jesu Christi

Über die doppelte Salbung hinaus verbindet Hilarius das Priestertum Jesu auch mit dem Opfer. Eine Zusammenfassung dieses soteriologischen Elements gibt er im Kommentar zu Ps 53, 8: „Freudig bringe ich dir mein Opfer dar." Die Opfer des Alten Bundes waren nach Hilarius keine freiwilligen Opfer, denn das Gesetz verpflichtete zum Opfer und drohte demjenigen mit Verfluchung, der sich dieser Verpflichtung nicht unterwarf. Die drohende Verfluchung nahm dem alttestamentlichen Opfer den Charakter der Freiwilligkeit[14]. Hilarius weist gerade beim neutestamentli-

---

[10] Trin. XI, 18 (548, 24–25). Vgl. In Mt. 2, 5–6 (I, 108, 1 – 110, 15).
[11] Trin. IX, 3 (374, 14–16).
[12] Trin. VIII, 15 (327, 10–12).
[13] In Mt. 2, 6 (I, 110, 10–15); Trin. XI, 18 (547, 12 – 548, 25).
[14] Tr.Ps. 53, 13 (145, 1–7): legis sacrificia, quae in holocautomatis et oblationibus hircorum atque taurorum sunt, non habent in se uoluntatis professionem, quia maledicti sententia legem sit decreta uiolantibus. quisquis enim a sacrificio destitisset, ipse obnoxium se efficiebat esse maledicto. necesse ergo erat effici, quod fiebat, quia sacrificii neglegentiam maledicti non admittabat adiectio. Bereits Irenäus sieht das Unterscheidungsmerkmal der

chen Opfer auf die Freiwilligkeit hin, denn das äußere Opfer erhält seinen Wert durch das innere Opfer des Verstandes und des Willens. So sind die Märtyrer, die sich Gott als Ganzopfer darbringen[15], letztlich Gott wohlgefällig durch die inneren geistigen Akte, die ihren leiblichen Tod begleiten, und durch die Akte der Tugend, wodurch sie ein Beispiel für andere Menschen sind[16]. Gott hat keine Freude am Opfer von Stieren und Böcken, sondern allein am Opfer des Lobes: „Gott will durch das Lob einer lebendigen und vernunftbegabten Opfergabe geehrt werden."[17] Das ist der Grund, warum Gott nicht auf das Opfer Kains schaut. Die Früchte des Feldes, die Kain darbringt, sind Symbol der Werke des Fleisches, die vom Reich Gottes ausschließen (Gal 5,19–21). Deshalb verabscheut Gott das Opfer Kains. Das Opfer Abels von den Erstlingen seiner Herde und ihrem Fett nimmt Gott an, weil es Zeichen für das innere Opfer unserer Gesinnung ist[18]. Die innere Hingabe macht den Wert des Opfers aus. Dieses fehlt aber nach Hilarius den Opfern des Alten Testaments, die durch ein äußeres Gesetz bestimmt waren und deshalb nicht freiwilliger Ausdruck eines inneren geistigen Opfers waren[19]. Vor diesem Hintergrund hebt sich das Opfer Jesu Chrsiti ab. Weil Christus sich freiwillig kraft ewigen Geistes Gott als makelloses Opfer dargebracht hat (Hebr 9,14), hat er die alttestamentlichen Opfer überholt und ist so zum vollkommen wohlgefälligen Opfer geworden, welches das Menschengeschlecht erlöst[20].

---

neutestamentlichen Opfer zu den alttestamentlichen Opfern in der Freiwilligkeit. Die Opfer des Alten Bundes wurden von Knechten, die des Neuen Bundes werden von Söhnen dargebracht. Vgl. Adv. haer. IV, 18,2 (SC 100,598).

[15] Tr.Ps. 65,21 (262,22–23): ... toto ipso se corpore deo hostiam tamquam holocausta praebentes. 65,23 (264,2–5): martyres in fidei testimonium corpora sua holocausta uouerunt, ut in dei domum, id est in caelestis domicilii habitationem consummatis hostiarum suarum sacrificiis introirent.

[16] Tr.Ps. 65,24–26 (264,6 – 267,15).   [17] Tr.Ps. 62,8 (221,9).

[18] Myst. I,6 (84–88). Vgl. In Mt. 7,2 (I,180,15–16): ... ut homo ipse a sordibus peccati corporis emundatus in sacrificium Dei transeat. Tr.Ps. 122,13 (589,6): optimum sacrificium deo est cor contribulatum. 133,5 (693,2–4): nunc enim in consummationem saeculi, quod est uespertinum (vgl. Ps 140,2), non in tauris et in hircis, sed in operibus bonis deo hostia est. Vgl. auch 140,4 (791,13–28).

[19] Tr.Ps. 134,27 (712,15–16): ... praestat longe uoluntate magis aliquid agere quam lege.

[20] Tr.Ps. 53,13 (145,11–22): maledictorum se ergo obtulit morti, ut maledictum legis dissolueret, hostiam se ipse deo patri uoluntarie offerendo: ut per hostiam uoluntariam maledictum, quod ob hostiae necessariae et intermissae reatum erat additum, solueretur. cuius sacrificii alio loco meminit in psalmis: hostiam et oblationem noluisti, perficis autem mihi corpus (Ps 39,7); deo patri legis sacrificia respuenti hostiam placentem suscepti corporis offerendo. cuius oblationis beatus apostolus ita meminit: hoc enim fecit semel se ipsum offerens hostiam deo (Hebr 7,27), omnem humani generis salutem oblatione sanctae huius et perfectae hostiae redempturus.

Der Wert des Opfers Christi besteht in der Freiwilligkeit der Hingabe. Von der Inklusionstheologie des Hilarius her ergibt sich, daß das geopferte Lamm uns alle in diesen Akt der Hingabe einbezogen hat, so daß wir für die Sünde tot sind. Hilarius erwähnt diesen Gedanken im Zusammenhang mit dem Gebet Jesu im Garten Getsemani: „Mein Vater, wenn es möglich ist, gehe dieser Kelch an mir vorüber. Aber nicht wie ich will, sondern wie du willst" (Mt 26,39). „Vater, kann dieser Kelch nicht vorübergehen, ohne daß ich ihn trinke? Dein Wille geschehe" (Mt 26,42). Hilarius erklärt dieses Gebet im Blick auf das künftige Geschick der Jünger: „Da die Jünger wegen der Glaubensgerechtigkeit leiden sollten, hat er alle Schwachheiten unseres Leibes angenommen und sie an sein Kreuz geheftet. Deshalb trägt er unsere Sünden und leidet für uns, weil ... alle Schmerzen über unsere Schwächen mit seinem Leib und seinem Leiden sterben. Und deshalb kann der Kelch nicht an ihm vorübergehen, ohne daß er ihn trinkt, weil wir nur aus der Kraft seines Leidens leiden können."[21] Aus der schwierigen Frage des Leidens Jesu nach Hilarius[22] soll nur der Gedanke des Übergangs des Kelchs auf die Jünger – und damit auf alle Christen – erwähnt werden. Wenn Jesus den Vater bittet, der Kelch möge an ihm vorübergehen, so will er damit nicht dem Leiden und dem Tod ausweichen. Die Bitte geht dahin, daß der Kelch, den er trinken muß, ebenso auf seine Brüder übergehe, mit derselben Gnadengabe, die die Größe seines Leidens ausmacht: „Der Kelch gehe an mir vorüber, d. h., wie er von mir getrunken wird, so werde er auch von ihnen getrunken, ohne Mißtrauen in die Hoffnung, ohne Gefühl des Schmerzes, ohne Furcht vor dem Tod."[23] Wenn wir alle auch bereits in das Opfer Christi eingeschlossen sind, so entbindet uns diese ‚objektive' Inklusion jedoch nicht der Pflicht, uns selbst Gott darzubringen. Die Kraft dazu kommt von Christus, denn wir können nur aus der Kraft seines Leidens auch selbst Leid und Tod annehmen (pati nisi ex eius passione non possumus: In Mt. 31,10).

Da das Priestertum Jesu ein ewiges Priestertum ist, übt er es im Himmel zur Rechten des Vaters aus. Hier bringt er dem Vater das Opfer seines Lebens dar, in das die ganze Menschheit eingeschlossen ist, denn er kehrt in den Himmel zurück, indem er uns mitnimmt und Gott als Gabe dar-

---

[21] In Mt. 31,10 (II,236,3 – 238,11).
[22] Vgl. dazu X. Le Bachelet, Hilaire (saint), in: DThC VI/2, 2441–2449; P. Smulders, La doctrine trinitaire de S. Hilaire, 203–206; J. Doignon, Einl. zu In Mt.I, 43 ff; P. C. Burns, The Christology in Hilary of Poitiers' Commentary on Matthew, 83–97.
[23] In Mt. 31,7 (II,234,18–20).

bringt[24]. So setzt der erhöhte Herr sein Heilshandeln im Himmel fort. Er ist überall gegenwärtig durch seinen Geist und steht jedem bei, der ihn gläubig anruft[25]. Indem er sich selbst dem Vater übergibt, übereignet er auch uns dem Vater. Hier wird der priesterliche Charakter der Übergabe des Reiches Christi an den Vater deutlich. Er ist Priester auf ewig, weil er auf ewig Mittler zwischen Gott und den Menschen ist. Schon jetzt schenkt er den Sanftmütigen das Heil. Einst wird er den Erwählten den Glanz der himmlischen Herrlichkeit schenken[26].

Das himmlische Priestertum Jesu ist ein königliches Priestertum. Es besteht einerseits in der Darbringung seiner geopferten Menschheit, anderseits in der Eröffnung des himmlischen Zieles für alle Glaubenden. Hier zeigt sich nochmals die Bedeutung der Unterscheidung von Reich des Sohnes und Reich des Vaters bei Hilarius. Gott hat den Menschen als sein Abbild geschaffen, damit er über die sichtbare Schöpfung herrsche. Diese königliche Aufgabe hat der Mensch durch die Sünde verloren. Dadurch ist das Gleichgewicht der Schöpfungsordnung gestört. Die Sünde, unter die wir ohne Christus versklavt bleiben, herrscht nun in uns[27]. Christus hat durch seinen Tod das gestörte Gleichgewicht wiederhergestellt. Doch seine Tat muß von uns angenommen werden. Wenn wir das neu geschenkte Gleichgewicht der Schöpfung annehmen, gewinnen wir auch unser Königtum zurück, indem wir nämlich wieder Gott über uns König sein lassen: „Diejenigen sind Könige, in denen die Sünde nicht herrscht, die die Herrschaft über ihren Leib besitzen und schon (jetzt) über das untergeordnete und unterworfene Fleisch herrschen. Diese also sind Könige, und Gott ist ihr König."[28] Gott ist unser König, wenn wir uns ihm in vollkommenem Gehorsam hingeben[29], indem wir die Herrschaft über unsere sündige Natur und unseren Körper gewinnen[30]. Dieses Reich Gottes ist noch nicht vollendet, doch schon Wirklichkeit durch das himmlische Priestertum Christi. Es wird voll verwirklicht sein am Tag des Herrn, wenn Christus das Reich dem Vater übergibt, mit dem Vater König ist

---

[24] Tr.Ps. 58,6 (184,17–19.24–25): ... qui infirmitatis nostrae humilitate suscepta egressus caelos, regressus ad caelos, qui reuehens nos secum oblaturusque deo munus ... in eo namque coexcitatae et collocatae a dextris eius in caelestibus gentes sunt.

[25] Tr.Ps. 124,6 (602,2–12).

[26] Tr.Ps. 149,3 (868,12–15).

[27] Vgl. dazu P. Limongi, La natura e gli effetti del peccato originale in Sant' Ilario, in: DT (P) 45 (1942) 186–201, bes. 193–197.

[28] Tr.Ps. 135,6 (717,12–15); vgl. 137,12 (741,6–8).

[29] Tr.Ps. 9,4 (77,25 – 78,15).

[30] Tr.Ps. 2,42–43 (68,23 – 70,23); 60,5 (205,22).

und zugleich mit denen herrscht, die Könige sind, weil sie in der Herrschaft über sich selbst das Königtum Gottes anerkennen[31].

9.1.2 Die Verbindung von Königtum und Priestertum in den Christen

Da Christus und die Kirche eine Einheit bilden, sind Priestertum und Königtum auch in den Christen verbunden. Deshalb sind auch die Aussagen
des Hilarius über das königliche Priestertum der Christen abgeleitet vom
königlichen Priestertum Jesu Christi[32].

Die Christen sind Könige, weil sie über ihre fleischliche Natur herrschen, die durch die Sünde ihre ursprüngliche Heiligkeit verloren hat.
Die Christen sind aber auch Priester, denn die priesterliche Salbung Jesu
mit Heiligem Geist geht wie das Salböl Aarons auf alle Christen über.
Das gemeinsame Priestertum aller Gläubigen ist Teilnahme an der Salbung der Menschheit Jesu Christi. Dadurch ist das Priestertum der Christen auch Gleichgestaltung mit der sündlosen menschlichen Natur Jesu.
Die Teilnahme an der sündlosen menschlichen Natur Jesu gibt uns die
Kraft, die Sünde in uns zu überwinden und uns Gott mit ganzem Herzen
zu unterwerfen. Diese geschenkte Kraft wird bei Hilarius zu einer priesterlichen Aufgabe der Christen: Sie sollen das Fleisch der Sünde in sich
besiegen, sich selbst dem Herrn als lebendige Opfergabe darbringen und
Tempel Gottes werden, erbaut aus lebendigen Steinen[33]. Die Übereig-
nung an Gott findet ihre Vollendung im himmlischen Jerusalem. Hilarius
faßt alle diese Gedanken zusammen in der Auslegung von Ps 67,30: „Von
deinem Tempel in Jerusalem aus werden Könige dir Geschenke bringen."
Der Tempel ist der Leib der Gläubigen, und die Christen sollen immer
mehr Könige über sich selbst werden und sich Gott zum Geschenk darbringen, um schließlich in das himmlische Jerusalem zu gelangen[34].
Darin sind die Märtyrer ein leuchtendes Vorbild, denn sie haben ihren
Leib als Ganzopfer Gott dargebracht, um in die himmlische Wohnung

---

[31] Tr.Ps. 60,5 (206,3–22); 65,13 (258,2–8).
[32] Vgl. neben dem bereits erwähnten Art. v. J. Lécuyer (s. o. Anm. 5) J. Dabin, Le sacerdoce
royal des fidèles dans la tradition ancienne et moderne, Bruxelles 1950.
[33] In Mt. 25,1 (II,180,6–10).
[34] Tr.Ps. 67,30 (306,7–16): sed quia est caelestis illa nobis mater Hierusalem et primitiuo-
rum conscriptorum et frequentantium coetus, omnisque in Christo renatus dei templum est,
maxime in quo non mors magis sit regnatura, sed uita, et qui ipse rex sit eius, cuius seruus
fuerat ante, peccati, hostiam se ipsum uiuam et rationabilem et placentem deo offerens: tum
ergo ab hoc templo, id est ab hac sancta corporis sui habitatione, in illo conuentu angelorum
frequentantium, id est in illa caelesti Hierusalem, si qui reges sint, id est qui peccato ultra
non seruiant, offerent se ipsos deo munus.

einzugehen und ihr Opfer dort zu vollenden. Da wir bereits im Leib des Herrn, welcher der wahre Tempel Gottes ist, zur Familie Gottes versammelt sind, bringen auch wir uns in Christus dem Vater als Opfer dar[35].

Die königliche und priesterliche Salbung der Christen wird in der Taufe grundgelegt; sie wird in der Salbung und Handauflegung vertieft zur Teilnahme an der Heilssendung Jesu, die durch die Christen weitergetragen wird bis zur Vollendung der Zeit.

9.2 Das Leben nach dem Evangelium

Das königliche Priestertum der Christen muß sich in einem entsprechenden Leben auswirken. Das durch Christus geschenkte neue Leben schließt eine bestimmte Lebensführung ein. Es geht um den Unterschied und Übergang vom alten zum neuen Menschen (Eph 4,22–24; Kol 3,7–10). Tertullian sieht in diesem Übergang einen moralischen, keinen wesenhaften Unterschied. Nicht das Sein des Menschen ändert sich, sondern seine Lebensweise, denn der alte Mensch liefert sich den Werken des Fleisches aus, während der neue Mensch sie meidet[36]. Hilarius geht weiter in seinen Ausführungen über das neue Leben der Christen. Bei der Auslegung von Mt 10,34–36 weist er darauf hin, daß die Entzweiung in der Familie ein Bild für die Trennung des Menschen von der Sünde ist und daß der Text bei Mt mit der Aufforderung schließt: „Wer nicht sein Kreuz auf sich nimmt und mir nachfolgt, ist meiner nicht würdig" (Mt 10,38). Hilarius präzisiert dieses Wort mit Gal 5,24: „Alle, die zu Christus gehören, haben das Fleisch und damit ihre Leidenschaften und Begierden gekreuzigt."[37] Um diesen Text aus dem Galaterbrief, der einen Gegensatz zwischen den Werken des Fleisches und des Geistes herausstellt, ranken sich die Aussagen des Hilarius zur Neuheit des Lebens. Sie finden sich vor allem in der Auslegung der Bergpredigt. Hilarius schreibt, daß Jesus hier in göttlicher Majestät spricht. Er ist der neue Gesetzgeber, der

---

[35] Das ist der geistige Sinn der Zahlung der Tempelsteuer (Mt 17,24–27). In Mt. 17,10 (II,70,8–11): Vt igitur inscriptos nos et professos et Christi nomine consignatos offerremus in Christo, qui uerum Dei templum est, pro testimonio filii Dei huius didrachmae oblatio constituta est.

[36] Tert., De resurr. 45,15 (CCL 2, 982,44–50); 49,9 (991,41–43).

[37] In Mt. 10,25 (I,246,2 – 248,9): Nam postea quam relinquenda omnia quae in saeculo carissima sunt imperauerat, adiecit: Qui non accipit crucem suam et sequitur me, non est me dignus, quia qui Christi sunt crucifixerunt corpus cum uitiis et concupiscentiis. Et indignus est Christo, qui non crucem suam, in qua compatimur, commorimur, consepelimur, conresurgimus, accipiens Dominum sit secutus in hoc sacramento fidei Spiritus nouitate uicturus.

einerseits die Sünden herausstellt, die bereits durch das alttestamentliche Gesetz verurteilt sind, und anderseits die entscheidenden Forderungen des himmlischen Lebens aufstellt[38].

9.2.1 Die Weisungen des himmlischen Lebens

1) Im Matthäuskommentar sind die Weisungen des himmlischen Lebens verbunden mit Warnungen vor den Gefahren der Welt, den Sünden des Leibes und den Leidenschaften der Seele[39].

a) Hilarius verbindet an einigen Stellen Welt und Sünde[40], denn die Welt hat einen Fürsten, Satan, der Jesus bei der zweiten Versuchung verleiten wollte, sich von der Höhe des Tempels hinabzustürzen, um ihn von seiner Sendung abzubringen[41]. Der Ansturm des Satans gilt jetzt der Kirche und den Gläubigen[42].

Besonders der Leib ist den teuflischen Lockungen ausgesetzt. Die Verbindung von Leib und Sünde findet sich häufig bei Hilarius[43]. In diesem Sinn versteht er die Aussagen des Paulus von den Werken des Fleisches (Gal 5, 19–21; 6, 8), vom Fleisch der Sünde (Röm 8, 3) und die Aufforderung: „Reinigen wir uns also von aller Unreinheit des Leibes und des Geistes, und streben wir in Gottesfurcht nach vollkommener Heiligung" (2 Kor 7, 1).

Die Sünden des Leibes werden gefördert durch die Leidenschaften der Seele[44]. Hilarius spricht vom Streben nach schädlichem Reichtum[45], von eitler Ruhmsucht[46], vom Verlangen nach der Gunst der Menschen, welches von Eifersucht begleitet ist[47]. Er erwähnt die Warnungen Jesu vor einer Gerechtigkeit, die vor den Menschen zur Schau gestellt wird (Mt 6, 1),

---

[38] In Mt. 4, 1 (I, 120, 1–9): Congregatis igitur plurimis turbis, montem conscendit et docet, in paternae scilicet maiestatis positus celsitudine caelestis uitae praecepta constituit. Non enim aeternitatis instituta nisi in aeternitate positus tradidisset. Denique ita scriptum est: Aperuit os suum et docebat eos. Locutum eum fuisse promptius erat dicere. Sed quia in gloria paternae maiestatis institerat et aeternitatem docebat, idcirco ad motum Spiritus eloquentis oboedisse ostenditur humani oris officium.

[39] Vgl. J. Doignon, Hilaire de Poitiers avant l'exil, 390–420.

[40] In Mt. 19, 9 (II, 98, 9–10); 23, 1 (II, 152, 7–9); 27, 2 (II, 202, 3).

[41] In Mt. 3, 4 (I, 116, 2–6).

[42] In Mt. 7, 9 (I, 188, 6–13).

[43] In Mt. 4, 21 (I, 140, 5–19); 10, 23–24 (I, 242–246). Vgl. M. J. Rondeau, Remarques sur l'anthropologie de saint Hilaire, in: StPatr VI (= TU 81), 202f.

[44] In Mt. 5, 4 (I, 154, 9–12).

[45] In Mt. 19, 9 (II, 98, 3–17).

[46] In Mt. 3, 5 (I, 116, 1 – 118, 13).

[47] In Mt. 5, 2–3 (I, 150–152). Vgl. 4, 28 (I, 148, 3–8).

vor einem falsch verstandenen Fasten (Mt 6, 16–18) und vor übertriebener Sorge um die Schätze dieser Welt (Mt 6, 19–21). Die Warnungen richten sich weiter gegen den Hochmut, eine der schädlichsten Leidenschaften, denn er erzeugt den Stolz über die eigene Leistung und läßt vergessen, daß wir ausnahmslos alles Gott verdanken.

Bei der Erklärung des Gleichnisses vom treuen und vom schlechten Knecht (Mt 24, 45–51) schreibt Hilarius, daß es auch Bischöfe gebe, die – gleich dem schlechten Knecht – das ihnen anvertraute Volk nach Art der Welt behandeln und die Menschen mit Verleumdungen, Drohungen und Anklagen quälen[48].

b) Vor diesem Hintergrund der Warnungen vor einem Leben, das nicht im Einklang steht mit dem Evangelium, heben sich die Weisungen und Forderungen des himmlischen Lebens ab. Nach Hilarius ist Mt 5–7 nicht nur ein kritischer Katalog der Gesetzesgerechtigkeit, sondern auch ein Überschritt des neuen Lebens aus dem Glauben über das Gesetz.

Nach Hilarius ist der Fortschritt vom Gesetz zur neuen Lebensweise der Christen durch zwei Worte Jesu gekennzeichnet: „Und doch hat die Weisheit durch ihre Söhne recht bekommen" (Mt 11, 19), und: „Seit den Tagen Johannes des Täufers bis heute wird dem Himmelreich Gewalt angetan; die Gewalttätigen reißen es an sich" (Mt 11, 12). Die Werke der Weisheit, die den Ungläubigen (Juden) entgangen sind, sind auf die Gläubigen (Söhne) übergegangen. Es sind die Werke des Geistes, die im Gegensatz stehen zu den Werken des Fleisches. Von den Werken des Geistes her bestimmt Hilarius positiv das Leben der Christen. Die Grundbedingung für das himmlische Leben der Christen ist die Geduld, die ein einigendes Element der Seligpreisungen der Bergpredigt bildet. Hilarius übernimmt hier Gedanken aus Tertullians De patientia[49]. Die Geduld erweist sich im Ertragen des Unrechts. Ihre Triebfedern sind der Glaube und die Hoffnung. Der Glaube befreit uns nicht nur von der Sünde, er hilft uns auch, die Gelegenheit zur Sünde zu meiden[50] und sagt uns zugleich, daß man in der Hoffnung auf die ewige Vergeltung auch die Ungerechtigkeit erdulden kann[51].

Eine Frucht dieser Geduld ist die erste Seligpreisung: die Armut oder die Demut (humilitas). Sie gehört zur Grundbefindlichkeit des Men-

---

[48] In Mt. 27, 1–2 (II, 202, 4 – 204, 11).
[49] Vgl. Tert., De pat. 6, 4 – 7, 1 (CCL 1, 306). Die Beziehung zwischen Tertullian und Hilarius in der Verbindung von Glaube und Geduld hat J. Doignon, a. a. O., 398–405 herausgestellt.
[50] In Mt. 4, 21 (I, 140, 3–4).
[51] In Mt. 4, 25 (I, 144, 2–4); 4, 28 (I, 148, 2–3); 5, 6 (I, 154, 4–9).

schen. Hilarius nimmt hier das Wortspiel von homo und humilitas auf[52]. Die Demut besteht darin, daß die Menschen sich bewußt sind, „daß sie, aus der Vereinigung von niedrigen und schwachen Grundbestandteilen (principia) gebildet, zu dieser Gestalt eines vollkommenen Leibes geschaffen werden und mit der Hilfe Gottes zu diesem Gespür des Denkens, der Anschauung, des Urteilens und Handelns voranschreiten."[53] Hier tritt in die Beschreibung des Lebens der Christen die Anthropologie des Hilarius, die auch von Tertullian beeinflußt ist. Der Mensch bildet die Vereinigung von zwei Elementen (ex sordentibus ac tenuissimis principiis coalitos). Damit sind Leib und Seele gemeint. Während der Leib zu vollkommener Gestalt (forma perfecti corporis) heranwächst, entfaltet sich die Seele in den Fähigkeiten des Denkens, Anschauens, Urteilens und Handelns. Die Entwicklung beider Prinzipien steht unter der Wirkung Gottes (Deo profectum ministrante). Wenn wir uns bewußt werden, daß wir sowohl das Wachstum des Leibes als auch des Geistes Gott verdanken und deshalb ganz von Gott abhängen, dann folgt für Hilarius daraus die Haltung der Demut und Unterwerfung unter Gott: „Und so wird uns das Reich Gottes gehören durch die Demut des Geistes, wenn wir uns daran erinnern, daß wir alles von Gott geschenkt bekommen haben und auf noch Größeres hoffen dürfen."[54]

Es geht Hilarius bei der Erklärung der Demut oder Armut vor Gott nicht nur um die Erkenntnis der Abhängigkeit des Menschen von Gott, sondern auch um den geistlichen Fortschritt der Christen, der mit der Anerkennung ihrer Geschöpflichkeit beginnt. Denn die Demut als Werk des Geistes führt zur Liebe und Güte; beide sind Werke der Weisheit (In Mt. 11,9). Da wir alle Kinder desselben Vaters sind, müssen wir uns als Brüder betrachten, vor allem deshalb, weil wir in der Taufe zum gleichen neuen Leben wiedergeboren sind und Christus als Lehrer des himmlischen Lebens haben[55]. Jenseits der biologischen Gemeinschaft gibt es für die Christen die Liebe als einigendes Band des gemeinsamen Lebens[56]. Diese Liebe nennt Hilarius caritas, womit schon im klassischen Latein die Liebe zum Nächsten bezeichnet wird[57]. Hilarius sieht in der Liebe

---

[52] Vgl. bereits Tert., Apol. 18,2; 21,15 (CCL 1, 118,8; 125,76–77).
[53] In Mt. 4,2 (I, 122,9–13).
[54] In Mt. 4,2 (I, 122,25–28).
[55] In Mt. 24,2 (II, 166,1–7).
[56] In Mt. 4,2 (I, 122,21–22): de communione uiuendi in omnes communis uitae caritate teneamur. 4,18 (I, 136,1): Mutua igitur uniuersos caritate deuinciens. 4,27 (I, 148,6): publicae caritatis adfectus.
[57] Vgl. z.B. Cic., De fin. 5,23,65: caritas generis humani.

eine Aufstiegsbewegung. Sie hat ihre Quelle in Gott und strebt deshalb von der Nächstenliebe zur Gottesliebe. Das Band der Liebe unter den Menschen soll sich im Frieden und in der Eintracht auswirken[58].

Neben der Liebe gehört die Güte zu den Werken der Weisheit. Die Güte ist zunächst eine allgemeine Aufgabe des Menschen (beneuolentiae adfectus, quod proprium hominis officium est)[59]. Sie hält uns von Zorn und Gedanken der Rache ab. Doch sie erlangt erst ihre Vollkommenheit, wenn wir in unserer Güte das Verhalten Gottes selbst nachahmen und sie in Früchten der Barmherzigkeit konkret werden lassen[60]. Barmherzigkeit bedeutet für Hilarius freigebiges Schenken (munificentia: Mt 5,40–42; 25,35–36), das Gott belohnen wird[61].

Die Werke des Geistes und der Weisheit wirken sich weiterhin in einem reinen Leben der Christen aus als Glaube, Milde, Enthaltsamkeit und Keuschheit. Wenn auch die Ehe eine gute und erlaubte Einrichtung ist, so sieht Hilarius doch in der Enthaltsamkeit eine Chance, zu einer höheren Stufe der Unschuld und zu einem tieferen Glauben zu gelangen[62].

Die Weisungen zum Leben der Christen im Matthäuskommentar stehen alle im Zusammenhang mit der Aufforderung zur Nachfolge Jesu. Die Christen sollen das Leben und das Leiden Jesu annehmen, mit ihm teilen und so in der Neuheit des Lebens wandeln[63]. Das neue Leben hat seinen Mittelpunkt in Jesus Christus. In ihm ist alles Heil und alle Hoffnung. Deshalb werden wir aufgerufen, dem früheren Leben, das ohne Gott und ohne Hoffnung war (Eph 2,12), zu entsagen[64].

2) Auch im Psalmenkommentar geht es um das Leben der Christen aus dem Geist, indem sie sich von den Werken des Fleisches, die die himmlische Gemeinschaft nicht erlangen können, trennen. Den Werken des Fleisches stellt Hilarius die geistige Berufung der Christen gegenüber: „Doch wir wissen, belehrt von geistiger Unterweisung, daß das Heil der Seele und des Leibes Geschenk Gottes ist, wenn nur nach der Gnade der Wiedergeburt das Empfindungsvermögen des Leibes mit den Freuden des Geistes getränkt wird; d. h. wenn wir nicht nach dem Fleisch, sondern

---

[58] In Mt. 4,8 (I,126,3–6); 18,9 (II,84,1–7).
[59] In Mt. 24,7 (II,172,6–8). Vgl. 11,13 (I,268,10–11): bonum uelle, malum nolle, amare omnes, odisse nullum.
[60] In Mt. 4,27 (I,148,12–14); 18,10 (II,84,3–7); 27,4 (II,206,16): misericordiae fructus.
[61] In Mt. 4,26 (I,146,7–18).
[62] Hilarius interpretiert Mt 5,29 von der Enthaltsamkeit her: In Mt. 4,21 (I,140,2–3): Fit innocentiae gradus celsior et profectum fides sumit.
[63] In Mt. 10,25 (I,248,4–9). Vgl. auch 31,7–10 (II,232–238).
[64] In Mt. 1,5 (I,98,12–14).

nach dem Geist leben; denn nach dem Apostel unterscheiden sich die Werke des Geistes und des Fleisches durch die Neigungen zu Lastern und zu Enthaltsamkeit. Es ist schwer, doch im höchsten Maß wahr, sowohl auf die Ewigkeit des Leibes als auch der Seele zu hoffen."[65]

Die christlichen Grundhaltungen, die Hilarius im Psalmenkommentar nennt, decken sich zu einem großen Teil mit den bereits aus dem Matthäuskommentar bekannten. Hilarius weist hin auf die Gerechtigkeit, Bescheidenheit, Mäßigkeit, Barmherzigkeit, das Fasten, die Gelassenheit der Demut, die Werke der Güte, den Glanz der Keuschheit und die Tugend der Geduld[66]. Er ermahnt die Christen zur Furchtlosigkeit und zum Festhalten am Glauben und an der Hoffnung trotz der Anfechtungen und Verfolgungen durch die Welt, denn unsere Verweslichkeit und Schwäche wird einst in unsterbliche Herrlichkeit verwandelt[67].

Das Leben im Geist und die diesem Leben entsprechenden Werke führen den Christen auf den Weg der Wahrheit, der ein Mitgehen mit Christus bedeutet, der „der Weg und die Wahrheit und das Leben" (Joh 14,6) ist[68].

9.2.2 Die Bedeutung des Gebets

Hilarius stellt im Psalmenkommentar mehrfach das Gebet als wesentlichen Bestandteil des christlichen Lebens heraus. Während er die Notwendigkeit des Gebets im Matthäuskommentar nur kurz streift[69], nimmt das Gebet im Spätwerk einen breiten Raum ein. Das wird verständlich, wenn man bedenkt, daß der Psalter das Gebetbuch der Christen geworden ist.

Bei den Ausführungen des Bischofs von Poitiers zum Gebet lassen sich zwei Schwerpunkte feststellen: das immerwährende Gebet und die Initiative des Menschen beim Gebet.

Die ausführlichste Erklärung des immerwährenden Gebets findet sich bei der Auslegung von Ps 1,2: „(Wohl dem Mann, der) über seine Weisung bei Tag und Nacht nachsinnt." Hilarius weist auf die Verbindung dieses Verses mit der Mahnung des Apostels hin: „Betet ohne Unterlaß!"

---

[65] Tr.Ps. 62,3 (217,17 – 218,1).
[66] Tr.Ps. 91,10 (354,2–4); 118,mem,13 (474,1–2). Vgl. auch Tr.Ps. 57,2 (176,7–10); Myst. I,22 (112).
[67] Tr.Ps. 55,11 (167,4–9).
[68] Tr.Ps. 118,daleth,9 (396,17–23).
[69] In Mt. 5,1 (I,150,1–12). Hier übergeht Hilarius das Vaterunser, da Cyprian und Tertullian bereits eine hinreichende Erklärung gegeben haben. In Mt. 6,2 (I,172,1–14) weist Hilarius im Zusammenhang mit Mt 7,7 auf die Notwendigkeit des Gebets hin.

(1 Thess 5, 17). Er sieht realistisch, daß die Forderung nach dem immer-während Gebet in der Natur der menschlichen Schwäche Grenzen findet. Mit seiner Lösung weist er einen Weg, der später zur Erklärung des immerwähren Gebets hilfreich war: „Das Nachsinnen über die Weisungen (Gottes) besteht nicht nur im Lesen der Worte, sondern (auch) in der gottgefälligen Ausübung der Werke; wir sollen also nicht nur Bücher und Schriften erwägen, sondern durch unser Tun bedenken, was in ihnen enthalten ist. Nach dem Wort des Apostels sollen unsere täglichen und nächtlichen Werke immer das Gesetz ausführen: Ob ihr also eßt oder trinkt oder etwas anderes tut: tut alles zur Verherrlichung Gottes (1 Kor 10, 31). Dadurch nämlich wird unser Gebet ohne Unterlaß Wirklichkeit. Denn durch die Werke, die Gott wohlgefällig sind und stets zu seiner Verherrlichung ausgeübt werden, ist das gesamte Leben jedes heiligen Menschen Gebet; und so wird das Leben bei Tag und bei Nacht zum Nachsinnen über die Weisung Gottes, wenn man bei Tag und bei Nacht nach dem Gesetz lebt."[70] Hier kommt ein Gedanke zur Sprache, der dem Leben der Christen die letzte Ausrichtung gibt: „Unser ehrbarer Lebenswandel soll ein Lob dessen sein, dem wir leben."[71]

Neben diesen klaren Aussagen zum Gebet und zur Gottesverehrung finden sich einige Texte zum Gebet und zum Glauben, die dogmengeschichtlich von Bedeutung sind. Es geht um die später umstrittene Frage nach dem Anfang des Glaubens (initium fidei). Bei Hilarius finden sich einige Bemerkungen, die auf den ersten Blick semipelagianisch anmuten.

Zu Ps 118, 33: „Herr, weise mir den Weg deiner Gesetze! Ich will ihn einhalten bis ans Ende.", schreibt Hilarius: „(Der Prophet) bittet also, daß Gott gewähre. Also liegt bei uns der Anfang, wenn wir beten, daß Gott uns etwas schenke; und weil sodann sein Geschenk von uns seinen Ausgang nimmt, liegt es wiederum bei uns, daß es erbeten und erhalten wird, um dann (bei uns) zu bleiben."[72] Innerhalb der Auslegung von Ps 118 kommt Hilarius noch dreimal auf die Initiative des Menschen zu

---

[70] Tr.Ps. 1, 12 (27, 1–21; Zitat: 11–21). Ähnliche Gedanken in Tr.Ps. 63, 6 (228, 7–10): uigilandum ergo in dei oratione est et semper orandum, ut, cum fatigari anima et adfligi subrepentium inlecebrarum aculeis coeperit, deus semper oratus exaudiat nosque ab his, quae timemus, eripiat. Tr.Ps. 118, aleph, 15 (368, 23–24): Sed meminisse debemus, licet cognitio a Deo praestanda sit, tamen esse semper orandum, ut his, quae in custodiendis iustificationibus suis custodire uolumus, faueat. Vgl. Tr.Ps. 118, koph, 2 (522, 23 – 523, 19). Wie in Tr.Ps. 1, 12, verbindet Hilarius auch an anderen Stellen das Gebet mit dem Nachsinnen über das Gesetz: Tr.Ps. 118, lamed, 10 (462, 15–20); 91, 10 (354, 2–3): orationum uigiliis, lectionum frequentia.

[71] Tr.Ps. 65, 5 (252, 9–10): uitae enim nostrae honestas ad eius laudem erit referenda, cui uiuimus.

[72] Tr.Ps. 118, he, 12 (407, 7–10).

sprechen. Zu Ps 118,104 bemerkt er: „Wenn auch von Gott die vollkommene Einsicht kommt, so müssen doch wir beginnen, um die vollkommene Einsicht verdienen zu können. Denn denen, die nicht von sich aus beginnen, ist alles von Gott verschlossen ... Also wird das Wissen denen nicht zuteil, die nicht danach streben."[73] Gegen das Argument der Ungläubigen, der Glaube sei ein besonders Geschenk Gottes, das ihnen nicht gewährt worden sei, stellt Hilarius fest: „Das Bleiben im Glauben ist zwar Gabe Gottes, doch bei uns liegt der Ursprung des Beginns. Unser Wille muß diese Eigentümlichkeit aus sich aufbringen, daß er nämlich will; Gott wird dem Beginnenden das Wachstum schenken, weil unsere Schwäche ihre Vollendung nicht aus sich erlangt; doch das Verdienst, nach der Vollendung zu streben, kommt aus dem Beginn des Willens."[74] Auf das Zusammenspiel von göttlicher Barmherzigkeit und menschlicher Initiative kommt Hilarius noch einmal zurück bei der Erklärung von Ps 118,124: „Handle an deinem Knecht nach deiner Huld." Er schreibt zu dieser Stelle: „Wir bedürfen seines Erbarmens, um in diesem Bekenntnis unserer Knechtschaft zu bleiben. Denn die menschliche Schwäche ist kraftlos, etwas von sich aus zu erlangen, und zur Pflicht ihrer Natur gehört nur: zu wollen, anzufangen und sich der Gemeinschaft mit Gott anzuschließen. Die göttliche Barmherzigkeit hilft den Wollenden, stärkt die Beginnenden, nimmt die Kommenden auf. Doch bei uns liegt der Anfang, damit sie (die göttliche Barmherzigkeit) den Beginn vollende."[75]

Diese Stellen und andere, die denselben Gedanken, wenn auch nicht so deutlich, enthalten[76], stellen die Frage nach der Gnadenlehre des Hilarius, die hier nur kurz angedeutet werden kann[77].

---

[73] Tr.Ps. 118, mem, 12 (472,27 – 473,1.7–8).

[74] Tr.Ps. 118, nun, 20 (486,19–23).

[75] Tr.Ps. 118, ain, 10 (501,5–11).

[76] In Mt. 8,4 (I, 196,9–12); Trin. I, 37 (36,14–18); II, 35 (70,1 – 72,23); VIII, 12 (324,16–19); Myst. I, 26 (118–120); B I, 2 (99,5–11).

[77] Vgl. ausführlich P. Coustant, Praef. gen., 259–262, in: PL 9,122 C – 124 C. Coustant gibt zu, daß Hilarius nicht genügend die Unterscheidung von Gott und Mensch im Heilswerk herausstellt. Doch aus dem Gesamtwerk folgert er, daß nach Hilarius der Mensch stets der Gnade Gottes bedürfe.
Die Notwendigkeit einer der Gnade vorausgehenden Disposition des Menschen bei Hilarius betonen J. E. Emmenegger, The functions of faith and reason in the theology of Saint Hilary of Poitiers, 196–199, und B. Lohrscheid, Das Verhältnis der Freiheit des Menschen zur Barmherzigkeit Gottes nach der Lehre des hl. Hilarius von Poitiers, Diss. Pont. Univ. Greg., Rom 1940.
Nach A. Peñamaria de Llano, La salvación por la fe, 241–247 ist die Lehre des Hilarius vom ‚initium fidei' „vollkommen orthodox" (244). Vgl. auch G. Folliet, Le Fragment d'Hilaire „Quas Iob litteras ...". Son interprétation d'après Hilaire, Pélage et Augustin, in: Hilaire et son temps, 149–158.

Nach der Auseinandersetzung Augustins mit den Massilianern, nach Pelagianismus und Semipelagianismus[78] und vor allem nach dem zweiten Konzil von Orange (529) kommt dem heutigen Leser der Gedanke, Hilarius sei ein früher Zeuge des Semipelagianismus. Doch man muß sich davor hüten, spätere Aussagen zum Zusammenwirken von Gott und Mensch, wie sie Augustinus verbindlich für die kirchliche Lehre formuliert hat, schon bei Hilarius zu suchen. Es gab vor ihm und nach ihm ein breites Traditionsargument für die Behauptung, daß der Beginn des Glaubens und des Gebetes bei uns liegt und Gott die Vollendung schenkt (nostrum est incipere, Dei perficere)[79].

Die Stellen, an denen Hilarius dem Menschen den ersten Schritt beim Glauben oder beim Gebet (initium fidei oder initium orationis) zuschreibt, stehen häufig im Kontext der Auseinandersetzung mit Ungläubigen, die den Glauben an die Initiative Gottes im Heilswerk zu ihren Gunsten umbiegen: Wenn Gott immer am Anfang stehe, dann seien sie unschuldig, wenn sie aus Unwissenheit Gottes nicht zum Glauben gelangten (Tr.Ps. 118, he, 12). Dieses Argument will Hilarius entkräften, indem er auf die Verantwortung des Menschen im Prozeß des Glaubens hinweist.

Die Stellen, die einseitig die Initiative des Menschen beim Gebet herausstellen, sind mißverständlich, wenn sie nicht aus dem pastoralen Anliegen des Bischofs erklärt werden, dem Unglauben jede Entschuldigung zu nehmen. Zudem müssen sie in das Gesamtwerk eingeordnet werden, in dem Hilarius immer wieder von der Abhängigkeit des Menschen von Gott spricht.

Unabhängig von der dogmatischen Frage nach der Deutung des Anfangs des Gebets ist der darin ausgedrückte Gedanke für das Leben der Christen wichtig: Der Christ soll, ob er einen Antrieb Gottes in sich verspürt oder nicht, ein betender Mensch sein. Der Anfang des Gebets (exordium orationis) soll stets zum Leben des Christen gehören.

---

[78] Vgl. dazu J. Chéné, Que signifiaient „initium fidei" et „affectus credulitatis" pour les Semipélagiens?, in: RSR 35 (1948) 566–588; ders., Les origines de la controverse semipélagienne, in: AThA 13 (1953) 56–109; ders., Le Semipélagianisme du midi de la Gaule d'après les lettres de Prosper d'Aquitaine et d'Hilaire à saint Augustin, in: RSR 43 (1955) 321–341. (Es handelt sich hier um Hilarius von Arles, der Mönch des Klosters Lerinum und später Bischof von Arles war. Hilarius von Arles starb 449.).
[79] A. Peñamaria de Llano, 244 weist hin auf Johannes Cassianus, Ambrosius, den Ambrosiaster, Hieronymus, Johannes Chrysostomus, die Kappadozier und Origenes. Vgl. auch die Auslegung des Eusebius von Cäsarea, in: La chaîne palestinienne sur le psaume 118 (SC 189), 248.

Die bisherigen Aussagen zum Leben der Christen könnten den Eindruck vermitteln, daß Hilarius sich eine utopische Vorstellung vom christlichen Leben macht. Obwohl er in den Christen bereits jetzt die „einträchtige Versammlung der Gläubigen" (concors coetus fidelium) sieht[80], weist er doch auch auf die mittelmäßige Wirklichkeit des christlichen Lebens hin. Die Verkündigung der Kirche geht oft an unseren Ohren und unserem Herzen vorbei, denn der fleischliche Mensch versucht immer wieder – und häufig mit Erfolg –, den geistigen Menschen von den Weisungen des himmlischen Lebens abzuhalten[81].

9.2.3 Ehescheidung und Wiederverheiratung

Zum Leben der Christen nach dem Evangelium gehört auch das eheliche Leben.

Von der Ehe spricht Hilarius allerdings nur nebenbei. Mit Paulus sieht er in ihr einen guten und erlaubten Stand, der jedoch an Verdienst hinter dem Stand der Jungfräulichkeit (felix illa et beata uirginitas)[82] und der Witwen[83] zurückbleibt. Der Grund für die Höherschätzung der Jungfräulichkeit und des Witwenstandes ist aber keine Abwertung der Ehe – Hilarius war selbst verheiratet –, sondern das geistige Verständnis der Jungfräulichkeit[84] und des Witwenstandes[85]. Hilarius sieht in beiden Ständen ein Abbild der hochzeitlichen Verbindung zwischen Christus und der Kirche.

Im Mysterienbuch wird das Geheimnis zwischen Adam und Eva auf Christus und die Kirche übertragen[86]. Ebenso ist die Ehe Rebekkas Typos der Kirche[87]. Sowohl in der Ehe als auch in der Jungfräulichkeit sieht Hilarius einen Hinweis auf die Verbindung zwischen Christus und der Kirche.

Wichtiger als diese kurzen Andeutungen sind zwei Stellen im Matthäuskommentar, die sich mit der Ehescheidung (und der Ehelosigkeit) beschäftigen. Es ist nicht leicht, die Meinung des Hilarius zu dieser be-

---

[80] Tr.Ps. 131,23 (680,2–3).
[81] Vgl. Tr.Ps. 135,1 (713,15–25).
[82] Tr.Ps. 127,7 (633,8).
[83] Tr.Ps. 131,24 (680,22–24): quanta uiduarum dignitas est et honesta unius tori conscientia et felicis continentiae indemutata constantia!
[84] Tr.Ps. 118,nun,4 (476,25–28).
[85] Tr.Ps. 67,7 (281,18–22); 131,24 (681,13–17).
[86] Myst. I,3–5 (76–84).
[87] Myst. I,19 (108).

reits in der Alten Kirche umstrittenen Frage genau zu erfassen[88]. Um die Interpretation dieser beiden Stellen hat sich in den letzten Jahren eine Kontroverse zwischen H. Crouzel[89] und P. Nautin[90] entzündet.

9.2.3.1 Die Auslegung von Mt 5,31–32

Hilarius erklärt Mt 5,31–32 folgendermaßen: „Es heißt ferner: Wer seine Frau entläßt, gebe ihr eine Scheidungsurkunde und so weiter. Da er allen Gerechtigkeit verschaffte, hat (Christus) vor allem angeordnet, daß (die Frau) im ehelichen Frieden bleibe. Er hat das Gesetz (zwar) in vielen Dingen ergänzt, aber keine Abstriche (vom Gesetz) gemacht. Und ein Fortschritt (in der Gesetzesauslegung) kann sicher nicht als falsch beurteilt werden. Denn während das Gesetz (dem Ehemann) die Freiheit gab, eine Scheidungsurkunde auszustellen mit der rechtlichen Wirkung eines Scheidebriefes, hat jetzt der Glaube an das Evangelium dem Ehemann nicht nur den Willen zum (ehelichen) Frieden auferlegt, sondern ihm auch die Schuld aufgebürdet, wenn die Ehefrau zum Ehebruch gezwungen ist, wenn sie sich nämlich mit einem anderen verheiraten muß aus der Notwendigkeit, daß sie weggeschickt wurde. Nach der Lehre (Christi) gibt es keinen anderen Grund, das eheliche Leben zu beenden, als die schandhafte Befleckung, die die eheliche Gemeinschaft mit einer unzüchtigen Frau beim Ehemann hervorriefe."[91]

---

[88] Vgl. dazu H. Crouzel, L'église primitive face au divorce, Du premier au cinquième siècle, Paris 1971 (= ThH 13); G. Cereti, Divorzio, nuove nozze e penitenza nella Chiesa primitiva, Bologna 1977; F. Delpini, Indissolubilità matrimoniale e divorzio dal I al XII secolo, Milano 1979 (= ArAmb 37); J. Moingt, Le divorce „pour motif d'impudicité" (Matthieu 5,32; 19,9), in: RSR 56 (1968) 337–384.

[89] H. Crouzel, L'église primitive face au divorce, 254ff; ders., Le remariage après séparation pour adultère selon les Pères latins, in: BLE 75 (1974) 189–204. Vgl. auch außerhalb der Kontroverse mit P. Nautin H. Crouzel, Le texte patristique de Matthieu V. 32 et XIX. 9, in: NTS 19 (1972–1973) 98–119; ders., Divorce et remariage dans l'Église primitive. Quelques réflexions de méthodologie historique, in: NRTh 98 (1976) 891–917; ders., Quelques remarques concernant le texte patristique de Mt 19,9, in: BLE 82 (1981) 83–92.

[90] P. Nautin, Le canon du concile d'Arles de 314 sur le remariage après divorce, in: RSR 61 (1973) 353–362; ders., Divorce et remariage dans la tradition de l'église latine, in: RSR 62 (1974) 7–54.

[91] In Mt. 4,22 (I, 140, 1 – 142, 11): Dictum est autem: quicumque dimiserit uxorem suam, det illi repudium, et cetera. Aequitatem in omnes concilians manere eam maxime in coniugiorum pace praecepit legi addens plura, nihil demens. Nec sane profectus argui potest. Nam cum lex libertatem dari ex libelli auctoritate tribuisset, nunc marito fides euangelica non solum uoluntatem pacis indixit, uerum etiam reatum coactae in adulterium uxoris imposuit, si alii ex discessionis necessitate nubenda sit, nullam aliam causam desinendi a coniugio praescribens quam quae uirum prostitutae uxoris societate polluerit.

Hilarius bezieht sich hier auf das mosaische Gesetz (Dtn 24, 1–4), nicht auf Gen 2, 24. Durch das neue Gesetz Christi ist die Freiheit des Ehemanns, seine Frau zu entlassen, entscheidend eingeschränkt, vor allem im Blick auf die Praxis zur Zeit Jesu. Das Evangelium läßt nur noch einen Grund zur Beendigung des ehelichen Lebens zu: die Unzucht der Ehefrau. Der Ausdruck prostitutae mulieris legt eine Beziehung zu 1 Kor 6, 15–16 nahe.

Obwohl Hilarius hier von einer Beendigung des ehelichen Lebens spricht, hat doch desinere (a coniugio) keine rechtliche Geltung, wie P. Nautin meint[92]. Deshalb kann man nicht aus der Beendigung des ehelichen Lebens auf das Recht des Ehemanns zur Wiederverheiratung schließen, wie P. Nautin aus dieser Stelle folgert[93]. Hilarius bürdet sogar dem Ehemann die Schuld auf, wenn er durch den Scheidungsbrief seine Frau zum Ehebruch veranlaßt.

Aus der Erwähnung des alttestamentlichen Gesetzes, das der verstoßenen Frau eine neue Ehe ermöglicht (Dtn 24, 2), kann man auch nicht auf eine Zulassung der Wiederverheiratung der Frau bei Hilarius schließen. Hilarius behandelt aus der alttestamentlichen Ehegesetzgebung nur die Frage nach der Scheidungsurkunde, nicht aber nach der Wiederverheiratung. Er sagt ausdrücklich, daß nach Mt 5, 32 die Frau, die entlassen wird und wieder heiratet, Ehebruch begeht.

In Mt 5, 31–32 sieht Hilarius nur die Möglichkeit der Beendigung der ehelichen Gemeinschaft (prostitutae uxoris societate) von Mann und Frau, nicht aber ihrer Wiederverheiratung.

9.2.3.2 Die Auslegung von Mt 19, 3–12

Schwer verständlich ist die Auslegung von Mt 19, 3–12: „Da kamen Pharisäer zu Jesus, um ihm eine Falle zu stellen, und fragten: Darf der Mann seine Frau aus jedem beliebigen Grund aus der Ehe entlassen? Bei den Ausführungen (Jesu) über die Ehefrau und die Scheidungsurkunde fällt auf, daß jenes Wort im Buch Genesis (2, 24) anders aufgeschrieben ist, als es der Herr jetzt hier gebraucht. Denn dort wird alles auf die Worte Adams bezogen, hier aber behauptet der Herr, daß all dies von demjeni-

---

[92] A. a. O., 22. Die juristischen Begriffe, die eine endgültige Beendigung des ehelichen Lebens und auch das Recht zur Wiederverheiratung beinhalten, sind: dissoluere oder dirimere matrimonium. Vgl. die Belege bei J. Doignon, In Mt. I, 143, Anm. 25.

[93] A. a. O., 22. Vgl. dagegen P. Coustant, in: PL 9, 939 D – 940 C, Anm. d; H. Crouzel, L'église primitive face au divorce, 255; ders., Le remariage, 200; J. Doignon, Kommentar z. St.: In Mt. I, 142 f, Anm. 25.

gen gesagt worden sei, der sowohl den Mann gebildet als auch die Frau geschaffen habe (Gen 1,27). Doch wir folgen der Autorität des Apostels, der gesagt hat, es handle sich um ein großes Geheimnis (Eph 5,31–32), und er verstehe es von Christus und der Kirche her. Deswegen wollen wir die Stelle so stehen lassen, wie sie ist, ohne daran zu rühren. Wir ermahnen aber den Leser, jedesmal, wenn er sich über diese Frage Rat verschaffen will, die Bedeutung der Worte, mit denen der Herr geantwortet hat, und auch die Bedeutung der Worte, welche die Jünger benutzt haben, genau zu beachten und auch die Auffassung des Apostels Paulus zu erwägen, sei es daß der Apostel darüber schweigt, sei es daß er manchmal an anderen Stellen darüber handelt. Unsere Rede und Absicht soll sich (vielmehr) auf die Eunuchen beziehen. Dabei stellt der Herr (als Ursache) bei dem einen die Natur heraus, beim anderen den Zwang, beim dritten den freien Entschluß: Die Natur bei dem, der so geboren ist, den Zwang bei jenem, der dazu gemacht worden ist, den freien Willen bei jenem, der sich in der Hoffnung auf das Himmelreich zu einem solchen Leben entschieden hat. Der Herr ermahnt uns, diesem letzten ähnlich zu werden, wenn wir es nur vermögen."[94]

Allgemein kann man zu diesem Abschnitt feststellen, daß er sich gut in das Gesamtwerk des Hilarius einordnet. Die Umdeutung von Gen 2,24 auf Gott als sprechendes Subjekt findet sich auch später in Myst. I,3, wo die Worte Adams Jesus in den Mund gelegt werden[95].

Der Abschnitt handelt in seinem entscheidenden Teil von den Bedingungen zur Ausstellung einer Scheidungsurkunde. Von hier aus muß er interpretiert werden. Die Interpretation dieser Stelle ist in der Literatur allerdings unterschiedlich. J. Doignon ist der Auffassung, daß die ganze Fragestellung dieses Abschnitts sich nicht auf die Scheidungsurkunde,

---

[94] In Mt. 19,2 (II,88,1 – 90,22): Tunc accesserunt ad eum Pharisaei temptantes eum et dicentes: Si licet homini dimittere uxorem suam quacumque ex causa? In eo sermone qui de uxore et repudio est occurit illud aliter scriptum esse in Genesi quam nunc in praesens Dominus sit locutus. Illic enim sub uerbis Adae res omnis refertur, hic Dominus indicat ab eo qui et hominem figurauerit et mulierem fecerit omnia illa dicta esse. Sed nos secuti apostolicam auctoritatem, qui hoc mysterium grande esse professus est, se autem in Christo atque in Ecclesia accipere, locum hunc sicuti est intactum relinquamus. Admonemus tamen legentem ut, quotienscumque de hac eadem quaestione se consulat, uerborum uirtutes et quibus Dominus responderit et quibus discipuli usi sint diligenter aduertat, Pauli autem apostoli de hoc adfectum uel silentis uel interdum sub aliis locis tractantis expendat. Nobis circa eunuchos sermo sit et uoluntas. Et in uno posuit naturam, in altero necessitatem, in tertio uoluntatem, naturam in eo qui ita nascitur, necessitatem in eo qui ita factus est, uoluntatem in illo qui spe regni caelestis talis esse decreuerit; cui nos similes effici, si tamen possimus, admonuit.

[95] Myst. I,3 (78).

sondern auf die Enthaltsamkeit beziehe, von der Hilarius am Schluß des Textes im Zusammenhang mit den Eunuchen spricht[96]. Doch die Ausführungen über die Eunuchen bilden einen neuen Ansatz in diesem Abschnitt. Gegen die Interpretation J. Doignons kann man einen späteren Text aus dem Matthäuskommentar anführen, an dem Hilarius auf In Mt. 19, 2 zurückverweist, „wo über die Bedingung der Scheidungsurkunde gehandelt worden ist"[97].

Nicht einsichtig ist auch, warum J. Doignon die Antwort Jesu auf die Frage, über die der Leser sich Rat verschaffen soll, die also noch im Zusammenhang mit der Scheidungsurkunde steht, auf das Wort Jesu einschränkt: „Wer das erfassen kann, der erfasse es" (Mt 19, 12). J. Doignon hat die Entscheidung getroffen, den ganzen Abschnitt von den Eunuchen her zu interpretieren, die am Ende erwähnt werden. Doch diese Meinung läßt sich nicht aus dem Text ableiten.

H. Crouzel stellt in diesem Text eine Verlegenheit des Hilarius vor der Aussage Mt 19, 9 fest. Das sei der Grund, warum Hilarius diese Stelle nicht weiter behandle. Nach H. Crouzel geht die Verlegenheit des Hilarius darauf zurück, daß er den Text Mt 19, 9 in der uns bekannten Form liest: nisi ob fornicationem … et qui dimissam duxerit, moechatur[98]. J. Doignon weist hingegen darauf hin, daß die Manuskripte der Vetus Latina des Matthäusevangeliums in der Mehrzahl diese Zusätze nicht enthalten[99].

Hilarius schreibt, daß er Mt 19, 9 nicht weiter behandeln wolle. Er verweist vielmehr auf Paulus, der bereits eine hinreichende Erklärung dieser Stelle gegeben habe. Doch dieser Hinweis ist keine Verlegenheitslösung, sondern ein bekanntes Element im Matthäuskommentar. Wenn eine Stelle nach Meinung des Hilarius bereits deutlich genug erklärt ist, sieht er von einer eigenen Auslegung ab[100].

Nach H. Crouzel schließt Hilarius an dieser Stelle die Wiederverheiratung aus, auch wenn die Scheidung nach 1 Kor 7, 12–16 erlaubt ist (privilegium paulinum). P. Nautin geht weiter. Nach P. Nautin versteht Hilarius Mt 19, 9 in dem Sinn, daß der Herr zwar generell die Scheidung

---

[96] J. Doignon, Hilaire de Poitiers avant l'exil, 410–413, bes. 412 f.; ders., Kommentar zu In Mt. 19, 2 (II, 90, Anm. 4): „A notre avis, la question sur laquelle le lecteur est invité à étudier le sens du texte est la continence."
[97] In Mt. 22, 3 (II, 144, 12 – 146, 14).
[98] H. Crouzel, L'église primitive face au divorce, 256; ders., Le remariage, 201 f.
[99] J. Doignon, Kommentar z. St.: In Mt. II, 89, Anm. 4. Vgl. G. Cereti, a. a. O., 89 f, Anm. 33.
[100] Vgl. In Mt. 5, 1 (I, 150, 8–12): Cyprian und Tertullian haben das ‚orationis sacramentum' bereits erklärt. Deswegen braucht Hilarius das Vaterunser nicht mehr zu erklären. In Mt. 13, 1 (I, 296, 10–11): De parabolis autem iam a Domino absolutis loqui otiosum est.

verurteile und die Wiederverheiratung als Ehebruch bezeichne, doch den Ehemann dann von dieser Verurteilung ausnehme und ihm das Recht zur Wiederverheiratung einräume, wenn er seine Frau wegen Unzucht verstoße[101].

Die Interpretationen dieser Stelle sind verwirrend. Und auch die Hinweise, die Hilarius selbst zur Lösung dieser Frage gibt, bleiben letztlich unbestimmt.

Hilarius verweist zunächst auf die Antwort Jesu. Es gibt in Mt 19,3–12 jedoch drei Antworten des Herrn. Die erste Antwort nimmt das auf Gott hin umgeformte Wort Gen 2,24 auf. Die zweite Antwort bezieht sich auf die Frage der Pharisäer, warum Mose vorgeschrieben habe, daß man der Frau eine Scheidungsurkunde ausstellen müsse, wenn man sich von ihr trennen wolle (Mt 19,7). Die Antwort Jesu liegt in der Hartherzigkeit der gegenwärtigen Generation, denn am Anfang war es nicht so. Nur diese Antwort scheint sich auf die Frage zu beziehen, über die Hilarius nicht weiter sprechen will. Die dritte Antwort auf die Feststellung der Jünger (Mt 19,10) lautet: „Nicht alle können dieses Wort erfassen, sondern nur die, denen es gegeben ist." Nach dem Spruch über die Eunuchen folgt dann das abschließende Wort Jesu: „Wer das erfassen kann, der erfasse es" (Mt 19,12).

Die Jünger beziehen sich in ihrer Feststellung auf Mt 19,9. Wie auch der Text gelautet haben mag, den Hilarius vor sich hatte, die Jünger sagen: „Wenn das die Stellung des Mannes in der Ehe ist, dann ist es nicht gut zu heiraten" (Mt 19,10). Von hier aus ergibt sich dann auch das Wort über die Eunuchen.

Hilarius weist dann auf Paulus hin. Dabei unterscheidet er Texte, an denen der Apostel über die in Mt 19,1–3 verhandelte Frage schweigt, und Texte, an denen er diese Frage nur gelegentlich am Rand berührt. Beim Schweigen des Apostels wird Hilarius wohl an 1 Kor 7,25 denken, nicht an 1 Kor 7,10–11, wie P. Nautin annimmt. Während Paulus in 1 Kor 7,10–11 von einem Gebot des Herrn spricht, sagt er 1 Kor 7,25, daß er bezüglich der Ehelosigkeit kein Gebot des Herrn habe. Er gibt hier nur einen Rat: „Ich meine, es ist gut wegen der bevorstehenden Not, ja, es ist gut für den Menschen, so zu sein. Bist du an eine Frau gebunden, suche dich nicht zu lösen; bist du ohne Frau, dann suche keine" (1 Kor 7,26–27).

In 1 Kor 7 finden sich auch die Stellen, die Hilarius wohl meint, wenn er davon spricht, Paulus habe die Frage nach der Ehescheidung am Rand

---

[101] P. Nautin, Divorce et remariage dans la tradition de l'église latine, 23.

behandelt. Neben 1 Kor 7,12–16 (privilegium paulinum) sind es folgende Stellen, die aber nicht in Beziehung zur Ehescheidung stehen, sondern Ehelosigkeit und Ehe allgemein behandeln: „Es ist gut für den Mann, keine Frau zu berühren" (1 Kor 7,1). „Ich wünschte, alle Menschen wären (unverheiratet) wie ich" (1 Kor 7,7). Auch 1 Kor 7,9 gehört hierher: „Wenn sie aber nicht enthaltsam leben können, sollen sie heiraten. Es ist besser zu heiraten, als sich in Begierde zu verzehren."

Alle Stellen geben jedoch keinen Hinweis auf die Möglichkeit der Wiederverheiratung eines Mannes, der seine Frau wegen Ehebruchs entlassen hat. Von hier aus scheint die Interpretation H. Crouzels besser begründet als die Interpretation P. Nautins.

Die Konvergenz der von Hilarius gegebenen Hinweise zum Verständnis von Mt 19,9 weist in die Richtung, daß die Ehe unauflöslich bleibt, auch wenn Hilarius in Mt 5,31–32 einen Grund sieht, die eheliche Gemeinschaft im Fall des Ehebruchs der Frau zu beenden. Doch nirgends spricht er von der Wiederverheiratung. Es geht ihm um eine Erklärung des Wortes von der Scheidungsurkunde. Diese Erklärung gibt er aber nicht selbst, sondern er verweist auf die Botschaft des Neuen Testaments, welche die ursprüngliche Einheit und Heiligkeit der Ehe wiederherstellt.

9.3 Der Gottesdienst der Christen

Das Leben der Christen findet seinen Höhepunkt im Gottesdienst. Doch für diesen Vollzug des christlichen Lebens finden sich bei Hilarius kaum Hinweise. Nur im Hymnenbuch und im Psalmenkommentar kann man einige wenige liturgische Elemente entdecken.

1) Nach der Rückkehr aus der Verbannung hat Hilarius die Liturgie Galliens durch Hymnen bereichert[102]. Das Hymnenbuch ist nur noch fragmentarisch erhalten: ein kurzes Proömium (ein Distichon) und drei echte Hymnen[103].

---

[102] Vgl. zu den Hymnen A. L. Feder, Studien III,53–90; M. Pellegrino, La poesia di Sant' Ilario di Poitiers, in: VigChr 1 (1947) 201–226; M. Simonetti, I primordi dell' innologia latina. Ilario di Poitiers, in: ders., Studi sull' innologia popolare cristiana dei primi secoli, Roma 1953 (= Atti della Accademia dei Lincei, ser. III, vol. IV,6), 359–371; Ch. Kannengiesser, Hilaire de Poitiers, in: DSp VII/1, 484–488; J. Fontaine, Naissance de la poésie dans l'occident chrétien, 81–94.
[103] CSEL 65,209–216 oder PLS 1,274–277 (nach W. Myers, The hymns of S. Hilary of Poitiers in the codex Aretinus, Philadelphia 1928).

Der erste Hymnus (Ante saecula qui manes) ist ein Abecedarius (es fehlen die Strophen U X Y Z), der das Geheimnis der zweiten Person in der Trinität preist. In hymnischer Form nimmt Hilarius hier die dogmatischen Ausführungen aus Trin. VII–X auf.

Der zweite Hymnus (Fefellit saeuam) rühmt die Auferstehung Jesu und ist ein Bekenntnis zur eschatologischen Verherrlichung der Christen, die aus dem Sieg Christi über den Tod folgt. Der Hymnus ist gestaltet in Form eines Dialogs der christlichen Seele, der zunächst mit dem Tod und dann mit Christus stattfindet[104]. In der Form des persönlichen Bekenntnisses kann man hier eine hymnische Umsetzung des Prologs von De Trinitate sehen, wo Hilarius seinen Weg zum Glauben beschreibt.

Der dritte Hymnus (Adae carnis gloriosa) feiert den Sieg Christi über den Satan und seine Versuchungen. Er erinnert an die Auslegung der Versuchung Jesu im Matthäuskommentar (3, 1–5).

Die Hymnen sind eine knappe Zusammenfassung der Trinitätslehre, Christiologie und Erlösungslehre des Hilarius. Wie das ganze Werk, so sind auch die Hymnen im Kern christologisch. Der Gedanke, die Gläubigen Galliens im Gottesdienst Hymnen singen zu lassen, wird Hilarius im Exil gekommen sein. Dort hat er bei der Liturgie den Hymnengesang erlebt.

Doch er hat mit seinen eigenen Hymnen wohl wenig Erfolg in der gallischen Kirche gehabt. Hieronymus schreibt, Hilarius habe die Gallier im Gesang ungelehrig genannt[105]. Wer den dogmatisch anspruchsvollen Text der drei Hymnen und das wechselnde Versmaß betrachtet, wird den Widerstand der gallischen Gläubigen gegen die Hymnen des Hilarius verstehen[106].

Nach Laktanz und Juvencus kommt Hilarius das Verdienst zu, die lateinische Poesie in den Dienst der Liturgie gestellt zu haben. In der Dichtung der Hymnen sieht er, wie später Ambrosius, eine wichtige Aufgabe seines Bischofsamtes, denn es geht ihm auch in den Hymnen um die Stärkung der Frömmigkeit der Gläubigen und um ihren Schutz vor den Irrlehren. Zugleich will der Bischof von Poitiers im Gesang der Hymnen die gottesdienstliche Gemeinde zu gemeinsamem Beten vereinen.

Gegen den Widerstand einiger spanischer Christen, die nur biblische Hymnen im Gottesdienst gelten lassen wollten, empfiehlt das vierte Kon-

---

[104] Vgl. dazu Ch. Kannengiesser, a. a. O., 488; J. Fontaine, a. a. O., 92.
[105] Hier., In epist. ad Gal. 2 (PL 26, 355 B): cum et Hilarius Latinae eloquentiae Rhodanus, Gallus ipse et Pictavis genitus, in hymnorum carmine Gallos indociles vocet.
[106] Vgl. G. Bardy, Un humaniste chrétien: Saint Hilaire de Poitiers, in: RHEF 27 (1941) 24.

zil von Toledo (633) ausdrücklich die Hymnen des Hilarius und Ambrosius[107].

2) Auch im Psalmenkommentar erwähnt Hilarius oft den Wert des Hymnengesangs. Aus den zahlreichen Erklärungen zum Begriff Hymnus[108] sollen nur jene drei Stellen genannt werden, die liturgische Bedeutung haben:

a) Bei der Auslegung von Ps 64,9: „Ost und West erfüllst du mit Jubel.", weist Hilarius auf den Hymnengesang der Kirche am Morgen und am Abend hin. In dieser Entwicklung der Kirche (progressus ecclesiae) sieht er ein sehr großes Zeichen der Barmherzigkeit Gottes: „Der Tag wird mit Gebet zu Gott begonnen, der Tag wird mit Hymnen an Gott beendet."[109] Hier kommt wohl die Gebetspraxis seiner Zeit zur Sprache, und in dem Hinweis auf die Hymnen kann man vielleicht eine Andeutung auf die Hymnen des Hilarius sehen.

b) Deutlicher werden die Aussagen im Zusammenhang mit Ps 65,4: „Alle Welt bete dich an und singe dein Lob, sie lobsinge deinem Namen." Hilarius mißt an dieser Stelle dem Volksgesang eine pädagogische und missionarische Bedeutung bei. Darin liegt auch für ihn der Unterschied zwischen Psalm und Hymnus. Während der Psalm von unserer Pflicht spricht, Gott zu loben und anzubeten, lädt Hilarius die Gläubigen ein, im feierlichen Gesang der Hymnen die Antwort eines frommen Bekenntnisses auf die Aufforderung des Psalmisten zum Gotteslob zu geben. Der Hymnus ist die Antwort auf den Psalm. Er ist ein jubelndes Bekenntnis, denn seine Wirkung besteht darin, „daß jeder Gegner abgeschreckt wird, gegen den Teufel angekämpft wird und der Tod durch den Glauben an die Auferstehung besiegt wird". Diesen Gesang der Gläubigen soll derjenige hören, der außerhalb der Kirche ist. Er wird dadurch merken, daß die Hymnen Gott wohlgefällig sind und Zeugnis für unsere Hoffnung ablegen[110]. Hier zeigt sich in der inhaltlichen Bestimmung des Hymnenge-

---

[107] Conc.Tol.IV, cap. 13 (Mansi 10,622 E): Et quia nonnulli hymni humano studio in laudem Dei atque apostolorum et martyrum triumphos compositi esse noscuntur, sicut hi quos beatissimi doctores Hilarius atque Ambrosius ediderunt, quos tamen quidam specialiter reprobant, pro eo quod de scripturis sanctorum canonum, vel apostolica traditione non existunt.

[108] Vgl. u.a. Instr.Ps. 19 (15,26 – 16,4); Tr.Ps. 54,1 (147,7–16); 60,1 (203,9–11); 64,2 (234,11–13); 64,19 (248,18–21).

[109] Tr.Ps. 64,12 (244,8–11).

[110] Tr.Ps. 65,4 (251,7–19). Zur Unterscheidung von Psalm und Hymnus vgl. Instr.Ps. 19 (15,25–28): psalmus est, cum cessante uoce pulsus tantum organi concinentis auditur. canticum est, cum cantantium chorus, libertate sua utens neque in consonum organi adstrictus obsequium, hymno canorae tantum uocis exultat. Vgl. dazu auch J. Fontaine, a.a.O., 87f.

sangs die Verbindung zum Hymnenbuch: Hauptthemen sind der Siegesgesang der Christen über den Satan und den Tod sowie das Bekenntnis des Glaubens an die Auferstehung.

c) Die Hymnen sind für Hilarius das neue Lied, das nicht auf die Juden beschränkt ist, sondern von den gläubig gewordenen Heidenvölkern gesungen wird. Hilarius entfaltet diesen Gedanken bei der Auslegung von Ps 143,9: „Ein neues Lied will ich, o Gott, dir singen, auf der zehnsaitigen Harfe will ich dir spielen." Der Inhalt des neuen Liedes ist der hymnische Lobpreis des unsichtbaren, körperlosen, ewigen Gottes, des gerechten Richters und Königs der seligen Ewigkeit[111]. In diesen Hymnus soll der Mensch auch mit seinem Leib einstimmen – die zehnsaitige Harfe ist für Hilarius hier ein Hinweis auf die zehn Finger und Zehen des Menschen –, um unter dem Antrieb der geistigen Werke dieses neue Lied zu singen[112].

Wenn auch erst Ambrosius zwanzig Jahre nach Hilarius den gottesdienstlichen Volksgesang mit Erfolg einführen konnte, so bleibt es doch das Verdienst des Hilarius, der erste Hymnendichter des Abendlands gewesen zu sein.

10. Die Apostel und ihre Nachfolger

Neben dem gemeinsamen Priestertum der Gläubigen finden sich bei Hilarius viele Hinweise auf das kirchliche Amt und die pastorale Aufgabe des Bischofs. Obwohl kaum bekannt ist, wie er sein Bischofsamt ausgeübt hat, da seine Korrespondenz bis auf den Liber de Synodis verlorengegangen ist, spürt man doch bei ihm eine hohe Auffassung vom Bischofsamt. Das Bewußtsein, Bischof zu sein[1], wirkt sich im bischöflichen Dienst aus,

---

[111] Tr.Ps. 143,17 (823,21–30).
[112] Tr.Ps. 143,20 (825,15–20). Hilarius deutet die zehnsaitige Harfe oder das organum mehrfach allegorisch auf den menschlichen Leib. Vgl. Instr.Ps. 20 (16,13–14); 21 (17,8–9); Tr.Ps. 136,7 (728,10–12); 146,2 (845,28 – 846,2).

[1] Or.Syn.Sard.-II. Textus narratiuus 1 (6) (184,17–18): ... sententias, quas pro sacerdotalis iudicii reuerentia fas fuerat sacerdotali uel ecclesiastica conscientia contineri. Hilarius gebraucht ‚sacerdos' meist im Sinn von Bischof. Vgl. ebd. (185,14–15); 3 (8) (187,16–17); Ad Const. 8 (203,9–10); C. Aux. 4 (611 B). Sacerdos bezeichnet den Bischof vor allem in seiner liturgischen Funktion.

worunter er eine doppelte Aufgabe versteht: den eigenen Glauben weiterzugeben und das Amt zum Heil aller Menschen auszuüben[2]. Hier kommt ein Gedanke zur Sprache, der das Verständnis des Bischofsamtes im 4. Jahrhundert charakterisiert. Das Bischofsamt ist Heilsdienst im umfassenden Sinn. Neben der unmittelbaren geistlichen Bedeutung besitzt es auch eine soziale Dimension. Der Bischof ist auch Schirmherr seiner Stadt (protector civitatis)[3], Verteidiger seiner Gläubigen vor den staatlichen Stellen. Sowohl im Verwaltungsapparat des römischen Reiches als auch in der Kultur und Kunst der damaligen Zeit nahm der Bischof eine wichtige Stellung ein. In der audientia episcopalis hörte er sich Streitfälle an und versuchte, sie zu schlichten. Die soziale Stellung des Bischofs in der Mitte des 4. Jahrhunderts brachte es mit sich, daß die Bischöfe häufig aus den sozial gehobenen Kreisen der Großgrundbesitzer[4] ausgewählt wurden, damit sie auf gleicher Ebene mit den staatlichen Stellen verhandeln konnten. Von seiner Herkunft her gehörte Hilarius zu einer begüterten Familie. Dieser Umstand wird mitgespielt haben, daß er wenige Jahre nach seiner Taufe zum Bischof gewählt wurde.

Für Hilarius steht die geistliche Bedeutung des Bischofsamtes eindeutig im Vordergrund. Die hohe Wertung des Bischofsamtes kannte er sicher aus den Briefen Cyprians. Wenn auch Cyprian gern von der Machtbefugnis des Bischofs spricht, so versteht er darunter doch eher einen religiösen Ordnungswillen: Der Bischof muß Vorbild seiner Gemeinde sein; seine Macht ist nicht absolut, denn er kann nur Forderungen nach der Norm der göttlichen Gebote erheben[5].

Dennoch hat sich gegenüber Cyprian die Lage der Bischöfe unter Konstantin grundlegend geändert. Obwohl der Kaiser der Kirche Freiheit gewährt hatte, haben doch er und seine Söhne immer wieder in die inneren Angelegenheiten der Kirche eingegriffen. Zu solchen Eingriffen waren Konstantin und seine Söhne von ihrem herrscherlichen Selbstverständnis her berechtigt, denn der Kaiser ist Pontifex Maximus. Die ‚religio' ist eine staatsöffentliche Angelegenheit, für welche der Kaiser von Amts wegen

---

[2] Trin. I, 14 (15,9–12): Quin etiam id quod sibi credebat, tamen per ministerium inpositi sacerdotii etiam ceteris praedicabat, munus suum ad officium publicae salutis extendens.
[3] Vgl. J. Daniélou, Saint Hilaire, évêque et docteur, in: Hilaire de Poitiers, évêque et docteur, 9; J. Doignon, Hilaire de Poitiers avant l'exil, 15 f.
[4] Vgl. J. Fontaine, Antike und christliche Werte in der Geistigkeit der Großgrundbesitzer des ausgehenden 4. Jh. im westlichen Römerreich, in: K. S. Frank (Hg.), Askese und Mönchtum in der Alten Kirche, 281–324; H. Rahner, Kirche und Staat im frühen Christentum, 75–113.
[5] Vgl. H. von Campenhausen, Kirchliches Amt und geistliche Vollmacht in den ersten drei Jahrhunderten, 292–322; W. Simonis, Ecclesia visibilis et invisibilis, 8–12.

und von Rechts wegen zuständig ist. So hat Konstantius II. auf dem Konzil von Konstantinopel (360) Homousianern und Homöusianern seinen homöischen Bekenntnisentwurf abgerungen. Hilarius hat sich dem Kaiser gegenüber so lange loyal verhalten, wie er von ihm eine Hilfe in der Verteidigung des wahren Glaubens erhoffte. Erst als dies aussichtslos erschien, hat er sich in scharfer Form gegen ihn gewandt.

Diese Andeutungen auf die Ausübung des Bischofsamtes führen zu der Frage, woher Hilarius die Kriterien für seine Wirksamkeit als Bischof bezog. Als gallischer Bischof stand er im Gefolge von Bekenner- und Märtyrerbischöfen, unter denen besonders Irenäus von Lyon genannt werden muß, dessen Bedeutung für Hilarius aber nicht deutlich hervortritt. Hilarius sieht sein Bischofsamt vor allem von den Aposteln her, deren Nachfolger die Bischöfe sind[6].

10.1 Die Berufung und Sendung der Apostel

1) Im Matthäuskommentar finden sich, dem Evangelium entsprechend, viele Aussagen zur Stellung und Sendung der Apostel. An erster Stelle steht die Berufung durch Christus. Bereits die Berufung der ersten vier Jünger (Mt 4, 18–22) ist mit einer Sendung verbunden. Wie sie bis zu ihrer Berufung Fischer waren, so sollen sie fortan die Menschen aus dem Meer der Welt in das Licht der himmlischen Wohnung ziehen. Zugleich sind sie ein Beispiel für die Nachfolge Jesu. Wer dem Herrn folgen will, darf sich nicht durch die Sorge um das Leben in der Welt und durch Anhänglichkeit an sein Vaterhaus zurückhalten lassen[7].

Hilarius stellt ein doppeltes Kennzeichen der Apostel heraus: Sie sind gesandt zur Verkündigung[8], und sie sind Zeugen der Auferstehung[9]. Der Inhalt ihrer Verkündigung sind die himmlischen Dinge[10], das Reich Gottes[11] und allgemein die Enthüllung des tiefen Geheimnisses der Lehre des Evangeliums[12]. Die Apostel üben die Verkündigung in der Vollmacht Jesu aus, die auf sie übergeht[13]. Die Verbindung zwischen Christus und

---

6 B II, 5, 3 (18) (142, 5–6).
7 In Mt. 3, 6 (I, 118, 3 – 120, 10); 9, 1 (I, 204, 3–4).
8 In Mt. 9, 9 (I, 214, 18).
9 In Mt. 16, 8 (II, 54, 3 – 56, 4).
10 In Mt. 4, 10 (I, 128, 11).
11 In Mt. 10, 4 (I, 218, 6 – 220, 7).
12 In Mt. 10, 17 (I, 236, 11–12).
13 In Mt. 10, 4 (I, 218, 1–2).

den Aposteln stellt Hilarius am Gleichnis vom Senfkorn (Mt 13,31–32) heraus. Das Senfkorn, das zu einem Baum heranwächst, ist Christus; die Zweige des Baumes, in denen die Vögel, d.h. die Heidenvölker nisten, sind die Apostel[14], die aus der Kraft des Baumes leben.

Als Verkünder der himmlischen Dinge sind die Apostel nach der Herabkunft des Heiligen Geistes Zeugen[15], weil sie Zeugen der Auferstehung Jesu sind.

Hilarius nennt die Apostel auch Spender der göttlichen Gnade. Da diese Aussage im Zusammenhang mit der Speisung der Fünftausend steht, tritt hier die priesterliche Bedeutung der Apostel für die Spendung der Eucharistie hervor[16].

Hilarius erwähnt auch die Leiden der Apostel, die sie in Erfüllung ihres Auftrags auf sich nehmen müssen[17]. Obwohl sie während der Zeit, die sie mit Jesus verbrachten, oft in Gefahr waren, im Glauben zu ermatten, und obwohl sie schließlich Jesus verlassen haben, wurden sie doch in der apostolischen Zeit[18] vom erhöhten Herrn gestärkt, so daß sie Leiden, Flucht, Schläge, öffentlichen Haß und den Tod um seines Namens willen ertragen konnten[19].

In der Nachfolge Jesu[20] sollen die Apostel Diener des Menschen sein nach dem Vorbild des Menschensohnes, der nicht gekommen ist, um sich bedienen zu lassen, sondern um zu dienen und sein Leben hinzugeben als Lösegeld für viele (Mt 20,28)[21].

Obwohl Hilarius sich in der Hochschätzung der Apostel in die Tradition einfügt, finden sich bei ihm doch auch kritische Äußerungen über die Apostel. W. Wille hat diese Bemerkungen des Hilarius in die vorausgehende Tradition eingeordnet[22].

Wenn auch Irenäus und Tertullian die Apostel nicht vollkommen idealisieren konnten, vermeiden sie doch weithin eine Kritik an den Aposteln. Erst bei Origenes findet sich eine kritische Auseinandersetzung mit den Aposteln. Er wendet sich gegen die Auffassung, die Jünger seien schon

---

[14] In Mt. 13,4 (I,298,10–16).
[15] In Mt. 17,3 (II,64,17–18).
[16] In Mt. 14,10–11 (II,20,9 – 22,8).
[17] In Mt. 10,14 (I,232,9). Hier wirken wohl die Aussagen des Apostels Paulus von den Leiden nach, die er im Dienst der Verkündigung auf sich genommen hat. Vgl. dazu E. Güttgemanns, Der leidende Apostel und sein Herr, 126–198.
[18] In Mt. 13,3 (I,296,2).
[19] In Mt. 25,2 (II,182,18–23).
[20] In Mt. 20,4 (II,106,6–11).
[21] In Mt. 20,12 (II,116,4–7).
[22] W. Wille, 163–166.

vor dem Leiden und der Auferstehung Jesu vollkommen gewesen[23]. Während des irdischen Lebens Jesu stehen die Jünger durchaus noch zeitweilig unter dem Einfluß des Teufels[24]. Erst nachdem der Tod Jesu sie von der Knechtschaft des Gesetzes befreit hatte, konnten sie die gesetzliche Lebensweise aufgeben. Da für Origenes der Gedanke der apostolischen Sukzession weniger wichtig ist als für Irenäus oder Tertullian, konnte er ohne Schwierigkeiten das zeitweise problematische Verhalten der Jünger zur Kenntnis nehmen.

Hilarius weist darauf hin, daß die drei Apostel, die bei der Verklärung Jesu zugegen waren, sich als schwach erwiesen haben. Die volle Befähigung zum Apostelamt ist an die Ausgießung des Heiligen Geistes gebunden[25]. Die Unfähigkeit der Apostel, den mondsüchtigen Jungen zu heilen, veranlaßt Hilarius zu der Feststellung: „Die Apostel hatten zwar geglaubt, doch sie besaßen noch keinen vollkommenen Glauben"[26] Das Jesuswort von der ungläubigen und unbelehrbaren Generation (Mt 17,17) wird zunächst auf die Apostel gedeutet, weil sie während der kurzen Abwesenheit Jesu in den gewohnten Unglauben zurückgefallen sind. Der tiefere Sinn dieser Stelle offenbart den Grund, warum Hilarius sich im Matthäuskommentar auch kritisch mit den Aposteln beschäftigt: Die Darstellung der Schwäche der Apostel ist als Warnung an ihre Nachfolger zu verstehen, vom Glauben abzufallen. „Er belehrt sie (die Apostel) also, daß diejenigen nichts zum Heil beitragen können, die in der Zeit zwischen dem Evangelium und der Wiederkunft des Herrn vom Glauben abfallen, so als sei der Herr abwesend."[27] Doch Hilarius mildert gleich im Anschluß seine Kritik wieder und versteht das Unvermögen der Jünger dem inneren Sinn des Textes nach als Darstellung des Unvermögens der Pharisäer und Schriftgelehrten, etwas zum Heil beizutragen[28]. Hochschätzung und Kritik der Apostel finden sich auch bei der Auslegung der Bergpredigt. Der Vergleich der Apostel mit dem Salz der Erde (Mt 5,13) besagt für Hilarius, daß die Apostel hier ermahnt werden, ihren Auftrag bis ans Ende getreu zu erfüllen, weil sie sonst zusammen mit denen, die ihr kraftloses Wort hören, aus der Kirche ausgestoßen werden[29]. Bei der Auslegung von Mt 5,22 weist Hilarius aber auf die Strafe hin, die demje-

---

[23] MatthCom. XII,40 (GCS 40 = Origenes X, 158,22–28).
[24] Ebd. (161,5–22).
[25] In Mt. 17,3 (II,64,16–18).
[26] In Mt. 17,6 (II,66,1–2).
[27] In Mt. 17,6 (II,66,6–9).
[28] In Mt. 17,8 (II,68).
[29] In Mt. 4,10 (I,128,20–25).

nigen drohe, der den Aposteln unterstelle, sie seien ohne heilswirkende Erkenntnis[30]. So wird auch hier die Kritik an den Aposteln wieder gemildert.

W. Wille macht darauf aufmerksam, daß sich in den teilweise kritischen Äußerungen des Hilarius zu den Aposteln die Situation des beginnenden arianischen Streites im Leben des Bischofs von Poitiers spiegelt[31]. Hilarius will bereits in seinem Frühwerk die Bischöfe Galliens vor einem Abfall vom wahren Glauben warnen. Zugleich stellt er aber die hohe Bedeutung der Apostel für die Kirche heraus, denn es kann ihm nicht daran gelegen sein, durch die Erwähnung der Schwäche der Apostel die eigene bischöfliche Autorität in Frage zu stellen[32].

Die kritischen Äußerungen über die Apostel sind kein durchgehendes Element bei Hilarius. Er kommt auf sie noch einmal kurz im Mysterienbuch zurück. Doch dort steht der Abfall der siebzig Prediger vom Glauben im Gegensatz zur bleibenden Glaubensverkündigung der Apostel[33].

Neben diesen Hauptaussagen finden sich im Matthäuskommentar noch kleinere Hinweise auf die Apostel. Sie sind bereits in Josef vorgebildet, denn wie Josef mit Maria und Jesus nach dem Tod des Herodes aus Ägypten zurückkehrt, so sollen die Apostel die Botschaft von Christus überall verkünden[34]. Die Apostel stehen zwischen Gesetz und Evangelium[35] und werden zunächst zu den verlorenen Schafen des Volkes Israel gesandt[36]. Sie sind das Licht der Welt[37], denn sie sind die ersten Glaubenden aus Israel[38]. Hilarius warnt auch vor falschen Aposteln[39].

2) In De Trinitate und den dogmatisch-polemischen Werken steht nicht der bibeltheologische Gedanke des Apostolats im Vordergrund, sondern der normative Glaube der Apostel für den Glauben der Kirche. Die Kirche ist vom Herrn gegründet und wird von den Aposteln befestigt[40], wie

---

[30] In Mt. 4,17 (I,136,11–15): Piaculi magni periculum est, quem salem Deus nuncupauerit, eum contumelia infatuati sensus lacessere; et stultorum intelligentiam sallientem stultae intelligentiae exasperare maledicto. Istiusmodi igitur aeterni ignis erit pabulum.

[31] W. Wille, 167.

[32] W. Wille, 167–174 stellt noch weitere Punkte der kritischen Haltung des Hilarius zu den Aposteln heraus: z.B. ihre Einstellung zum Gesetz.

[33] Myst. I,37 (134): ... quia septuaginta praedicatores euangelii electi infideles postea reperti sunt ... apostolis in fidei praedicatione durantibus.

[34] In Mt. 2,1 (I,102,11–16).

[35] In Mt. 21,9 (II,132,5 – 134,7).

[36] In Mt. 2,1 (I,102,14–15).

[37] In Mt. 4,11 (I,130,5–7); 4,13 (I,130,11 – 132,15).

[38] In Mt. 21,9 (II,132,5).

[39] In Mt. 10,29 (I,250,4–7); 25,2 (II,182,23–26).

[40] Trin. VII,4 (263,17–18).

der häufige Hinweis auf das Zeugnis der Apostel zeigt[41]. In diesen Werken wird der Übergang der Vollmacht der Apostel auf die Kirche deutlich, die aus dem Glauben der Apostel ihr Kriterium zur Unterscheidung von Wahrheit und Irrtum bezieht.

3) Die Verbindung von Aposteln und Kirche tritt am deutlichsten im Psalmenkommentar hervor. Wie in De Trinitate spricht Hilarius hier von der apostolischen Autorität für die Kirche[42]. Die Apostel sind Fundament und Säulen der Kirche[43], sie sind die Führer des heiligen Volkes Gottes[44]. Mit den Patriarchen, Propheten und vor allem mit den Engeln sind sie der Kirche als immerwährender Schutz gegeben[45]. Sie sind von Christus als erste aus Israel erwählt und haben von ihm die Schlüsselgewalt zum Eintritt in das Himmelreich erhalten[46].

Hilarius stellt drei Merkmale des Apostels heraus: Er ist einträchtig (unianimis), Führer (dux), Vertrauter des Herrn (notus). Diese Momente werden im Zusammenhang mit dem Verrat des Judas entfaltet. Vor diesem dunklen Hintergrund beschreibt Hilarius die gottgewollte Sendung der Apostel: „(Er ist) einträchtig, da er zum Apostel erwählt ist; er ist Führer, da er während der Abwesenheit des Herrn zur Verkündigung seiner Ankunft in die Dörfer und Ortschaften vorausgeschickt ist und vom Herrn zum Anführer des künftigen Reiches eingesetzt ist; er ist sein Vertrauter, da er mit all seinen Eingängen und Ausgängen vertraut ist und im Menschensohn auch den Gottessohn erkannt hat."[47]

So sind die Apostel die Zierde der Kirche[48]. Die eine Kirche der Apostel breitet sich in viele Kirchen aus[49].

Ausführlicher als im Matthäuskommentar beschreibt Hilarius im Psalmenkommentar die Apostel als Licht der Kirche. Während er In Mt. 5, 4 das Wort Jesu: „Die Leuchte deines Körpers ist dein Auge" (Mt 6, 22), anthropologisch versteht[50], deutet er es im Psalmenkommentar ekklesiolo-

---

[41] Z. B. Trin. IV, 1 (101, 2–4); VI, 9 (204, 13–15); VII, 7 (267, 13–14); X, 52 (505, 1–3); B I, 3 (100, 5–8); B II, 9, 7 (27) (149, 24 – 150, 2); C. Const. 21 (600 A); C. Aux. 2 (610 C).

[42] Z. B. Tr. Ps. 2, 1 (37, 20; 38, 5–6); 2, 5 (40, 22); 2, 9 (42, 19–20; 43, 22–23).

[43] Tr. Ps. 67, 10 (286, 8–9); 118, koph, 12 (529, 14–21); 131, 4 (663, 17–19).

[44] Tr. Ps. 64, 17 (247, 22–23); 67, 28 (304, 4–6); 118, aleph, 12 (367, 7).

[45] Tr. Ps. 124, 6 (601, 10–12).

[46] Tr. Ps. 67, 35 (310, 1–4).

[47] Tr. Ps. 54, 13 (157, 6–11); 54, 15 (158, 18–23).

[48] Tr. Ps. 68, 7 (318, 20–22).

[49] Tr. Ps. 131, 14 (673, 6–8).

[50] In Mt. 5, 4 (I, 152, 2 – 154, 15): De oculi enim officio lumen cordis expressit. Quod si simplex et lucidum manebit, claritatem aeterni luminis corpori tribuet et splendorem originis suae corruptioni carnis infundet. Si autem obscurum peccatis et uoluntate erit nequam,

gisch: Die Apostel sind das Licht und die Augen des Leibes der Kirche. Hilarius erwähnt diesen Gedanken zweimal. Er tritt zum erstenmal auf bei der Auslegung von Ps 118,105: „Dein Wort ist meinem Fuß eine Leuchte, ein Licht für meine Pfade." Hilarius setzt diesen Vers in Verbindung zu Mt 5,15 und Lk 12,35, um ihn dann mit Mt 6,22 auf die Apostel anzuwenden: „Der Herr nennt die Apostel Salz der Erde und Licht der Welt. Dadurch zeigt er aber auch, daß sie die Leuchten der Kirche sind, indem er sagt: Die Leuchte deines Körpers ist dein Auge, d. h. der Kirche, die in Christus ein Leib ist, und wir sind unsererseits Glieder dieses Leibes. Zunächst einmal ist jedem von uns das Wort Gottes für sich Leuchte; dann ist der apostolische Mann für seinen ganzen Leib, d. h. für die Kirche, Leuchte. Denn der ganze Körper ist weder Fuß noch Auge noch Hand. Wenn also die Augen, der leuchtendste und deshalb alle anderen Glieder des Leibes überragende Teil des Körpers, Finsternis sind, d. h. wenn die Lampen der Apostel nicht brennen, da das Licht sich in der Finsternis befindet, in welch finsterer Nacht wird sich dann der ganze Leib befinden? Als Bußprediger war Johannes eine Leuchte für Juden und Heiden, denn der Herr sagt: Jener war die Lampe, die brennt und leuchtet, und ihr wolltet euch eine Zeitlang an seinem Licht erfreuen (Joh 5,35). Wir haben also das Licht der Unterweisung: Freuen wir uns darüber, nicht eine Zeitlang, sondern immer; nicht nur für diese Zeit, sondern für die Ewigkeit. Jene seligen Jungfrauen, die allein genügend Öl eingekauft hatten, sind im Lichtschein ihrer Öllampen mit dem Bräutigam ins Brautgemach eingezogen, während die nachlässigen und schläfrigen (Jungfrauen) vom Einzug ins Brautgemach ausgeschlossen wurden."[51]

Die unterschiedliche Erklärung von Mt 6,22 im Matthäuskommentar und im Psalmenkommentar kann auf dem Einfluß des Origenes auf den Psalmenkommentar beruhen. In der palästinensischen Katene zu Ps 118 findet sich zu V 105 eine Erklärung des Origenes, die Übereinstimmung und Differenz mit der Auslegung des Hilarius zeigt. Für beide ist primär das Wort Gottes die Leuchte. Beide stellen die Überlegenheit des Auges über die anderen Glieder heraus. Auch Origenes führt Joh 5,35 und das Gleichnis von den klugen und törichten Jungfrauen an. Doch für Orige-

uitiis mentis natura corporis subiacebit. Et si lumen quod in nobis est tenebrosum sit, quantas necesse est ipsarum tenebras esse tenebrarum, quia iam periculose soleat animi generositati terrenae carnis uitiosa origo dominari longeque magis peccata corporum ingrauescere, si etiam cupiditatibus adiuuentur animorum, ex eoque fieri praeter naturam suam corpora nostra tenebrosa, si in illis mentium lumen exstinctum sit; quod si per simplicitatem spiritus retinuerimus, lumine suo necesse est et corpus illuminet.
[51] Tr.Ps. 118,nun,4 (476,9–28).

nes ist der hellsichtige Mensch, der das Wort (logos) empfangen hat (ho dioratikos anēr kai echōn ton logon), Leuchte des Leibes der Kirche. Für ihn bedeutet Leuchte der Kirche keine hierarchische Funktion, sondern der geistige Mensch[52]. Hilarius hingegen nennt die Apostel Leuchten der Kirche, und da dieses Licht nicht nur eine Zeitlang, sondern immer leuchten soll, nennt er auch den apostolischen Mann Leuchte der Kirche. Damit ist, wie Tr.Ps. 138,34 nahelegt, der Bischof gemeint.

Hilarius beschäftigt sich noch einmal mit den Aposteln als Augen der Kirche im Zusammenhang mit Ps 138,16. Wie in Tr.Ps. 118, nun, 4, weist er darauf hin, daß die Augen alle anderen Glieder des Leibes überragen. Mit den Augen des Leibes der Kirche werden die Apostel bezeichnet. Wieder erwähnt er Mt 6,22–23, um die Stelle gleich ekklesiologisch zu deuten, denn sie ist „außerhalb des körperlichen Verständnisses und muß deswegen geistig verstanden werden". Geistiges Verständnis bedeutet, daß der Leib, die Kirche, von Natur aus Finsternis ist, wenn er nicht durch die Apostel und ihre Nachfolger immer neu erleuchtet wird: „So werden die Apostel, die die Augen der Kirche, d.h. des Leibes Christi, sind, aufgefordert, leuchtend und gesund (simplices) zu sein, da der ganze Leib hell ist, wenn sie gesund sind; wenn sie aber krank sind, dann wird der ganze Leib notwendigerweise finster sein: Denn es gibt für die Finsternis keine Hoffnung auf Licht, wenn das Licht selbst in der Finsternis ist."[53] Hilarius wendet in der Folge diesen Gedanken auf die Bischöfe an, wodurch sich die apostolische Sukzession schon abzeichnet.

10.2 Die Stellung des Petrus

Mit der gesamten Tradition hebt Hilarius die besondere Stellung des Petrus im Apostelkreis hervor[54]. Die Bedeutung des Apostels Petrus durchzieht das ganze Werk des Hilarius, obwohl sich bei ihm noch keine Theologie des Petrusprimats findet, wie z.B. bei Hieronymus[55].

---

[52] La chaîne palestinienne sur le psaume 118 (SC 189), 358–362. Kommentar v. M. Harl z.St.: SC 190,691–694.

[53] Tr.Ps. 138,34 (767,21 – 768,15; Zitat: 768,11–15).

[54] Vgl. R. Pesch, Simon-Petrus. Geschichte und geschichtliche Bedeutung des ersten Jüngers Jesu Christi, Stuttgart 1980 (= Päpste und Papsttum 15). Vgl. auch R. E. Brown/K. P. Donfried/J. Reumann (Hg.), Der Petrus der Bibel. Eine ökumenische Untersuchung, Stuttgart 1976.

[55] Vgl. Y. Bodin, Saint Jérôme et l'église, 138–147; 204–215.

1) Die entscheidenden Aussagen finden sich im Matthäuskommentar. Der Primat des Petrus vor den anderen Aposteln ist darin begründet, daß er als erster geglaubt hat und deshalb Fürst der Apostel ist. Seine menschliche Schwäche wurde mit der Kraft des Wortes Gottes erfüllt, so daß er zum allgemeinen Heil wirken konnte[56]. Er wirkte zum allgemeinen Wohl, weil er von Christus zum Fundament der Kirche erwählt wurde, denn durch sein Bekenntnis zum Sohn des lebendigen Gottes hat er alle anderen Apostel übertroffen: „Als erster hat er die Passion verabscheut, da er dachte, sie sei ein Unglück. Als erster hat er versprochen, er werde (mit Christus) sterben und ihn nicht verleugnen. Als erster hat er sich dagegen gewehrt, daß ihm die Füße gewaschen werden. Er hat auch das Schwert gegen jene gezogen, die den Herrn gefangennahmen."[57] Doch vor allem das Messiasbekenntnis ist der Grund, daß Petrus zum Fundament der Kirche wird, denn er hat hier im Menschen Jesus den Sohn Gottes erkannt. Bei der Auslegung von Mt 16,17–19 schwingt sich Hilarius zu einer im Matthäuskommentar ungewohnten hymnischen Sprache auf: „O glückliches Fundament der Kirche in der neuen Namensgebung, würdiger Fels jenes Baus, der die Gesetze der Unterwelt, die Pforten des Totenreichs und die Riegel des Todes durchbricht! O seliger Torhüter des Himmels, dessen Urteilsspruch die Schlüssel des Zugangs zur Ewigkeit übergeben wurden, dessen irdisches Urteil eine autoritative Vorausentscheidung für den Himmel ist. Denn was auf Erden gebunden oder gelöst ist, wird auf gleiche Weise im Himmel gelten."[58]

Wie bei den Aposteln allgemein, weist Hilarius auch bei Petrus auf die Schwachheit und die Verleugnung Christi hin. Trotz des Glaubensprimats idealisiert er nicht die Gestalt des Petrus. Beim Gang Jesu auf dem Wasser weist er auf den Schrei des Petrus hin: „Herr, rette mich!" (Mt 14,30), und sieht darin ein Zeichen der Schwäche des Fleisches und der

---

[56] In Mt. 7,6 (I,184,8–11): Nam primus credidit et apostolatus est princeps, et quod in eo ante languebat, Dei Verbo inualescens ministerio tamquam publicae salutis operatum est. Hilarius erwähnt den Glaubensprimat im Zusammenhang mit dem Fieber der Schwiegermutter des Petrus (Mt 8,14–15). In ihrem Fieber sieht er die uitiosa infidelitatis adfectio, cui adiacet libertas uoluntatis. Hilarius erwähnt die Heilung der Schwiegermutter vom Fieber, um auch bei Petrus eine Heilung durch Christus zum Glauben herauszustellen. Vgl. ebd. (I,186,13–15): Nunc autem ideo infidelitas socrus Petri nuncupabitur, quia, usque dum credit, uoluntatis suae seruitio detinebatur.

[57] In Mt. 14,17 (II,30,1–7).

[58] In Mt. 16,7 (II,54,7–14). Vgl. 16,6 (II,52,2 – 54,12). Vgl. auch J. Doignon, Pierre „fondement de l'Église", la foi de la confession de Pierre „base de l'Église" chez Hilaire de Poitiers, in: RSPhTh 66 (1982) 417–425.

Todesfurcht[59]. Die menschliche Schwäche des Petrus muß durch den Tod Jesu geheilt werden. Da Christus der Erlöser der gesamten Menschheit ist, mußte auch Petrus zunächst erlöst werden, um dann das Glaubenszeugnis der Erlösung bis zum Martyrium abzulegen[60]. Der Hinweis auf die Erlösungsbedürftigkeit des Petrus steht im Zusammenhang mit Mt 16,22–23 und Mt 26,33. Als Petrus bei der ersten Ankündigung des Leidens und der Auferstehung Jesus vom Leiden abhalten wollte, „denn es erschien den Aposteln ganz und gar unglaublich, daß derjenige dem Leiden unterworfen sei, in dem Gott ist", da wirkte der Teufel in Petrus. Deswegen gilt das harte Wort Jesu: „Weg von mir, Satan!" (Mt 16,23), nicht Petrus, sondern dem Satan selbst, der noch in Petrus Macht gewinnt[61].

Hilarius hebt hervor, daß Petrus den Herrn nicht immer während des irdischen Lebens verstanden hat[62]. Wie die übrigen Jünger, bedurfte er der Gabe des Heiligen Geistes, um Zeuge Christi zu werden.

Eine feinfühlig entschuldigende Interpretation der menschlichen Schwäche des Petrus bringt Hilarius bei der Verleugnung des Petrus[63]: „Man muß sorgfältig auf die Situation des Petrus achten, in der er (den Herrn) verleugnet hat, obwohl darüber schon früher gehandelt wurde. Er sagt nämlich zunächst, er verstehe nicht, wovon geredet werde (Mt 26,70), dann, daß er ihm nicht angehangen habe (Mt 26,72), drittens aber, daß er den Menschen nicht kenne (Mt 26,74). Und es war, ehrlich gesagt, kein Vergehen, den Menschen nicht zu kennen, den er als erster als Sohn Gottes anerkannt hatte. Weil er sich aber aufgrund der Schwäche des Fleisches gleichsam als schwankend erwiesen hatte, weinte er dennoch bitterlich (Mt 26,75), denn er dachte daran, daß er die Schuld dieser Verirrung nicht vermeiden konnte, obwohl er vor ihr gewarnt worden war."[64]

Nicht der Zeit, aber der Würde nach ist Petrus für Hilarius der erste Märtyrer Gottes, denn er ist der Menschenfischer, der seine Predigt wie einen Angelhaken in das Meer der Welt hineinsenkt. Der erste Märtyrer des Gottesvolkes, der an diesem Angelhaken hängenblieb, ist Stephanus[65].

---

[59] In Mt. 14,5 (II,14,8 – 16,14); 14,15 (II,28,1 – 30,15).
[60] In Mt. 14,16 (II,30,3–12).   [61] In Mt. 16,9–10 (II,56,1 – 58,17).
[62] In Mt. 17,2 (II,64,18–20).
[63] Der Hinweis auf die Verleugnung findet sich: In Mt. 30,3 (II,224,7–16); 31,4 (II,230,4–8); 31,5 (II,232,12–17); 31,9 (II,236,3–4).
[64] In Mt. 32,4 (II,242,1 – 244,9). Der Einschub: „obwohl darüber schon früher gehandelt wurde", bezieht sich auf 31,5 (II,232,12–14): Quae ratio in Petro seruata est, qui cum negaturus esset, ita negauit: Non noui hominem (Mt 26,72), quia dictum aliquid in filium hominis remittetur.
[65] In Mt. 17,13 (II,72,1 – 74,15).

2) Auch in De Trinitate betont Hilarius mehrfach, daß der Glaube des Petrus das Fundament der Kirche ist. Gegen Sabellius, Hebion (Photinus von Sirmium) und die Arianer weist er auf „dieses eine unumstößliche Fundament, auf diesen einen glücklichen Felsen des Glaubens" hin, der im Bekenntnis des Petrus vorliegt: „Du bist der Sohn des lebendigen Gottes."[66] Der Glaube des Hilarius ist getragen von den großen Gestalten des Alten und Neuen Testaments. Unter den neutestamentlichen Zeugen erwähnt er Matthäus, Johannes und den seligen Simon, der nach dem Bekenntnis des Geheimnisses Christi zur Grundlage für den Bau der Kirche wurde und die Schlüssel des Himmelreichs erhielt[67].

Ausführlicher als im Matthäuskommentar stellt Hilarius heraus, warum der Glaube des Petrus zum Fundament der Kirche geworden ist. Im Bekenntnis zum Sohn des lebendigen Gottes hat der Glaube des Apostels hier zum erstenmal die göttliche Natur in Christus anerkannt. Hätte Petrus nur eine Ehrenerklärung für Christus abgeben wollen, dann hätte er sich mit den Worten begnügen können: „Du bist der Christus." Die Bedeutung des Petrusbekenntnisses für die Kirche kommt aber allein aus der Anerkennung des göttlichen Geheimnisses Christi. Sein Bekenntnis ist die Antwort auf die Offenbarung des Vaters: „Dieser ist mein Sohn" (Mt 17,5). Das „selige Bekenntnis" des Petrus geht über die menschliche Einsicht hinaus, denn weder Fleisch noch Blut offenbaren den Sinn dieses Bekenntnisses. So besteht das Geheimnis der göttlichen Offenbarung an Petrus darin, daß er Christus nicht nur den Sohn Gottes nennt, sondern an ihn glaubt[68]. Hilarius kann in Trin. VI, 36–38 nicht oft genug den Glauben des Petrus rühmen und ihn Fundament der Kirche nennen[69]. Wer den Glauben des Petrus an die Gottheit verneint und Christus nur als Geschöpf anerkennt, „der muß zuvor den Apostolat des Petrus, seinen Glauben, seine Seligkeit, sein Bischofsamt und sein Zeugnis leugnen, und dann soll er erkennen, daß er fern von Christus ist."[70]

Neu gegenüber dem Matthäuskommentar ist der häufige Hinweis auf das Gebet Jesu für Petrus (Lk 22,31–32a). Es fällt auf, daß Hilarius dabei nie Lk 22,32b anführt: „Und wenn du dich wieder bekehrt hast, dann stärke deine Brüder." Das Gebet Jesu für Petrus steht im Zusammenhang mit der Verleugnung des Petrus. Hilarius ordnet sie ein unter die Ursa-

---

[66] Trin. II, 23 (60,21–25). Vgl. VI,46 (251,8).
[67] Trin. VI,20 (218,6 – 219,23).
[68] Trin. VI,36 (239,1 – 241,46). Vgl. X,27 (482,3–8).
[69] Trin. VI,36 (241,38–39); VI,37 (241,1–7; 242,24–25); VI,38 (243,22–24).
[70] Trin. VI,37 (242,29–31). Wie In Mt. 14,16, bezeichnet Hilarius auch in Trin. VI,37 (241,9) Petrus als martyr.

chen der Traurigkeit Jesu: „Wenn die anderen auch Ärgernis nehmen werden, so versprach Petrus, werde er dennoch mit unwandelbarem Glauben kein Ärgernis nehmen. Der Herr kannte aber aufgrund seines göttlichen Wissens sehr wohl die Zukunft und erwiderte ihm, er werde ihn dreimal verleugnen; an Petrus sollte man das Ärgernis der anderen (Mt 26,31) erkennen, da er durch die dreimalige Verleugnung in so schwere Glaubensgefahr fiel."[71]

Die Traurigkeit Jesu und seine Bitte, daß der Kelch an ihm vorübergehe, bezieht Hilarius auf die Jünger. Deshalb interpretiert er Mk 14,36: „Vater, alles ist dir möglich.", durch Lk 22,31–32a: „Was er aber mit dem Wort: wenn es möglich ist, gemeint hat, das hat er ganz deutlich mit seinem Wort an Petrus gelehrt: Siehe, der Satan hat verlangt, daß er euch wie Weizen sieben darf. Ich aber habe für dich gebetet, daß dein Glaube nicht schwach wird. Denn durch diesen Kelch des Herrenleidens sollten alle geprüft werden. Zum Vater wird die Fürbitte für Petrus gesandt, daß sein Glaube nicht versage, damit der Schwachheit des Leugnens wenigstens nicht der Schmerz der Reue fehle; denn sein Glaube würde dann nicht versagen, wenn er bereute."[72] Die Erhörung des Gebets Jesu für Petrus sieht Hilarius in dessen Bekenntnis der Liebe zu Christus (Joh 21,17). Nachdem Petrus schon zweimal seine Liebe zu Gott bekannt hatte, wird er traurig, daß er noch ein drittes Mal gefragt wird, so als sei er immer noch schwankend und ungewiß. Hilarius deutet die drei Fragen an Petrus als eine fortschreitende Reinigung von der Schwachheit der Verleugnung. So durfte Petrus nach der dritten Reinigung dreimal das Wort Jesu hören: „Weide meine Schafe!"[73]

3) Der Glaube des Petrus ist normativ für die Kirche, doch es findet sich bei Hilarius noch keine Anspielung, daß der Primat des Petrus im Apostelkreis sich in seinen Nachfolgern auf dem römischen Bischofsstuhl fortsetzt. Bezeichnend ist auch, daß er nur die durch das Gebet Jesu und das Bekenntnis der Liebe geheilte Schwachheit des Petrus hervorhebt und niemals von der Stärkung der Brüder durch Petrus spricht. Hilarius wußte aber um die besondere Stellung des Bischofs von Rom, denn er erwähnt in den historischen Fragmenten den Brief der Synode von Serdika

---

[71] Trin. X,37 (490,6–11).
[72] Trin. X,38 (492,8–14). Vgl. X,40 (493,8–10); X,42 (496,33–36): Hilarius verbindet hier Lk 22,31–32a mit Joh 18,9: „So sollte sich das Wort erfüllen, das er gesagt hatte: Ich habe keinen von denen verloren, die du mir gegeben hast."
[73] Trin. VI,37 (242,11–15).

(Sofia) (343/344) an Papst Julius I. (337–352), in dem auch von den Prärogativen des Stuhles Petri die Rede ist[74].

Der römische Stuhl spielt aber in den eigenen Werken des Hilarius weder für seine Theologie noch für seine praktische Haltung eine Rolle. Als er nach der Verbannung nach Rom kam, ist er dort vielleicht Liberius[75] begegnet, doch es ist nicht bekannt, daß er jemals an den Papst rekurriert hätte. Das ist erstaunlich, wenn man daran denkt, wie sich zur gleichen Zeit Bischöfe des Orients, z. B. Athanasius, verhalten haben[76].

4) Im Psalmenkommentar erwähnt Hilarius wieder den Glauben des Petrus, der die Schlüssel des Himmelreiches besitzt und Fundament der Kirche ist. Petrus ist der erste Bekenner des Sohnes Gottes, dennoch gilt ihm der Tadel: „Weg von mir, Satan, du bist mir ein Ärgernis!" (Mt 16,23). Hilarius versucht hier nicht, wie im Matthäuskommentar, diese Zurechtweisung des Petrus abzuschwächen, sondern derjenige ist für Jesus der Satan, der ihn vom Leiden für das Heil der Menschen abhalten will[77].

Gegenüber dem Matthäuskommentar gibt Hilarius hier eine einfachere Deutung, warum Petrus durch seine Verleugnung des Herrn die Schlüssel des Himmelreichs nicht verloren hat: Christus vergibt eine Sünde, die sofort bereut wird, denn er weiß um die menschliche Schwäche, die letztlich nicht im Nicht-Wollen, sondern im Nicht-Können liegt[78].

---

[74] B II,1 (9) (127,3–5): hoc enim optimum et ualde congruentissimum esse uidebitur, si ad caput, id est ad Petri apostoli sedem, de singulis quibusque prouinciis domini referant sacerdotes.

[75] In den historischen Fragmenten führt Hilarius folgende Briefe des Papstes Liberius auf: 1) den Brief an die orientalischen Bischöfe: Studens paci = B III (155). A. Feder betrachtet diesen Brief noch als „epist. Liberii dubia". Zur Echtheit vgl. A. Hamman, Saint Hilaire est-il témoin à charge ou à décharge pour le Pape Libère?, in: Hilaire et son temps, 43–50, bes. 46 ff. 2) den Brief an Konstantius II: Obsecro = A VII (89–93). 3) sechs Briefe (3 echte, 3 zweifelhafte) an verschiedene Bischöfe = B VII (164–173).

[76] Vgl. P.-Th. Camelot, Die Lehre von der Kirche, 56–60.

[77] Tr.Ps. 131,4 (663,15 – 664,6); 119,11 (552,8–9). Vgl. Myst. I,10 (94).

[78] Tr.Ps. 52,12 (125,6–22): ... conscius dominus infirmitatis humanae, cum apostolis dixisset: omnes uos scandalum patiemini in nocte hac (Mt 26,31), et beato Petro non tam ad denuntiationem damnatae demutationis, sed quia per timorem carnis demutabilis homo, id quod negaturus esset admonito et neganti quidem claues tamen regni caelorum non ademit: quia cum per trepidationem obrepsisset negatio, uoluntatis tamen usque ad martyrium confitendi fides firma non deerat. et aliud est nolle, aliud non posse. territus enim Petrus, etsi per carnis sensum responsionis non potuit tenere constantiam, per fidem tamen animi statim fleuit. et cum decussum se ab eo, quod uolebat, agnouit, lacrimarum dolore fidei suae effudit adfectum. et ipsum illud fuit demutationis tempus et fletus, scilicet secundum trepidationis demutationem uoluntatis firmitate potiore. nam mox inconstantiam trepidationis constans fides fleuit, probatissimam deinceps apostolicae constantiae firmitatem martyrii confessione confirmans.

10.3 Die Aufgabe des Bischofs

Hilarius beschreibt die entscheidenden Aufgaben des Bischofs am Ende der Darstellung seines Weges zum Glauben. In der Taufe hat er den ganzen Glauben empfangen. Dieser Glaube gibt ihm eine Sicherheit, die ihn von der Angst vor dem Tod befreit. Im Glauben findet der Geist die Ruhe der Sicherheit (securitatis otium). Diese eigene ruhige Sicherheit des Glaubens ist für Hilarius die Voraussetzung, daß er seinen Dienst als Bischof zum Wohl der anderen ausüben kann[79]. Hilarius sieht sein Bischofsamt als einen Dienst (ministerium), der darin besteht, den eigenen Glauben in der Verkündigung weiterzugeben. Neben der Verkündigung steht das Zeugnis im Kampf gegen die Irrlehren[80]. Der Begriff des Zeugnisses weist in die Verfolgungszeit zurück. Deswegen gebraucht Hilarius für das Zeugnis der Bischöfe den Begriff martyrium[81]. Damit schließt er sich der Spiritualität vom leidenden Hirten an, wie sie sich z. B. bei Cyprian findet. Das Zeugnis des Leidens wird in seinem Leben konkret durch die proarianische Politik des Kaisers, die gegenüber den Anhängern des Glaubens von Nikaia neue Formen der Verfolgung annimmt. Mit H. Rahner kann man das Zeugnis des Hilarius ein „Martyrium ohne Blut"[82] nennen.

Verkündigung und Zeugnis als Hauptaufgaben des Bischofs sind ein durchgehender Gedanke bei Hilarius. Im Liber contra Constantium schreibt er, daß der Bischof Diener der Wahrheit, Jünger und Zeuge der Wahrheit sowie Hüter der apostolischen Vekündigung sei[83]. Hilarius wird noch deutlicher: Er verteidigt Christus, wie der Knecht seinen Herrn, der Soldat seinen König, der Hund das Haus[84].

Verkündigung und Zeugnis übt jeder Bischof in eigener Verantwortung aus. Hilarius erwähnt nicht den Bischof von Rom als Garanten der Wahrheit. Die Richtschnur der Verkündigung ist die Predigt der Apostel, die im Konzil von Nikaia ihren gültigen, wenn auch dem Buchstaben nach nicht unumstößlichen Ausdruck gefunden hat. Deshalb fragt Hilarius in

---

[79] Trin. I, 14 (15, 1–12). Vgl. J. H. Reinkens, Hilarius von Poitiers, 50–56.
[80] Trin. I, 16 (16, 1–3).
[81] Tr.Ps. 65, 24 (265, 19–22): in his enim (arietum nomine), tamquam in principibus gregum, significat sacerdotes, quos doctrinae apostolicae eruditio cum orationum odore – bonus enim secundum Paulum in Christo odor sumus (2 Kor 2, 15) – ad martyrii studium prosequitur.
[82] H. Rahner, a. a. O. (s. o. Anm. 4), 133.
[83] C. Const. 6; 12; 16 (528 A; 590 A; 594 A).
[84] B VIII, 2, 3 (4) (177, 4–9).

der Schrift gegen Konstantius provozierend: „Wer befiehlt den Bischöfen? Wer verbietet die Richtschnur der apostolischen Predigt?"[85]

10.3.1 Der Bischof als Verkünder des Wortes Gottes

Die bischöfliche Lehre (episcopalis doctrina)[86] des Hilarius darf nicht auf die Kontroverse mit den Irrlehrern seiner Zeit und dem homöisch eingestellten Kaiser eingeschränkt werden. Bereits der Matthäuskommentar zeigt, daß Verkündigung und Lehre die vornehmsten Aufgaben des Bischofs sind.

1) Unter den verschiedenen Motiven, einen Matthäuskommentar zu schreiben, ist wohl das entscheidendste, daß Hilarius sich seiner katechetischen Aufgabe als Bischof bewußt war. Der Bischof ist Lehrer seiner Gläubigen, die er in der Wahrheit bestärkt. Dieser Auftrag kommt zur Sprache bei der Auslegung von Mt 24,45: „Wer ist nun der treue und kluge Knecht, den der Herr über seine Familie eingesetzt hat?" Hilarius antwortet: Es ist der Bischof, der an die Spitze der Familie Gottes gestellt ist, um für das Interesse und den Nutzen des ihm anvertrauten Hauses zu sorgen. Wenn er auf das Wort Jesu hört und seinen Weisungen gehorcht, durch die Wahrheit seiner Verkündigung „das Schwache stärkt, das Zerrissene wieder zusammenfügt, das Verirrte zur Umkehr bewegt und den Gläubigen das Wort der Wahrheit als Nahrung für die Ewigkeit reicht", und wenn er in dieser Aufgabe Ausdauer beweist, dann wird er jene Herrlichkeit erlangen, die der Herr dem getreuen Verwalter verheißen hat. Er wird ihn über all sein Vermögen setzen, indem er ihn an seiner göttlichen Herrlichkeit teilnehmen läßt. Darüber hinaus gibt es nichts Besseres[87].

2) In De Trinitate bezeichnet Hilarius die Verkündigung als Dienst des Bischofs[88]. Hier beschreibt er auch die Voraussetzungen, damit der Bischof seine Aufgabe der Verkündigung erfüllen kann: „Der heilige Apostel Paulus hat das Vorbild eines Mannes gezeichnet, der als Bischof eingesetzt werden soll; er hat eine völlig neue Art eines Mannes der Kirche durch seine Forderungen festgesetzt. Denn er gibt uns gleichsam eine Zusammenfassung der vollkommenen Tugenden, die beim Bischof vor-

---

[85] C. Const. 16 (594 A): Hoc tandem rogo quis episcopis jubeat? et quis apostolicae praedicationis vetet formam?

[86] Orat.Syn.Sard. II, 1 (185,6–7).

[87] In Mt. 27, 1 (II, 202, 1–16). Zur Einordnung dieser Beschreibung des ‚idealen Bischofs' in die Tradition vgl. J. Doignon, Hilaire de Poitiers avant l'exil, 161 (Cyprian).

[88] Trin. VI, 2 (196, 2–3).

handen sein sollen, wenn er sagt: Er soll gemäß der Lehre am Wort der Wahrheit festhalten, damit er imstande sei, zur gesunden Lehre zu ermahnen und die Widersacher zu überwinden. Denn es gibt viele Ungehorsame, Schwätzer und Verführer (Tit 1,9–10). Er sagt, daß Lebenszucht und Gesittung dem Bischof dann nützlich sein werden, wenn es ihm unter den übrigen Fähigkeiten nicht an dem fehlt, was zur Lehre und zum Schutz des Glaubenswissens notwendig ist. Denn es ist nicht ohne weiteres Kennzeichen eines guten und nützlichen Bischofs, entweder nur ein makelloses Leben zu führen oder nur in gelehrter Form die Lehre zu verkünden. Ein untadeliger Priester hat nur für sich selbst Gewinn, wenn er ungebildet ist, und ein gebildeter bleibt mit seiner Lehre ohne Einfluß, wenn er nicht untadelig ist.“[89]

Lauteres Leben und umfassende Bildung sind für Hilarius die Bedingungen, damit der Bischof seine Aufgabe am Volk Gottes erfüllen kann.

3) Diesen Gedanken nimmt Hilarius noch einmal im Psalmenkommentar auf. Nachdem er in Tr.Ps. 138,14 die Apostel als Augen der Kirche bezeichnet hat, geht er auf die Bischöfe über: „Deswegen sind die Bischöfe, die die Augen der Kirche sind, in einer gewaltigen Gefahr, wenn sie sich nur mit den Geschäften der Welt, der Sorge um das Geld, der Mehrung ihres Vermögens und der Ausschweifung bei Gelagen beschäftigen. Denn sie sind das Licht der Kirche, d. h. die Augen des Leibes. Und wenn das Licht selbst durch die Nacht der Habsucht und Wollust dunkel wird, welche Finsternis kommt dann noch obendrein durch das Beispiel des finsteren Lichtes über den Leib, der von seiner Natur her finster ist!“[90] Um der Glaubwürdigkeit der Verkündigung willen protestiert Hilarius gegen die Ausnutzung staatlicher Funktionen durch einzelne Bischöfe: „In der Tat werden viele, selbst solche, die in der Furcht Gottes wandeln, von der ehrgeizigen Jagd nach weltlichen Ehrenstellungen verdorben: Männer, die den Gesetzen der Kirche unterworfen sind, wollen nach den Gesetzen des Forums Richtersprüche fällen. Aber obwohl sie gerade für diese Amtsvorrichtungen, die sie vornehmen, eine fromme Absicht mitbringen, nämlich Wohlwollen und Enthaltsamkeit an den Tag zu legen, kann es doch nicht ausbleiben, daß sie durch die verseuchende Ansteckung der Geschäfte, mit denen sie sich abgeben müssen, befleckt werden.“[91]

---

[89] Trin. VIII,1 (311,1–14).
[90] Tr.Ps. 138,14 (768,16–22).
[91] Tr.Ps. 1,10 (25,19–25). Vgl. dazu K. S. Frank, Römertum und Christentum, in: K. Büchner (Hg.), Latein und Europa, 107 f.

10.3.2 Der Bischof als Glaubenszeuge

Für Hilarius besteht das Zeugnis des Bischofs im Bekenntnis des vollkommenen und apostolischen Glaubens, der nicht nur durch die Lehre verkündet wird, sondern auch durch das Ertragen ungerechten Leidens, das dem Zeugen zugefügt wird. Dieser Gedanke kommt zwar in den Hauptwerken nur vereinzelt zur Sprache[92], er durchzieht aber die Lebensgeschichte des Bischofs von Poitiers und findet sich in einigen seiner übrigen Werke.

1) In der Vorrede zu den historischen Fragmenten, die der Verteidigung des Athanasius[93] und des Nizänums gewidmet sind, beginnt Hilarius mit dem Lob des großen Geheimnisses der Wahrheit, des vollkommenen himmlischen Ratschlusses und der Ewigkeit, in die unsere Sterblichkeit verwandelt wird. Er stützt sich dabei auf 1 Kor 13,13: Die geistlichen Voraussetzungen, um das ganze Geheimnis der Wahrheit zu umfassen, sind Glaube, Hoffnung und Liebe[94]. Aus diesen Grundhaltungen heraus[95] unternimmt Hilarius die Verteidigung des wahren Glaubens, indem er die Dokumente zum arianischen Streit sammelt und mit einem textus narrativus verbindet.

Die Vorrede, geschrieben kurz nach der Synode von Béziers (356), gibt Einblick in die Motive, die Hilarius bei seinem Kampf für die wahre Gottheit Jesu geleitet haben: Es ist der Glaube an die neue Geburt des Menschen aus Gott, die Hoffnung auf die zukünftigen Güter, welche die Ruhe dieser Welt übertreffen, und die Liebe, die uns mit Gott verbindet und von der Welt nicht durchbrochen werden kann[96]. Glaube, Hoffnung und Liebe sind Grundhaltungen des Zeugen, die ihn von aller weltlichen Gewalt frei machen. Deshalb warnt Hilarius z. B. die Bischöfe davor, aus Angst vor staatlicher Gewalt Athanasius zu verurteilen[97]. Das Zeugnis der Bischöfe soll das vollkommene Licht der katholischen Einheit aufstrahlen lassen[98].

---

[92] Vgl. Trin. X,4 (461,4–5.11–12): Loquemur enim exules per hos libros … Ac de temporibus non quaeremur. Quin etiam gaudebimus, si iniquitas se per hoc exilii nostri tempus ostenderit.

[93] Vgl. J. Doignon, L'Elogium d'Athanase dans les fragments de l'Opus historicum d'Hilaire de Poitiers antérieurs à l'exil, in: Ch. Kannengiesser (Hg.), Politique et théologie chez Athanase d'Alexandrie, 337–348.

[94] B I,1 (98,1 – 99,4).

[95] B I,3 (100,5–8); 4 (101,3–18).

[96] B I,2 (99,5 – 100,4).

[97] B II,5,3 (18) (141,8–12).

[98] B II,9,7 (27) (149,22 – 150,3).

2) Im Liber de Synodis rühmt Hilarius den Glauben der westlichen Bischöfe, an die er schreibt. Er stellt ihr vom Geist getragenes Glaubenszeugnis heraus. Während zwischen 325 und der Abfassung des Liber de Synodis (358/359) sich unzählige Glaubensbekenntnisse abwechselten, brauchten die westlichen Bischöfe bisher keinen schriftlich fixierten Glauben, da sie aus dem Zeugnis des Geistes Gottes, das in ihnen wirksam ist, selbst Zeugen sind[99].

10.3.3 Kirche und Kaiser

1) Wenn es um die Wahrheit des Glaubens geht, dann muß der Bischof auch gegen die staatliche Gewalt entschieden auftreten[100]. Doch dieser mutige Protest muß vorsichtig gedeutet werden. Hilarius greift nicht grundsätzlich die Einheit von Römerreich und Christenkirche an. Die Kirchenhoheit des Kaisers wird nicht grundsätzlich abgelehnt. Sein Protest richtet sich unmittelbar nur an den konfessionsverschiedenen Kaiser.

Während Hilarius im Liber ad Constantium den Kaiser noch höflich um eine Diskussion mit dem arianischen Bischof Saturninus von Arles und um die Möglichkeit der Darlegung des nizänischen Glaubens bittet[101], schlägt er im Liber contra Constantium, nachdem all seine Vorstöße gescheitert sind, andere Töne an. Für Hilarius wird hier die Rechtgläubigkeit des Kaisers zur Grundlage der Legitimation seiner politischen Macht. Wenn der Kaiser nicht den wahren Glauben vertritt, dann ist es an der Zeit, mutig zu reden. Konstantius ist für Hilarius nun der Antichrist. Deshalb fordert er seine Mitbischöfe auf: „Jetzt müssen die Hirten laut schreien, denn die Mietlinge sind geflohen. Kommt, wir wollen unser Leben opfern für die Schafe: Denn die Räuber sind eingebrochen, und ein brüllender Löwe geht umher. Kommt, mit solchem Ruf wollen wir dem Martyrium entgegeneilen!"[102] Der Gedanke ans Martyrium kam Hilarius, als er seine Zeit mit der Zeit eines Nero, Decius und Maximianus verglich[103]. Die Verfolgung gilt zwar nun nicht mehr dem Christentum allgemein, sondern dem nizänischen Bekenntnis, für welches Hilarius zu leiden bereit ist.

---

[99] Syn. 63 (523 B).
[100] Vgl. H. Berkhof, Kirche und Kaiser, 166–171; H. J. Vogt, Zum Bischofsamt in der frühen Kirche, in: ThQ 162 (1982) 221–236, bes. 234 (Hilarius).
[101] Ad Const. 3; 8 (198,16 – 199,1; 203,1–20).
[102] C. Const. 1 (577 B/C).
[103] C. Const. 8 (584 A).

2) Auch in der Schrift gegen Bischof Auxentius, der die arianische Position des Kaisers vertrat, setzt Hilarius die Kirche der Märtyrer der ersten drei Jahrhunderte in Parallele zur arianisch beherrschten Kirche seiner Zeit. Er erinnert an die Leiden der Apostel und sieht in ihnen ein normatives Zeugnis für die Bischöfe seiner Zeit[104]. Für die Aufgabe des Bischofs als Glaubenszeugen und für seine Haltung zur staatlichen Macht findet sich hier eine wichtige Feststellung. Hilarius stellt den einfachen Glauben des Volkes über die Spitzfindigkeiten der arianischen Bischöfe und den Versuch des Kaisers, einen Glaubenskonsens auf möglichst niedriger Basis zu erreichen. „Die Ohren der Gläubigen sind heiliger als die Herzen der Priester."[105] Der sensus fidelium ist für Hilarius ein Kriterium für das Zeugnis, das der Bischof ablegen soll.

Die schriftlichen Aussagen des Hilarius über den Bischof als Glaubenszeugen auch dem Kaiser gegenüber werden bestätigt durch die Verbannung, die er für das Zeugnis des Glaubens und vielleicht auch aus politischen Gründen auf sich nehmen mußte. Er hat dabei sicher Trost gefunden in der traditionellen Lehre vom Bischof als leidendem Hirten.

Die angeführten Texte zeigen aber zugleich, daß Hilarius mit seiner Bestimmung des Bischofs als Lehrers und leidenden Hirten mehr in die Vergangenheit (Cyprian) als in die Zukunft weist. Er ist der traditionellen Auffassung vom Bischofsamt verpflichtet, wie sie z. B. bei Cyprian auftritt[106]. Eine echte Auseinandersetzung zwischen Staat und Kirche findet bei ihm noch nicht statt, trotz der kritischen Aussagen zum Kaiser. Neben der Sorge um den wahren Glauben schwingt in den scharfen Worten gegen Konstantius auch die Enttäuschung mit, daß der Kaiser ihn in Konstantinopel Ende 359 einfach ignorierte. Seine Bitten werden vom Kaiser erst gar nicht beantwortet.

Erst Ambrosius wird die politische und soziale Dimension des Bischofsamtes deutlich herausstellen, die sich zur Zeit des Hilarius aber schon anbahnt[107].

---

[104] C. Aux. 3 (610 C – 611 A/B).   [105] C. Aux. 6 (613 A/B).

[106] Vgl. dazu die Untersuchungen von J. Colson: L'évêque dans les communautés primitives. Tradition paulinienne et tradition johannique dans l'épiscopat dès origines à saint Irénée, Paris 1951 (= UnSa 21); L'évêque, lien d'unité et de charité chez saint Cyprien de Carthage, Paris 1961; L'épiscopat catholique. Collégialité et primauté dans les trois premiers siècles de l'église, Paris 1963 (= UnSa 43); Ministre de Jésus-Christ ou le sacerdoce de l'évangile. Étude sur la condition sacerdotale des ministres chrétiens dans l'église primitive, Paris 1966 (= ThH 4).

[107] Vgl. H. von Campenhausen, Ambrosius von Mailand als Kirchenpolitiker, Berlin 1929; J.-R. Palanque, Saint Ambroise et l'empire romain, Paris 1933, 394–404; R. Gryson, Le prêtre selon saint Ambroise, Gembloux 1968 (= Univ. Cath. Lovan. IV/3), 128–131;

10.4 Hierarchische Elemente

10.4.1 Drei Stufen des Gottesvolkes

Hilarius unterscheidet unter den Christen drei Stufen: Bischöfe/Priester (sacerdotes), Diener (ministri), übriges Volk (reliquus populus). Er entnimmt diese Gliederung der alttestamentlichen Aufteilung des Gottesvolkes, wie sie sich z. B. in Ps 134, 19–20 findet: „Haus Israel, preise den Herrn! Haus Aaron, preise den Herrn! Haus Levi, preise den Herrn! Alle, die ihr den Herrn fürchtet, preist den Herrn!" Diese Ordnung des alttestamentlichen Bundesvolkes gilt, wenn auch in geistiger Weise, zugleich für das neue Gottesvolk, denn in dieser Unterscheidung der Namen und Aufgaben ist das ganze Volk der Kirche umfaßt. Doch der Prophet hat durch die verschiedenen Namen (Israel–Aaron–Levi) und Aufgaben (Lob und Furcht) auch die Würde der Dienste unterschieden: „Wenn es nämlich heißt: Haus Israel, Haus Aaron, Haus Levi, und die ihr den Herrn fürchtet, so wird das eine vom anderen unterschieden, wie auch der Apostel im Brief an die Korinther eine Unterscheidung macht in den Namen, wenn er schreibt: Den Berufenen, den Heiligen mit allen, die den Namen unseres Herrn Jesus Christus anrufen (1 Kor 1, 2). Damit sagt er, daß es etwas anderes ist, berufen zu sein, etwas anderes, heilig zu sein, und etwas anderes, den Namen des Herrn anzurufen. Wir sehen aber jetzt, daß zuerst Israel genannt wird, dann Aaron, drittens Levi, viertens jene, die den Herrn fürchten. Es besteht kein Zweifel, daß in Aaron die Bischöfe und Priester (sacerdotes) bezeichnet werden: Denn im Gesetz war Aaron der erste Priester, und dann blieb die priesterliche Würde bei seiner Nachkommenschaft. Es ist ganz eindeutig, daß in Levi ein Hinweis auf die Diener (ministri) vorliegt, denn dieser Stamm wurde zum Dienst erwählt. Das übrige Volk aber, dem weder eine priesterliche noch eine dienende Funktion zukommt, wird mit denen bezeichnet, die den Herrn fürchten. Der Apostel belehrt uns aber, daß diese vor allem Israel sind, wenn er sagt: Friede und Erbarmen komme über alle, die sich von diesem Grundsatz leiten lassen, und über Israel (Gal 6, 16)."[108]

Hilarius sieht in den Gläubigen, die keine hierarchische Funktion haben, Israel, das alle späteren Aufgliederungen umfassende Volk Gottes. Der Vorrang Israels vor Aaron und Levi liegt bereits in einer verbreiteten Etymologie des Namens Israel: Mann, der Gott schaut ('ijš ro' ēh). Des-

---

306–321; A. L. Fenger, Aspekte der Soteriologie und Ekklesiologie bei Ambrosius von Mailand, Frankfurt a. M./Bern 1981.

[108] Tr.Ps. 134, 27 (711, 23 – 712, 14). Vgl. zu dieser Unterscheidung vor allem 1 Clem 42, 1–5.

wegen nennt der Prophet Israel an erster Stelle, denn Gott erkennen und schauen überragt die priesterliche Würde. „Denn obwohl es viele (Nachkommen) Aarons, d. h. Priester gibt, finden sich doch nur wenige, für die der Name Israel gilt, d. h. die in geistiger Erkenntnis Gott schauen werden."[109] Bischöfe, Priester, Diener und das übrige Volk haben eine gemeinsame Aufgabe: Sie sollen nach der Anschauung Gottes streben. Damit tritt wieder die eschatologische Komponente in die Bestimmung der Hierarchie bei Hilarius. Von hier aus wird man sagen können, daß es bei ihm kein ausgeprägtes hierarchisches Denken gibt. Das hierarchisch strukturierte Gottesvolk besitzt ein gemeinsames letztes Ziel: die Erkenntnis und Schau Gottes. Von diesem Ziel her betrachtet Hilarius die unterschiedlichen Aufgaben des Gottesvolkes. Er nennt sich selbst episcopus und bezeichnet seine Aufgabe als sacerdotium. Die Bezeichnung presbyter tritt nur in den historischen Fragmenten auf. Die Diener (ministri) sind die Diakone und wohl auch die Exorzisten, wie das Beispiel Martins zeigt, den Hilarius zum Exorzisten geweiht hat.

Neben dem Gedanken der hierarchischen Gliederung des Gottesvolkes erwähnt Hilarius auch die Gemeinschaft (communio) mit den gallischen Kirchen und Bischöfen als Kriterium für die Ausübung seines Bischofsamtes[110]. Diese Gemeinschaft ist im apostolischen Glauben begründet. Deshalb hat sich Hilarius mit einigen gallischen Bischöfen 355 von der Gemeinschaft mit den arianischen Bischöfen Saturninus, Ursacius und Valens getrennt, da diese den apostolischen Glauben nicht mehr verkünden[111]. Hier kommt der Gedanke des Bischofskollegiums zum Ausdruck. Hilarius spricht auch davon, daß er, obwohl im Exil, mit der Kirche von Poitiers durch seine Presbyter in Gemeinschaft geblieben ist. In dieser Aussage kann man einen Hinweis auf die Einheit von Bischof und Presbyterium in der Teilkirche sehen[112].

---

[109] Tr.Ps. 134,27 (712,22–25).
[110] Ad Const. 2 (197,17 – 198,2): Episcopus ego sum in omnium Galliarum ecclesiarum atque episcoporum communione, licet exilio, permanens et ecclesiae adhuc per presbyteros meos communionem distribuens.
[111] C. Const. 2 (579 A).
[112] S. o. Anm. 110. J. Fontaine äußert in seinem Kommentar zum Leben des hl. Martin (5,3) die Vermutung, daß Hilarius mit seinen Klerikern eine vita communis führte, wie sie später bei Augustinus bekannt ist. Vgl. SC 134,560.

10.4.2 Die apostolische Sukzession

An zwei Stellen spricht Hilarius von der apostolischen Sukzession[113]. Er nennt die Bischöfe „wahre Jünger Christi, würdige Nachfolger des Petrus und Paulus, fromme Väter der Kirche"[114]. Die Verbindung des bischöflichen Amtsträgers mit den Aposteln wird durch den Ordinationsakt weitergegeben. Zur Zeit des Hilarius wird sich der Ritus der Bischofsweihe so vollzogen haben, wie Hippolyt ihn in der Kirchenordnung beschreibt. Zwar ist diese Kirchenordnung, die die Entwicklung etwa um das Jahr 180 fixiert, zunächst für Rom und die Umgebung bestimmt, sie berücksichtigt aber die Entwicklung in der ganzen Kirche. Der wesentliche Ritus der Bischofsweihe – wie auch der Priester- und Diakonenweihe – ist die Handauflegung, verbunden mit Gebet[115]. Die Apostolischen Konstitutionen sind erst gegen Ende des 4. Jahrhunderts (380) entstanden. Die Kirchenordnung Hippolyts diente dem achten Buch der Apostolischen Konstitutionen, das von der Bischofsweihe und den anderen Weihen handelt, als Vorlage[116].

Hilarius spricht im Liber de Synodis von der Bischofsweihe und der bischöflichen Sukzession. Hier kann man einen Hinweis auf die sakramentale Struktur des Amtes sehen, die später als sacramentum ordinis bezeichnet wird. Der Hinweis auf die apostolische Sukzession ist eingebettet in die Unionsbemühungen des Hilarius zwischen östlichen und westlichen Bischöfen. Er wendet sich im zweiten Teil (c. 66–91) an die Homöusianer von Ankyra (358) und will sie zur Übernahme des nizänischen Homousios bewegen, obwohl er auch einen berechtigten Sinn von homoiusios anerkennt. Beschwörend wendet sich Hilarius in diesem Zusammenhang an die östlichen Bischöfe: „Ich bitte euch, Brüder, beseitigt den Verdacht (Arianer zu sein), schließt die Möglichkeit aus (schlecht von euch zu denken). Damit homoeusion anerkannt werden kann, wollen wir homousion nicht verwerfen. Laßt uns doch an so viele heilige Bischöfe denken, die schon entschlafen sind: Wie wird der Herr über uns

---

[113] Vgl. A. Ehrhardt, The Apostolic Succession in the first two Centuries of the Church, London 1953; R. P. C. Hanson, Tradition in the Early Church, London 1962, 130–186; G. G. Blum, Tradition und Sukzession. Studien zum Normbegriff des Apostolischen von Paulus bis Irenäus, Berlin/Hamburg 1963; B. Kötting, Zur Frage der „successio apostolica" in frühkirchlicher Sicht, in: Cath (M) 27 (1973) 234–247.

[114] B II,5,3 (18) (142,5–6): o ueros Christi discipulos! o dignos successores Petri atque Pauli! o pios ecclesiae patres!

[115] Hipp., Trad.apost. 2–3 (SC 11bis, 40–46). Vgl. K. Richter, Die Ordination des Bischofs von Rom, 1 ff.

[116] Vgl. L. Ott, Das Weihesakrament, Freiburg i. Br. 1969 (= HDG IV/5), 13 ff; 25–30.

urteilen, wenn diese jetzt von uns mit dem Anathem belegt werden?[117] Was wird aus uns, wenn wir die Dinge so weit treiben, daß auch wir nicht Bischöfe geworden sind, weil jene keine Bischöfe waren? Wir sind nämlich von ihnen geweiht worden und sind ihre Nachfolger. Dann wollen wir von unserem Bischofsamt zurücktreten, denn wir haben dieses Amt von einem empfangen, der unter dem Anathem stand. Habt Nachsicht, Brüder, mit meinem Schmerz: Es ist gottlos, was ihr wagt."[118]

Hilarius behandelt hier zwei Fragen, die für die Kirche seiner Zeit bedeutsam waren. Positiv stellt er heraus, daß die Bischöfe durch die Ordination Nachfolger ihrer Vorgänger im Bischofsamt sind. Zusammen mit dem Bekenntnis in den Coll. Antiar. Par. wird durch diese Stelle die apostolische Sukzession der Bischöfe bei Hilarius deutlich: Die Bischöfe sind Nachfolger des Petrus und Paulus und über die Zeit hinweg jener Bischöfe, die in der apostolischen Nachfolge stehen.

Umstritten war vor Hilarius und bis zu Augustinus die Frage, ob diejenigen wirklich Bischöfe sind, die die Bischofsweihe von einem exkommunizierten Bischof erhalten haben. P. Coustant führt zu Syn. 91 die Praxis des 4. und 5. Jahrhunderts an[119]. Das Traditionszeugnis geht in die Richtung, daß die Weihe nicht ungültig ist, doch der Geweihte die Würde (honor) des Bischofsamtes nicht besitzt und deshalb sein Amt nicht ausüben darf. In diesem Sinn gebraucht Hilarius wohl die Aufforderung: „Wir wollen von unserem Bischofsamt zurücktreten." Hilarius stellt hier klar die Konsequenz heraus, welche die arianischen Bischöfe des Ostens ziehen müßten, wenn sie das Glaubenszeugnis der Väter von Nikaia mit dem Anathem belegen. Wer das Bischofsamt von einem exkommunizierten Bischof empfangen hat, ist nicht im Vollsinn Bischof, weil ihm die Gemeinschaft mit der Gesamtkirche fehlt.

Beide Gedanken aus Syn. 91 ergänzen sich zur Auffassung des Hilarius von der apostolischen Sukzession. Sie wird weitergegeben durch den Or-

---

[117] Hilarius denkt hier an die 318 Väter von Nikaia.

[118] Syn. 91 (543 A – 544 A): Oro vos, Fratres, adimite suspicionem, excludite occasionem. Ut probari possit homoeusion, non improbemus homousion. Cogitemus tot sacerdotes sanctos et quiescentes: quid de nobis Dominus judicabit, si nunc anathematizantur a nobis? Quid de nobis erit, si rem eo deducimus, ut quia episcopi non fuerunt, nos quoque nec coeperimus? Ordinati enim ab his sumus, et eorum sumus successores. Renuntiemus episcopatui, quia officium ejus ab anathemate sumpserimus. Date veniam, fratres, dolori meo: impium est quod audetis. Denselben Gedanken wiederholt Hilarius in C. Const. 27 (602 B).
Mit demselben Argument drängt wenig später auch Athanasius die Arianer zur Übernahme des Homousion. Vgl. Athan., De Syn. 13,2 (Athanasius Werke, ed. H. G. Opitz, II,1, 240,25 bis 241,1.

[119] PL 10,543 f, Anm. c.

dinationsakt und stellt den neugeweihten Bischof in den Zusammenhang mit dem apostolischen Glauben, der durch die Gemeinschaft der Bischöfe bezeugt wird. Die Würde und Ehrenstellung des bischöflichen Amtes besitzt jedoch nur, wer in Gemeinschaft mit dem rechtgläubigen Episkopat steht.

11. Die Kirche und die Irrlehren

Die Jahre zwischen 318 und 380 stürzen die Kirche in die Krise des Arianismus[1]. Obwohl das Konzil von Nikaia die Lehre des Arius verurteilt hatte, geriet das Symbol von Nikaia für die Dauer einer ganzen Generation fast in Vergessenheit. Bis in die fünfziger Jahre des 4. Jahrhunderts hört man sowohl in orthodoxen als auch in arianisierenden Kreisen ungewöhnlich wenig vom nizänischen Glaubensbekenntnis. Die Epistola de decretis Nicaenae synodi des Athanasius stammt aus dem Jahr 350/351. Hilarius bekennt im Liber de Synodis, daß er erst beim Aufbruch ins Exil (vor September 356) vom Glauben des Konzils von Nikaia gehört habe[2].

Die zwölf Jahre aus dem Leben des Bischofs von Poitiers, die sich historisch einigermaßen erfassen lassen (355–367), bilden den Höhepunkt der arianischen Kontroverse. Nach dem Sieg über Magnentius im August 353 regiert Konstantius als Alleinherrscher bis zu seinem Tod (361) sowohl im Westen als auch im Osten. Die Vorherrschaft ging nun schnell und eine Zeitlang auch entscheidend auf die antiathanasische Partei über. Nach langen Streitigkeiten wurde schließlich auf der Synode von Konstantinopel (360) der Triumph des Arianismus besiegelt: „Wir sagen, daß der Sohn dem Vater ähnlich sei, wie die Schrift sagt und lehrt, wogegen alle die Häresien, die entweder schon vorher verurteilt worden sind oder die erst kürzlich entstanden sind und zu diesem Bekenntnis in Gegensatz stehen, Anathema sein sollen."[3] Das Bekenntnis der Kirche war

---

[1] Vgl. M. Simonetti, La crisi ariana nel IV secolo, Roma 1975; A. M. Ritter, Arianismus, in: TRE 3, 692–719; A. Largent, Saint Hilaire, Paris ⁴1924, 171 ff; M. Meslin, Hilaire et la crise arienne, in: Hilaire et son temps, 19–42; E. Boularand, Les débuts d'Arius, in: BLE 65 (1964) 175–203.

[2] Syn. 91 (545 A): Regeneratus pridem, et in episcopatu aliquantisper manens, fidem Nicaenam numquam nisi exsulaturus audivi.

[3] J. N. D. Kelly, Altchristliche Glaubensbekenntnisse, 290 ff.

am Ende des Exils des Hilarius homöisch geworden. Die dramatischen Ereignisse am 31. Dezember 359 in Konstantinopel, wo der Kaiser gegen westliche Homousianer und östliche Homöusianer seinen homöischen Bekenntnisentwurf durchsetzte, hatte Hieronymus vor Augen, als er feststellte: „Der ganze Erdkreis stöhnte auf und wunderte sich, daß er arianisch war."[4]

Hilarius wird mitten in den Höhepunkt der arianischen Krise hineingestellt. Einige Jahre nach seinem Tod (367) setzt der Niedergang des Arianismus sowohl im Westen (374–380) als auch im Osten (379–380) ein[5].

Im Mittelpunkt der theologischen Auseinandersetzung des Hilarius mit den Irrlehren steht der Arianismus, wie De Trinitate, der Liber de Synodis, die historischen Fragmente und die Schriften an und gegen Konstantius sowie gegen Auxentius zeigen. Schon im Matthäuskommentar finden sich Anspielungen auf den Arianismus, und noch im Psalmenkommentar erwähnt Hilarius einige Häresien. So ist das ganze Werk des Bischofs von Poitiers, bedingt durch die geschichtliche Situation, auch eine Auseinandersetzung mit den Irrlehren.

11.1 Die von Hilarius erwähnten Irrlehren

Kurz nachdem Hilarius Bischof geworden war, muß er Kontakt mit dem Arianismus und Neusabellianismus bekommen haben. In De Trinitate schreibt er, daß eines Tages geistreiche Menschen (ingenia) von gottloser Unbesonnenheit auftauchten, die an sich selbst verzweifelten und gegen alle anderen wüteten, denn sie wollten die mächtige Natur Gottes in das schwache Maß ihrer eigenen Natur zwängen[6]. Hilarius bekennt, daß sein Herz brannte, auf diesen Wahnsinn eine Antwort aus dem wahren Glauben zu geben[7]. Noch deutlicher beschreibt er in der Vorrede zu den historischen Fragmenten seinen ersten Kontakt mit der Häresie des Arianismus, der in Gallien vor allem durch Saturninus von Arles vertreten wurde. Er mußte sich entscheiden, ob er die Irrlehre mit allen Konsequenzen bekämpfen oder sich mit ihr arrangieren sollte. Hätte er geschwiegen, so schreibt er, dann hätte er als Bischof ein ruhiges Leben führen können. Doch Hilarius erkennt darin ein falsches Verständnis des

---

[4] Hier., Dial. contra Lucifer. 19 (PL 23, 172 C): Ingemuit totus orbis, et Arianum se esse miratus est.

[5] Vgl. M. Simonetti, a. a. O., 435–454.

[6] Trin. I, 15 (15,1 – 16,3).

[7] Trin. I, 17 (17,1).

Bischofsamtes, da das Evangelium kein schuldhaftes Schweigen des Bischofs duldet[8].

Hilarius nimmt die Herausforderung der Häretiker an und wird dadurch zu einer vertieften Darlegung des wahren Glaubens gezwungen[9]. Dabei geht es ihm aber nicht so sehr um historische Genauigkeit. Nur im Liber de Synodis und in den historischen Fragmenten zitiert er Glaubensbekenntnisse und andere Dokumente seiner Gegner. Um die Irrlehre des Arius darzustellen, bezieht er sich in De Trinitate ausführlich nur auf den Brief des Arius an Alexander von Alexandrien[10], kurz auf den Brief an Eusebius von Nikomedien und auf die Thalia[11]. Es geht ihm auch nicht primär um die Personen und die Unterschiede zwischen den einzelnen Irrlehren, sondern um ihr gemeinsames Fundament.

1) Bereits im Matthäuskommentar zeigen drei Stellen, daß Hilarius schon vor der Verbannung Kenntnis der arianischen Häresie besaß, obwohl er Arius mit keinem Wort erwähnt. Bei der Erklärung der Todesangst Jesu erwähnt er die Meinung jener, die die Todesangst darauf zurückführen, „daß er (Jesus) nicht aus der Ewigkeit hervorgegangen sei und sein Sein nicht aus der Unendlichkeit des väterlichen Wesens erhalte, sondern aus dem Nichts geschaffen sei durch den, der alles geschaffen habe, so daß er aus dem Nichts angenommen worden sei, aufgrund einer Tat (Gottes) seinen Anfang genommen habe und dann durch die Zeit bestätigt worden sei"[12]. Anspielungen auf den Arianismus finden sich auch, wenn Hilarius die Blasphemie gegen den Heiligen Geist dadurch beschreibt, daß man Christus der Gemeinschaft mit Gott beraube, indem die Einheit Christi mit der Substanz des Vaters geleugnet werde[13]. Auch die Aussagen über die doppelte Weisheit Gottes (Mt 11, 19) scheinen sich auf die arianische Lehre zu beziehen: Christus ist nicht nur durch seine Taten, wie die Arianer behaupten, die Weisheit Gottes, sondern von Natur aus[14].

2) In den dogmatischen und historischen Werken erwähnt Hilarius fast alle Häresien, die im frühen Christentum entstanden sind. Von äußerster

---

[8] B I,3 (100,8 – 101,2). Vgl. dazu J. Doignon, Hilaire de Poitiers avant l'exil, 434f.
[9] Trin. II,2 (38,1 – 39,9). Vgl. dazu P. Smulders, La doctrine trinitaire de S. Hilaire de Poitiers, 91–106; C. F. A. Borchardt, Hilary of Poitiers' Role in the Arian Struggle, 53–139.
[10] Trin. IV,12–13 (112–114); VI,5–6 (199–200).
[11] Trin. V,25 (177,25–26).
[12] In Mt. 31,3 (II,228,1 – 230,19). Vgl. P. Smulders, a.a.O., 39, Anm. 102; P. Galtier, Saint Hilaire de Poitiers, 22–33; W. Wille, 65–69.
[13] In Mt. 12,18 (I,286,23–30).
[14] In Mt. 11,9 (I,262,7 – 264,24).

Kürze sind seine Bemerkungen zu Valentin, Hierakas und den Mani-chäern[15]. Hilarius erwähnt sie im Zusammenhang mit dem Brief des Arius an Bischof Alexander. Etwas deutlicher sind die Anspielungen auf die Lehre Pauls von Samosata, dessen Anwendung des Begriffs homou-sios auf der Synode von Antiochien (268) verurteilt wurde. Was Paul von Samosata unter diesem Begriff verstanden hat, sagt Hilarius, indem er auf die Semiarianer verweist, die auf homousios unter Hinweis auf die Verur-teilung von 268 verzichteten. Nach Hilarius verstanden Basilius von An-kyra und seine semiarianischen Gesinnungsgenossen Paul von Samosata in dem Sinn, daß er mit homousios gemeint habe, Vater und Sohn bilde-ten ein einziges ununterschiedenes Wesen (solitarium atque unicum sibi esse Patrem et Filium praedicabat)[16].

Hilarius weist auch kurz auf Montanus und Markion hin[17]. Neben die-sen bereits lange von der Kirche verworfenen Irrlehren nennt Hilarius die „neue Häresie", in deren Verdacht er selbst geraten sei, da er gegen Sabel-lius die Einheit der Person (unio personae) ablehne und die Einheit des Wesens (unitas substantiae) bekenne, in der der Sohn Gottes wahrer Gott sei[18]. Die Irrlehre, gegen die Hilarius hier vorgeht, ist als Sabellianismus oder Modalismus bekannt. Wenn Hilarius von Sabellius[19] oder Hebion[20] spricht, so meint er den Sabellius seiner eigenen Zeit: Marcellus von An-kyra (gest. um 374)[21], und Hebion ist für ihn Photinus von Sirmium (gest. 376)[22].

---

[15] Trin. I, 25 (22, 3–4); II, 4 (40, 28 – 41, 29); VI, 9–10 (204, 9 – 207, 35); VI, 12 (208, 5 – 209, 26); Ad Const. 9 (204, 7–9).

[16] Syn. 81 (534 B); vgl. Syn. 68 (525 C); A IV, 1, 2.4 (50, 11; 52, 12); Trin. IV, 4 (103, 5 – 104, 28).

[17] Trin. II, 4 (41, 29); A IV, 1, 2 (50, 12); Ad Const. 9 (204, 7).

[18] Trin. VI, 42 (148, 41 – 149, 44); VII, 3 (261, 16 – 262, 22).

[19] Trin. I, 16 (16, 1–12); I, 25 (22, 4); I, 26 (23, 1 – 24, 23); II, 4 (40, 3–5); II, 23 (58, 1 – 59, 7); IV, 4 (103, 5–10); V, 25 (177, 34–37); VI, 11 (207, 1 – 208, 17); VII, 3 (261, 16 – 262, 22); VII, 5 (264, 1–14); VII, 6 (265, 1 – 266, 20); VII, 7 (266, 1 – 267, 24); VIII, 40 (353, 1–3); X, 5 (462, 14 – 463, 22); X, 50 (504, 12–16); Syn. 45 (514 D); A IV, 1, 2.4 (50, 11; 52, 11); Ad Const. 9 (204, 4–6).

[20] Trin. I, 26 (23, 4; 24, 17–23); II, 4 (40, 5–11); VII, 3 (262, 23–24): Hebion, quod est Fotinus; VII, 7 (266, 1–2): Hebion, qui Fotinus est; X, 50 (504, 12–16). Für die frühchristlichen Häre-siologen war Hebion (Ebion) der Gründer der heterodoxen judenchristlichen Bewegung der Ebioniten.

[21] Trin. VII, 3 (262, 27–28): Inpie multos ad unius Dei professionem Galatia nutriuit. (Mar-cellus war Bischof von Ankyra in Galatien.); VII, 7 (266, 1 – 267, 12); Syn. 37 (509 A); 45 (514 D – 515 A); A IV, 1, 2 (49, 22 – 50, 17); 1, 3 (51, 11–19); 1, 5 (52, 13–14); 1, 9 (55, 12–14); 1, 11 (56, 18); B II, 9, 1–3 (146, 8 – 147, 22); Ad Const. 9 (204, 3).

[22] S. o. Anm. 20 und Trin. VIII, 40 (353, 2–3); Syn. 39 (512 C–513 A); B II, 5, 3–4 (142, 10–23); 9, 1–3 (146, 5 – 147, 13); Ad Const. 9 (204, 3–4).

Sabellius kennt keine Unterscheidung zwischen Vater und Sohn, sondern der Sohn ist der Vater selbst, der sich gleichsam bis zur Jungfrau Maria ‚ausdehnt' (extendit) und so sein eigener Sohn wird. Vor der Menschwerdung gibt es keinen Sohn, und nach der Menschwerdung sind Vater und Sohn nur zwei Namen für dasselbe Subjekt, den einen Gott. Obwohl die Lehre des Sabellius nicht schlechthin auch die Auffassung des Marcellus ist, der in Nikaia und auch später als eifriger Mitkämpfer des Athanasius gegen die Arianer auftrat, setzt Hilarius doch Sabellius mit Marcellus von Ankyra gleich. Hier zeigt sich schon, wie vorsichtig man sein muß, die Schriften des Hilarius zur Kenntnis der Häresien seiner Zeit zu benutzen. Es geht ihm nicht um eine genaue Unterscheidung zwischen dem Sabellianismus des 3. Jahrhunderts und dem Neusabellianismus des Marcellus, der bei aller Betonung der Einheit Gottes doch die Ewigkeit des Wortes und eine gewisse Unterscheidung zwischen Vater und Sohn angenommen hatte.

Marcells Schüler Photinus, den Hilarius zunächst Hebion nennt, verschärft die einseitigen Versuche seines Lehrers sowohl in der Trinitätslehre als auch in der Christologie. Nach Hebion war aller Anfang Jesu aus Maria, denn Jesus war ein bloßer Mensch, wenn auch auf wunderbare Weise geboren durch den Vater, mit besonderer Kraft ausgestattet und schließlich als Sohn angenommen[23].

Die Hauptstoßkraft gilt aber dem Arianismus. Von den anderen Irrlehren spricht er eigentlich nur im Hinblick auf diese das 4. Jahrhundert erschütternde Häresie. Doch auch hier verschwimmen die geschichtlichen Fakten. Hilarius unterscheidet nicht zwischen der ursprünglichen Häresie des Arius[24] und der Weiterentwicklung durch seine Gefolgsleute. Für ihn sind Eusebius von Cäsarea, Ursacius von Singidunum (Belgrad), Valens von Mursa (Esseg/Osijek), Auxentius von Mailand, Saturninus von Arles und Paternus von Périgueux unterschiedslos Arianer, d. h. eine tödliche Gefahr. Vor allem die „Blasphemie von Sirmium" (357)[25] ist ein authentisches Dokument des Arianismus. Hilarius bezeichnet die Arianer manchmal als Fanatiker (Arriomanitae)[26]. Innerhalb der arianischen

---

[23] Vgl. zu Sabellius, Marcellus von Ankyra und Photinus von Sirmium: P. Smulders, a. a. O., 16–20; 92–97; G. Giamberardini, S. Ilario di Poitiers e la sua attività apostolica e letteraria, 161–177; M. Simonetti, a. a. O., 147 ff; 203–206; A. Grillmeier, Jesus der Christus im Glauben der Kirche, I, 414–439.

[24] Arius wird namentlich nur in Trin. VII, 7 (266, 5) und C. Aux. 8 (614 B) genannt. In Syn. 83 (535 B) spricht Hilarius von mehreren Arii (vgl. dazu A. L. Feder, Studien I, 95). Sehr häufig taucht der Name Arrius in den historischen Fragmenten auf.

[25] Syn. 11 (487 A – 489 B).

[26] Trin. VII, 7 (266, 3); A I, 1 (44, 2).

Streitigkeiten erwähnt er auch Acacius[27], den Anführer der Homöer, die schließlich das Ohr des Kaisers fanden, und Aëtius[28], der zusammen mit Eunomius die radikale Partei der Anhomöer vertrat.

Mit den genannten Personen sind bei Hilarius vor allem die arianischen Formeln gemeint, die das Verhältnis von Vater und Sohn gegen den Glauben der Kirche, wie er in Nikaia formuliert wurde, beschreiben: mit Einschränkungen der semiarianische Begriff homoiusios; heterodox im Vollsinn: homoios, homoios kata panta, anhomoios.

Den Arianern stellt Hilarius immer wieder die Lehre des Konzils von Nikaia gegenüber. In den Arianern sieht er keine Christen, wie es im Schreiben der Synode von Serdika an Konstantius heißt: „Ich bin katholisch und will kein Häretiker sein; ich bin ein Christ, kein Arianer."[29]

3) Im Psalmenkommentar stellt Hilarius zwar immer wieder die wahre Gottheit Jesu heraus, doch er setzt sich nicht mehr polemisch mit den Häretikern auseinander. Ohne sie beim Namen zu nennen, erwähnt er die Markioniten, die die Einheit von Altem und Neuem Testament zerbrechen, und die christologischen Häresien des Photinus, Sabellius und Arius. Er hält sich bei diesen Irrlehren nicht lange auf, sondern verweist den Leser auf andere Stellen seines Werks, wo er bereits eine Antwort auf die genannten Irrlehren gegeben hat (Trin., Syn.)[30].

11.2 Das gemeinsame Fundament der Irrlehren

Obwohl Sabellianismus und Arianismus in kontradiktorischem Gegensatz stehen, da Sabellius jede Unterscheidung von Vater und Sohn leugnet, während Arius die Unterscheidung von Vater und Sohn bis zur Trennung übersteigert, besitzen beide Irrlehren doch ein gemeinsames Fundament. Es liegt nach Hilarius in der Leugnung des Geheimnisses Gottes. Beide wollen Gott begreifen, indem sie die göttliche Offenbarung der menschlichen Vernunft unterordnen. Das Maß für die Unbegreiflichkeit Gottes ist die Schwäche der menschlichen Natur. Der Vorwurf des Hilarius an die Häresien lautet deshalb, daß sie nicht mit dem Verstand, soweit wie möglich, in das Geheimnis Gottes einzudringen versuchen, um etwas von Gott zu erkennen, sondern daß sie sich Gottes bemächtigen, indem sie ein Gottesbild erfinden, das die Unendlichkeit Gottes in

---

[27] B II, 1, 7 (119, 9).   [28] B VIII, 1 (1) (174, 24–25).
[29] Or.Syn.Sard. 2 (182, 12–13).   [30] Tr.Ps. 67, 15 (290, 11 – 291, 3).

die Grenzen der menschlichen Vernunft zwängt. Für die Häretiker ist das Fundament des Glaubens und der Religion nicht die demütige Unterordnung des Menschen unter Gott, wodurch der Mensch erst fähig wird, das Wort Gottes in der rechten Weise zu hören und anzunehmen. Die Häretiker machen sich selbst zu Richtern über den Glauben[31]. Wer aber seinen Glauben in die engen Grenzen der eigenen Vernunft einschließt, der steigert nur seine menschliche Unwissenheit ins Unendliche[32] und wird dadurch unfähig, das göttliche Geheimnis zu ergreifen[33].

Hilarius hat die Gefahren eines ungebrochenen Optimismus in die menschliche Vernunft wohl bei seinem Aufenthalt in Kleinasien kennengelernt. In diesem Gebiet des römischen Reiches herrschte damals eine mächtige philosophische Bewegung, die man als die neuplatonische Schule des 4. Jahrhunderts bezeichnet. Hier ist ihm auch das philosophische Fundament des Arius bewußt geworden, das wesentliche Elemente aus dem ungebrochenen Vertrauen in die Leistungsfähigkeit der menschlichen Vernunft bezog. Dieses Vertrauen in die eigene Vernunft wurde in der neuplatonischen Schule von Pergamon gelehrt[34]. Deswegen ist sein dogmatisches Hauptwerk De Trinitate auch eine Entgegnung auf den Neuplatonismus und den in ihm teilweise fortlebenden Mittelplatonismus, die beide die Vernunft teilweise zur Kontrollinstanz über jegliche Erkenntnis, auch die Gotteserkenntnis und die Mystik, machen. Mit dieser Kennzeichnung ist nicht das ganze Anliegen des Neuplatonismus genannt, sondern nur ein kritischer Punkt, der Hilarius allerdings zu einem überwiegend negativen Urteil über die Philosophie geführt hat, wobei er sich auch auf Kol 2, 8–15 beruft[35]. Es gibt im Neuplatonismus zugleich viele Ansätze, welche die Kirchenväter dankbar aufgegriffen und christlich umgeformt haben, z. B. die Angleichung an Gott und die Gottähnlichkeit[36].

---

[31] Trin. I, 15 (15, 1 – 16, 8). Vgl. P. Smulders, a. a. O., 103.
[32] Tr. Ps. 118, lamed, 15 (466, 11–12): ... in infinitum cognitionem humanae ignorantiae extendit.
[33] Trin. X, 63 (517, 1–2): Absistat itaque omnis inreligiosa et diuini sacramenti incapax infidelitas!
[34] Vgl. dazu H. D. Saffrey, Saint Hilaire et la philosophie, in: Hilaire et son temps, 247–265. Zum Neuplatonismus vgl. auch H. Dörrie, Platonica Minora, München 1976, bes. 275–296; 454–473.
[35] Trin. I, 13 (12, 1 – 13, 21).
[36] Vgl. H. Merki, ΌΜΟΙΩΣΙΣ ΘΕΩ. Von der platonischen Angleichung an Gott zur Gottähnlichkeit bei Gregor von Nyssa, Freiburg/Schweiz 1952 (= Par. 7); E. von Ivánka, Plato christianus. Übernahme und Umgestaltung des Platonismus durch die Väter, Einsiedeln 1964; D. Roloff, Gottähnlichkeit, Vergöttlichung und Erhöhung zu seligem Leben. Untersuchungen zur Herkunft der platonischen Angleichung an Gott, Berlin 1970 (= UaLG 4).

Alle Häresien, die Hilarius erwähnt, sind aus dem Dilemma entstanden, daß die Offenbarung Wahrheiten aussagt, die sich zu widersprechen scheinen, z. B. die absolute Einheit Gottes und zugleich die personale Unterschiedenheit von Vater und Sohn, oder die Einheit einer wahren göttlichen und einer wahren menschlichen Natur in der Person Jesu Christi. Diese Wahrheiten bleiben für den Menschen letztlich ein unbegreifliches Geheimnis, das er aus der Schrift und dem Glauben der Kirche entgegennimmt. Nur wer anerkennt, daß die göttliche Natur für uns ein undurchdringliches Geheimnis bleiben muß, verfügt nach Hilarius über die rechte Disposition, um die Glaubenswahrheiten anzunehmen. Wer aber alles begreifen will, muß notwendigerweise eine Auswahl unter den Glaubenswahrheiten treffen. Er nimmt eine Wahrheit an und modifiziert oder leugnet die korrelative Wahrheit. Er glaubt dann nur, was er sich zu glauben vorgenommen hat[37]. Dadurch wird der Glaube aber zu einer Erfindung der menschlichen Vernunft[38]. Diese Auswahl steht im Hintergrund bei Sabellius, Photinus und Arius[39]. Sabellius verteidigt die unterschiedslose Einheit von Vater und Sohn, Arius die Unterscheidung und Unterordnung des Sohnes unter den Vater, Photinus lehrt vor allem, daß Christus ein Mensch sei wie wir. Alle drei beziehen sich dabei auf die Offenbarung. Aus den genannten Häresien zieht Hilarius die Folgerung, daß die Wahrheit des Glaubens dort nicht sein kann, wo ein Aspekt der Wahrheit unter Ausschaltung des komplementären absolut gesetzt wird[40]. Dieses einseitige Vorgehen der Häretiker beschreibt Hilarius eindringlich in seinem Brief an Konstantius: „Doch denke dennoch daran, daß es gegenwärtig keinen Häretiker gibt, der nicht zu Unrecht seine gottlose Verkündigung als schriftgemäß ausgibt. Wenn nämlich Marcellus ‚Wort Gottes‘ liest, so weiß er nicht, was das ist. Wenn Photinus vom ‚Menschen Jesus Christus‘ spricht, dann kennt er ihn nicht. Da Sabellius das Wort: Ich und der Vater sind eins (Joh 10, 30), nicht versteht, gibt es für ihn weder Gottvater noch Gottsohn. So verteidigt Montanus durch seine ekstatischen Frauen (Prisca und Maximilla) einen ‚anderen Beistand‘. Mani und Markion hassen das Gesetz, denn der Buchstabe tötet (2 Kor 3, 6), und

---

[37] Trin. X, 1 (458, 23 – 459, 29): Ceterum si non praeiret rationem uoluntas, sed per ueri intellegentiam ad uelle id quod uerum est moueretur, numquam doctrina uoluntati quaereretur, si uoluntatem omnem doctrinae ratio commoueret; essetque omnis sine contradictione ueritatis sermo, cum unusquisque non quod uellet, id uerum esse defenderet, sed quod uerum est, id uelle coepisset.

[38] Trin. VIII, 1 (312, 37 – 313, 52); X, 2 (459, 1 – 460, 35).

[39] Vgl. Trin. VII, 3 (262, 20–41).

[40] Trin. VII, 3 (262, 31–33); VII, 4 (264, 31–32): nihil enim est quod hereticis commune est.

der Teufel ist der Fürst der Welt. Sie alle zitieren die Schrift, ohne den Sinn der Schrift zu verstehen, und geben einen Glauben vor, der gar keiner ist. Es geht nämlich nicht darum, die Schrift zu lesen, sondern sie zu verstehen; es geht nicht um Verfälschung, sondern um Liebe."[41]

11.3 Die Herausforderung der Kirche durch die Irrlehren

Die Häresien bilden eine Bedrohung der Einheit der Kirche im Glauben. Hilarius weist auf die Kirchen der Häretiker[42] hin, in denen das Wort Gottes nicht gegenwärtig ist. Die Apostel sollen diese Kirchen nicht betreten. Der Ansturm aller Häretiker gilt der Gesamtkirche[43]. Diesen Ansturm beschreibt Hilarius am deutlichsten bei der Auslegung von Ps 138,19–20: „Ihr blutgierigen Menschen, laßt ab von mir; denn sie haben nur Streit im Sinn: Vergeblich nehmen sie ihre Städte in Besitz."[44] Die blutgierigen Menschen (uiri sanguinum) sind für Hilarius die Häretiker: „Die trügerische Lehre der Häretiker ist eine Blasphemie, die unter dem Namen Gottes vorgetragen wird, eine Gottlosigkeit unter dem Vorwand der Religion, eine Lüge unter dem Anschein der Wahrheit; in ihrem Herzen und in ihren Gedanken sinnen sie nur auf Streit. Sie tragen nichts zum Heil und zur Hoffnung der Menschen bei, sie denken nichts Friedfertiges, denn ihre ganze Anstrengung besteht in Streitigkeiten und im Sinnen auf Kampf. Sie richten die unglücklichen Menschen zugrunde und sammeln vergeblich Kirchen um sich, welche nach prophetischem und apostolischem Brauch häufig und mit höchster Autorität Stadt Gottes genannt werden. Das ist der Sinn der Worte: Ihr Blutmenschen, geht weg von mir; denn sie haben nur Streit im Sinn, vergeblich nehmen sie ihre Städte in Besitz. Sie sind Blutmenschen, weil durch ihre Schuld die Seelen zugrunde gerichtet werden; sie werden aufgefordert, sich zu entfernen, weil sie nur Streit im Sinn haben; vergeblich eignen sie sich die Gottesstädte an, denn durch die Zerwürfnisse der Schismen bilden sie Versammlungen unfruchtbarer Kirchen."[45]

---

[41] Ad Const. 9 (204,1–11).
[42] In Mt. 10,3 (I,218,5–6).
[43] Trin. VII,4 (263,27): Heretici … omnes contra ecclesiam ueniunt.
[44] Hier zeigt sich wieder die Textkritik, die Hilarius manchmal an der lateinischen Übersetzung des Psalters übt. Vgl. Tr.Ps. 138,43 (774,20 – 775,6). Für Ps 138,20a findet er die lateinische Übersetzung: quoniam dicis in cogitatione. Diesen ihm unverständlichen Text ändert er nach seinem Verständnis der LXX in: quia contentiones in cogitatione. Das griechische Wort ‚ereis' bedeutet nach Hilarius entweder ‚du sagst' (dicis) oder ‚Streit' (contentiones). Hilarius meint, nach dem hebräischen Urtext müsse man sich für Streit entscheiden.
[45] Tr.Ps. 138,45 (775,20 – 776,10).

11.3.1 Abgrenzung von den Irrlehren

Die Herausforderung der Kirche durch die unfruchtbaren Kirchen der Häretiker besteht zunächst in der Abgrenzung von den Irrlehren. In diesem Sinn versteht Hilarius Mt 7,6: „Gebt das Heilige nicht den Hunden und werft eure Perlen nicht den Schweinen vor." Die Gläubigen dürfen mit den Häretikern nicht über die Geheimnisse des Glaubens diskutieren. Hilarius vergleicht hier die Häretiker mit Schweinen, die im Alten Testament zu den unreinen Tieren gehören, da sie zwar gespaltene Klauen haben, aber nicht wiederkäuen (Lev 11,7; Dtn 14,8). Den Häretikern gilt diese Bezeichnung im übertragenen Sinn, denn sie legen sich eine Erkenntnis Gottes zurecht, ohne ‚wiederzukäuen‘, d. h. ohne diese Erkenntnis zu verinnerlichen. Weil die Häretiker durch ihr scheinbar lückenloses System vor dem Forum der menschlichen Vernunft im Vorteil sind, warnt Hilarius die Gläubigen eindringlich davor, sich ohne gründliche Kenntnis der Glaubensdinge mit den Häretikern einzulassen. Sie könnten unsere Unwissenheit, wenn uns das vollkommene Wissen fehlt (1 Kor 2,6), zum Anlaß nehmen, über die Schwäche Gottes im Leiden Jesu zu lachen. Sie könnten durch die Nadelstiche ihres Widerspruchs gegen unsere unbeholfene Darlegung des Geheimnisses der Menschwerdung, des Leidens und der Auferstehung Jesu schließlich unseren eigenen Glauben zerstören[46]. Auch wenn die Häretiker gemeinsam mit den Katholiken bekennen, daß Christus gestorben und begraben worden ist, dann besteht in diesem gemeinsamen Bekenntnis doch immer noch ein grundlegender Unterschied, nämlich daß die katholische Wahrheit die Einheit von Vater und Sohn und ihre gemeinsame Gottheit (deitas) bekennt, während die Häretiker diese Wahrheit durch ihre Lügen verfälschen[47].

11.3.2 Darlegung des kirchlichen Glaubens

Neben der notwendigen Abgrenzung zum Schutz der katholischen Wahrheit wird die Kirche durch die Häresien zur deutlichen Darlegung ihres Glaubens herausgefordert. Diesem Anliegen dient das ganze Werk De Trinitate. Hilarius hält nach der entscheidenden Auseinandersetzung mit den Arianern in Trin. VII–X inne und reflektiert über seine Methode: „In

---

[46] In Mt. 6,1 (I, 170, 1–17). Auch In Mt. 8,4 (I, 196, 16–18) werden die Häretiker mit Schweinen verglichen. Dieser Vergleich findet sich bereits bei Novatian, De cib. Iud. 3 (CCL 4, 93–96).
[47] In Mt. 26,5 (II, 198, 19 – 200, 25).

den vorhergehenden Büchern haben wir also, wie ich glaube, uns an die Verkündigung des unverfälschten Glaubens und der ungeschmälerten Wahrheit gehalten. Wenn auch nach der Gewohnheit der menschlichen Natur kein Wort davon frei ist, Widerspruch zu erfahren, so glaube ich doch, die Art unserer Erwiderung so angelegt zu haben, daß jemand nur noch mit dem Bekenntnis zur Gottlosigkeit widersprechen kann. Denn von denjenigen Worten, welche die Häretiker nach der Künstlichkeit ihrer falschen Rede aus den Evangelien für sich in Anspruch nehmen, wurde die Wahrheit in der Weise dargelegt, daß es nun nicht mehr möglich ist, für das Widersprechen ein Nichtwissen als Entschuldigung anzuführen, sondern daß man Ungläubigkeit eingestehen muß. Auch jetzt haben wir gemäß dem Geschenk des Heiligen Geistes die Darstellung des ganzen Glaubens maßvoll dargelegt, damit man nicht einmal lügnerisch irgendeinen Vorwurf gegen uns erheben kann."[48]

Während Hilarius in De Trinitate den Irrlehren seinen eigenen Glauben[49], der mit dem Glauben der Gesamtkirche übereinstimmt, entgegensetzt, nennt er in den historischen Fragmenten auch das Konzil eine autoritative Darlegung des katholischen Glaubens. Eine Konzilsveranstaltung ist nach der Auffassung des Hilarius keine außergewöhnliche Angelegenheit – zu seiner Zeit haben sich die Synoden hektisch abgewechselt –, sondern sie gehört zur „ständigen und öffentlichen Verkündigung des vollkommenen Glaubens" gegen den Ansturm der drohenden Häresie. Je nach Schwere der Häresie findet diese Verkündigung des vollkommenen Glaubens durch „verschiedene Briefe" statt oder, wie es in Nikaia der Fall war, durch eine Versammlung der Bischöfe[50].

---

[48] Trin. X, 5 (462, 1–13).

[49] Vgl. das Schlußgebet des Hilarius: Trin. XII, 57 (627, 1–7: Conserua, oro, hanc fidei meae incontaminatam religionèm, et usque ad excessum spiritus mei dona mihi hanc conscientiae uocem: ut quod in regenerationis meae symbolo baptizatus in Patre et Filio et Spiritu sancto professus sum, semper obtineam, Patrem scilicet te nostrum, Filium tuum una tecum adorem, sanctum Spiritum tuum qui ex te per unigenitum tuum est promerear.

Diese Stelle und andere, z. B. Trin. II, 1 (38, 13–22); IV, 1 (101, 2–4), zeigen, daß für Hilarius der ganze Glaube im Bekenntnis zu Vater, Sohn und Heiligem Geist besteht, wenn auch die Lehre von der Einheit von Vater und Sohn im Vordergrund steht.

[50] B II, 9, 5 (25) – 6 (26) (148, 9 – 149, 10): Cura et negotium apostolicis uiris (constanti) semper fuit constanti et publica perfectae fidei praedicatione conatus omnes oblatrantis heresis comprimere et exposita euangeliorum ueritate peruersitatem doctrinae errantis extinguere, (ne) audientium mentes quadam labe contaminans contagione uitii adherentis inficeret. itaque diligenter epistulis uariis, quae de deo patre opinio, quae de dei filio cognitio, quae in spiritu sancto sanctificatio oporteret esse, frequenter copioseque conplexi sunt, ut cognitus fieret de deo patre filius deus et in deo filio deus pater et in deo patre filius deus. ac sic secundum ipsius definitionem dicentis: ego et pater unum sumus (Joh 10, 30) et rursum: sicut pater, tu in me et ego in te (Joh 17, 21) continetur fides nostra in patris et filii nominibus per-

Die Darlegung des ganzen und vollkommenen Glaubens der Kirche an die Einheit von Vater und Sohn und an die wahre Gottheit Jesu Christi ist für Hilarius der Grund, daß die Kirche aus der Herausforderung durch die Häresien als Siegerin hervorgeht.

11.4 Der Sieg der Kirche

Gegen die Einseitigkeiten der Häretiker stellt die Kirche die gesamte Offenbarung in ihrer Vielfalt und Fülle heraus. Alles Wahre aus den verschiedenen Häresien sammelt sie in den einen Glauben. Diese Sammlung der verschiedenen Glaubensaussagen in die Einheit des kirchlichen Glaubens beschreibt Hilarius in Trin. VII, wo er den Triumph der Kirche über die Häresien beschreibt, da sich die Häresien durch ihre Einseitigkeit gegenseitig aufheben und besiegen: „Die Wahrheit besitzt eine große Macht, die zwar schon durch sich erkennbar ist, doch gerade auch aus ihrem Gegensatz aufleuchtet, damit sie in ihrem Wesen unerschütterlichen Bestand habe und aus der täglichen Anfechtung immer neue Festigkeit gewinne. Denn das ist der Kirche eigentümlich, daß sie dann siegt, wenn sie verwundet wird, dann (in ihrem wahren Wesen) erkannt wird, wenn sie angegriffen wird, dann sich behauptet, wenn sie verlassen wird. Sie möchte zwar, daß alle bei ihr und in ihr bleiben; und aus ihrem friedvollen und ruhigen Schoß möchte sie solche nicht ausstoßen oder verlieren, die der Wohnung einer so erhabenen Mutter unwürdig werden."[51]

Der Angriff der Häresien ist letztlich zum Scheitern verurteilt: „Die Irrlehren gehen also alle gegen die Kirche an. Doch indem die Häretiker sich gegenseitig besiegen, gewinnen sie dennoch für sich selbst keinen Sieg. Denn ihr (gegenseitiger) Sieg ist der Triumph der Kirche über sie

---

sonisque deus unus. neque enim uel inuidia Iudeorum uel odium gentilium uel furor hereticorum aliis potius aduersus nos causis est excitatus, quam quod aeternitatem, uirtutem, nomen filii confitemur in patre. hereticorum autem peruersitas de fide impia semper exorta est. nam dum occupati uitiis et ab innocentiae operibus auersi inutilium se quaestionum difficultatibus inplicant, inprobabiles effecti uita, uoluntate, iudicio, placere expetunt nouitate doctrinae, postquam ueritatis scientiam perdiderunt.
Cum igitur patribus nostris cognitum fuisset et Arrios duos profanissimae fidei praedicatores extitisse seque longius non iam opinio, sed iudicium labis istius tetendisset, ex omnibus orbis partibus in unum aduolant Nicheamque concurrunt, ut exposita fide populis et in luce intellegentiae cognitionis diuinae itinere directo intra ipsos auctores suos emergentis mali seminaria necarentur.
Vgl. Greg. Ilib., De fide 3 (CCL 69, 221, 26–31). Zum Konzilsverständnis des Hilarius vgl. H. J. Sieben, Die Konzilsidee der Alten Kirche, 200.
[51] Trin. VII, 4 (263, 5–13).

alle, weil die eine Häresie in der anderen gerade jene Lehre bekämpft, welche der Glaube der Kirche in dieser (bereits) verurteilt – die Häretiker besitzen nämlich in keinem Punkt Gemeinsamkeit –, und während sie sich bekämpfen, bestätigen sie dadurch unseren Glauben."[52] Hilarius führt als Beispiel für den Kampf der Häresien gegeneinander wieder Sabellius, Arius und Photinus an[53].

Die Kirche fordert von ihren Gläubigen die Annahme des ganzen Geheimnisses Gottes. Sie verspricht aber zugleich, daß der Glaube an die Autorität des sich offenbarenden Gottes den Gläubigen eine tiefe Einsicht in das Glaubensgeheimnis schenkt, indem sich nämlich die einzelnen Glaubenswahrheiten zu einer harmonischen Synthese vereinen. Als Beispiel führt Hilarius die Menschwerdung Jesu Christi an[54].

Der Sieg der Kirche ist letztlich der Sieg des apostolischen Glaubens und des Evangeliums über das Unvermögen der Häresien, den ganzen Glauben zu erfassen. Der Grund für die Abspaltung der Häresien von der Kirche liegt in einer falschen Auslegung der Schrift, da die Häretiker die Schrift ihrem Verständnis anpassen, während die Kirche sich in ihrem Verständnis der Glaubensgeheimnisse von der Schrift leiten läßt. Hilarius wirft den Häretikern oft einen Mißbrauch der Schrift vor. Sie isolieren eine Aussage der Schrift, z. B. die Einzigkeit Gottes (Dtn 6, 4), achten nicht auf den Kontext und zwingen andere Schriftstellen unter das Apriori einer vorgefaßten Idee. Hilarius stellt lapidar fest, daß die Häresie aus einer Voreingenommenheit und nicht aus der Schrift hervorgeht. Nicht das Wort der Schrift allein, sondern auch die Bedeutung, die man diesem Wort gibt, entscheidet über Wahrheit oder Irrtum des Verständnisses der Offenbarung[55]. Damit ist eine hermeneutische Regel aufgestellt, die Hilarius auch in seinen Unionsbemühungen zwischen Ost und West anwendet.

Hilarius setzt sich in De Trinitate zum Ziel, die Texte der Heiligen Schrift ohne vorgefaßte Meinung zu lesen. Er will in ihnen nicht seine eigene Auffassung wiederfinden, sondern sich vom Geheimnis Gottes in das Verständnis der Schrift einführen lassen und dieses Geheimnis aus

---

[52] Trin. VII, 4 (263, 27 – 264, 33). Zum Sieg der Häresien übereinander vgl. auch (um 380) Faustin. Lucif., De Trin. 12 (CCL 69, 305, 1 – 306, 48).
[53] Trin. I, 26 (23, 10 – 24, 23); II, 22–23 (57, 1 – 60, 25).
[54] Trin. I, 12 (12, 12–16).
[55] Trin. II, 3 (39, 1–5): Extiterunt enim plures, qui caelestium uerborum simplicitatem pro uoluntatis suae sensu, non pro ueritatis ipsius absolutione susciperent, aliter interpraetantes quam dictorum uirtus postularet. De intellegentia enim heresis, non de scriptura est; et sensus, non sermo fit crimen. Vgl. Trin. IV, 7 (106, 1–11); VII, 4 (263, 17–26); IX, 2 (372, 5–8).

der Schrift herausheben[56]. Das unvoreingenommene Hören auf das Wort Gottes ist für Hilarius ein unterscheidendes Merkmal zwischen Kirche und Häresie. Weil sich die Kirche vom Wort Gottes und dem Glauben der Apostel, der das Wort Gottes ins Leben übersetzt, leiten läßt, kann sie stets siegreich aus den Angriffen der Irrlehren hervorgehen[57]. Es kann hier nicht untersucht werden, ob Hilarius seinem Vorsatz eines unvoreingenommenen Umgangs mit der Schrift in der Auseinandersetzung mit den Arianern stets gerecht geworden ist[58]. Er stellt aber mit dieser Forderung eine Regel des Schriftverständnisses auf, die er im Sieg der Kirche über die Häretiker bestätigt findet.

Wenn die Wirksamkeit des Hilarius in die Lebensvollzüge der Kirche des 4. Jahrhunderts, von denen er spricht, hineingestellt wird, so zeichnen sich drei Schwerpunkte ab:

1) Seine pastorale Aufgabe als Bischof, die in der Unterweisung der Gläubigen und in der Stärkung ihres Glaubens besteht (In Mt.; Tr.Ps.). Eine Hilfe zu dieser Glaubensunterweisung hat Hilarius seinen Priestern im Mysterienbuch gegeben, das Hinweise auf das Schriftverständnis enthält, die pastoral genutzt werden können.

2) Sein Kampf gegen den Arianismus, zunächst gegen Saturninus, Ursacius und Valens, seit der Verbannung gegen den Arianismus in seinen verschiedenen Ausprägungen.

3) Seine Einstellung zum Kaiser, die bis Ende 359 von einer Hochschätzung des Kaisers bestimmt war. Erst als er im Kaiser die treibende Kraft der Homöer erkannte, wandelte sich schlagartig sein Verhältnis zum Kaiser. Grund für die Schrift gegen Konstantius ist die persönliche Enttäuschung des Hilarius über das Verhalten des Kaisers, mehr noch die Parteinahme des Kaisers für die Irrlehre der Homöer, die Hilarius in seinen dogmatischen und historischen Werken zusammen mit dem ursprünglichen Arianismus bekämpft.

Das Leben der Kirche, das in diesem Teil untersucht wurde, kann auf einer doppelten Ebene betrachtet werden:

1) Auf der positiven Ebene der Aussagen des Bischofs von Poitiers zur Verkündigung, zu den Sakramenten, zum königlichen Priestertum der Gläubigen und zur Aufgabe des Bischofs.

---

[56] Trin. I, 18 (18, 17 – 19, 20): Optimus enim lector est, qui dictorum intellegentiam expectet ex dictis potius quam inponat et rettulerit magis quam adtulerit, neque cogat id uideri dictis contineri quod ante lectionem praesumpserit intellegendum.
[57] Trin. VII, 7 (266, 1): fidei nostrae uictoria.
[58] Vgl. dazu P. Smulders, a. a. O., 106–139.

2) Auf der Ebene der Auseinandersetzung mit den Irrlehren. Spätestens im Exil erkannte Hilarius, welchen Gefahren der Glaube ausgesetzt ist, wenn er durch die Irrlehren bedroht oder zerstört wird. Dann gibt es nämlich nicht mehr die Einheit der Verkündigung und das gemeinsame Verständnis der Sakramente.

Es geht aber Hilarius besonders um die „einträchtige Gemeinschaft der Gläubigen und die durch die Sakramente der Kirche geheiligten Seelen"[59]. Diese Sorge um die Einheit der Gläubigen in der Einheit des Bekenntnisses zum dreifaltigen Gott bestimmt seine Unionsbemühungen zwischen Ost und West.

---

[59] Tr.Ps. 131,23 (680,2–3).

Dritter Teil

DIE EKKLESIOLOGIE DES HILARIUS ZWISCHEN OST UND WEST

Hilarius wird oft als Vermittler zwischen östlicher und westlicher Theologie bezeichnet[1]. Er steht mitten in der großen Auseinandersetzung um die kirchliche Trinitätslehre, die das 4. Jahrhundert für die Dogmengeschichte so bedeutsam hat werden lassen. Hilarius gehört zu den wenigen Bischöfen des 4. Jahrhunderts, die östliche und westliche Theologie gleich gut kannten und in ihrer Person zu verbinden suchten.

Doch die gängige Einordnung des Bischofs von Poitiers zwischen Ost und West muß genauer bestimmt werden. Es ist nicht leicht zu entscheiden, ob es zur Zeit des Hilarius bereits einen echten theologischen Unterschied zwischen Ost und West gab. Es scheint praktisch unmöglich, zu dieser Zeit schon von westlichen und östlichen Positionen zu sprechen. Theologisch befinden wir uns noch großenteils vor einer einheitlichen Tradition, die zwar unterschiedlich akzentuiert wird, doch im Grund die beiden Teile des römischen Reiches verbindet. Der östliche Presbyter Arius findet im Westen Gefolgschaft für seine Irrlehre (z. B. Saturninus, Paternus, Auxentius), während es im Osten entschiedene Gegner des Arianismus gab (z. B. Athanasius und die anderen ägyptischen Bischöfe außer Georg von Alexandrien[2]). Die theologische und geistliche Unterscheidung zwischen Ost und West setzt zu einem Teil erst mit der herausragenden Bedeutung Augustins für die westliche Kirche ein.

---

[1] Vgl. L. Coulange (= J. Turmel), Métamorphose du consubstantiel: Athanase et Hilaire, in: RHLR 8 (1922) 169–214; J. Beumer, Hilarius von Poitiers, ein Vertreter der christlichen Gnosis, in: ThQ 132 (1952) 170–192; P. Galtier, Saint Hilaire trait d'union entre l'Occident et l'Orient, in: Gr. 40 (1959) 609–623; P. Löffler, Die Trinitätslehre des Bischofs Hilarius von Poitiers zwischen Ost und West, in: ZKG 71 (1960) 26–36; G. Morrel, Hilary of Poitiers. A theological Bridge between Christian East and Christian West, in: AThR 44 (1962) 312–316; C. F. A. Borchardt, Hilary of Poitiers' Role in the Arian Struggle, 139–165; M.-J. Le Guillou, Hilaire entre l'Orient et l'Occident, in: Hilaire de Poitiers, évêque et docteur, 39–58.
[2] C. Const. 12 (591 A).

Wenn Hilarius zwischen Ost und West gestellt wird, so muß man sich in eine Zeit versetzen, die noch nicht die großen Vorentscheidungen der westlichen Kirche durch die augustinische Trinitäts-, Gnaden-, Sakramenten- und Kirchenlehre kennt. Je nach dem Standpunkt, den man einnimmt, kann man es als das Glück oder das Unglück des Hilarius bezeichnen, daß er vor Augustinus gelebt hat, der dann mit solcher Macht die Entwicklung der westlichen Theologie bestimmt hat, daß Hilarius etwas in Vergessenheit geriet.

Der Bischof von Poitiers ist weniger Zeuge einer unterschiedlichen theologischen Tradition in Ost und West, als vielmehr einer der letzten Zeugen der kirchlichen Einheit in beiden Teilen des römischen Reiches. Es geht östlichen und westlichen Bischöfen um eine gemeinsame Suche nach der Wahrheit. Der kritische Punkt ist dabei die Frage nach dem Verhältnis Christi zum Vater. Die östliche Kirche hat sich zu dieser umstrittenen Frage in vielen Synoden häufiger Gedanken gemacht als die westliche Kirche, die zum größten Teil am Glauben von Nikaia festhielt, obwohl das erste ökumenische Konzil im Westen lange Jahre keinen großen Einfluß hatte.

Zu diesen grundsätzlichen Bedenken, Hilarius theologisch zwischen Ost und West anzusiedeln, kommt unsere Unkenntnis über seinen Aufenthalt im Orient. Wir wissen praktisch nichts über Begegnungen des verbannten Hilarius mit östlichen Bischöfen und Theologen. Auch der sicher vorhandene Einfluß östlicher Schriftauslegung auf das Spätwerk bleibt letztlich unbestimmt. E. Goffinet und N. Gastaldi weisen auf den Einfluß des Origenes und Eusebius von Cäsarea hin, heben aber zugleich die Unterschiede hervor. Die deutlichen Ähnlichkeiten mit östlicher Exegese im Psalmenkommentar und im Mysterienbuch gehen letztlich auf eine dem Osten und Westen gemeinsame exegetische Methode zurück. Wenn sie auch ihre Ursprünge im Orient hatte (Philo und Origenes), so war sie doch zur Zeit des Hilarius bereits in der westlichen Kirche Allgemeingut.

Die genannten Einschränkungen grenzen diesen Teil auf einen engen Rahmen ein. Es läßt sich noch kein unterscheidendes Kirchenverständnis zwischen Ost und West deutlich feststellen. Ausgehend vom Liber de Synodis, den man – modern gesprochen – als Konsensdokument bezeichnen kann, soll Hilarius nicht als Vermittler zwischen östlicher und westlicher Theologie, sondern als Bindeglied zwischen östlichen und westlichen Bischöfen dargestellt werden.

12. Die Unionsbemühungen des Hilarius

Hilarius hat im Exil gespürt, daß die christologischen Streitigkeiten nach Nikaia eine Gefahr für die Glaubens- und Lebenseinheit der Kirche bedeuteten. Sein ganzes Lebenswerk gilt aber sowohl in den exegetischen[1] als auch in den dogmatischen und historischen Werken der Einheit der Gläubigen, die ein Abbild der innertrinitarischen Einheit von Vater und Sohn ist (Trin. VIII). Wenn auch diese Einheit erst eschatologisch voll verwirklicht sein wird, so will Hilarius doch nichts unterlassen, um zur Einheit zwischen östlichen und westlichen Bischöfen durch seine Kenntnis der unterschiedlichen Auslegung des Christusgeheimnisses in beiden Teilen des römischen Reiches beizutragen[2].

12.1 Ekklesiologische Bedeutung des Liber de Synodis

Die Bezeichnung Liber de Synodis stammt von Hieronymus, der unter den Werken des Hilarius „ein anderes Buch über die Synoden, welches er an die Bischöfe Galliens schrieb", erwähnt[3]. Hundert Jahre später nennt Cassiodor diesen Brief des Hilarius „dreizehntes Buch"[4] und verbindet es so mit De Trinitate. Dadurch wird eine Entwicklung eingeleitet, die den Liber de Synodis als 13. Buch des Hauptwerks De Trinitate ansieht. Codex D (5./6. Jahrhundert) enthält Trin. (ohne Titel) und Syn.: Incipit epistula eiusdem liber XIII[5].

Doch der Liber de Synodis ist ein eigenständiges Werk. Die Verbindung mit De Trinitate ergibt sich daraus, daß Syn. wohl gleichzeitig mit Trin. VII geschrieben wurde (Winter 358/359)[6]. In Trin. VII setzt sich Hilarius mit dem Kampf der Kirche gegen die Irrlehren auseinander. Die entscheidende Irrlehre in Syn. ist die Blasphemie von Sirmium (357). Wie bei Trin., ist auch beim sogenannten Liber de Synodis die Überschrift nicht einheitlich. Neben dem durch Hieronymus gebräuchlich gewordenen Titel und neben der Bezeichnung liber XIII finden sich folgende

---

[1] Vgl. Tr.Ps. 131,23 (680,2–3): ... concordem fidelium coetum.
[2] Den östlichen Bischöfen schreibt er Syn. 83 (535 B): neque quidquam me nisi ad unitatis profectum proferre existimetis.
[3] Hier., De viris illustr. 100 (PL 23,699 B).
[4] Cass., Instit. I,16 (PL 70,1132 C).
[5] CCL 62,19*.
[6] Vgl. P. Smulders, La doctrine trinitaire de S. Hilaire de Poitiers, 42; 281f, Anm. 11.

Überschriften: De exilio (C vor Mitte 5. Jh.); Liber fidei catholicae contra arrianos et praevaricatores arrianis adquiescentes (B Beginn 6. Jh.). In der Migne-Ausgabe (1845), die den Text nach der Ausgabe Scipio Maffeis (Verona 1730) abdruckt, der wiederum die Ausgabe des Liber de Synodis von Pierre Coustant (Paris 1693) fast unverändert übernimmt, lautet der Titel: Liber de Synodis seu de fide Orientalium.

Hilarius selbst bezeichnet dieses Werk als Brief an die geliebten Brüder in Gallien[7].

Der Liber de Synodis muß zusammengenommen werden mit den fragmentarisch erhaltenen Apologetica ad reprehensores libri de Synodis responsa[8], in denen Hilarius vor allem den nach der Synode von Mailand (355) verbannten Bischof Lucifer von Cagliari beschwichtigen will, der in den zwei Büchern De Athanasio (nach 358) seine Mißbilligung zu den Unionsbemühungen des Hilarius zum Ausdruck gebracht hatte[9]. Lucifer versuchte später die sich auf der Synode von Alexandrien (362) anbahnende Einigung zwischen Homousianern (Nizäern) und Homöusianern dadurch zu stören, daß er in Antiochien den Presbyter Paulinus zum Bischof weihte und dadurch das antiochenische Schisma verschärfte, das sich aber bereits vor seinem Eingreifen in die Kirche Antiochiens angebahnt hatte[10].

Der Liber de Synodis und die Apologetica responsa haben eine doppelte ekklesiologische Bedeutung. Im Liber de Synodis geht es Hilarius darum, durch die Darlegung der orientalischen Glaubensbekenntnisse die westlichen Bischöfe mit der theologischen Entwicklung nach Nikaia vertraut zu machen und durch einen Versöhnungsvorschlag Homousianer und Homöusianer zur Einheit des Glaubens in der Gesamtkirche zurückzuführen. In den Apologetica responsa sieht Hilarius, daß sein Unionsbemühen bei entschiedenen Vertretern des nizänischen Glaubens auf Unverständnis stößt. So versucht er auch einen Brückenschlag zur Position Lucifers. Vielleicht hat Hilarius eine Kopie des Liber de Synodis mit seinen Antworten auf die inkriminierten Stellen an Lucifer geschickt. Hilarius hat die Apologetica responsa 358/359 verfaßt, als Lucifer noch im Exil im Orient war. Für Lucifer bedeutete erst der Tod des Konstan-

---

[7] Syn. 1 (479 B). Noch deutlicher Responsum Apologeticum I bis: Absoluta in hoc omni loco legentibus ratio consilii mei quam litteris complexus sum. Text bei P. Smulders, Two Passages of Hilary's Apologetica Responsa rediscovered, in: Bijdragen 39 (1978) 238.

[8] PL 10, 545 C – 548 C. Neu entdeckte Antworten bei P. Smulders, a. a. O., 234–243.

[9] Lucif. Cal., De Athan. I, 33 (CCL 8, 57, 46–49). Vgl. die Einleitung v. G. F. Diercks, ebd., XVI.

[10] Ebd., XXXII.

tius (3. 11. 361) das Ende der Verbannung, das er aber noch durch Besuche in Alexandrien und Antiochien herauszögerte[11].

An beiden Werken zeigt sich, daß Rufinus (um 345–410) den Bischof von Poitiers richtig charakterisiert, wenn er ihn „von Natur aus sanft und friedlich" nennt und „sehr geeignet zum Überzeugen"[12]. Hilarius suchte weniger, mit seinen Unionsbemühungen eine neue Richtung zwischen Homousianern und Homöusianern zu weisen, als vielmehr durch seinen Versuch einer Vermittlung der unterschiedlichen Glaubensaussagen zum Verhältnis von Vater und Sohn die Cahtolica in Ost und West zusammenzuhalten.

Wenn auch Hilarius mit seinem Unionsvorschlag noch keinen Erfolg hatte – dasselbe Schicksal war Athanasius beschieden[13] –, so hat er doch früh die Notwendigkeit gespürt, um der Einheit der Kirche willen eine Vermittlung zwischen den unterschiedlichen Auffassungen einzuleiten[14]. Erst zwanzig Jahre später schloß sich ein großer Teil der Orientalen der Position des Papstes Damasus und der westlichen Theologie an. Triebkraft waren aber nicht die Homöusianer, auf die Hilarius 358 hoffte, sondern die Homöer um Meletius von Antiochien und später um Basilius von Cäsarea. Dabei ging es nicht mehr um eine Annäherung von homousios und homoiusios, sondern um den Begriff homoios kata panta (vollkommene Ähnlichkeit), mit dem man einen Konsens zur Lehre von Nikaia herzustellen versuchte[15].

12.1.1 Entstehung und Gliederung des Liber de Synodis

1) Hilarius hatte an der Synode von Ankyra um Ostern 358 nicht teilgenommen, die der Ortsbischof Basilius zur Abwehr der Krise einberufen hatte, die durch das zweite Bekenntnis von Sirmium (357) hervorgerufen wurde. In Sirmium wurde die Einzigkeit Gottes des Vaters überbetont und die Benutzung von homousios und homoiusios ausdrücklich verbo-

---

[11] Ebd., XXVII–XXXI.
[12] Ruf., Hist. eccl. X,32 (GCS 9/2, 994,11–12).
[13] Sein Werk De Synodis (Athanasius Werke, ed. H. G. Opitz, II,1, 231–278) wird immer wieder mit der etwas früheren Schrift des Hilarius verglichen: z.B. L. Coulange, C. F. A. Borchardt.
[14] Vgl. dazu M.-J. Le Guillou, a.a.O., 40; H. Chr. Brennecke, Hilarius von Poitiers und die Bischofsopposition gegen Konstantius II. Untersuchungen zur dritten Phase des „arianischen Streites" (337–361), Diss. ev.-theol. Tübingen 1979, Bd. I, 206–217.
[15] Vgl. M. Meslin, Hilaire et la crise arienne, in: Hilaire et son temps, 33; M. Simonetti, La crisi ariana nel IV secolo, 401–434.

ten[16]. Obwohl das Bekenntnis von Sirmium als Friedensformel gedacht war, da es die umstrittenen Begriffe homousios und homoiusios einfach verbannte, erregte es doch im Westen und im Osten ungeheure Unruhe. Die Formel von Sirmium war ein westliches Bekenntnis, das in der Hauptsache von westlichen Bischöfen aufgestellt worden war. Die führenden Männer dieser Synode waren die mehr politisch als theologisch denkenden Bischöfe Ursacius und Valens, die Einfluß auf den Kaiser gewonnen hatten, sowie Germinius von Sirmium. Als Verfasser der Blasphemie von Sirmium wird häufig Potamius von Lissabon genannt. Im Westen war die Reaktion auf das Bekenntnis von Sirmium eine entschiedene Stärkung des nizänischen Bekenntnisses[17]. Hilarius teilt mit, daß kurz danach eine gallische Synode die Blasphemie von Sirmium verurteilte[18]. Im Osten hatte das Manifest von Sirmium, zusammen mit dem gleichzeitigen Auftreten der radikalen anhomöischen Lehre des Aëtius und Eunomius, die Wirkung, daß der überwiegenden Mittelpartei der Semiarianer die Augen geöffnet wurden für die Bedrohung, die vom Neuarianismus der Synode von Sirmium ausging. In dieser Situation berief Basilius von Ankyra eine Synode in seine Bischofsstadt ein. Im Synodalschreiben, das die Ergebnisse bekanntgibt, wird zwar auf eine Erwähnung von Nikaia verzichtet und der Sache nach homousios verurteilt, wobei man sich auf die Verurteilung Pauls von Samosata bezog. Doch die Semiarianer setzten sich entschieden von den Anhomöern ab und bestanden auf der Lehre, daß der Sohn dem Vater im Wesen ähnlich sei (homoiusios). Kurz nach der Synode gelang es den Delegierten unter Führung des Basilius, den Kaiser bei einer Begegnung in Sirmium für den semiarianischen oder homöusischen Standpunkt zu gewinnen. Sie erhielten seine Billigung zum Entwurf einer Formel, die diese Auffassung wiedergebe: das sogenannte dritte Bekenntnis von Sirmium auf der vierten Synode von Sirmium (kurz nach Ostern 358). Dieses bestand aus dem ersten Bekenntnis von Sirmium (351), vermehrt durch eine Anzahl von Anathematismen, die dem Synodalschreiben von Ankyra entstammten. Es werden allerdings nur 12 Anathematismen aufgeführt, denn aus den 19 Anathematismen von Ankyra fehlen 1–5 und 18–19, die aus Respekt vor den Nizänern unterdrückt wurden. Basilius drängte nun den Kaiser, ein allgemeines Konzil abzuhalten, das eine endgültige Regelung in der

---

[16] Syn. 11 (487 A – 489 B); Athan., De Syn. 28 (Opitz II, 1, 256, 25 – 257, 27); deutsch bei J. N. D. Kelly, Altchristliche Glaubensbekenntnisse, 282 f.
[17] Syn. 2 (481 A). Vgl. Phoeb., Contra Arian. 6 (PL 20, 17 B): perfectam fidei catholicae regulam.
[18] Syn. 2 (481 A); 8 (485 A – 486 A).

Frage nach dem Verhältnis des Sohnes zum Vater zum Reichsgesetz erheben könnte. Doch Konstantius hörte mehr auf die Anhomöer und beschloß schließlich gegen den Vorschlag des Basilius, zwei parallele Synoden einzuberufen. Hilarius teilt mit, daß die östliche Synode zunächst in Ankyra stattfinden sollte. Nach dem Erdbeben in Nikomedien (24. 8. 358) setzte der Kaiser fest, daß die östlichen Bischöfe sich in Seleukia (Zilizien) treffen, während die westlichen Bischöfe in Rimini tagen sollten. Die westliche Synode fand im Juni/Juli 359 statt, während die östlichen Bischöfe sich erst Ende September 359 versammelten[19].

Bereits in der Synode von Ankyra und mehr noch in der Ankündigung der Doppelsynode von 359, vor der bereits der Liber de Synodis anzusetzen ist (Ende 358/Anfang 359), sah Hilarius eine Chance zur Annäherung von Homousianern und Homöusianern. Durch die kleinasiatischen Bischöfe hatte er Kenntnis von den Beschlüssen in Ankyra erhalten. Er erhielt auch durch sie das Glaubensbekenntnis von Ankyra in seinem vollen Umfang mit den 19 Anathematismen, von denen auf der vierten Synode von Sirmium sieben unterdrückt wurden. Später erfuhr er, daß die letzteren auf Initiative des Basilius zugunsten der Nizäner unterblieben sind[20].

2) Hilarius ist nun beinahe drei Jahre in der Verbannung[21]. Er hat während dieser Zeit viele Provinzhauptstädte der zehn kleinasiatischen Provinzen besucht. Doch er ist nur wenigen Bischöfen begegnet, die seine nizänische Position teilten. Er stellt bedauernd fest, daß außer Bischof Eleusius und wenigen anderen Bischöfen der Großteil der zehn Provinzen Asiens Gott in Wahrheit nicht kenne[22]. Deshalb richtet er auch im

---

[19] Vgl. K. Baus, HKG (J) II/1, 48–51; J. N. D. Kelly, 284f.

[20] Syn. 90 (542 A – 543 A). Vgl. J. H. Reinkens, Hilarius von Pointiers, 171.

[21] Syn. 2 (481 A): toto jam triennio. Drei Jahre sind es her, daß die Bischöfe Galliens die Kirchengemeinschaft mit Saturninus aufgehoben haben. Wenig später (vor September 356) erfolgte die Verbannung des Hilarius.

[22] Syn. 63 (522 C – 523 A): Nam tantum Ecclesiarum Orientalium periculum est, ut rarum sit hujus fidei (quae qualis sit, vos judicate) aut sacerdotes aut populum inveniri. Male enim per quosdam impietati auctoritas data est: et exsiliis episcoporum, quorum causam non ignoratis, vires auctae sunt profanorum. Non peregrina loquor, neque ignorata scribo: audivi ac vidi vitia praesentium; non laicorum, sed episcoporum. Nam absque episcopo Eleusio et paucis cum eo, ex majori parte Asianae decem provinciae, intra quas consisto, vere Deum nesciunt. Atque utinam penitus nescirent; cum procliviore enim venia ignorarent, quam obtrectarent. Sed horum episcoporum dolor se intra silentium non continens, unitatem fidei hujus quaerit, quam jam pridem per alios amisit. Vgl. C. Const. 12 (590 A – 591 B). Der Glaube, den Hilarius selten im Orient findet, bedeutet für ihn nach Syn. 61 (522 A): Hoc enim fidei nostrae secundum evangelicam et apostolicam doctrinam principale est, Dominum nostrum Jesum Christum Deum et Dei filium a Patre nec honoris confessione, nec virtutis potestate, nec substantiae diversitate, nec intervallo temporis separari.

Exil seine Hoffnung auf die Bischöfe Galliens, denen er mehrfach geschrieben hatte, ohne eine Antwort zu erhalten. Der Kontakt zur Heimat schien unterbrochen, und Hilarius fürchtete, bei dem allgemeinen beklagenswerten Zustand der Bischöfe sei auch das Gewissen der gallischen Bischöfe befleckt, und dies sei der Grund ihres Schweigens[23]. So faßte er nach wiederholter vergeblicher Mahnung den Entschluß, fortan keine Briefe kirchlichen Inhalts mehr nach Gallien zu schicken[24].

Gegen Ende 358 erreichte ihn endlich ein Brief der Bischöfe seiner Heimat. Der Grund ihres Schweigens war, daß sie seine Adresse nicht kannten. Sie gaben ihm die Versicherung, daß sie in der Gesinnung und im Glauben zu ihm hielten und Saturninus beharrlich die Kirchengemeinschaft verweigert hätten. Ferner berichteten sie ihm, daß ihnen die zweite sirmische Formel (Blasphemie) schriftlich mitgeteilt worden sei und sie dieselbe verurteilt hätten[25]. Hilarius beglückwünscht seine Mitbrüder wegen ihrer Glaubenstreue und ihres vorbildlichen Beispiels, das auch auf die orientalischen Bischöfe Eindruck gemacht habe[26].

Nach der Einleitung (c. 1–4) erwähnt Hilarius die Bitte seiner gallischen Freunde, er möge sie mit den orientalischen Glaubensbekenntnissen bekannt machen und zugleich seine eigene Beurteilung dieser Bekenntnisse hinzufügen. Hilarius geht auf diese Bitte ein, nennt aber gleich die Schwierigkeiten: Wenn es schon schwer ist, den eigenen Glauben darzulegen, um wie viel schwerer ist dann die von ihm verlangte Aufgabe, den Sinn der Glaubensbekenntnisse anderer auszulegen und zu beurteilen. Seine Absicht ist, den heimlichen Irrlehrern die Täuschung unmöglich zu machen und zugleich den Wunsch der untadeligen Katholiken nach Information über die Glaubenssituation im Osten zu erfüllen (c. 5–6).

Hilarius will den gallischen Bischöfen alle Glaubensbekenntnisse mitteilen, welche nach dem Konzil von Nikaia zu verschiedenen Zeiten und

---

[23] Syn. 1 (480 B): verens ne in tanto ac tam plurium episcoporum calamitosae impietatis ac erroris periculo, taciturnitas vestra de pollutae atque impiatae conscientiae esset desperatione suscepta.

[24] Syn. 1 (479 B – 480 B): Constitutum mecum habebam, Fratres carissimi, in tanto silentii vestri tempore nullas ad vos ecclesiastici sermonis litteras mittere …, mihi quoque apud vos tacendum arbitrabar.

[25] Syn. 2 (481 A).

[26] Syn. 3 (482 A/B): Vicistis enim, Fratres, cum ingenti fidei communis gratulatione: et geminam habuit illaesae constantiae vestrae honor gloriam, de integritate scilicet conscientiae, et de exempli auctoritate. Nam fidei vestrae imperturbatae inconcussaeque fama, quosdam Orientalium episcopos sero jam ad aliquem pudorem nutritae exinde haereseos auctaeque commovit: et auditis iis quae apud Sirmium conscripta impiissime erant, irreligiosorum audaciae quibusdam sententiarum suarum decretis contradixerunt.

an verschiedenen Orten entstanden sind. Er will sie ihnen nach Wortlaut und Sinn mitteilen und seine Auslegungen hinzufügen. Er weist zugleich darauf hin, daß er nur Übermittler, nicht Verfasser der Bekenntnisse sei, für den Inhalt also keine Verantwortung übernehme, wie er auch keinen Ruhm dafür fordere: „Ich habe die geschichtlichen Fakten (gesta) getreu übermittelt; prüft nach dem Urteil eures Glaubens, ob sie katholisch oder häretisch sind" (c. 7). Die griechischen Glaubensformeln waren zur Zeit des Hilarius bereits ins Lateinische übersetzt. Doch Hilarius hält es für nötig, nur seine eigenen Übersetzungen anzuführen, da die vorhandenen dunkel und zweideutig seien. Er macht hier eine wichtige Bemerkung zur Übersetzungsmethode des 2. bis 4. Jahrhunderts: Die Übersetzungen waren ängstlich bestrebt, die griechische Wortstellung auch da beizubehalten, wo der lateinischen Sprache dadurch Gewalt angetan wurde (c. 9)[27]. Als Beispiel können viele Texte aus dem späteren Psalmenkommentar angeführt werden, wo Hilarius den Text der LXX den lateinischen Übersetzungen vorzieht[28].

3) Nach der Einleitung und der Darstellung des Anlasses dieses Briefes (c. 1–9) können zwei Teile unterschieden werden:

a) Der historische Teil (c. 10–63) richtet sich an die gallischen Bischöfe, auf deren Bitte Hilarius in diesem Schreiben antwortet. Die Überschrift nennt als Adressaten die Bischöfe der beiden Provinzen Germaniens, die gallischen Bischöfe im weitesten Sinn und die Bischöfe der britannischen Provinzen[29].

In c. 64 legt Hilarius sein eigenes Glaubensbekenntnis über Vater und Sohn dar.

---

[27] Syn. 9 (486 A/B): Et quidem rectum ac conveniens existimo, ut ante quam de verborum suspicionibus ac dissensionibus ineo sermonem, ea quae ab Orientalibus episcopis adversum conscriptam apud Sirmium haeresim dicta et constituta sint, verbis quam possim absolutissimis demonstrem: non quod non ab aliis planissime omnia edita sint; sed quod ex graeco in latinum ad verbum expressa translatio affert plerumque obscuritatem, dum custodita verborum collatio eamdem absolutionem non potest ad intelligentiae simplicitatem conservare.

[28] Vgl. z. B. Tr.Ps. 67,12 (287,16–17): laboriosius autem id et obscurius, dum conlocationes uerborum non demutat, translatio latina declarat. 131,24 (680,19–21): sed nobis sequenda est prima illa et sub Iudaeorum temporibus ante domini aduentum ad ecclesiae doctrinam consignata translationis auctoritas (LXX). Vgl. J. H. Reinkens, 284–287; H. Lindemann, 61 f; M. Milhau, Un texte d'Hilaire de Poitiers sur les Septante, leur traduction et les autres „traducteurs" (In psalm. 2,2–3), in: Aug. 21 (1981) 365– 372.

[29] 479 B: Dilectissimis ac beatissimis Fratribus et coepiscopis, provinciae Germaniae primae, et Germaniae secundae, et primae Belgicae, et Belgicae secundae, et Lugdunensi primae, et Lugdunensi secundae, et provinciae Aquitanicae, et provinciae Novempopulanae, et ex Narbonensi plebibus et clericis Tolosanis, et provinciarum Britanniarum episcopis.

b) Der dogmatische Teil (c. 66–91) enthält die Unionsbemühungen des Hilarius. In diesem Teil wendet sich Hilarius auch direkt an die Orientalen (c. 78–91).

Das letzte Kapitel (92) ist wieder an die gallischen Bischöfe gerichtet. Hilarius schreibt, er habe mehr getan, als die Bescheidenheit erlaube. Doch die Liebe zu den Mitbrüdern habe ihn dazu geführt. Er schließt seinen Brief mit den Sätzen: „Es liegt nun bei euch, gemeinsam zu verhandeln und besonnen danach zu trachten, daß ihr in eurem Gewissen mit Gottesfurcht bewahrt, was ihr bis jetzt durch euren unverletzlichen Glauben beharrlich seid, und daß ihr behaltet, was ihr (jetzt) habt. Seid in euren heiligen Gebeten meiner Verbannung eingedenk! Freilich weiß ich nicht, ob es nach der Darlegung dieses (meines) Glaubens ebenso angenehm ist, zu euch im Herrn Jesus Christus zurückzukehren, wie es sicherer Anteil ist zu sterben. Ich wünsche euch, meine geliebten Brüder, daß unser Gott und Herr euch unbefleckt und unversehrt für den Tag der Offenbarung bewahre" (c. 92).

Der Liber de Synodis ist nach der Absicht des Hilarius ein Doppelsendschreiben, eine Friedensschrift, die sich sowohl an die Orientalen als auch die Okzidentalen richtet. Die orientalischen Bischöfe haben seinen Brief sicher eher als die gallischen erhalten. Unter den Orientalen spricht er vor allem jene Bischöfe an, die gegen die anhomöische Verschärfung des Arianismus Position bezogen hatten (Basilius von Ankyra), gleichzeitig aber vermieden hatten, den Begriff homousios zu gebrauchen.

12.1.2 Der Vermittlungsversuch zwischen homousios und homoiusios

1) Hilarius sieht im Liber de Synodis die nachnizänischen Synoden – mit Ausnahme der Blasphemie von Sirmium – in völlig positivem Licht[30]. Im Hinblick auf das Bekenntnis von Nikaia bedeutet dies, daß der Glaube von Nikaia nicht höheren Ranges ist als die nachfolgenden Bekenntnisse[31]. Doch dieser Befund gilt nur für den Liber de Synodis, denn Hilarius macht durch die weiteren Umstände eine Entwicklung durch, wie im nächsten Kapitel (13.3) noch darzustellen ist. Die einzelnen Glaubensformeln sind für Hilarius zunächst nicht gegeneinander gerichtet, wie Atha-

---

[30] Vgl. H. J. Sieben, Die Konzilsidee der Alten Kirche, 202 ff.
[31] H. J. Sieben, a. a. O., 202 sieht darin „die kirchenpolitisch günstige Konsequenz aus diesem Unverständnis des Hilarius".

nasius immer wieder behauptet[32], sondern dienen der gemeinsamen Wahrheitssuche. Im Dienst seiner Einigungsbemühungen sieht Hilarius in der Synode von Ankyra (358), im Kirchweihkonzil von Antiochia (341), in der Synode von Serdika, deren Bekenntnis in Philippopel verfaßt wurde (343–344), und in der ersten sirmischen Formel (2. Synode von Sirmium 351) – neben mancher Kritik an unglücklichen Formulierungen – eine notwendige Verbesserung und Ergänzung von Nikaia. In diesen Glaubenformeln stellt er das gemeinsame Bemühen der Bischöfe fest, der Wahrheit näherzukommen[33]. Bei der wohlwollenden Auslegung der meisten nachnizänischen Glaubensformeln geht es Hilarius aber nicht um ein Einebnen der Gegensätze zwischen Homousianern und Homöusianern. Wenn es angebracht ist, spart er nicht an scharfer Kritik und Verurteilung, wie seine Auslegung der Blasphemie von Sirmium und seine Zustimmung zu den 12 Anathematismen von Ankyra zeigen (c. 10–28).

Hilarius betrachtet die Glaubensformeln unter einem erkenntnistheoretischen Gesichtspunkt. Von diesem Standpunkt her gelingt ihm ganz allmählich eine positive Würdigung dessen, was ein schriftlich fixiertes Glaubensbekenntnis zu sein beansprucht. Der eigentliche Grund für die Vielzahl der aufgestellten ‚Definitionen' des Verhältnisses von Vater und Sohn ist die Unendlichkeit Gottes, nicht die böse Absicht der Menschen, den Glauben zu verleugnen. Die Unendlichkeit Gottes ist gleichsam das Leitmotiv, von dem aus Hilarius in De Trinitate seiner Widerlegung der Arianer eine innere Geschlossenheit verleiht. Während die Arianer die Einheit von Vater und Sohn im Horizont ihrer eigenen Vorstellungen von Einheit begreifen wollten, stellt Hilarius die Unendlichkeit von Vater und Sohn heraus. Ihre Einheit übersteigt deshalb die natürlichen Erkenntnismöglichkeiten des menschlichen Verstandes[34].

Hilarius ist im Liber de Synodis davon überzeugt, daß die Kürze der

---

[32] Athan., Ep. Aegypt. 6 (PG 25,549 C – 552 A).
[33] Syn. 27 (500 B – 501 A); 62 (522 A): Multifarie, ut intelligitur, episcoporum consiliis atque sententiis quaesita veritas est, et intelligentiae ratio exposita est per singulas scriptae fidei professiones: singulis quibusque generibus impiae praedicationis exstinctis.
[34] Zur Unendlichkeit Gottes als theologischem Leitmotiv in De Trinitate vgl. J. M. McDermott, Hilary of Poitiers: The Infinite Nature of God, in: VigChr 27 (1973) 172–202; E. P. Meijering, 33–37; 78–81; 183 f.
McDermott stellt sich gegen E. Mühlenberg, Die Unendlichkeit Gottes bei Gregor von Nyssa. Gregors Kritik am Gottesbegriff der klassischen Metaphysik, Göttingen 1966, heraus, daß nicht Gregor von Nyssa, sondern Hilarius der erste christliche Theologe war, der die Unendlichkeit Gottes in systematischer Weise zur Erklärung des Geheimnisses der Dreifaltigkeit verwendet.

Worte – womit auf das nizänische Homousios angespielt wird – nur durch eine Vielzahl von Definitionen und eine große Menge an Worten ausgeglichen werden könne. Er sieht in den ganzen Definitionsversuchen mehr eine Unterweisung (ad docendum) als ein Bekenntnis im eigentlichen Sinn des Wortes[35]. Dies zeigt sich auch an dem Gewicht, das er dem Nizänum gibt. Er erwähnt es nur einmal im zweiten Teil (c. 84) und stellt es nur als ein Modell des rechten Glaubens heraus.

2) Die grundsätzlichen Aussagen zur Bedeutung der Synoden und ihrer Bekenntnisse bestimmen nun die Interpretation und Vermittlung von homousios und homoiusios.

a) Hilarius beschäftigt sich zunächst mit homousios (c. 67–71). Die Geschichte dieses Begriffs ist bereits mehrfach dargestellt worden[36]. Das Wort Wesensgleichheit kann allerdings falsch verstanden werden. Hilarius macht auf ein dreifaches Mißverständnis aufmerksam: (1) wenn durch die eine Substanz der Unterschied von Vater und Sohn aufgehoben werde; (2) wenn man eine Teilung des göttlichen Wesens annehme, so daß Wesensgleichheit bedeute, der Vater habe einen Teil aus sich selbst ‚herausgeschnitten‘, der für ihn Sohn sei; (3) wenn man nach dem Vorbild des Sabellius und Pauls von Samosata unter der einen Substanz eine den göttlichen Personen vorausgehende Wesenheit (substantia prior) verstehe, die dann Vater und Sohn gleichsam als gleichberechtigte Erben in Besitz nähmen (c. 68). Solchen Mißverständnissen ist ein so kurzer technischer Begriff wie homousios häufig ausgesetzt. Der Katholik handelt deshalb nicht klug, wenn er seinen Glauben mit einem ‚Schlagwort‘ beschreibt, als ob es ohne diesen Begriff keinen wahren Glauben gäbe. Hilarius ordnet deshalb homousios in einen größeren Kontext ein. Gefahrlos kann der Ausdruck nur gebraucht werden, wenn der Katholik vorher be-

---

[35] Vgl. neben Syn. 27 (500 B – 501 A) bes. Syn. 62 (522 A/B): Non enim infinitus et immensus Deus brevibus humani sermonis eloquiis vel intelligi potuit, vel ostendi. Fallit enim plerumque et audientes et docentes brevitas verborum: et compendio sermonum aut non intelligi potest quod requiritur, aut etiam corrumpitur quod significatum magis, quam enarratum, rationis absolutione non constat. Et idcirco episcopi intelligentiae sensu loquentes, ob difficultatem naturalis intelligentiae, et plurimis definitionibus et copiosioribus verbis usi sunt ad docendum: ut et sensum audientium distinctione editae per multa veritatis imbuerent, et de divinis rebus nihil aliud periculosum aut obscurum in hac multimoda plurium sententiarum absolutione loquerentur.

[36] Vgl. zusammenfassend J. N. D. Kelly, 240–251; F. Dinser, Homoousios. Die Geschichte des Begriffs bis zum Konzil von Konstantinopel (381), Diss. theol. Kiel 1976; F. Ricken, Das Homoousios von Nikaia als Krisis des altchristlichen Platonismus, in: B. Welte (Hg.), Zur Frühgeschichte der Christologie. Ihre biblischen Anfänge und die Lehrformel von Nikaia, Freiburg i. Br. 1970 (= QD 51), 74–99.

kannt hat: „Der Vater ist ungezeugt, der Sohn ist geboren, er hat seine Subsistenz aus dem Vater, er ist dem Vater ähnlich (gleich)[37] an Macht, Ehre und Natur. Er ist dem Vater unterworfen, da er aus dem Vater geboren ist (ut auctori); aber er hat sich nicht durch einen Raub Gott gleichgestellt, in dessen Gestalt er blieb, als er gehorsam wurde bis zum Tod. Er ist nicht aus dem Nichts, sondern durch Geburt. Er entzieht sich nicht der Geburt, ist aber wie der Vater ohne zeitlichen Anfang (cointemporalis). Er ist nicht der Vater, sondern der Sohn aus ihm. Er ist kein Teilwesen, sondern eine Ganzheit. Er ist nicht der Urheber selbst, sondern das Bild: Bild Gottes, aus Gott zum Gott geboren. Er ist kein Geschöpf, sondern Gott. Kein anderer Gott der Wesenheit nach, sondern ein Gott durch unterschiedsloses Sein. Nicht der Person, sondern der Natur nach ist Gott einer, weil der Geborene und der Zeugende nichts Verschiedenes und Unähnliches in sich haben" (c. 69). Wer dieses Bekenntnis abgelegt hat, der irrt nicht, wenn er sagt, es gebe nur eine Wesenheit von Vater und Sohn; er sündigt vielmehr, wenn er dies leugnet. Hilarius erklärt, er habe den Inhalt des technischen Ausdrucks der Orthodoxie so genau analysiert, um ihn vor Mißverständnissen zu schützen, wenn er „kurz und nackt" (c. 70) gebraucht werde. Habe man dieses richtige Verständnis von homousios vor Augen, dann seien auch die biblischen Aussagen über die menschliche Natur Christi nicht verfänglich, denn in der Schrift fänden sich stets parallele Bekräftigungen der göttlichen Natur Christi (c. 70)[38]. Hilarius wendet sich hier an die westlichen Bischöfe, unter denen sich einige befanden – z. B. Lucifer von Cagliari und Phoebadius von Agen, der nach der Verbannung des Hilarius der Führer der antiarianischen Partei in Gallien war –, die in ihrem Eifer für die nizänische Lehre jedes Bedenken gegen den Ausdruck homousios bereits für böswillig und häretisch erklärten und zu vergessen schienen, daß der richtig verstandene In-

---

[37] Der Begriff ‚similis' muß bei Hilarius aus dem Kontext verstanden werden. Hier ist er gleichbedeutend mit ‚aequalis', da es in Syn. 69 (526 A–C) um den rechten Gebrauch von homousios geht. Doch bereits hier, wo er ‚similis' in homousianischem Kontext gebraucht, kündigt sich sein Unionsbemühen an. Vgl. auch Syn. 67 (525 A/B): religiose unam substantiam praedicamus, dummodo unam substantiam propietatis similitudinem intelligamus, ut quod unum sunt, non singularem significet, sed aequales. Aequalitatem dico, id est, indifferentiam similitudinis, ut similitudo habeatur aequalitas; aequalitas vero unum idcirco dicatur esse, quia par sit; unum autem, in quo par significatur, non ad unicum vendicetur.
[38] Syn. 70 (526 C – 527 A): Non enim ego audio, Christus ex Maria natus est; nisi et audiam, In principio erat Verbum et Deus erat Verbum (Joh 1, 1). Non audiam, Christus esurivit; nisi post quadraginta dierum jejunium audiam, Non in pane solo vivit homo (Mt. 4, 4). Non audiam, sitivit; nisi audiam, Qui biberit de aqua, quam ego dedero ei, non sitiet in aeternum (Joh. 4, 13). Non audiam, Christus passus est; nisi audiam, Nunc est hora ut Filius hominis clarificetur (Joh 12, 23). Non audiam, mortuus est; nisi audiam, resurrexit.

halt wichtiger ist als die sprachliche Form. Sie sollen den Gegnern der nizänischen Terminologie wenigstens die Möglichkeit des Mißverständnisses einräumen und die Berechtigung des Wortes durch Darlegung des wahren biblischen Inhalts nachweisen.

Hilarius betrachtet seinerseits das Wort homousios als sehr angemessen, um den wahren Glauben auszusagen. Doch das neue Element, das er im Liber de Synodis einbringt, besteht darin, daß er sich gegen einen Glauben wendet, der mit einem Schlagwort erfaßt wird, denn die Unendlichkeit Gottes kann nicht in einem Wort allein ausgesagt werden. Der Begriff homousios ist für ihn noch nicht tabuisiert. So lautet sein abschließendes Wort an die Freunde in Gallien: „Die eine Substanz kann in frommer Gesinnung ausgesagt und auch verschwiegen werden" (c. 71)[39].

b) Die westlichen Bischöfe stehen dem semiarianischen Ausdruck homoiusios ablehnend gegenüber. Deshalb widmet Hilarius nun dem Begriff der Wesensähnlichkeit, dessen rechten Sinn er schon kurz angeschnitten hatte[40], besondere Aufmerksamkeit (c. 72–77). Er hebt mit Nachdruck hervor, daß Ähnlichkeit (similitudo) und Gleichheit (aequalitas) im Verhältnis von Vater und Sohn zusammenfallen. Wenn der Ausdruck Wesensähnlichkeit als Ergänzung zur Wesensgleichheit von Vater und Sohn gebraucht wird, dann sieht Hilarius darin eine durchaus orthodoxe Beschreibung des Wesensverhältnisses von Vater und Sohn: Der Verdacht der einsiedlerischen Vereinzelung oder Vereinsamung in Gott (unici suspicio) wird dadurch ausgeschlossen[41]. Hilarius versucht, aus dem Alten und Neuen Testament nachzuweisen, daß die theologische Gleichsetzung von Ähnlichkeit und Gleichheit berechtigt sei, da nämlich in der Schrift die durch dieselbe Natur oder Wesenheit begründete Gleichheit der Personen auch Ähnlichkeit genannt werde (c. 73)[42]. Wollte man allerdings die Ähnlichkeit zwischen Vater und Sohn nur als Analo-

---

[39] Syn. 71 (527 A/B): Non est, Fratres charissimi, una Patris et Filii neganda substantia: sed nec irrationabiliter praedicanda. Sit una substantia ex naturae genitae proprietate; non sit aut ex portione, aut ex unione, aut ex communione. Potest una substantia pie dici, et pie taceri.

[40] Vgl. Syn. 67 (525 A/B).

[41] Syn. 72 (527 C): Si unum dico, habet et unici suspicionem: si similem dixero, habet indifferentis comparationem. Inter similem et unum quaero quem locum habeat aequalis: et interrogo utrum similitudinis potius, aut solitudinis res sit. Non est aequalitas in dissimilibus, nec similitudo est intra unum.

[42] Hilarius stellt Syn. 73 (528 A–C) einen Fortschritt vom Alten zum Neuen Testament fest: Adam zeugte Set ‚secundum similitudinem suam' (Gen 5,3); Jesus stellt sich Gott gleich: ‚aequalem se faciens Deo' (Joh 5,18). Der Fortschritt geht von der ‚similitudo' zur ‚aequalitas' und zeigt, worin Hilarius letztlich – trotz seiner Unionsbemühungen – die korrekte Formulierung des Glaubens erblickt: in der Gleichheit von Vater und Sohn.

gie gelten lassen, ohne gleichzeitig die Gleichheit der Wesenheit, der Macht, der Ehre und der Dauer zu behaupten, dann wäre dieses Verständnis von homoiusios falsch und blasphemisch. Es gibt zwar Menschen, die im Bekenntnis der Ähnlichkeit die Gleichheit leugnen, doch diese Leute mögen reden, was sie wollen, und das Gift ihrer Gotteslästerung an die Unwissenden verspritzen. Die wahren Gläubigen werden dadurch nicht verwirrt, denn das wahre und fromme Verständnis von homoiusios ist in dem Satz enthalten: „Die Ähnlichkeit ist die Eigentümlichkeit (von Vater und Sohn), die Eigentümlichkeit ist die Gleichheit, und die Gleichheit ist unterschiedslos. Was aber keine Unterschiede hat, ist eines, nicht durch Vereinzelung der Person, sondern durch Gleichheit der Natur."[43]

Nach einer Auslegung von Joh 5, 19, wo die gleiche Macht des Sohnes in Abrede gestellt scheint (c. 75), schließt Hilarius mit seinem Lösungsvorschlag zum rechten Gebrauch von homoiusios: Er gleicht die homöusianische Wesensähnlichkeit (similis substantia) der homousianischen Wesensgleichheit (aequalis substantia) an und läßt beide umgriffen sein von der einen göttlichen Natur (una substantia) des Vaters und des Sohnes[44]. Die Angleichung von homoiusios und homousios ist nicht illegitim, denn der Begriff homoiusios ist in sich ambivalent. Es kommt auf den Sinn an, den man ihm gibt. Homoiusios kann die Ähnlichkeit zwischen Vater und Sohn aus dem Grund einseitig betonen, damit die Wesensgleichheit beider um so leichter geleugnet werden kann. Homoiusios kann anderseits sowohl die Ähnlichkeit beider herausstellen als auch zugleich die Wirklichkeit des einen Wesens betonen. Ähnlichkeit bedeutet dann, daß der Sohn das Bild des Vaters ist, ohne daß die Einheit des Wesens geleugnet wird. Hilarius wählt für seinen Lösungsvorschlag diese zweite Interpretation von homoiusios. In den homöusianischen Glaubensbekenntnissen, die er im historischen Teil erwähnt, ist die Textbasis für dieses zweite Verständnis allerdings schmal[45]. Hilarius schreibt den westlichen Bischöfen, daß es nur wenige orientalische Bischöfe gebe, die

---

[43] Syn. 74 (529 A): Ita similitudo proprietas est, proprietas aequalitas est, et aequalitas nihil differt. Quae autem nihil differunt, unum sunt; non unione personae, sed aequalitate naturae.

[44] Syn. 76 (530 A/B): Caret igitur, Fratres, similitudo naturae contumeliae suspicione: nec potest videri Filius idcirco in proprietate paternae naturae non esse, quia similis est: cum similitudo nulla sit, nisi ex aequalitate naturae; aequalitas autem naturae non potest esse, nisi una sit; una vero non personae unitate, sed generis. Haec fides pia est, haec conscientia religiosa, hic salutaris sermo est, unam substantiam Patris et Filii idcirco non negare, quia similis est: similem vero ob id praedicare, quia unum sunt.

[45] Syn. 18, IV (495 A); 20, VIII (496 C); 29 (502 B – 503 A).

homoiusios in diesem Sinn verstünden, der eine Annäherung an die Verfechter des nizänischen Glaubens ermögliche[46].

Nach diesem Versuch einer Vermittlung zwischen beiden Parteien auf der Basis der einen göttlichen Natur (una substantia) konnte Hilarius die Hoffnung hegen, daß die westlichen Bischöfe auf der bevorstehenden Synode zu Rimini versöhnlich gestimmt sein würden.

c) Nun wendet er sich direkt an die orthodoxen Orientalen. Er nennt sie „heilige Männer" (c. 77) und rühmt sie als „um die apostolische und evangelische Lehre beflissene Männer, die von der Glaubensglut in der tiefen Finsternis der häretischen Nacht entfacht sind" (c. 78). Sie haben bei Hilarius große Hoffnung auf die Wiederherstellung des wahren Glaubens geweckt, weil es ihnen in Sirmium (358) gelungen war, den Kaiser für den homöusianischen Standpunkt zu gewinnen. Hilarius zeigt sich über diesen Anfang der Wiederherstellung des wahren Glaubens so erfreut, daß er ausruft: „Mag ich auch lebenslang im Exil bleiben, wenn man nur anfängt, die Wahrheit zu verkündigen!" (c. 78). Doch Hilarius gibt sich keiner Täuschung hin. Er warnt die Orientalen vor einem zu großen Optimismus. Die Blasphemie von Sirmium wirkt noch weiter. Er meint, Valens und Ursacius hätten die dritte sirmische Formel (358) nur zur Täuschung unterschrieben, im Herzen hielten sie aber am anhomöischen Bekenntnis fest. Deshalb setzt er sich noch einmal gründlich mit dem Arianismus auseinander, den er besonders aus der Schrift widerlegt (c. 79).

Mit viel Taktgefühl bittet er die Orientalen um Verständnis, wenn er auf einen Mangel in der dritten sirmischen Formel hinweist. Es geht ihm um die dort ausgesprochene Verwerfung des Wortes homousios. Basilius von Ankyra und seine Gefährten begründeten diese Verwerfung mit drei Argumenten: (1) weil durch dieses Wort die Wesenheit früher gedacht werde als die zwei Personen, die diese unter sich geteilt hätten; (2) weil dieses Wort schon im Zusammenhang mit der Lehre Pauls von Samosata verurteilt worden sei; (3) weil homousios nicht schriftgemäß sei. Die ersten beiden Einwände beruhen auf einem falschen Verständnis, das Hilarius bereits entkräftet hat (c. 68). Der dritte Vorwurf trifft auch auf homoiusios zu, das sich ebenfalls nicht in der Schrift findet (c. 80–81). Hilarius stellt fest, daß es in der Sache, d. h. in der Verurteilung der Arianer, einen breiten Konsens zwischen Homousianern und Homöusianern gebe

---

[46] Syn. 66 (524 C): ostendi vobis, sicut voluistis, quae ante expositae fides essent ab Orientalibus episcopis, sed paucis (repetam enim, quia secundum numerum Ecclesiarum Orientalium, episcoporum paucorum fides ista est).

(c. 82). Er verteidigt dann den Terminus homousios auf dem Konzil von Nikaia. Dieser Begriff wurde damals zu Recht eingeführt, weil Arius und seine Gefolgsleute die Wesensgleichheit leugneten und dem Sohn die göttliche Natur aberkannten (c. 83). Obwohl Hilarius schon zugegeben hat, daß homousios falsch verstanden werden kann (c. 68), weist er doch im Zusammenhang mit Nikaia den Vorwurf des Mißverständnisses zurück. Dann müßte auch der größte Teil der Schrift aufgegeben werden wegen des möglichen falschen Sinnes, den man vielen Schriftstellen geben könne und den die Häretiker ihnen auch tatsächlich gegeben hätten (c. 85). Er führt dann das Autoritätszeugnis an (auctoritas veterum): 80 Bischöfe haben 268 in Antiochien das Wort homousios in dem falschen Sinn Pauls von Samosata verurteilt, während 318 Bischöfe es in Nikaia als Ausdruck des wahren Glaubens aufgestellt haben (c. 86–87). Von sich selbst sagt Hilarius, daß er die Idee der Wesengleichheit längst in seinem Geist erfaßt hatte, bevor er noch den Begriff homousios kannte (c. 88.91). Deshalb macht er den Orientalen denselben Vermittlungsvorschlag wie den Okzidentalen: Sie sollten durch die Mißverständnisse, die beiden Begriffen anhaften können, zum wahren Sinn vorstoßen und sich darauf einigen, daß homousios und homoiusios, recht verstanden im kirchlich-dogmatischen Sprachgebrauch, dasselbe bedeuteten (c. 88). Da in der Sache kein Gegensatz bestehe, möge man sich doch über den Ausdruck einigen. Sie seien doch keine Arianer. Dieser Verdacht werde aber auf sie fallen, wenn sie homousios leugneten (c. 88).

Hilarius schließt seinen Appell an die Orientalen mit der Bitte, sich dem Glaubensbekenntnis von Nikaia anzuschließen und gemeinsam zu beraten, wenn zu den bereits vorliegenden Interpretationen des nizänischen Homousios noch etwas hinzugefügt werden müsse[47].

Das Urteil von J. Gummerus trifft die Absicht des Hilarius im Liber de Synodis: „Die Schrift des Hilarius ist ein Friedenswerk auf ganz anderer Basis als das der Hofbischöfe: kein Totschweigen der Kontroverspunkte, kein Zurückschrauben der Entwicklung auf den Standpunkt der früheren Unbestimmtheit, sondern wirkliche Verständigung und positive Lehre. Er zeigt ein für jene Zeit seltenes Maß von Unbefangenheit und liebevollem Eingehen auf fremde Gedanken, aber trotz aller Moderation eine große Festigkeit."[48]

---

[47] Syn. 91 (545 A): Interpretati patres nostri sunt post synodum Nicaenam homousii proprietatem religiose, exstant libri, manet conscientia: si quid ad interpretationem addendum est, communiter consulamus.
[48] J. Gummerus, Die homöusianische Partei bis zum Tode des Konstantinus. Ein Beitrag zur Geschichte des arianischen Streites in den Jahren 356–361, Leipzig 1900, 114.

Die Schrift des Hilarius erregte Aufsehen, erntete Beifall, stieß aber auch auf entschiedenen Widerspruch, nicht nur bei den eingefleischten Arianern, sondern auch bei Anhängern des nizänischen Glaubens, die mehr auf den unverrückbaren Buchstaben als auf den Geist des Bekenntnisses von Nikaia setzten. Ihre Wortführer waren Lucifer von Cagliari und wohl auch der römische Diakon Hilarius. Der Bischof von Poitiers verfaßte deshalb zu den von Lucifer und Hilarius inkriminierten Stellen (c. 77.83–84.87) die Apologetica responsa[49].

Die ausgestreckte Hand des Hilarius wurde von den Homöusianern nicht ergriffen. Als im Mai 359 in Sirmium ein kleiner Ausschuß zusammentrat, um eine Arbeitsgrundlage für die kommende Doppelsynode von Rimini und Seleukia vorzubereiten, fand der Vorschlag des Hilarius keine Beachtung. Die vorbereitende Formel spricht davon, daß der Sohn dem Vater ähnlich (homoios) sei. Das Wort usia wird vermieden: „Weil das Wort ‚Wesen‘ von den Vätern in Einfalt angenommen wurde, dem Volk jedoch unbekannt und auch nicht in der Schrift enthalten ist und darum Ärgernis erregt, ist es uns richtig erschienen, es zu entfernen, und es soll auch in bezug auf Gott das Wort ‚Wesen‘ nicht weiter erwähnt werden, weil die heiligen Schriften auch niemals von dem Wesen des Vaters und des Sohnes sprechen. Aber wir sagen: Der Sohn ist dem Vater ähnlich in allen Dingen, wie die heiligen Schriften selbst erklären und lehren.“[50]

An der vorherrschenden westlichen und östlichen Ablehnung oder Nichtbeachtung zeigt sich die praktische Wirkungslosigkeit der Schrift des Hilarius zu seiner Zeit[51].

Dogmatische Bedeutung erlangt der Liber de Synodis vor allem durch die Lockerheit, die Hilarius damals noch dem nizänischen Homousios gegenüber aufbringt. Als ‚Schlagwort‘ kann es ohne weitere Absicherungen nicht die Fülle des Glaubens an die Einheit von Vater und Sohn und die Wesensgleichheit des Sohnes hinreichend erklären. Es ist offen auf weitere Interpretationen hin, die aber unter der Anforderung stehen, den Inhalt des Homousios getreu zu wahren und durch eine Verbindung mit

---

[49] Zu Lucifer vgl. Resp. III (545 D – 546 D); VI (547 B). Die Kritik des Diakons Hilarius bezieht sich auf Syn. 83–84 (Auslegung des Glaubens von Nikaia). Der Bischof Hilarius antwortet dem Diakon Hilarius schärfer als dem Bischof Lucifer. Vgl. Resp, Vbis (P. Smulders, a.a.O., 239): Caput omne hoc si diligentius lectum ab Hilario esset uel intellectum, scisset quid esset pro omousion pugnare et arrianos damnare, neque me diaconus inauditum episcopum absentem rescissae impiae damnationis uestrae et defensae dominicae causa fidei exulantem damnasset.

[50] J. N. D. Kelly, 287.

[51] Vgl. M. Meslin, a.a.O. (s.o. Anm. 15), 32–35.

dem östlichen Homoiusios anzureichern. Man kann hier eine Parallele zum Schriftverständnis des Hilarius ziehen. Wo es sinnvoll und notwendig ist, bleibt Hilarius nicht beim Buchstaben der Schrift stehen, sondern sucht den verborgenen geistigen Sinn der Schrift. Ähnlich sucht er hinter dem Begriff homousios den Sinn aufzudecken, der einen Brückenschlag zur Position der Homöusianer ermöglicht. Während sich aber die Schrift für den Bischof von Poitiers erst in der geistigen Exegese voll erschließt, ist für ihn selbst das nizänische Homousios bereits vollkommener Ausdruck für das Verhältnis des Sohnes zum Vater. Doch um der Einheit der Kirche in Ost und West willen ist er bereit, seinen bevorzugten Terminus homousios aufzugeben, ohne am Sinn der Aussage Abstriche zu machen.

Dennoch wird man die dogmatische Bedeutung des Liber de Synodis nicht zu hoch ansetzen dürfen. Er war zunächst als Information der gallischen Bischöfe über die orientalischen Glaubensbekenntnisse gedacht. An der Unschärfe mancher Ausdrücke, z. B. essentia (c. 12), wird deutlich, daß Hilarius dieses Werk schnell verfaßt hat (Winter 358/359). Es war die Antwort auf einen Brief. Hilarius befand sich damals auch in einer Hochstimmung, da er sich von der Doppelsynode in Seleukia und Rimini die Einheit der östlichen und westlichen Kirche im Glauben erhoffte.

Wenn man den Liber de Synodis mit dem Gesamtwerk des Bischofs von Poitiers vergleicht, so nimmt er eine Sonderstellung ein. Er ist dem Thema, aber nicht der Absicht nach eng mit De Trinitate verbunden. Doch ist erstaunlich, daß in Trin. VII–XII – diese Bücher sind gleichzeitig oder kurz nach dem Liber de Synodis entstanden – kein Hinweis auf homoiusios vorkommt. Wie bereits erwähnt wurde, beschäftigt sich Hilarius in De Trinitate nicht nur mit den Arianern, sondern auch mit anderen Irrlehren. Wenn auch die Semiarianer von ihm zu den orthodoxen Orientalen gerechnet werden, so paßt doch ihr Anliegen der Wesensähnlichkeit nicht in die strenge Argumentation des Hilarius gegen den Arianismus. Deswegen erwähnt er sie wohl in De Trinitate nicht. Hilarius hat auch später zwar noch an der Möglichkeit eines orthodoxen Verständnisses von homoiusios festgehalten, doch dem nizänischen Homousios einen deutlichen Vorrang vor allen anderen Formulierungen eingeräumt.

Diese Relativierung der dogmatischen Bedeutung des Liber de Synodis ergibt sich auch aus der erwähnten Rezeption. Für die unmittelbare Folgezeit hatte das Vermittlungsangebot des Hilarius noch keine entscheidende Bedeutung. Dennoch kann man im Liber de Synodis einen ersten bewundernswerten Versuch sehen, die deutlichen Aussagen zur Wesensgleichheit von Vater und Sohn, die sich bereits in Trin. I–VI finden, von

einem Begriff (homousios) zu lösen und sie in einen weiteren Rahmen (homoiusios) zu stellen, der ebenfalls orthodox aufgefaßt werden kann.

Hilarius hat mit seiner verständnisvollen Haltung anderen potentiell orthodoxen Formulierungen des Glaubens gegenüber – bei gleichzeitigem Festhalten am unverrückbaren Inhalt der Lehre – einen Weg in die Zukunft gewiesen, der dann im konstantinopolitanischen Bekenntnis (381) beginnt, das seit 451 als normative Autorität im gesamtkirchlichen Bewußtsein verankert ist[52].

12.2 Weitere Unionsversuche des Hilarius

12.2.1 Die Doppelsynode von Rimini und Seleukia

1) Im Juni/Juli 359 versammelten sich die westlichen Bischöfe in Rimini. Hilarius ist noch im Exil. Doch ein Blick auf diese westliche Synode ist notwendig, um später die Synode von Paris (360/361) zu verstehen.

Valens und Ursacius überbrachten den mehr als 400 Bischöfen in Rimini eine Diskussionsgrundlage für die konziliaren Verhandlungen. Es war die im Mai 359 ausgearbeitete vierte sirmische Formel, das sogenannte Datierte Bekenntnis („während des Konsulats der allererlauchtesten Flavier, Eusebius und Hypatius, am elften Tag vor den Kalenden des Juni" [22. 5. 359]). Der Endentwurf stammt wohl von Markus von Arethusa[53]. Es handelt sich um ein Vermittlungsdokument, dessen Formulierung einen möglichst großen Konsens herstellen wollte. In dieser Vorlage dominiert die homöische Kompromißformel, die von Acacius von Cäsarea vorgeschlagen und vom Kaiser angenommen worden war. Der Bekenntnisentwurf nennt den Sohn homoion tōi gennēsanti patri kata tas graphas; am Schluß des Bekenntnisses heißt es nur noch: homoion kata panta. Der Entwurf vermied alle technischen Begriffe, vor allem das Wort usia. Doch die westlichen Bischöfe lehnten diese Formel ab und bezeugten ihre Treue zum Nizänum mit dem Begriff homousios. Ursacius und Valens wurden abgesetzt und exkommuniziert[54]. Die Okzidentalen

---

[52] Vgl. W.-D. Hauschild, Das trinitarische Dogma von 381 als Ergebnis verbindlicher Konsensusbildung, in: K. Lehmann/W. Pannenberg (Hg.), Glaubensbekenntnis und Kirchengemeinschaft. Das Modell des Konzils von Konstantinopel (381), Freiburg i. Br./Göttingen 1982 (= Dialog der Kirchen 1), 13–48.

[53] B VI, 3 (163,18).

[54] A V, 1–3 (78,11 – 85,18).

schickten eine Gesandtschaft zu Konstantius nach Konstantinopel. Der Kaiser war nicht erfreut, daß sein homöischer Vermittlungsversuch in Rimini zurückgewiesen worden war. Die westliche Delegation wurde zunächst nach Adrianopolis, dann nach Nike in Thrazien weitergeleitet, wo sie allmählich durch langes Hinauszögern, Propaganda und Drohungen seitens des Kaisers mürbe gemacht wurde. Schließlich unterschrieben die Delegierten gegen die Instruktionen der in Rimini versammelten Bischöfe am 10. 10. 359 einen revidierten Text des Datierten Bekenntnisses. Valens und Ursacius hatten doch noch gesiegt. Eine wesentliche Abschwächung in der Übereinkunft von Nike besteht darin, daß der Sohn nur noch dem Vater ähnlich genannt wird, nicht mehr in allen Dingen, wie es zunächst noch im Datierten Bekenntnis hieß. Ebenso wird nicht nur das Wort usia verboten, sondern auch die Erwähnung ,einer Hypostase' in der Lehre der Trinität. Die Arianer hatten den neuen homöischen Kompromißvorschlag von Sirmium zu ihren Gunsten klug ausgenutzt[55].

Als Hilarius von der anfänglich festen Haltung der westlichen Bischöfe in Rimini hörte, konnte er sich zunächst freuen, daß sein Anliegen im Liber de Synodis erfolgreich war. Doch der weitere Verlauf der Ereignisse, vor allem das Umschwenken der westlichen Delegation in Nike, wirft einen Schatten auf die letzten Monate seiner Verbannung.

2) In der Zeit zwischen dem klaren homousianischen Bekenntnis von Rimini und der homöischen Formel von Nike beginnt am 27. September 359 das Konzil der östlichen Bischöfe in Seleukia in Zilizien. Durch ein Versehen der kaiserlichen Verwaltung wird Hilarius, wie jeder östliche Bischof, zu dieser Versammlung eingeladen[56]. Da er der einzige westliche Bischof war, mußte er zunächst vor der homöusianischen und homöischen Partei seinen Glauben verteidigen. Als westlicher Bischof stand er mit dem Bekenntnis zu homousios im Verdacht des Neusabellianismus. Nach Sulpicius Severus legte Hilarius ein Bekenntnis ab, das ganz und gar mit dem Bekenntnis von Nikaia übereinstimmte und von den Orienta-

---

[55] Vgl. Y.-M. Duval, La „manœuvre frauduleuse" de Rimini. A la recherche du Liber aduersus Vrsacium et Valentem, in: Hilaire et son temps, 51–103.

[56] Sulp. Sev., Chron. II, 42, 2–3 (CSEL 1, 95, 19–24): qua tempestate Hilarius, quartum iam exilii annum in Phrygia agens, inter reliquos episcopos, per uicarium ac praesidem data euectionis copia, adesse compellitur, cum tamen nihil de eo specialiter mandasset imperator, iudices tantum generalem iussionem secuti, qua omnes episcopos ad concilium cogere iubebantur, hunc quoque inter reliquos uolentes misere. Vgl. auch H. Chr. Brennecke, a.a.O. (s. o. Anm. 14), 217–221.

len mit Freude aufgenommen wurde[57]. Der Bericht des Sulpicius Severus spiegelt seine uneingeschränkte Bewunderung des Bischofs von Poitiers wider. Man wird wohl eher daran denken können, daß Hilarius in seiner Rede vor der Synode das Anliegen des Liber de Synodis vorgetragen hat. Dieser Vermittlungsversuch hatte aber bei den Orientalen keine Begeisterung ausgelöst. Hilarius wird in seiner Rede jeden Verdacht des Neusabellianismus, der im Wort homousios liegen könnte, zurückgewiesen haben.

Hilarius nahm an den Beratungen in Seleukia teil[58]. Im Liber contra Constantium teilt er einige Ereignisse aus dieser Synode mit. Die Zusammensetzung in der ersten Sitzung war folgende: 105 Homöusianer, 19 Anhomöer; nur die ägyptischen Bischöfe mit Ausnahme Georgs von Alexandrien bekannten beharrlich das nizänische Homousios[59]. Die eigentlichen Arianer bildeten in Seleukia eine Minderheit gegen die Mehrheit der Homöusianer und Homousianer.

Nach seiner Darlegung des Glaubens der westlichen Bischöfe trat Hilarius vor der Synode nicht mehr auf. Er nahm wohl als Beobachter an den Sitzungen teil. Von den Anhomöern hört er zum erstenmal eine deutliche Bekämpfung der Gottheit Christi. Sie erwähnen zustimmend eine Predigt des Eudoxius von Antiochien: „Gott war, was er ist. Er war nicht Vater, denn er hatte keinen Sohn. Wenn er einen Sohn hätte, müßte es auch eine Frau geben; es müßten eheliche Gespräche, Zärtlichkeiten und schließlich der Zeugungsakt stattfinden." Hilarius ist über solche Rede tief erschüttert: „O meine unglücklichen Ohren, die den Schall einer so unheilvollen Rede hörten, daß nämlich solches von einem Menschen über Gott ausgesagt und über Christus in der Kirche gepredigt wird!"[60] Vater und Sohn sind bloße Namen, die aber nicht auf einer gemeinsamen Natur beruhen. Die Anhomöer merkten bald, daß die Mehrheit sich mit solch einer Blasphemie nicht abfinden würde. Als auf der dritten Sitzung (29. 9. 359) das akazianische Glaubensbekenntnis vorgelesen wurde, merkt Hilarius das Bemühen der Anhomöer, sich rücksichtsvoll auszudrücken. Sie stellen zunächst heraus, daß sie das Bekenntnis des

---

[57] Sulp. Sev., Chron. II, 42,4 (95,28 – 96, 5): Primum quaesitum ab eo (Hilario), quae esset Gallorum fides: quia tum, Arrianis praua de nobis uulgantibus, suspecti ab Orientalibus habebamur trionymam solitarii Dei unionem secundum Sabellium credidisse. Sed exposita fide sua iuxta ea quae Nicaeae erant a patribus conscripta, Occidentalibus perhibuit testimonium.

[58] C. Const. 12 (590 A): sed ipse audivi, et praesens adfui cum gerebantur.

[59] C. Const. 12 (590 A – 591 A).

[60] C. Const. 13 (591 B – 592 A).

Kirchweihkonzils von Antiochien (341), das die Homöusianer am Vortag bestätigt hatten, nicht ablehnten, daß in der Zwischenzeit aber terminologische Schwierigkeiten aufgetreten seien: „Wir verwerfen also homousios und homoiusios als der Schrift fremd, und wir belegen anhomoios mit dem Anathem." Annehmen müsse man hingegen die Lehre, daß der Sohn dem Vater ähnlich sei, wie der Apostel von ihm gesagt habe (Kol 1, 15). Dann folgt ihr eigenes Bekenntnis, das im wesentlichen das Datierte Bekenntnis von Sirmium ist[61]. Es heißt nun nicht mehr, daß der Sohn dem Vater in allen Dingen ähnlich sei, denn die entscheidenden Worte „in allen Dingen" waren nach „ähnlich" ausgelassen. Die Anhomöer waren von ihrer Position abgerückt und hatten sich der homöischen Partei der Akazianer angeschlossen.

Hilarius sieht allerdings in diesem Bekenntnis der Anhomöer mehr „Glaubensfälscher" als Bischöfe am Werk, denn das Bekenntnis zur Ähnlichkeit des Sohnes mit dem Vater schloß die Unähnlichkeit des Sohnes mit Gott ein. Während der folgenden Diskussion setzte sich ein Akazianer zu Hilarius, um herauszufinden, zu welcher Partei Hilarius gehöre (ad me pertentandum). Hilarius stellt sich diplomatisch, als wüßte er nicht genug, um seine Meinung zu äußern, und beginnt seinerseits zu fragen, was es denn bedeute, daß sie einerseits die Wesenseinheit von Vater und Sohn verworfen und die Wesensähnlichkeit geleugnet hätten, andererseits aber zugleich die Unähnlichkeit verdammten. Der unbekannte Akazianer antwortet: „Christus ist nicht Gott ähnlich, wohl aber dem Vater ähnlich." Da diese Antwort ihm noch dunkler erschien, fragt Hilarius noch einmal und hört: „Ich sage, daß er Gott unähnlich ist; man kann aber einsichtig machen, daß er dem Vater ähnlich ist, denn der Vater wollte ein solches Geschöpf erschaffen, das Ähnliches wie er wollte: Deshalb ist er dem Vater ähnlich, weil er eher der Sohn des Willens als der göttlichen Natur ist; er ist aber Gott unähnlich, weil er weder Gott ist noch aus Gott ist, d. h. nicht aus Gottes Wesenheit geboren."[62] Hilarius traute seinen Ohren nicht, doch am folgenden Tag verteidigte die akazianische Partei die Willensähnlichkeit zwischen Vater und Sohn als wahren Inhalt ihrer homöischen Position gegen die Majorität, die auf der Wesensähnlichkeit beharrte. Der kaiserliche Kommissar Leonas[63] löste schließlich voll Überdruß die Synode auf.

Wie die Synode von Rimini, so sandten auch die homöusianische Ma-

---

[61] Text bei Athan., De Syn. 29 (Opitz II, 1, 257,33 – 258, 20).
[62] C. Const. 14 (592 B – 593 A).
[63] C. Const. 12 (591 A). Hilarius nennt Leonas ‚comes'.

jorität und die homöische Minorität der Akazianer in Seleukia Delegationen zum Kaiser nach Konstantinopel. Hilarius schloß sich den Gesandten an. Über seine Beweggründe, nach Konstantinopel zu gehen, wissen wir nichts Genaues. Nach Sulpicius Severus wollte er testen, ob der Kaiser ihn wieder ins Exil zurückschicken werde. Doch es ist möglich, daß Hilarius die homöusianische Delegation vor dem Kaiser unterstützen wollte, denn zu diesem Zeitpunkt (Anfang Oktober 359) hatte er wohl noch nichts vom Einschwenken der westlichen Delegation auf das homöische Bekenntnis in Nike gehört.

12.2.2 Hilarius in Konstantinopel

Als Hilarius in Konstantinopel vom Abfall der im Liber de Synodis wegen ihrer Glaubenstreue gepriesenen westlichen Bischöfe hörte, erkannte er, daß seine Unionsbemühungen gescheitert waren. Unter der westlichen Delegation befand sich zudem sein Erzfeind Saturninus von Arles.

Hilarius verfaßt in Konstantinopel das zweite Buch Adversum Valentem et Ursacium. Besonders wichtig ist in dieser Aktensammlung der Brief der Delegation von Seleukia an die Legaten von Rimini und der erklärende Text des Hilarius daz[64]. Dieser Teil des zweiten Buches ist wahrscheinlich im Dezember 359 geschrieben als Versuch, die östliche und westliche Delegation noch einmal auf die wahre Gottheit Christi einzuschwören, wahrscheinlich auf der Basis der Wesensähnlichkeit. Doch auch damit kommt Hilarius nicht weiter, denn am 31. 12. 359 unterschreiben beide Delegationen den homöischen Bekenntisentwurf des Kaisers.

Ende 359/Anfang 360 macht Hilarius einen letzten Versuch, den Kaiser umzustimmen. In einem Brief an Konstantius bittet er um eine Audienz, um vor dem Kaiser mit Saturninus, dessentwegen er im Exil ist, zu diskutieren und den wahren Glauben darzulegen[65]. Doch er erhält keine Antwort auf sein Gesuch, denn in Konstantinopel will der Kaiser keine Diskussion mehr. Wahrscheinlich hatte er von seinem Kommissar Leonas erfahren, daß die Diskussionen in Seleukia ergebnislos waren. Leonas hatte schließlich in Seleukia am 1. 10. 359 jede weitere Diskussion unterbunden mit den Worten: „Geht nur und treibt in der Kirche Geschwätz!"[66]

---

[64] B VIII,1: Exemplum epistulae Orientalium episcoporum, quam reuersis ab Arimino legatis dederunt; VIII, 2,1–3: textus narratiuus (174–177).
[65] Ad Const. (197–205).
[66] Socr., Hist. eccl. II, 40 (PG 67,344 A).

Man wartete in Konstantinopel nur noch auf das Plazet der westlichen Bischöfe in Rimini zur Unterschrift ihrer Delegation unter die homöische Formel von Nike. Diese Bestätigung der Formel von Nike wurde dem Kaiser schriftlich mitgeteilt. Die arianischen Bischöfe in Rimini dankten dem Kaiser, daß er ihnen die Augen geöffnet habe für die Gefahren, welche die Worte usia und homousios in sich bergen. Mit den Orientalen verurteilen sie beide Begriffe[67]. Hilarius schreibt wenig später im Liber contra Constantium, daß die in Rimini eingeschlossenen Bischöfe schließlich wegen des Hungers, der Drohungen und der Winterkälte im Adriahafen ihre Zustimmung zur Formel von Nike gegeben hätten[68]. Doch auf die Umstände, unter denen den westlichen Bischöfen das homöische Bekenntis abgerungen wurde, kommt es dem Kaiser nicht an. Er brauchte jetzt noch die Ratifizierung der Beschlüsse vom 31. 12. 359 durch eine gemeinsame Synode, die im Januar 360 zusammentrat und von den Homöern beherrscht war. Das Bekenntis der Kirche war arianisch geworden. Die Begriffe usia und hypostasis werden getilgt und sollen fortan nicht mehr erwähnt werden. Der Sohn ist dem Vater ähnlich, wie die Schrift sagt und lehrt[69].

Nach der Synode von Konstantinopel schreibt Hilarius sein letztes Werk in der Verbannung, den Liber contra Constantium. Nach Hieronymus hat Hilarius diese Schrift erst nach dem Tod des Konstantius (3. 11. 361) verfaßt[70]. Doch Hilarius befindet sich bei der Abfassung dieses Werks noch in Kleinasien und macht seine Kollegen darauf aufmerksam, daß er die gefährliche Situation, die nun in der Kirche mit dem offiziellen homöischen Bekenntnis herrscht, vorausgesehen habe[71]. Diese Schrift wird aber erst nach der Rückkehr des Hilarius nach Gallien und nach dem Tod des Kaisers veröffentlicht worden sein. Die Schrift trägt zwar Züge eines Pamphlets, doch sie ist vorrangig Ausdruck des Angstschreis eines Bischofs angesichts der Katastrophe, die Konstantius über den Erdkreis gebracht hat: „Er hat überhaupt nichts anderes getan, als den Erdkreis, für den Christus gelitten hat, dem Teufel preiszugeben."[72] Konstantius ist in diesem Werk der Wolf im Schafspelz, denn er läßt Christus zwar den Titel Gottessohn, verbietet aber, ihn als wahren Gott zu bekennen. Dadurch erweist er sich als der Antichrist[73]. Die Perfidie des Kaisers

---

[67] A VI (87–88).
[68] C. Const. 7 (584 A).
[69] Text bei Athan., De Syn. 30 (258, 26 – 259, 20).
[70] Hier., De viris illustr. 100 (PL 23, 699 B).
[71] C. Const. 2 (578 C/D – 580 A).
[72] C. Const. 15 (593 B).
[73] C. Const. 5 (581 B); 10 (586 B – 587 A); 11 (589 A).

besteht für Hilarius darin, daß er die Priester und Bischöfe nicht mehr – wie in der Verfolgungszeit – mit Gefängnis und Tod bedroht, um sie vielleicht gefügig zu machen. Jetzt schmeichelt er ihnen, lädt sie in den Kaiserpalast ein und baut ihnen Kirchen, damit sie den Glauben der Menschen zugrunde richten. Hilarius wendet sich an den Kaiser mit den Worten: „Wenn ich das lügnerisch sage, Konstantius, dann bist du (schuldlos wie) ein Schaf; wenn du aber wirklich so handelst, dann bist du der Antichrist."[74] Die kämpferische Sprache des Hilarius wird auf die Leser dieser Schrift einen tiefen Eindruck gemacht haben und ihnen die neuen Formen der Glaubensverfolgung enthüllt haben.

Hilarius nimmt in dieser Schrift (c. 17–27) noch einmal das Anliegen des Liber de Synodis auf. Nachdem aber sein Versuch gescheitert war, Gleichheit und Ähnlichkeit als komplementäre Begriffe herauszustellen, macht sich nun ein deutlicher Vorrang der Gleichheit vor der Ähnlichkeit bemerkbar, wenn auch Hilarius wieder schreibt, die Ähnlichkeit sei ihm heilig. Dem Kaiser gegenüber möchte er jedenfalls keine Ähnlichkeit des Sohnes mit dem Vater mehr zugestehen, da dieser die wahre Gottheit des Sohnes gerade mit dem Begriff der Ähnlichkeit leugne[75].

Vielleicht entspricht es der Absicht des Hilarius am besten, wenn man im Liber contra Constantium eine Botschaft des Bischofs von Poitiers an die Christen und die Bischöfe Galliens sieht, die ihnen die Augen öffnen soll für die Versuche des Kaisers, den wahren Glauben auszuhöhlen[76].

Die Umstände, unter denen Hilarius in die Heimat zurückkehrte, sind nicht geklärt. Die Bemerkung des Hilarius: „Es war mir erlaubt, zur Zeit Neros zu fliehen."[77], ist umstritten. Hilarius vergleicht Konstantius einmal mit Nero[78]. Doch braucht man nicht an eine Flucht im strengen Sinn des Wortes zu denken. Sulpicius Severus beschreibt die Rückkehr des Hilarius an zwei Stellen auf unterschiedliche Weise. In der Chronik heißt es: „Da er gleichsam Zwietracht säte und den Orient in Verwirrung brachte, befiehlt man ihm, nach Gallien zurückzukehren, ohne daß das Exil förmlich aufgehoben wurde."[79] In der Vita des Martin schreibt er, daß Martin vom Sinneswandel des Kaisers gehört habe, wodurch Hila-

---

[74] C. Const. 11 (589 A).
[75] C. Const. 22 (598 A).
[76] Vgl. P. Galtier, Saint Hilaire trait d'union entre l'Occident et l'Orient, a.a.O., 621; M. Meslin, a.a.O., 38.
[77] C. Const. 11 (588 A).
[78] C. Const. 8 (584 A).
[79] Sulp. Sev., Chron. II, 45, 4 (98, 22–24): quasi discordiae seminarium et perturbator Orientis redire ad Gallias iubetur, absque exilii indulgentia.

rius die Rückkehr in die Heimat gestattet wurde[80]. Die Wirklichkeit wird wohl etwas anders gewesen sein: Hilarius hat die Fruchtlosigkeit seiner Bemühungen erkannt; er ist vom Kaiser nicht zu der erbetenen Audienz empfangen worden. So wird er sich mit stillschweigender Duldung des Kaisers heimlich aus Konstantinopel entfernt haben. Im Orient war er als Störenfried nicht mehr erwünscht. Der Kaiser wird froh gewesen sein, daß Hilarius, der ihn in den letzten Wochen so sehr bedrängt hatte, nicht mehr in Konstantinopel war. Es spricht viel dafür, daß Hilarius sich ohne offizielle Erlaubnis des Kaisers über Rom nach Poitiers zurückbegeben hat, wo er nach dem Bericht des Venantius Fortunatus mit Freude empfangen wurde.

12.2.3 Die Synode von Paris

Nach der Heimkehr des Hilarius findet die Synode von Paris (360/361) statt[81]. Es war das Anliegen des Hilarius, Gallien von der Schmach der Kapitualtion in Nike und Rimini zu befreien. Trotz der Enttäuschungen in Konstantinopel nimmt er wieder die Aufgabe auf sich, die gallischen Bischöfe zu stärken und im wahren Glauben zu einen. Die Synode von Paris geht auf seine Initiative zurück[82]. Es ist aber nicht klar, ob er selbst an ihr teilgenommen hat.

Hilarius bringt einen Brief der homöusianischen Bischöfe des Orients mit, die seinem Unionsversuch zugestimmt hatten. Der Brief ist nur bekannt durch die Antwort, welche die gallischen Bischöfe in Paris auf dieses Schreiben gegeben haben[83]. Der Brief der Orientalen hat den gallischen Bischöfen den teuflischen Trug und die Machenschaften der Häretiker gegen die Kirche des Herrn enthüllt. Dadurch wurden die Bischöfe in Nike und Rimini zu einem Beschluß gedrängt, der ihrem Glauben widerspricht. Sie haben sich dort verleiten lassen, das Wort usia zu verwerfen, das von den Orientalen einst als Entgegnung gegen die Arianer gebraucht wurde, und das die westlichen Bischöfe stets treu und heilig aufgenommen hatten[84]. Die westlichen Bischöfe geben ihre Schwäche in Nike und Rimini zu. Doch sie bekräftigen nun erneut den Glauben von

---

[80] Sulp. Sev., Vita Sancti Martini 6,7 (SC 133,266): ... sancto Hilario... regis paenitentia potestatem indultam fuisse redeundi. Vgl. den Kommentar v. J. Fontaine z.St.: SC 134,605 ff. Vgl. auch C. F. A. Borchardt, Hilary of Poitiers' Role in the Arian Struggle, 173 f.
[81] A I (43–46). Vgl. den Brief der Synode von Paris auch in: CCL 148,32–34; SC 241,89–99.
[82] Vgl. A. L. Feder, Studien I, 63.
[83] A I, 1.4 (43,18; 45,16–17).
[84] A I, 1 (43,19 – 44,3).

Nikaia, den Hilarius ihnen stets als Norm des wahren Glaubens aufgezeigt hatte, um sie vor falschen Interpretationen zu warnen[85]. Die Bischöfe schließen sich in Paris dem nizänischen Homousios an. Dieses Wort bringe die wahre Gottheit Christi, der aus dem Wesen des Vaters geboren sei, zum Ausdruck und vermeide auch die Blasphemie des Sabellius von einer einzigen Person[86]. Mit Hilarius und den orientalischen Bischöfen schließen sie Auxentius, Ursacius, Valens, Gaius, Megasius und Justinus aus der Kirchengemeinschaft aus. Sie fügen hinzu, daß in ganz Gallien jeder Bischof seinen Bischofssitz verlieren und aus der Gemeinschaft der Bischöfe ausgeschlossen werden solle, der sich dem Beschluß der Synode von Paris widersetze. Es wird noch erwähnt, daß Saturninus bereits von allen gallischen Bischöfen exkommuniziert worden ist[87].

So konnte Hilarius doch noch erfahren, daß sein Bemühen um die Einigung der Kirche in Ost und West nicht ganz vergeblich war. Wenn auch in Seleukia und Konstantinopel seine Unionsbemühungen nicht aufgegriffen wurden, so haben dennoch die gallischen Bischöfe nach den Drohungen und Entbehrungen in Nike und Rimini sein Anliegen nicht vergessen, daß nur auf der Basis des nizänischen Glaubens eine wahre und dauerhafte Einigung zwischen Ost und West zu erreichen sei. Ihr Antwortschreiben in Paris legt davon Zeugnis ab. Sie bezeichnen Hilarius darin als treuen Verkünder des Herrn (fidelis dominici nominis praedicator)[88]. Wenn auch dieser Brief noch nicht das Ende des Arianismus in Ost und West bedeutet, so ist er doch ein Beweis für die Feststellung des Sulpicius Severus, daß Gallien nur durch Hilarius von der Häresie befreit wurde[89].

13. Glaube und Glaubensbekenntnis

In keinem seiner Werke bietet Hilarius eine bereits ausgearbeitete Theologie des Glaubens. Erst mit Augustinus setzt eine ausgebildete Theorie des Glaubensverständnisses ein. Doch der Begriff ‚Glaube‘ (fides), der sich über 1300 mal bei Hilarius findet, nimmt eine wichtige Stellung ein.

Der Matthäuskommentar, der den Gegensatz von Juden und Heiden

---

[85] A I, 2–3 (44,4 – 45,7).   [86] A I, 2 (44,4–24).   [87] A I, 4 (45,15 – 46,7).
[88] A I, 4 (45,12–13).
[89] Sulp. Sev., Chron. II, 45,7 (99,5–7).

herausstellt, ist zugleich von der Thematik: Gesetz–Glaube beherrscht. In der Auseinandersetzung mit den Irrlehren in De Trinitate beruft sich Hilarius immer wieder auf den Glauben der Kirche. Im Psalmenkommentar und im Mysterienbuch wird häufig vom Glauben an die künftige Erfüllung der in der Heiligen Schrift typologisch berichteten Ereignisse gesprochen.

Auf dem Weg der Herausarbeitung einer Theorie des Glaubensverständnisses hat J. Beumer Hilarius eine Mittlerfunktion zwischen den Alexandrinern (Klemens und Origenes) und Augustinus zugesprochen[1]. Ausführlicher beschäftigen sich mit der Bedeutung des Glaubens im Werk des Hilarius die Arbeiten von J. E. Emmenegger über Glaube und Vernunft[2] und von A. Peñamaria de Llano über die erlösende Funktion des Glaubens[3]. Es wurde schon erwähnt, daß es bei Hilarius einige Hinweise gibt, die gegen den Gebrauch der Vernunft auf dem Gebiet des Glaubens sprechen. Diese Stellen, die vor allem in De Trinitate auftauchen, sind gegen den Arianismus gerichtet, der von Anfang an, nicht erst in der radikalen anhomöischen Ausprägung eines Aëtius und Eunomius, Gott und seine inneren Geheimnisse rational ergründen wollte. Gegen diesen Zugriff des menschlichen Verstandes, der sich des göttlichen Geheimnisses bemächtigen will, betont Hilarius die Unbegreiflichkeit Gottes und die Notwendigkeit, sich Gott im Glauben zu unterwerfen: „Vollkommenes Wissen besteht darin, Gott so zu kennen, daß du weißt: Er ist zwar nicht der Unerkennbare, wohl aber der Unaussprechliche. Man muß an ihn glauben, ihn erkennen, ihn anbeten, und durch dieses pflichtgemäße Tun muß man ihn bekennen."[4] Es geht Hilarius in allen Werken um die Erkenntnis, die der Glaube schenkt. Er kennt durchaus ein Glaubensverständnis, wie die Begriffe cognitio, doctrina, scientia, intelligentia, intellectus (fidei) zeigen. Bereits im Matthäuskommentar spricht Hilarius von einem Fortschritt im Glauben, der zugleich einen Fortschritt in der Glaubenserkenntnis einschließt: „Der Glaube erfaßt die Geheimnisse des Reiches. In jenen, die (den Glauben) haben, wird er voranschreiten und durch das Wachstum seines Fortschritts überfließen

---

[1] J. Beumer, Hilarius von Poitiers, ein Vertreter der christlichen Gnosis, in: ThQ 132 (1952) 170–192.

[2] J. E. Emmenegger, The Functions of Faith and Reason in the Theology of Saint Hilary of Poitiers, Washington 1947.

[3] A. Peñamaria de Llano, Fides en Hilario de Poitiers, in: MCom 29 (1971) 5–102; ders., Exégesis alegórica y significados de Fides en san Hilario de Poitiers, in: MCom 30 (1972) 65–91; ders., La salvación por la fe. La noción „fides" en Hilario de Poitiers, Burgos 1981.

[4] Trin. II, 7 (44,20–22).

... Und deshalb bedeutet der Glaube an das Evangelium eine vollkommene Gabe, weil er, einmal angenommen, (den Glaubenden) mit neuen Früchten beschenkt."[5]

Aus den vielfältigen, noch unsystematischen Aussagen zum Glauben und zum Glaubensverständnis sind die Erkenntnis des unbegreiflichen und unaussprechlichen Gottes sowie der Fortschritt im Glauben durch die Gabe des Geistes, der uns mit neuen Früchten der Erkenntnis beschenkt, wichtig, um innerhalb der Ekklesiologie des Hilarius zwischen Ost und West seine Bestimmung von gelebtem Glauben und schriftlichem Glaubensbekenntnis einzuordnen. Im gemeinsamen Glauben und im gemeinsamen Bekenntnis sieht Hilarius eine entscheidende Voraussetzung für die Einheit der Kirche in Ost und West, denn der Glaube ist nur dort vorhanden, wo er gemeinsam bekannt wird[6].

13.1 Überblick über die Synodalerklärungen im Liber de Synodis

Im historischen Teil des Liber de Synodis liefert Hilarius den gallischen Bischöfen nicht eine kommentierte Aufzählung aller Synodalerklärungen des Orients, sondern er trifft eine gezielte Auswahl. Hilarius verfolgt dabei keine historische, sondern eine theologische Absicht. Aus dieser theologischen Zielsetzung ergibt sich die Logik der Auswahl.

Es ist nicht sein Anliegen, nur den Wunsch der gallischen Bischöfe nach Information zu befriedigen, sondern er will auf der bevorstehenden Reichssynode von Rimini und Seleukia eine große Koalition der Abendländer und der homöusianischen Orientalen herstellen, um die seit Serdika (343) herrschende Kirchenspaltung theologisch zu überwinden. Er will Orient und Okzident in der Frage des Glaubens, d. h. in der Frage nach der Beziehung Christi zum Vater, einen. Zu diesem Zweck muß er das Mißtrauen der westlichen Bischöfe gegen die Orientalen abbauen und ihnen erklären, daß die Theologumena des Orients durchaus orthodox verstanden werden können. Diesem Anliegen dient die Anordnung der Synodalerklärungen, die Hilarius anführt.

1) Die gemeinsame Basis für ein einheitliches kirchenpolitisches und theologisches Handeln sieht Hilarius in der Ablehnung der zweiten sirmi-

---

[5] In Mt. 13,2 (I, 296,2–4.8–9).
[6] C. Const. 24 (600 A).

314

schen Formel (357) durch den Westen und den homöusianischen Osten
(c. 10–11). Dazu teilt er den Galliern die 12 Anathematismen des dritten
Bekenntnisses von Sirmium (358) mit, die sich gegen die Anhomöer richten (c. 12–27).

Als Hilarius den Liber de Synodis verfaßte, lagen ihm neben dem Synodalschreiben von Ankyra (358), das aber bereits durch die Ereignisse in
Sirmium im Sommer 358 überholt war, neue Dokumente vor. Er hat die
vom Kaiser approbierten Beschlüsse der vierten Synode von Sirmium
(358) und den Brief des Basilius von Ankyra vor sich (c. 90). Anhand dieses jetzt verbindlichen Textes, der aber nach Fertigstellung des Liber de
Synodis nochmals durch einen kleinen Ausschuß in Sirmium im Mai 359
verändert wurde, erfüllt Hilarius die Bitte seiner gallischen Mitbrüder.

2) Wenn Hilarius die seit Nikaia (c. 7) von verschiedenen orientalischen
Synoden verfaßten Glaubenssymbolen bespricht, so ist es nicht verwun-
derlich, daß er nicht alle seither verabschiedeten Glaubensformeln mitteilt[7]. Er übermittelt und kommentiert nur die ausdrücklich in Ankyra
und Sirmium approbierten Bekenntnisse, die er in chronologischer Reihenfolge anführt: das zweite Bekenntnis des Kirchweihkonzils (341), das
Synodalschreiben der Orientalen in Serdika (343) und die erste sirmische
Formel mit den 27 Anathematismen (351). Ferner teilt er den gallischen
Bischöfen eine Auswahl aus den 19 Anathematismen des Synodalschrei-
bens von Ankyra (358) mit.

Hilarius schickt seinen Mitbrüdern eine Anthologie von Synodalerklärungen, denn im Gegensatz zu Athanasius (De synodis) interessieren ihn
die geschichtlichen Ereignisse nicht so sehr. Der Kommentar, den er zu
diesen Texten gibt, ist mehr pädagogischer und überredender Art als von
genauer theologischer Schärfe[8]. Überall macht sich aber die Absicht bemerkbar, den Mitbrüdern in der Heimat durch einen minutiösen Kommentar den Sinn der verschiedenen Glaubensaussagen verständlich zu
machen.

Auffällig ist allerdings das Schweigen des Hilarius über Personen und
Ereignisse, die mit den übermittelten Synodalerklärungen in Zusammenhang stehen.

---

[7] Vgl. J. N. D. Kelly, 260–288.
[8] Vgl. z. B. die Definition von ‚essentia‘ in Syn. 12 (490 A): Essentia est res quae est, vel ex
quibus est, et quae in eo quod maneat subsistit. Dici autem essentia, et natura, et genus, et
substantia uniuscujusque rei poterit. Vgl. C. Moreschini, Il linguaggio teologico di Ilario di
Poitiers, in: ScC 103 (1975) 339–375, bes. 350–355.

a) Hilarius erwähnt mit keinem Wort Athanasius, von dem er in den historischen Fragmenten häufig spricht. Beim Synodalschreiben der Orientalen in Serdika erwähnt er nicht den Bruch der Synode, weil die westlichen Bischöfe sich weigerten, die in Tyrus (335) ausgesprochene Absetzung des Athanasius anzuerkennen. Hilarius schweigt wohl absichtlich darüber, um nicht die Erinnerung an alte Zwistigkeiten zwischen Orient und Okzident wiederzuerwecken. Athanasius war auch durch seine starre Haltung und die Einförmigkeit, mit der er immer dieselben Grundgedanken gegen die Arianer einhämmerte, im orthodoxen Lager zu einem Stein des Anstoßes geworden[9]. Dennoch bleibt es erstaunlich, daß Hilarius in diesem Brief, in dem es ihm um die Annäherung zwischen beiden Kirchen geht, nicht auf den unerschrockenen Verteidiger des Homousios im Osten hinweist.

b) Es verwundert auch, daß Basilius von Ankyra so selten erwähnt wird (c. 90). Seine Bedeutung in Sirmium (351) gegen Photinus wird gar nicht erwähnt. Doch sein Manifest in Ankyra und Sirmium (358) ist Hilarius wichtig (c. 90). Mehr als Basilius lobt er unter den orientalischen Bischöfen Eleusius von Cycicus (c. 63), der aber in Ankyra und Sirmium nur eine untergeordnete Rolle gespielt hat. M. Meslin meint, daß Hilarius ihn vielleicht besser kannte als Basilius. Er vermutet, daß die Haltung des Hilarius gegenüber Basilius auch von der Rolle herrühren könnte, die Basilius bei der Unterschrift des Papstes Liberius 357 unter die erste Formel von Sirmium (351) gespielt hat[10].

c) Verständlicher ist die Diskretion, die Hilarius in diesem Schreiben dem Kaiser gegenüber einnimmt. Um das Einverständnis des Kaisers zur dritten sirmischen Formel zu erklären, führt Hilarius die Unkenntnis des Kaisers an. Konstantius war nicht genügend über die dogmatischen Probleme informiert[11].

d) Hilarius schweigt auch über das umstrittene Verhalten des Papstes Liberius. Da die westlichen Bischöfe zur Verteidigung des Homousios entschlossen waren, schien es Hilarius vielleicht klüger, nicht auf Liberius hinzuweisen, der in einem Brief an die orientalischen Priester und Bi-

---

[9] Vgl. H. J. Sieben, Die Konzilsidee der Alten Kirche, 25–67; H. von Campenhausen, Griechische Kirchenväter, Stuttgart ⁴1967 (= UB 14), 75.

[10] M. Meslin, Hilaire et la crise arienne, in: Hilaire et son temps, 29. Vgl. A. Hamman, Saint Hilaire est-il témoin à charge ou à décharge pour le pape Libère?, ebd., 43–50.

[11] Syn. 78 (531 A/B): Domino enim gratias, quod ignorationem per vos (orientalische Bischöfe) admonitus Imperator agnovit, et errorem non suum, sed adhortantium (Eudoxius, Acacius, Ursacius, Valens), per has fidei vestrae sententias recognovit.

schöfe (Pro deifico) Athanasius aus der Kirchengemeinschaft ausgeschlossen hatte[12].

e) Schließlich muß noch auf die negative Beurteilung des greisen Bischofs Ossius von Cordoba hingewiesen werden. Dieses Urteil des Hilarius steht allerdings im Gegensatz zur Einschätzung der westlichen Bischöfe, die in Ossius einen der einflußreichsten Verteidiger der nizänischen Orthodoxie sahen. Dem fast Hundertjährigen wurde auf der Synode zu Sirmium 357 die Unterschrift unter die Blasphemie abgenötigt. Für Hilarius hingegen ist Ossius und nicht Potamius von Lissabon der eigentlich Verantwortliche für die Blasphemie von Sirmium[13].

Diese Hinweise[14] lassen bereits vermuten, daß der Liber de Synodis keine Geschichte der nachnizänischen Zeit darstellen will. Hilarius hat an den Synoden, die er erwähnt, nicht teilgenommen. Er hat sich um ihre geschichtliche Einordnung in das Ringen um die Beziehung von Vater und Sohn auch nicht sonderlich gekümmert.

3) Dieser Eindruck wird bestätigt durch die drei erwähnten Synodalerklärungen und die Anathematismen von Ankyra, die Hilarius den gallischen Bischöfen schickt. Die Blasphemie von Sirmium war den westlichen Bischöfen bereits bekannt (c. 2).

a) Das zweite Bekenntnis des Kirchweihkonzils von Antiochien (341). Von den vier Symbolen, welche die Tradition mit dem Kirchweihkonzil verbindet, gilt nur das zweite als offiziell. Hilarius beschäftigt sich allein mit diesem Bekenntnis, das er in einer lateinischen Übersetzung vorlegt (c. 29–30), die leicht von dem griechischen Text abweicht, der sich bei Athanasius findet[15]. Diese Formel wählt Hilarius wohl aus, weil sie Beispiel jenes Mittelwegs zwischen Homousianern und Arianern ist, um den es den Eusebianern ging. Die Formel[16] verurteilt die arianische Auffassung von der zeitlichen Zeugung des Sohnes, stellt aber deutlich die Unterscheidung der drei göttlichen Hypostasen heraus, während hingegen

---

[12] B VII, 8,1 (5) (168,5 – 169,3). Vgl. L. Duchesne, Histoire ancienne de l'Église, II, Paris 41910, 290; P. Glorieux, Hilaire et Libère, in: MSR 1 (1944) 7–34; A. L. Feder, Studien I, 108.
[13] Syn. 63 (523 A): quia apud Sirmium per immemorem gestorum suorum dictorumque Osium novae et tamen suppuratae jam diu impietatis doctrina proruperat. Vgl. C. Const. 23 (599 B).
Zu Ossius vgl. V. C. de Clercq, Ossius of Cordova. A contribution to the history of the Constantinian Period, Washington 1954 (= SCA 13); B. Llorca, El problema de la caída de Osio de Cordova, in: EE 33 (1959) 39–56.
[14] Vgl. ausführlicher M. Meslin, a.a.O., 27–32.
[15] Athan., De Syn. 22–23 (Opitz II, 1, 248,18 – 250,4).
[16] Text bei J. N. D. Kelly, 265 ff.

die Einheit Gottes als eine Einheit in der Übereinstimmung beschrieben wird. Hilarius sieht in dieser Formel einen theologischen Anknüpfungspunkt für seine Unionsbemühungen. Er hat deutlicher als Athanasius[17] erkannt, daß das zweite Bekenntnis des Kirchweihkonzils eine Ablehnung des Neusabellianismus seitens der orientalischen Bischöfe bedeutete (c. 32). Wenn Hilarius über das dritte und vierte Bekenntnis von Antiochien schweigt, so wohl deshalb, weil diese beiden Formeln die Häresie des Marcellus von Ankyra verurteilten, die lange auch von westlichen Bischöfen vertreten wurde. Es ist deshalb verständlich, daß Hilarius nur das offizielle zweite Bekenntnis mitteilt, um die westlichen Bischöfe nicht in ihren ärgerlichen Irrtum des Neusabellianismus zu erinnern.

Hilarius ist aber mit dem zweiten Bekenntnis von Antiochien nicht ganz einverstanden. In der Einheit der Übereinstimmung (symphonia) kommt ihm zu wenig die unterschiedlose Ähnlichkeit von Vater und Sohn zum Ausdruck (c. 31). Doch Hilarius entschuldigt diesen Mangel an theologischer Eindeutigkeit aus der Absicht der Synode. Er sagt, der Verdacht der Häresie (Neusabellianismus), in den einer ihrer Amtsbrüder gefallen sei, habe die in Antiochien versammelten Bischöfe zu dieser Formulierung bewogen (c. 29), die bewußt die Einheit der göttlichen Natur vermeidet, um nicht einem sabellianischen Verständnis der Einheit Gottes Vorschub zu leisten.

b) Von der Synode beider Reichshälften in Serdika (343), dem heutigen Sofia, erwähnt Hilarius nur das Bekenntnis der Orientalen. Seine Absicht im Liber de Synodis ist zwar, nur östliche Synodalschreiben mitzuteilen, doch dadurch wird der konkrete Anlaß des Bekenntnisses der Orientalen nicht deutlich, nämlich die Entzweiung der östlichen und der westlichen Bischöfe über die Verurteilung des Athanasius in Tyrus (335) und das Scheitern der gemeinsamen Reichssynode[18]. Das Bekenntnis der Orientalen ist das durch einige Anathematismen erweiterte vierte Bekenntnis des Kirchweihkonzils von Antiochien (c. 34)[19]. Hilarius sieht in diesem Text, der den ewigen Ursprung des Sohnes und seine Geburt aus dem Wesen des Vaters herausstellt, einen orthodoxen Ausdruck des Glaubens (c. 35–37).

c) Das erste Bekenntnis von Sirmium (zweite Synode von Sirmium) im Jahr 351 übernahm wieder das vierte Bekenntnis des Kirchweihkonzils,

---

[17] Athan., De Syn. 22 (248,18 – 249,8).
[18] Vgl. A IV, 1–3 (48,7 – 78,10): Brief der Synode der Orientalen zu Serdika nach Afrika; B II, 1 (103,1 – 126,3): Brief der Synode der Okzidentalen zu Serdika an alle Kirchen.
[19] Text bei J. N. D. Kelly, 269 f.

erweitert durch 27 Anathematismen, die gegen Photinus von Sirmium gerichtet sind (c. 38–61)[20]. Hilarius teilt nicht mit, wer die Urheber dieser Formel sind. Er schreibt nur, daß sie von den Orientalen verfaßt wurde (c. 38). Die Verfasser waren Ursacius, Valens und Germinius, die mit Zustimmung der eusebianischen Bischöfe und des Basilius von Ankyra den Text abgefaßt hatten[21]. Hilarius erklärt die 27 Anathematismen als Antwort der Orientalen auf die Irrlehre des Photinus (c. 39.50.51.61). Durch die Ablehnung dieser Irrlehre will Hilarius den westlichen Bischöfen aufweisen, daß die erste Formel von Sirmium, die den Begriff homousios bewußt vermeidet, orthodox verstanden werden kann.

d) Als Hilarius den Liber de Synodis schreibt, kennt er bereits das homöusianische Synodalschreiben von Ankyra (um Ostern 358). Er zeigt hier eine größere Detailkenntnis als bei der Darstellung der übrigen Synodalerklärungen. Das Glaubensbekenntnis von Ankyra war das Werk nur weniger orientalischer Bischöfe[22]. Der Text, den Hilarius den gallischen Bischöfen mitteilt, enthält nur 12 Anathematismen (c. 12–26), anstelle der 19 Anathematismen, die in Ankyra verabschiedet wurden. Hilarius schreibt, daß er den Text nicht von Laien, sondern von Bischöfen erhalten habe. Zugleich fügt er hinzu, daß der ihm vorliegende Text nicht ganz mit dem Synodalschreiben von Ankyra übereinstimme (c. 90). In Wirklichkeit teilt er den Galliern jedoch nicht die Ergebnisse von Ankyra mit, sondern den von Basilius, Eustathius und Eleusius abgeschwächten Text des dritten sirmischen Bekenntnisses. Ohne genauer darauf einzugehen, deutet Hilarius gewisse Schwierigkeiten an, die eine Überarbeitung des Textes von Ankyra kurz darauf in Sirmium erfordert haben[23]. Die sieben Anathematismen, die in Sirmium nicht mehr auftauchen, verurteilen ausdrücklich die Wesensgleichheit von Vater und Sohn und sind im Tenor subordinatianisch. Aus diesem Grund bezieht sich Hilarius nur auf die 12 Anathematismen von Sirmium, um bei den westlichen Bischöfen nicht

---

[20] Vgl. auch B II, 9,3 (23) (147,10–22).

[21] Vgl. M. Meslin, Les Ariens d'Occident 335–430,76.

[22] Syn. 28 (501 B): per paucos juxta universitatis modum Orientales.

[23] Syn. 90 (542 A – 543 A): Vereor enim, Fratres, Orientis haereses in tempora singula pullulantes: et quid vereri me dicam, jam et legi. Nihil quidem in his, quae vos, de Orientalium quorumdam assensu, susceptae legationis ministri subscribenda Sirmium detulistis, nihil suspicionis relictum est: sed habuerunt ab exordio non nihilum offensionis, quae credo vos, sanctissimi viri Basili et Eustathi et Eleusi, ne quid scandali afferretur, abolenda tacuisse. Quae si recte scripta sunt, taceri non debuerunt. Si autem quia non recte scripta sunt nunc tacentur, cavendum est ne aliquando dicantur. Parcens enim adhuc de his nihil dico: tamen mecum recognoscitis, quod non ita omnis conscripta apud Ancyram fides se habebat. . Non famae fabulam loquor: litterarum fidem teneo, non a laicis sumptam, sed ab episcopis datam.

den Verdacht aufkommen zu lassen, die Orientalen verträten die Häresie des Subordinatianismus.

Die von Hilarius ausgewählten und kommentierten Synodalerklärungen des Ostens stehen ganz im Dienst seiner Unionsbemühungen zwischen den Verteidigern des Glaubens von Nikaia und den wenigen Bischöfen des Orients, die eine Wesensähnlichkeit von Vater und Sohn bekennen (c. 66).

13.2 Vorrang des Glaubens vor dem schriftlichen Bekenntnis

Hilarius sieht in den zahlreichen Bekenntnissen der Orientalen den Versuch, die Unendlichkeit Gottes in Worte zu fassen. Er weist auf die Schwierigkeit hin, über Gott in wenigen Worten zu reden (c. 62). In den sich abwechselnden Glaubensformulierungen sieht er mehr den Versuch, Gott zu definieren, als Bekenntnisse im strengen Sinn des Wortes. Zur Zeit der Abfassung des Liber de Synodis und des Liber ad Constantium, d. h. zur Zeit, als Hilarius noch auf eine Einigung zwischen Ost und West hoffte, betrachtet er den lebendigen Glauben, den er in der Taufe empfangen hat und der mit der Lehre des Evangeliums übereinstimmt, als das Bekenntnis schlechthin, über welches nicht durch neue Formulierungen hinausgegangen werden müsse.

1) Im Liber de Synodis schreibt Hilarius, daß das häretische Wüten des Arianismus Anlaß für die zahlreichen schriftlichen Bekenntnisse des Orients war. Während er die eigentliche Ursache für die Vielzahl der Bekenntnisse in der Unendlichkeit und Unermeßlichkeit Gottes erblickt, ist der konkrete Anlaß die arianische Häresie, mit der sich der Orient in verschiedenen Glaubenserklärungen auseinandersetzt. Hilarius findet im Orient überall Skandal, Schisma und Unredlichkeit. Durch diese unruhigen Umstände werden Bischöfe, die bereits eine Glaubensformel unterschrieben haben, gezwungen, später wieder eine andere Formel zu unterschreiben, die oftmals in Widerspruch zu ihrem ursprünglichen Glauben steht.

Wenn Hilarius die gallischen Bischöfe glücklich preist, daß sie bis zur Stunde überhaupt noch keine schriftlichen Glaubensbekenntnisse kennen, sondern den „vollkommenen und apostolischen Glauben im Bekenntnis des Gewissens tragen"[24], so offenbart sich darin nicht nur seine

---

[24] Syn. 63 (523 B): O beatos vos in Domino et gloriosos, qui perfectam atque apostolicam fidem conscientiae professione retinentes, conscriptas fides huc usque nescitis! Non enim

um 358/359 noch kritische Einstellung zu schriftlich fixierten Glaubensbekenntnissen, sondern es zeigt sich auch, wie wenig zu dieser Zeit das
Symbol von Nikaia als verbindlicher Ausdruck des Glaubens bekannt
war. Hilarius hatte zwar schon das Bekenntnis von Nikaia in das erste
Buch Adversum Valentem et Ursacium (356) aufgenommen[25], doch es
scheint im Westen noch nicht rezipiert zu sein, denn Hilarius zitiert und
erklärt es noch einmal im Liber de Synodis (c. 84).

Die Relativierung der Glaubensformeln, von der Hilarius im Liber de
Synodis Nikaia noch nicht ausnimmt, wird deutlich durch die Gegenüberstellung von Glaubensformeln und Glaubensinhalt, die sich wie
Buchstabe und Geist zueinander verhalten. Die gallischen Bischöfe bedürfen nicht des Buchstabens, da sie vom Geist erfüllt sind. Doch Hilarius hält diese Gegenüberstellung von Buchstabe und Geist nicht ganz
durch. Am Schluß des Kapitels, in dem er die gallischen Bischöfe wegen
ihres Glaubens, den sie im Herzen tragen, preist, betont er zugleich ausdrücklich die Nützlichkeit der schriftlichen Bekenntnisse[26].

2) Im Liber ad Constantium betont Hilarius den Vorrang des Taufglau-
bens und des Taufbekenntnisses vor den vielen Synodalbekenntnissen.
Der Kaiser hat ein Anrecht, von den Bischöfen den wahren Glauben zu
hören. Doch die Bischöfe schreiben ihre eigene Meinung auf und verkünden nicht Gott. Der ganze Glaube wird in der Taufe auf den Namen des
Vaters und des Sohnes und des Heiligen Geistes (Mt 28, 19) mitgeteilt. An
diesem Glauben hätte man festhalten sollen, anstatt endlos darüber zu
diskutieren und immer etwas Neues ersinnen zu wollen. Doch einige Bischöfe haben aus Anmaßung, Spitzfindigkeit oder Irrtum die unverän-
derliche apostolische Lehre verfälscht oder überschritten. Sie bekennen
zwar den Vater, den Sohn und den Heiligen Geist, doch sie berauben
diese Bezeichnungen ihrer natürlichen Bedeutung, so daß der ursprüngliche Sinn des Taufbekenntnisses nicht mehr vorhanden ist. Im Bewußtsein mancher Bischöfe ist der Vater nicht mehr Vater, der Sohn nicht
wirklich Sohn und der Heilige Geist auch nicht mehr Heiliger Geist.
Diese Verwirrung des Geistes ist für Hilarius mitbestimmend, daß dau-
ernd neue Glaubensbekenntnisse produziert werden: „Der Glaube rich-

---

eguistis littera, qui spiritu abundabatis. Neque officium manus ad scribendum desiderastis,
qui quod corde a vobis credebatur, ore ad salutem profitebamini. Nec necessarium habu-
istis episcopi legere, quod regenerati neophyti tenebatis.
[25] B II, 10 (150, 5–20).
[26] Syn. 63 (523 B/C): Ubi enim sensus conscientiae periclitatur, illic littera postulatur. Nec
sane scribi impedit, quod salutare est confiteri.

tet sich mehr nach dem Geschmack der Zeit als nach dem Evangelium, denn er wird entsprechend der Lage der Jahre verfaßt und nicht gemäß dem Taufbekenntnis bewahrt. Es ist für uns sehr gefährlich und zudem beklagenswert, daß es jetzt so viele Glaubensbekenntnisse gibt wie persönliche Meinungen, so viele Lehren wie moralische Einstellungen, so viele Ursachen zur Gotteslästerung wie Laster; denn die Glaubensbekenntnisse werden entweder so aufgeschrieben, wie wir es gerade wollen, oder sie werden so verstanden, wie wir es nicht wollen. Und obwohl es nur einen Glauben gibt, wie es nur einen Gott, einen Herrn und eine Taufe gibt, entfernen wir uns doch von diesem einzigen Glauben. Weil es mehrere Glaubensbekenntnisse gibt, sind wir auf dem besten Weg, daß es überhaupt keinen Glauben mehr gibt.“[27] Der wahre Glaube muß nicht ständig neu aufgeschrieben werden, da er im Herzen vorhanden ist[28].

Entscheidend ist für Hilarius noch nicht das Bekenntnis von Nikaia, sondern der Taufglaube[29]. Der Rückgriff auf den Taufglauben bedeutet, daß Nikaia nicht die einzige Formulierung des wahren Glaubens ist. Die nizänische Glaubensformel aufgeben, heißt nicht, den in ihr gemeinten Glauben an die Wesensgleichheit von Vater und Sohn aufgeben[30]. Der durch Nikaia ausgelöste Prozeß ständiger Korrektur der sich schnell abwechselnden Glaubensformeln kann nach der Meinung des Hilarius im Liber ad Constantium nicht anders zum Stillstand kommen als durch den Verzicht auf schriftliche Formeln überhaupt[31].

3) Noch am Ende seines Kampfs gegen den westlichen Arianismus betont Hilarius im Liber contra Arianos vel Auxentium Mediolanensem, daß das gläubige Volk für die arianische Irrlehre weniger anfällig sei als die Priester und Bischöfe: „Die Ohren des Volkes sind heiliger als die Herzen der Bischöfe.“[32]

---

[27] Ad Const. 4 (199,20 – 200,7).
[28] Ad Const. 6 (201,13 – 202,5).
[29] Ad Const. 7 (202,11–15): ... inter haec fidei naufragia caelestis patrimonii iam paene profligata hereditate tutissimum nobis est primam et solam euangelicam fidem confessam in baptismo intellectamque retinere nec demutare, quod solum acceptum atque auditum habeo, bene credere...
[30] Ad Const. 7 (202,15–20): ... non ut ea, quae synodo patrum nostrorum continentur, tamquam inreligiose et impie scripta damnanda sint, sed quia per temeritatem humanam usurpantur ad contradictionem, quod ob hoc sub nomine nouitatis euangelium negaretur, ut periculose tamquam sub emendatione innouetur.
[31] Ad Const. 7 (202,20–23): quod emendatum est, semper proficit, ut, dum omnis emendatio displicet, emendationem omnem emendatio consequens condamnet, ac si iam, quidquid illud est, non emendatio aliqua sit emendationis, sed coeperit esse damnatio.
[32] C. Aux. 6 (613 B).

In den sich abwechselnden Glaubensformulierungen sieht Hilarius – trotz ihrer Nützlichkeit für ein tieferes Eindringen in die Unendlichkeit Gottes – eine Beeinträchtigung der Einfachheit des Glaubens, der nicht ständig neu formuliert, sondern im Herzen bewahrt werden soll: „In der Einfachheit also besteht der Glaube, im Glauben die Gerechtigkeit, im Bekenntnis die Frömmigkeit. Nicht durch schwierige Fragen hindurch ruft uns Gott zum seligen Leben und beunruhigt uns nicht durch das Vielerlei wortreicher Beredsamkeit. Unerschütterlich und leicht zugänglich ist uns die Ewigkeit: (Wir sollen) an die Auferweckung Jesu von den Toten durch Gott glauben und ihn als den Herrn bekennen."[33]

13.3 Die Bedeutung des Glaubensbekenntnisses

Die Position des Hilarius im Liber de Synodis und im Liber ad Constantium, in denen er dem Taufglauben im Herzen den Vorrang vor dem schriftlichen Bekenntnis einräumt, ist nicht das letzte Wort in seiner theologischen Entwicklung. Bereits im Liber de Synodis deutet sich ein Wandel an, wenn er sagt, daß nichts dagegen spreche, das aufzuschreiben, was zu bekennen heilsam sei (c. 63).

Vor allem im Liber contra Constantium schließt sich Hilarius der Haltung des Athanasius an, indem er am Wortlaut und Text des Glaubensbekenntnisses von Nikaia festhält. Er schreibt, daß er selbst die verschiedenen Glaubensbekenntnisse nach Nikaia nicht brauche, da er im Glauben der Väter von Nikaia ein festes Fundament habe und in diesem schriftlich fixierten Glauben beharre[34]. Den Glauben von Nikaia nennt er „das sichere Grundgesetz der Kirche" und „die zuversichtliche Gewißheit der menschlichen Hoffnung"[35].

Der beste Beweis aber, daß Hilarius die Nützlichkeit eines schriftlichen Glaubensbekenntnisses trotz der erwähnten Einschränkungen anerkennt, ist sein eigenes Glaubensbekenntnis über Vater und Sohn, das er

---

[33] Trin. X, 70 (526,26–31). Vgl. In Mt. 18,1 (II, 74,4–7).
[34] C. Const. 23 (599 A): His (gemeint ist das zweite Bekenntnis von Antiochien) quidem ego, intra Nicaeam scripta a patribus fide fundatus manensque, non egeo. Exstant enim litterae, quibus id, quod tu criminosum putas, pie tunc esse susceptum docetur. Audi verborum sanctam intelligentiam, audi Ecclesiae imperturbatam constitutionem, audi patris tui professam fidem, audi humanae spei confidentem securitatem, audi haereticae damnationis publicum sensum, et intellige te divinae religionis hostem, et inimicum memoriis sanctorum, et paternae pietatis haeredem rebellem.
[35] C. Const. 27 (603 A): Sed non licet tibi nunc regno potenti etiam in posterum praejudicare. Exstant enim litterae, quibus id, quod tu criminosum putas, pie tunc esse susceptum docetur. Audi verborum sanctam intelligentiam, audi Ecclesiae imperturbatam constitutionem, audi patris tui professam fidem, audi humanae spei confidentem securitatem, audi haereticae damnationis publicum sensum, et intellige te divinae religionis hostem, et inimicum memoriis sanctorum, et paternae pietatis haeredem rebellem.

am Übergang vom historischen zum dogmatischen Teil des Liber de Synodis aufschreibt: „Wir bekennen allerdings unter dem Beistand des Heiligen Geistes untadelig und schreiben mit vollem Wissen, daß es nicht zwei Götter, sondern nur einen Gott gibt: Doch daraus folgt nicht, daß der Sohn Gottes nicht auch Gott sei; er ist nämlich Gott aus Gott. Es sind nicht zwei ohne Geburt, denn nur der eine Gott ist ohne Ursprung; doch der Eingeborene ist auch Gott, denn sein Ursprung ist die ungezeugte Wesenheit (des Vaters). Es gibt nicht nur eine Person, wohl aber ein unterschiedsloses Wesen. Die Bezeichnung ‚Gott' bezieht ihre Einheit nicht aus unähnlichen Naturen, sondern aus der gleichen Wesenheit des einen Namens und der einen Natur. Im Wesen übertrifft nicht der eine den anderen, sondern der Sohn ist dem Vater durch die Geburt unterworfen. Der Vater ist deshalb größer, weil er Vater ist; der Sohn ist deshalb nicht geringer, weil er Sohn ist. Es geht um die Bezeichnung, nicht um die Natur. Der Vater wird nicht innerhalb der Zeit bekannt, doch man darf auch nicht leugnen, daß der Sohn zusammen mit dem Vater zeitlos ist. Man muß den Vater im Sohn verkündigen, weil der Sohn nichts in sich hat, was vom Vater verschieden wäre: Man muß den Sohn im Vater bekennen, denn nur durch ihn ist er Sohn. Man muß um die gegenseitige und einander ähnliche Natur wissen, denn beide besitzen die gleiche Natur: Man darf nicht meinen, Gott sei ein einzelner, denn (Vater und Sohn) sind eins; man muß ihre Einheit so durch die Unterschiedslosigkeit der gleichen Natur verkündigen, daß Gott nicht als Monade erscheint."[36]

Doch dieses Bekenntnis, das bereits in De Trinitate die Grundlage seiner Auseinandersetzung mit den Arianern war, genügt Hilarius noch nicht. Da alle formulierten Bekenntnisse nur Annäherungen an das Geheimnis Gottes sind, entschuldigt er sich bei seinen Mitbrüdern, daß er nicht deutlicher mit Worten ausdrücken könne, was sein Glaubenssinn besser verstehe und was er im Herzen viel tiefer glaube. Er besitzt das Bewußtsein des gemeinsamen Glaubens der Gesamtkirche (communis fidei conscientiam). Nicht am inneren Sinn, sondern an den Worten fehlt es ihm, diesen Glauben adäquat auszudrücken (non sensum mihi, sed verba deesse)[37].

Für die Glaubenserkenntnis, die sich dann auch in der vorläufigen Formulierung des Glaubens niederschlägt, fordert Hilarius in De Trinitate den Anschluß des Menschen an den Glauben der Kirche[38]. Die Glau-

---

[36] Syn. 64 (523 C – 524 B).
[37] Syn. 65 (524 B).
[38] Trin. VI, 38 (243,17 – 244,3).

benserkenntnis ist aber nicht nur ein intellektueller Akt, sondern verlangt zugleich vom Menschen sittliche Voraussetzungen, die Hilarius mit Paulus (Röm 6 und 8) als Trennung von der Sünde und neu geschenktes Leben beschreibt[39]. Diese sittlichen Voraussetzungen, um zum Glaubensverständnis zu gelangen, sind nach Hilarius nicht nur passive Läuterung des Menschen, sondern unter dem Antrieb des Geistes Gottes auch Tat des Menschen, der aufgrund der angenommenen Läuterung immer tiefer in das Geheimnis Gottes eindringt[40].

14. Die Einheit der Kirche

Hilarius gehört zu den wenigen Bischöfen des 4. Jahrhunderts, die sich aus persönlicher Kenntnis östlicher und westlicher Theologie um die Einheit der Kirche in den entscheidenden Fragen der Trinitätslehre und der Christologie bemüht haben[1]. Da er die Einheit der Kirche durch die zunächst schwankende und dann homöische Einstellung des Kaisers gefährdet sieht, wendet er sich im Liber contra Constantium gegen einen widerrechtlichen Einfluß der Staatsgewalt auf den Glauben der Kirche. Doch Hilarius sieht die Einheit der Kirche nicht nur durch Konstantius bedroht, dem es im Grund aus politischen Erwägungen auch um die Einheit der Kirche geht, allerdings auf der Basis eines Glaubens, den Hilarius nicht annehmen kann. Auch manche Bischöfe seiner Zeit bilden eine Gefahr für die Glaubenseinheit der Kirche. So warnt er die norditalienischen Bischöfe vor Auxentius von Mailand, den er des Arianismus verdächtigt.

Doch die verwirrende dogmatische Lage des 4. Jahrhunderts ist für Hilarius nur der konkrete Anlaß, alle Kräfte in den Dienst an der Einheit der Kirche zu stellen. Der entschlossene Wille des Bischofs von Poitiers, für die Einheit der Kirche einzutreten, ist tiefer begründet. Er beruht auf seinem Kirchenverständnis, das vor allem von der Heiligen Schrift gespeist ist. Aus der Meditation des Wortes Gottes weiß er um die theologische Bedeutung der Einheit, die das Verhältnis von Vater und Sohn

---

[39] Trin. I, 12–13 (12,1–16; 14,24 – 15,56).
[40] Vgl. J. Beumer, a.a.O. (s. o. Anm. 1), 185–188.
[1] Syn. 83 (535 B): neque quidquam me nisi ad unitatis profectum proferre existimetis.

beschreibt (Joh 10, 30), und um die zeichenhafte Bedeutung der Einheit der Christen (Apg 4, 32). Bereits im Alten Testament findet sich das Lob der brüderlichen Eintracht (Ps 132, 1). In der Bitte des scheidenden Christus, daß alle eins sein sollen, damit die Welt glaube, daß er vom Vater gesandt sei (Joh 17, 21), sieht Hilarius ein Vermächtnis, in dessen Erfüllung er eine entscheidende Aufgabe seines bischöflichen Amtes erblickt.

Hundert Jahre vor Hilarius hat Cyprian ebenfalls in einer von Schismen bedrohten Zeit auf die Einheit der Kirche hingewiesen und auf die Notwendigkeit, der Kirche anzugehören. Das Sakrament der Einheit und das Band der Eintracht, von denen Cyprian spricht[2], hängen mit der Einheit Gottes und dem Geheimnis der innertrinitarischen Einheit zusammen: „Darum ist für Cyprian das Schisma das schwerste Verbrechen, weil es sozusagen ein Attentat auf die Einheit Christi und Gottes selber ist."[3]

Eine ähnliche Situation bahnte sich nach der Synode von Serdika (343) an. Man kann annehmen, daß Hilarius die Briefe Cyprians kannte[4], in denen sich z. B. folgende Sätze finden: „Es gibt nur einen Gott und einen Christus und eine Kirche ... Man kann nicht außerhalb des einen Altars und des einen Priestertums einen weiteren Altar aufstellen noch ein weiteres Priestertum einrichten."[5] Die Kirche ist gleichsam die einzige Taube[6], denn der Geist kam in Gestalt einer Taube über sie. Deshalb ist die Kirche die einzige, die den Heiligen Geist besitzt, die einzige, die durch den Heiligen Geist im Wasser der Taufe Leben erzeugen kann. Mit Eph 4, 4–6 weist Cyprian auf die eine Taufe, den einen Heiligen Geist und die eine Kirche hin[7]. Vielleicht hängt mit dem Bild Cyprians von der Kirche als Taube zusammen, daß Hilarius die Einheit der Kirche manchmal mit dem Frieden verbindet[8].

Die Einheit der Kirche ist für Hilarius primär eine göttliche Forderung, weil ihre sichtbare Einheit ein Abbild der Einheit von Vater und Sohn ist. Von dieser göttlichen Forderung her ergeben sich aber auch Anforderungen an die Christen zur Einmütigkeit im Glauben, im Bekenntnis und im Lebensvollzug.

---

[2] Cypr., De unit. 7 (CCL 3, 254, 163).
[3] P.-Th. Camelot, Die Lehre von der Kirche, 20.
[4] Vgl. J. Doignon, Hilaire de Poitiers avant l'exil, 211–220.
[5] Cypr., Ep. 43, 5 (CSEL 3/2, 594, 5–8).
[6] Cypr., De unit. 9 (255, 217 – 256, 225).
[7] Cypr., Ep. 70, 3 (769, 13 – 770, 20); De unit. 4 (252, 112–115).
[8] Vgl. Cypr., Ep. 67, 7 (741, 13): pacifica concordia; 73, 26 (798, 14): diuina concordia et dominica pax.

14.1 Die Einheit von Vater und Sohn

Ungefähr gleichzeitig mit seinen Unionsbemühungen im Liber de Synodis hat Hilarius seinen persönlichen Glauben an die Einheit von Vater und Sohn und an die vollkommene Einheit der Gläubigen mit Gott durch die Vermittlung Christi dargelegt (Trin. VII–IX). Aus den vielfältigen Aussagen des Bischofs von Poitiers zur Einheit von Vater und Sohn können hier nur jene Aspekte erwähnt werden, die für die Einheit der Gläubigen und der Kirche in Ost und West grundlegend sind[9].

Hilarius sieht die Einheit der Kirche von Christus her begründet und von den Aposteln befestigt[10]. Sie hat ihr göttliches Vorausbild in der innertrinitarischen Einheit von Vater und Sohn. Gegen die Behauptung der Arianer, die Einheit von Vater und Sohn sei nur eine Einheit des Willens oder der Gleichgesinntheit, stellt Hilarius die Einheit der Natur, des gleichen Wesens und der innigen Gemeinschaft der göttlichen Personen.

14.1.1 Die Einheit der Natur

Es geht Hilarius um die wahre Gottheit des Sohnes und seine personale Verschiedenheit vom Vater. Dabei stellt sich ihm die Frage, wie diese Lehre vom Vater als wahrem Gott und vom Sohn als wahrem Gott mit dem Glauben an den einen Gott vereinbart werden könne: „Höre, Israel! Jahwe, unser Gott, Jahwe ist einzig" (Dtn 6,4)[11]. Wenn der Vater als einzig wahrer Gott bekannt wird, dann gibt es keinen, der ihm gleich wäre. Wenn aber neben dem Vater noch ein anderer als wahrer Gott anerkannt wird, stellt sich die Frage, ob es dann zwei Götter gebe. Hilarius verwirft diesen Gedankengang der Arianer, so logisch er auf den ersten Blick auch scheinen mag[12].

Er erklärt die Schriftstellen, die von der Einzigkeit Gottes sprechen (Dtn 6,4; 32,39; Bar 3,36; Jes 65,16) nicht nur als Worte des Vaters, son-

---

[9] Zur dogmatischen Frage vgl. P. Smulders, La doctrine trinitaire de S. Hilaire de Poitiers, 218–262; ders., Eusèbe d'Émèse comme source du De Trinitate d'Hilaire de Poitiers, in: Hilaire et son temps, 175–212; P. Galtier, Saint Hilaire de Poitiers, 74–158; C. F. A. Borchardt, Hilary of Poitiers' Role in the Arian Struggle, 97–105; J. Moingt, La théologie trinitaire de S. Hilaire, in: Hilaire et son temps, 159–173; J. Doignon, Hilaire de Poitiers avant l'exil, 364ff; P. C. Burns, The Christology in Hilary of Poitiers' Commentary on Matthew, 67–82.
[10] Trin. VII, 4 (263, 17–18): Namque cum ecclesia a Domino instituta et ab apostolis confirmata una omnium sit...
[11] Trin. IV, 8 (106, 2–3; 107, 5–6); IV, 15 (116, 2–3; 117, 24); IV, 16 (119, 39); IV, 33 (136, 3–4); IV, 35 (138, 1–2); IV, 42 (147, 18–148, 19); V, 1 (151, 25); V, 25 (176, 3–4).
[12] Trin. IV, 15 (116, 1 – 117, 28).

dern manchmal auch als Worte des Sohnes oder als gemeinsame Aussage beider[13]. In diesem Sinn deutet Hilarius die Antwort Jesu auf die Frage der Schriftgelehrten nach dem wichtigsten Gebot (Mt 12,28–34). Jesus bekennt auch dort seine eigene Gottheit, wo er den Schriftgelehrten auf das Hauptgebot hinweist, das in der Liebe zu Gott, dem einzigen Herrn, und in der Liebe zum Nächsten besteht[14]. Wenn Jesus die Zustimmung des Schriftgelehrten zum Hauptgebot (Mt 12,32–33) nicht uneingeschränkt lobt, sondern nur sagt, er sei nicht fern vom Reich Gottes, so hängt diese Einschränkung für Hilarius damit zusammen, daß der Schriftgelehrte noch nicht begriffen hatte, daß ihm der eine Gott und Herr in der Person Jesu Christi begegnet ist[15].

Wenn also der Vater als der einzige Gott und Herr bezeichnet wird, ist für Hilarius der Sohn von dieser Bezeichnung nicht ausgeschlossen. Die Einheit von Vater und Sohn sieht Hilarius neutestamentlich besonders in 1 Kor 8,6 ausgedrückt: „So haben wir doch nur einen Gott, den Vater. Von ihm stammt alles, und wir leben auf ihn hin. Und einer ist der Herr: Jesus Christus. Durch ihn ist alles, und wir sind durch ihn."[16] Paulus wahrt nach dem Verständnis des Hilarius hier die Einheit und die Unterscheidung von Vater und Sohn: „Diesen Glauben hält also der Apostel fest, daß im Vater der Sohn und im Sohn der Vater sein dauerndes Dasein hat; lehrt er doch, daß es für ihn nur einen Gott, den Vater, und einen Herrn Christus gebe, da in dem Herrn Christus auch Gott sei und in Gott, dem Vater, auch der Herr; daß ferner wegen der Göttlichkeit beide eins seien und daß wegen des Herrseins beide eins (unum) seien, weil es eine Unvollkommenheit für Gott bedeutete, nicht auch Herr zu sein, und eine Unvollkommenheit für den Herrn, nicht auch Gott zu sein. Weil also beide einer (unus) sind und in jedem von ihnen der Eine bezeichnet wird, und weil keiner ohne den anderen ist, geht der Apostel mit seiner Lehre nicht über die Verkündigung des Evangeliums hinaus. Und der Christus, der bei Paulus spricht, unterscheidet sich in (dem Inhalt) seiner Lehre nicht von jenen Worten, die er in seiner Körperlichkeit während seines Daseins in der Welt gesprochen hat."[17]

Alle Texte des Alten und Neuen Testaments, die behaupten, daß der Vater der einzig wahre Gott ist, müssen nach jenem hermeneutischen

---

[13] Trin. IV, 36 (139,1 – 140, 20).
[14] Trin. IX, 24 (396,1 – 397,29).
[15] Trin. IX, 26 (399,1 – 400,31).
[16] Trin. VIII, 34 (346,1 – 348,47).
[17] Trin. VIII, 41 (354,10 – 355,20).

Prinzip erklärt werden, das Hilarius bei der Auslegung von Joh 17,3 anwendet: „Christus ist nicht außerhalb des alleinigen wahren Gottes."[18]

Für dieses Auslegungsprinzip stützt sich Hilarius nicht nur auf die Schrift, sondern er bemüht sich auch um eine theologische Erklärung der Einheit von Vater und Sohn. Da P. Smulders und P. Löffler diese theologische Erklärung bereits ausführlich dargestellt haben, sollen hier nur die theologischen Leitlinien genannt werden.

P. Smulders unterscheidet bei der Erklärung der Einheit von Vater und Sohn die logische und die ontologische Ebene: Auf der logischen Ebene geht es um die Frage, warum Vater und Sohn zugleich Gott genannt werden müssen, während sich die ontologische Betrachtung mit der Frage beschäftigt, wie die göttliche Natur zugleich von Vater und Sohn besessen wird. Diese Unterscheidung findet sich zwar noch nicht bei Hilarius. Doch mit ihr lassen sich die Gedanken des Hilarius zur Einheit von Vater und Sohn gliedern.

Hilarius löst die ‚logische Frage' durch eine Betrachtung der Gemeinschaft von Vater und Sohn[19]. Zwischen den Bezeichnungen Vater und Sohn besteht eine wechselseitige Beziehung. Wenn die Kirche den Vater als Gott bekennt, dann erkennt sie zugleich die Gottheit des Sohnes an. Hilarius fügt häufig hinzu, daß die Kirche nicht in den Irrtum verfällt, zwei Götter zu bekennen, sondern den einen Vater und den einen Sohn, die beide eins sind (Joh 10,30)[20]. Wenn sowohl der Vater als auch der Sohn der eine wahre Gott sind[21], so sind sie deshalb nicht zwei Götter, weil Vater und Sohn ganz und gar aufeinander bezogen sind. Der Vater kann nicht als der eine Gott bezeichnet werden, wenn man vom Sohn absieht; ebenso kann der Sohn nicht als einziger Gott bezeichnet werden, wenn nicht zugleich der Vater genannt wird. Beide Bezeichnungen sind korrelativ. Hilarius bestimmt die Einheit von Vater und Sohn in der göttlichen Natur durch die Korrelation zwischen beiden. Beide sind der eine wahre Gott in ihrer persönlichen Eigenschaft[22], die in der Beziehung des

---

[18] Trin. IX, 42 (419,25–26): non extra solum uerum Deum Christus est.

[19] Vgl. In Mt. 8,8 (I, 202,12–13): communio paternae substantiae.

[20] Trin. VII, 31 (298,25 – 299,32): Non habet igitur fides apostolica duos deos, quia nec duos patres habeat nec duos filios. Confitendo Patrem confessa Filium est; credens in Filium credidit et in Patrem: quia et nomen Patris habet in se Fili nomen. Non enim nisi per Filium Pater est, et significatio Fili demonstratio Patris est: quia non nisi ex Patre sit Filius. In unius itaque confessione non unus est, dum et Patrem consummat Filius et Fili ex Patre natiuitas est. Vgl. II, 11 (48,1 – 49,19).

[21] Trin. IV, 33 (136,10 – 137,20); XI, 1 (530,22–34); B II, 11,5 (32) (153,11–13); Tr. Ps. 134,8 (699,3–8).

[22] Trin. VII, 32 (299,1 – 300,23).

einen zum anderen besteht, so daß keiner von ihnen wahrer Gott ist unter Ausschluß des anderen. Er ist es nur in der Einheit der personalen Verschiedenheit mit dem anderen. Wenn also der Glaube der Kirche bekennt, daß der Vater oder der Sohn der einzig wahre Gott ist, so ist damit niemals ein vereinzelter (solitarius) Gott gemeint, da es den Vater nicht ohne die Zeugung des Sohnes und den Sohn nicht ohne die Geburt aus dem Vater gibt[23].

14.1.2 Die völlige Wesensgleichheit von Vater und Sohn

Die ‚ontologische Betrachtung' beschäftigt sich mit der Frage nach der Wesensgleichheit von Vater und Sohn. Diese Frage entsteht dadurch, daß der Vater der Ursprung von allem ist, Gott schlechthin, während der Sohn Gott von Gott, Licht vom Licht ist.

Der Kampf um die kirchliche Trinitätslehre im 4. Jahrhundert war vor allem eine Auseinandersetzung um den Ursprung des Sohnes Gottes. Nach allgemeiner Auffassung bestimmte damals der Ursprung einer Person über ihr Wesen[24]. Die entscheidende Frage lautete: Nimmt der Sohn seinen Ursprung allein aus dem Wesen Gottes, oder ist er ein Geschöpf, das nicht gezeugt, sondern geschaffen wurde?

Die Antwort der Arianer ist bekannt: Der Sohn ist ein Geschöpf Gottes, das zwar alle anderen Geschöpfe überragt, von dem aber gilt, daß es einmal nicht war. Der Sohn wird so nach den philosophischen Kategorien des Mittelplatonismus zu einem Zwischenwesen, das zwischen Gott und den Menschen steht.

Hilarius lehnt diese Lehre der Arianer grundsätzlich ab, denn für ihn ist der Sohn aus dem Wesen des Vaters hervorgegangen. Für den Hervorgang aus dem Wesen des Vaters gebraucht Hilarius den Begriff Geburt (natiuitas), der auch die Menschwerdung bezeichnet. Die Geburt aus Gott darf aber nicht nach menschlicher Vorstellung als physischer Akt verstanden werden[25]. Hilarius will mit dem Begriff Geburt nur sagen, daß der Sohn das volle göttliche Wesen von Geburt her besitzt[26]. Die Wesensgleichheit besteht nicht nur in einer Willenseinheit, sondern vor allem in

---

[23] Trin. VII, 31 (298,30 – 299,33).
[24] Vgl. z. B. Trin. VI, 29 (230,1–3). Vgl. im folgenden neben P. Smulders (s. o. Anm. 9) auch P. Löffler, Die Trinitätslehre des Bischofs Hilarius von Poitiers zwischen Ost und West, in: ZKG 71 (1960) 27–30; M.-J. Le Guillou, Hilaire entre l'Orient et l'Occident, in: Hilaire de Poitiers, évêque et docteur, 47–58.
[25] Trin. VII, 28 (295,1 – 296,26).
[26] Trin. XII, 17 (591,1–12).

der Einheit des ganzen Seins[27]. Um diese Wesenseinheit gegen die Arianer sicherzustellen, weist er darauf hin, daß der Sohn genauso wie der Vater Ewigkeit besitzt: Er ist immer gewesen[28]. Die Ewigkeit gehört zum göttlichen Wesen. Ohne die Ewigkeit der Geburt wäre der Sohn nicht wesenhaft göttlich.

Hilarius will sich mit dem Begriff der ewigen Geburt aus dem Wesen des Vaters nicht nur gegen die Subordination des Sohnes bei den Arianern wehren, sondern auch der sabellianischen Identifikation von Vater und Sohn, die den Sohn zu einer bloßen Erscheinungsform des Vaters verflüchtigt, die Basis entziehen. Die Vorstellung von der Geburt setzt zwei verschiedene Personen voraus, wie sie zugleich auch die Wesensgleichheit dieser Person einschließt[29].

Die Wesensgleichheit von Vater und Sohn und zugleich die Unterwerfung des Sohnes unter den Vater im Sinn von 1 Kor 15, 23–28 wird vielleicht am deutlichsten in der Beziehung des Sohnes als Abbild des Vaters. Hilarius nimmt mit dem Begriff Abbild zunächst einmal all das wieder auf, was er schon mit der Geburt verbunden hatte: Der Sohn ist das völlig wesensgleiche Abbild des Vaters, denn er besitzt alle Wesenseigenschaften des Vaters, ausgenommen die Vaterschaft[30].

Hilarius bezieht sich häufig auf Kol 1, 15 a, wenn er Christus als Abbild Gottes beschreibt[31]. Weil der Sohn das Ebenbild des unsichtbaren Gottes ist, ist alles in ihm und durch ihn erschaffen[32]. In Trin. III, 23 verbindet er in Christus das Abbild Gottes (imago substantiae eius) und die Gottgleichheit (Dei forma), um zu zeigen, daß der Sohn die Offenbarung des Vaters ist.

Hilarius folgt in der Bestimmung Christi als Abbild Gottes zum Teil einer Tradition, die auf Origenes zurückgeht[33]: Der Sohn kann nur dann Abbild des unsichtbaren Gottes sein, wenn er selbst das unsichtbare Bild

---

[27] Trin. V, 37 (191, 1 – 192, 33); VI, 16 (214, 1 – 215, 32); VIII, 5–12 (317, 1 – 325, 39); XI, 11 (539, 1 – 540, 11); XII, 12 (587, 1 – 588, 8).

[28] Trin. I, 38 (36, 1 – 37, 19); IV, 6 (104, 1 – 106, 32); XII, 52 (622, 1–19).

[29] Trin. II, 8 (45, 1 – 46, 26); VI, 35 (238, 1 – 239, 14); IX, 37 (411, 1–17).

[30] Trin. II, 8 (45, 6–9.13); II, 11 (48, 7–9); III, 23 (95, 13 – 96, 30); XI, 5 (533, 1 – 534, 28); C. Const. 20–21 (596 B – 597 B); C. Aux. 11 (615 C).

[31] Vgl. M. Simonetti, L'esegesi ilariana di Col 1, 15 a, in: VetChr 2 (1965) 165–182.

[32] Vgl. B II, 11, 3 (30) (152, 24–27): sed ipse ‚imago dei inuisibilis', manens per uirtutem efficiendi semper in ipso, se primogenitum habuerit eorum, quae per ipsum in caelo et in terra uisibilia et inuisibilia crearentur extantia.

[33] Vgl. Orig., De princ. IV, 4, 1 (28) (GCS 22 = Origenes V, 349, 15 – 350, 3). Zur christologischen und anthropologischen Bedeutung der Imagolehre bei Hilarius vgl. M. J. Rondeau, Remarques sur l'anthropologie de saint Hilaire, in: StPatr VI (= TU 81), 197–210.

ist und alles übersteigt, was die Geschöpfe begreifen können[34]. Die Wesensgleichheit von Vater und Sohn wird dadurch deutlich unterstrichen, denn der Sohn ist durch seine ewige Zeugung Abbild des Vaters, nicht in seiner Menschheit[35]. Doch Hilarius hält diese Interpretation nicht ganz durch. Er muß nämlich auch auf die Frage antworten, wie der Sohn uns den Vater offenbaren kann, wenn er das unsichtbare Bild des Vaters ist. Die Antwort wird durch Joh 10,37 und den Kontext von Kol 1,15 gegeben. Der Vater wird im Sohn offenbar, weil der menschgewordene Sohn die Werke des Vaters vollbringt (Joh 10,37). Nach Kol 1,15-18 ist Christus zugleich der Erstgeborene der ganzen Schöpfung und der Erstgeborene der Toten. Beide Bestimmungen sind untrennbar miteinander verbunden und bilden zusammen die Bestimmung Christi als Abbild des unsichtbaren Gottes. Indem der Sohn aber auch als Erstgeborener der Toten Ebenbild des Vaters ist, wird nun auch das verklärte Fleisch des auferweckten Christus Epiphanie des ewigen Wortes Gottes und Abbild des unsichtbaren Gottes[36].

14.1.3 Die gegenseitige Einwohnung von Vater und Sohn

Der Gedanke, daß der Sohn Abbild Gottes ist und die gleiche Fülle des göttlichen Wesens wie der Vater besitzt, aber als gezeugter nicht Lichtquelle, sondern Lichtstrahl ist, endet konsequenterweise in der gegenseitigen Einwohnung von Vater und Sohn: Der Sohn ist von Ewigkeit her im Vater, wie der Vater ganz in seinem wesensgleichen Abbild lebt[37].

Bereits im Matthäuskommentar schließt Hilarius aus der Wesenseinheit, daß der Vater im Sohn ist, da dieser besitzt, was der Vater selbst ist; zugleich bleibt der Sohn im Vater, denn der Vater hat in sich die Fülle der Gottheit, und deshalb kann es außerhalb des Vaters keinen wahren Gott

---

[34] Trin. II, 11 (48,6–9): Inconpraehensibilis ab inconpraehensibili: nouit enim nemo nisi inuicem. Inuisibilis ab inuisibili, quia imago Dei inuisibilis est, et quia qui uidit Filium, uidit et Patrem. III, 18 (90,11–13): Vt enim inenarrabilis Pater in eo quod ingenitus est, ita enarrari Filius in eo quod unigenitus est non potest, quia ingeniti imago qui genitus est. Vgl. VIII, 48 (360,5 – 361,16); XI,5 (533–534).

[35] Vgl. zur Auslegung von Kol 1,15 in der Vätertheologie R. Cantalamessa, Cristo „Immagine di Dio". Le tradizioni patristiche su Colossesi 1,15, in: RSLR 16 (1980) 181–212; 345 bis 380, bes. 358–362 (Hilarius von Poitiers).

[36] Vgl. Trin. VIII, 50 (362,14 – 363,28). Vgl. auch G. Pelland, La „subjectio" du Christ chez saint Hilaire, in: Gr. 64 (1983) 445–451.

[37] Trin. VII, 32 (299,11–14): Inuicem autem sunt, cum unus ex uno est: quia neque unus uni aliud per generationem quam quod suum est dedit, neque unus ab uno aliud per natiuitatem obtinet quam unius. Vgl. IX, 51 (428,1 – 430,35); X, 6 (463,1–17).

geben[38]. Der Sohn hat alles vom Vater empfangen, vor allem die Fülle der Gottheit und das Leben des Vaters selbst. Zwischen beiden besteht eine vollkommene Gemeinschaft, so daß nur der Vater den Sohn kennt und nur der Sohn den Vater. Doch der Sohn läßt die Menschen im Glauben an seiner Kenntnis des Vaters teilhaben. Indem aber der Sohn den Glaubenden den Vater offenbart, offenbart er sich selbst, denn wer den Sohn kennt, kennt auch den Vater. Hier zeigt sich die innige Gemeinschaft von Vater und Sohn: Wer in das Geheimnis des Sohnes eindringt, hat auch Zugang zum Geheimnis des Vaters[39]. In den späteren Schriften, vor allem in De Trinitate, spricht Hilarius von einer gegenseitigen Präsenz des Vaters im Sohn und des Sohnes im Vater. Nach P. Smulders sieht Hilarius in ihrer innigen Gemeinschaft (circumincessio oder circuminsessio) ein wesentliches Element der katholischen Lehre gegen die Arianer[40]. Die gegenseitige Präsenz der göttlichen Personen kommt deutlich im Johannesevangelium (10,38; 14,10–11) zum Ausdruck.

Hilarius unterscheidet diese Einheit von Vater und Sohn aufgrund der gegenseitigen Einwohnung von jeder menschlichen Einheit, die zwei Personen verbindet, die aber in ihrer Existenz voneinander unabhängig sind[41]. Doch wenn er die gegenseitige Präsenz von Vater und Sohn immer wieder in neuen Ansätzen und Bildern beschreiben will, stößt er auf die Unzulänglichkeit der menschlichen Sprache, diese im irdischen Bereich nicht vorhandene Einheit auszusagen: „Der menschliche Geist kennt allein das, was er einsieht, und die Welt glaubt nur, was in ihrem Fassungsvermögen liegt, indem sie den Grundstoffen (elementa) der Dinge entsprechend nur das für möglich hält, was sie entweder sieht oder tut. Denn die Grundstoffe der Welt haben aus dem Nichts heraus ihr Dasein gewonnen; Christus aber hat sein dauerndes Bestehen nicht aus dem

---

[38] In Mt. 12,17 (I, 284,11–18): Quid enim tam extra ueniam est quam Christo negare quod Dei sit et consistentem in eo paterni Spiritus substantiam adimere... Ergo quidquid contumeliae exstiterit in Christo, id omne exstabit in Deo, quia et in Christo Deus et Christus in Deo sit.

[39] In Mt. 11,12 (I, 266,5–12): Qua reuelatione (Mt 11,25–27) eamdem utriusque in mutua cognitione esse substantiam docet, cum qui Filium cognosceret Patrem quoque cogniturus esset in Filio, quia omnia ei a Patre sunt tradita, tradita autem non alia sunt quam quae in Filio soli nota sunt Patri, nota uero Filio soli esse quae Patris sunt. Atque ita in hoc mutuae cognitionis secreto intelligitur non aliud in Filio quam quod in Patre ignorabile sit exstitisse.

[40] P. Smulders, a.a.O., 112; 256. Das Wort ‚circumincessio‘/‚circuminsessio‘ findet sich noch nicht bei Hilarius. Bei ihm heißt es: inuicem sunt (Trin. VII, 32; s.o. Anm. 37).

[41] Trin. VII, 41 (310,21–24): Non est corporalium naturarum ista condicio, ut insint sibi inuicem, ut subsistentis naturae habeant perfectam unitatem, ut manens unigeniti natiuitas a paternae diuinitatis sit inseparabilis ueritate.

Nichtsein heraus, noch hat er zu seinem Ursprung einen (zeitlichen) Anfang gehabt, sondern er hat einen ewigen Ursprung von seinem Ursprung
genommen. Die Grundstoffe der Welt sind nämlich unbelebt oder (nachher) erst zum Leben gekommen. Christus aber ist das Leben, vom lebendigen Gott als lebendiger Gott geboren. Die Grundstoffe der Welt sind
zwar von Gott eingesetzt, sie sind aber nicht Gott. Wenn die Grundstoffe
der Welt innen (eingeschlossen) sind, so können sie sich nicht außerhalb
ihrer selbst setzen, um nicht innen zu sein. Indem Christus in geheimnisvoller Weise Gott in sich hat, ist er in Gott. Wenn die Grundstoffe der
Welt Gleichartiges aus sich heraus zum Leben bringen, so veranlassen sie
zwar durch körperliche Vorgänge die Anfänge der Geburt, sind im übrigen aber nicht selbst als Lebewesen in denen, die geboren werden. Die
ganze Fülle der Gottheit ist aber leibhaftig in Christus zugegen."[42]

Der Grund für die gegenseitige Einwohnung liegt in der die menschliche Fassungskraft übersteigenden Geburt des Sohnes aus dem Vater, aufgrund deren der Sohn die göttliche Natur ohne Teilung und Ableitung
besitzt[43]. Die circumincessio folgt aus der Allmacht der göttlichen Natur
(ex uirtute naturae: Trin. VI, 19), denn der Vater teilt dem Sohn alles mit.

Hilarius beruft sich für die Einwohnung des Vaters in Christus auf Kol
2,9, wonach die ganze Fülle der Gottheit leibhaftig in Christus wohnt.
Das Wort ‚corporaliter' will nicht sagen, daß Gott nach Art der irdischen
Körper in Christus sei, sondern daß durch die wahre Geburt des Sohnes
aus dem Vater die ganze Fülle des Vaters im Sohn gegenwärtig ist[44].

Gegenseitige Einwohnung aufgrund der Geburt des Sohnes aus dem
Vater bedeutet, daß Vater und Sohn nur eine göttliche Natur besitzen und
daß diese Natur in beiden absolut identisch ist, denn der Vater, der dem
Sohn alles übergeben hat, verliert nichts von der Fülle seiner Gottheit:
„Gott ist aber lebendige Macht unermeßlicher Kraft, die überall ist und
nirgendwo fehlt, die sich vielmehr durch ihre Erweise in ihrer Ganzheit
bekundet und durch ihre Erweise nichts anderes als sich selbst bezeichnet."[45] Die Wesensgleichheit wird letztlich mit Begriffen der Einwohnung
erklärt: „So aber soll in Christus leibhaftig die Fülle der Gottheit sein,
daß die ihm einwohnende Fülle als nichts anderes erkannt werde denn
als Christus."[46] Die circumincessio von Vater und Sohn ist die vollkom

---

[42] Trin. VIII, 53 (366,9 – 367,25).
[43] Trin. III, 23 (95,13 – 96,30); IV, 40 (145,18–21); V, 37 (191,1–192,33); VI, 19 (218,13–24).
[44] Trin. VIII, 54 (367,1–19).
[45] Trin. VIII, 24 (335,8–10).
[46] Trin. VIII, 55 (368,10–12).

menste Bezeichnung der Einheit, auf die hin alle Aussagen des Hilarius zur Beziehung von Vater und Sohn zustreben.

Auch im Liber de Synodis weist Hilarius auf die gegenseitige Einwohnung von Vater und Sohn hin[47]. Ebenfalls im Liber contra Constantium stellt er, ausgehend von Joh 10,30.37–38, die Einheit von Vater und Sohn in der göttlichen Natur als Einheit der Einwohnung dar[48]. In dieser gegenseitigen Einwohnung liegt für Hilarius der entscheidende Unterschied zwischen Christus und allen anderen Geschöpfen, ein Unterschied, den die Arianer nicht anerkennen wollen[49].

14.2 Die Einheit der Gläubigen

Die Begriffe Gemeinschaft (communio), Abbild (imago) und gegenseitige Einwohnung (circumincessio), die sich als Schlüsselbegriffe für das Verhältnis von Vater und Sohn herausgestellt haben, können auch auf die Einheit der Gläubigen und die Einheit der Kirche übertragen werden, wobei aber der bleibende Unterschied zwischen dem Leben des dreifaltigen Gottes und dem Leben der Gläubigen beachtet werden muß. Die Aussagen des Hilarius zur Einheit der Gläubigen stützen sich vor allem auf das Neue Testament: Es ist der eine Gott, der alle beruft; der eine Herr Jesus Christus, dem alle gehören; der eine Geist, der alle belebt und in dem einen Leib Christi zusammenschließt; die eine Taufe, in der alle „einer in Christus Jesus" (Gal 3,28) sind; die eine Eucharistie, an der alle Anteil haben[50].

1) Im Matthäuskommentar sieht Hilarius die Einheit der Gläubigen vor allem in der brüderlichen Liebe verwirklicht. In der gegenseitigen Liebe der Christen zueinander und zu allen Menschen wird die Annahme der ganzen Menschheit durch Christus je neu erfahrbar. Die Christen bilden eine Gemeinschaft der Liebe aufgrund ihrer wurzelhaften Einheit in Christus. Diese Einheit in Christus beschreibt Hilarius als „brüderlichen

---

[47] Syn. 16 (492 B): Quod autem in utroque vita est, id in utroque significatur essentia. Syn. ist das einzige Werk, wo Hilarius von ‚essentia' spricht. Vielleicht macht sich hier der Einfluß des Orients (usia) bemerkbar.
[48] C. Const. 18 (595 C): Nam Pater in me est, et ego in Patre (Joh 10,38). aequalitas est: quae vicissitudinem aequalitatis expressit, dum inesse atque esse commune est.
[49] Trin. VII, 27 (294,31 – 295,33): ... necesse est per naturae unitatem et perfectae adque inenarrandae natiuitatis sacramentum, ut et in uiuente uiuat et in se habeat uita uiuentem. Vgl. C. Aux. 6 (612 B).
[50] Vgl. R. Schnackenburg, Die Kirche im Neuen Testament, 116–119.

Frieden der gegenseitigen Liebe"[51], als „wechselseitige Liebe unter allen Menschen"[52], als „vollkommenes Leben durch die Eintracht der Güte allen gegenüber"[53]. Am deutlichsten ist in diesem Zusammenhang die Auslegung von Mt 23,8: „Nur einer ist euer Meister, ihr alle aber seid Brüder." Dieses Jesuswort soll die Jünger daran erinnern, „daß sie alle Brüder sind, d.h. Söhne eines einzigen Vaters..., und daß sie alle nur einen Lehrer der himmlischen Lehre haben"[54]. In der Einheit und Liebe der Gläubigen wird Christus unter ihnen gegenwärtig. Diese Gemeinschaft der gegenseitigen Einwohnung von Vater und Sohn geht auf die Gläubigen über, wenn sie durch ihr Verhalten bezeugen, daß sie aus der Einheit von Vater und Sohn leben, und so Christus, der alle angenommen hat, auch in sich selbst aufnehmen.

2) Ausführlicher sind die Aussagen in De Trinitate. Hier überträgt Hilarius jene drei Begriffe, die er für die Einheit von Vater und Sohn in der göttlichen Natur anführt, noch deutlicher auf die Gläubigen. Wie die Einheit von Vater und Sohn eine wesenhafte Einheit ist, so ist im analogen Verständnis auch die Einheit der Gläubigen mit Gott real und wesensmäßig, denn sie ist Abbild der innergöttlichen Einheit. In Trin. VIII,5–17 setzt Hilarius gegen die von den Arianern behauptete Willenseinheit von Vater und Sohn ihre Einheit in der Natur und stellt zugleich die Einheit der Gläubigen heraus.

Die Einheit der Gläubigen ist nicht nur darin begründet, „daß die Verschiedenheit der Seelen und Herzen durch das Zusammenstimmen desselben Willens als Einheit in einem Herzen und einer Seele bestehe"[55]. Hilarius weist das tiefe Fundament der Einheit auf, das in den Sakramenten der Taufe und Eucharistie sowie im Willen Jesu begründet ist.

Die wirkliche und wesensmäßige Einheit der Gläubigen mit Gott durch die Vermittlung Christi findet er bei Paulus ausgesagt: „Der Apostel lehrt nämlich, daß diese Einheit der Gläubigen aus dem Wesen der Sakramente heraus gewirkt sei; er schreibt an die Galater: Denn ihr alle, die ihr auf Christus getauft seid, habt Christus angezogen. Es gibt nicht mehr Juden und Griechen, nicht Sklaven und Freie, nicht Mann und Frau; denn ihr alle seid einer in Christus Jesus (3,27–28). Daß sie einer sind bei solcher Verschiedenheit der Völker, der Stände und der Geschlechter, kommt das etwa vom Zusammengehen des Willens oder aus

---

[51] In Mt. 4,8 (I, 126,6).   [52] In Mt. 4,18 (I, 136,1).
[53] In Mt. 4,27 (I, 148,12–13).
[54] In Mt. 24,2 (II, 166,3–6).
[55] Trin. VIII, 5 (318,9–11).

der Einheit des Sakraments, da für sie die Taufe nur eine ist und alle den einen Christus angezogen haben? Was soll also hier die Einhelligkeit der Gesinnung bewirken, weil sie dadurch einer sind, daß sie mit dem einen Christus durch die Natur (innere Wirkung) der einen Taufe bekleidet werden?"[56]

Bevor Hilarius auf die Einheit der Gläubigen durch die Eucharistie eingeht, stellt er heraus, daß die Einheit der Gläubigen eine wesensmäßige Einheit ist, denn alle Getauften sind in die menschliche Natur Christi eingegliedert (VIII, 9). An den von den Arianern als bloße Willenseinheit interpretierten Texten Joh 10, 30 und Joh 17, 21–22 weist Hilarius auf, daß Christus vom Einssein in einem realen und wesensmäßigen Sinn spricht. Wie der Vater und der Sohn in der göttlichen Natur eins sind, so muß auch die Einheit der Gläubigen verstanden werden: „Wie du, Vater, in mir bist und ich in dir bin, sollen auch sie in uns eins sein" (Joh 17, 21). Hilarius erklärt hier die Einheit der Gläubigen als Abbild der wesenhaften Einheit von Vater und Sohn, „damit im Vater und im Sohn alle eins seien nach dem Vorausbild (forma) dieser Einheit, wie der Vater im Sohn und der Sohn im Vater ist"[57].

Die innige Einheit der Gläubigen mit Gott in Christus findet Hilarius ebenfalls in Joh 17, 22: „Und ich habe ihnen die Herrlichkeit gegeben, die du mir gegeben hast; denn sie sollen eins sein, wie wir eins sind." Christus hat die empfangene Herrlichkeit an seine Jünger weitergegeben, damit alle in dieser Herrlichkeit, die das Ziel unserer Hoffnung ist, eins seien[58].

Doch der eigentliche Beweis, daß die Einheit der Gläubigen nicht auf eine Einheit des Willens reduziert werden darf, kommt von der Fleischwerdung des Wortes, die in der Eucharistie ständige Gegenwart ist. Eucharistie bedeutet für Hilarius in diesem Zusammenhang die Vergegenwärtigung der einmal geschehenen Annahme der menschlichen Natur. Weil Christus unsere menschliche Natur angenommen hat, werden wir in der Eucharistie mit seiner angenommenen menschlichen Natur verbunden. Deshalb ist die Verbindung der Gläubigen mit Christus eine Einheit der Natur. In der Eucharistie sieht Hilarius die vollkommene Einheit der Gläubigen bereits verwirklicht: „Wenn also Christus in Wahrheit das Fleisch unseres Leibes angenommen hat, und wenn Christus in Wahr-

---

[56] Trin. VIII, 8 (320, 4 – 321, 16). Zu den verschiedenen Bedeutungen von ‚natura' vgl. P. Smulders, La doctrine trinitaire de S. Hilaire, 283 ff.
[57] Trin. VIII, 11 (323, 22–23). Vgl. C. F. A. Borchardt, Hilary of Poitiers' Role in the Arian Struggle, 98 ff.
[58] Trin. VIII, 12 (323, 1 – 325, 39).

heit jener Mensch ist, der aus Maria geboren wurde, und wenn wir in Wahrheit im Geheimnis (der Eucharistie) das Fleisch seines Leibes zu uns nehmen und so eins sein werden, weil der Vater in ihm ist und er in uns ist: Mit welchem Recht behauptet man da die Einheit des Willens, da die wesensmäßige sakramentale Eigenart das Geheimnis der vollkommenen Einheit ist?"[59]

Eucharistie bedeutet für Hilarius zugleich circumincessio Christi in den Gläubigen: „Es wird nämlich keiner in Christus sein, wenn nicht Christus in ihm ist: Wir müssen sein Fleisch empfangen, damit er unser Fleisch in sich aufnimmt.... Das also ist der Grund unseres Lebens, daß wir Leiblichen Christus in uns haben, der in seiner Leiblichkeit fortdauert. Wir werden durch ihn in derselben Weise leben, wie er durch den Vater lebt."[60]

Gegen die Arianer stellt Hilarius am Schluß dieser Kernstelle für die Einheit der Gläubigen das Zeugnis der Schrift: „Uns ist... die Herrlichkeit des Sohnes gegeben worden, und der Sohn bleibt doch fleischlich in uns; in ihm sind wir körperlich und untrennbar geeint; deswegen muß man die Lehre von der wahren und wesensmäßigen Einheit verkünden."[61]

Die Einheit von Vater und Sohn und die Einheit der Gläubigen gehen in Trin. VIII ineinander über, weil Hilarius die Gläubigen hineinnimmt in die innertrinitarische Gemeinschaft von Vater und Sohn. Er benutzt auch das Bildwort Jesu vom Weinstock und den Rebzweigen, um die „körperliche und untrennbare Einheit" der Gläubigen mit Christus zu beschreiben. Mit diesem Bild verbindet er zugleich die Mahnung, durch den Glauben an die Menschwerdung in Christus zu bleiben, denn die Rebzweige sind nur geeint, wenn sie am Weinstock bleiben. Sonst werden sie abgeschnitten und zum Verbrennen bestimmt[62].

3) Im Psalmenkommentar leitet Hilarius die Einheit der Gläubigen von der Einheit des Leibes Christi ab: „Wir alle sind ein Leib in Christus."[63]

Die Einheit der Gläubigen ist gegeben durch die Teilnahme an der himmlischen Herrlichkeit Christi. Das ist das Geheimnis, das früheren Generationen nicht bekannt war, jetzt aber den Heiligen offenbart worden ist: daß wir Miterben sind, zum selben Leib gehören und an dersel-

---

[59] Trin. VIII, 13 (325,18 – 326,24).
[60] Trin. VIII, 16 (327,3 – 328,5.12–15).
[61] Trin. VIII, 17 (329,7–10). Vgl. auch VIII, 26–27 (337,1 – 339,21).
[62] Trin. IX, 55 (434,14–24).
[63] Tr.Ps. 118, phe, 11 (513,3–4).

ben Verheißung teilhaben[64]. Das Mitsein mit dem erhöhten Herrn stellt eine fundamentale Einheit der Gläubigen dar, die Hilarius als Einwohnung Christi in den Gläubigen beschreibt. Er überträgt die Zusage Gottes an Israel, daß Gott selbst seine Wohnung in der Mitte seines Volkes aufschlagen wird (Lev 26,11–12; 2 Kor 6,16), auf das Verhältnis Christi zu den Gläubigen (1 Kor 3,16). Da der erhöhte Christus in den Gläubigen wohnt, sind sie auch bereits in die Vollendung des Himmels mitgenommen (caelestes). Durch die Einwohnung Christi werden die Gläubigen letztlich mit dem Vater vereint, denn wenn Christus in den Gläubigen zugegen ist, dann ist auch der Vater in ihrer Mitte[65].

Von dieser Grundaussage her, daß wir alle in gegenseitiger Ergänzung Glieder des einen Leibes des erhöhten Christus sind[66], leitet Hilarius ab, daß diese Einheit bereits in der irdischen Kirche sichtbar werden muß. Hier sieht er nun Apg 4,32 in völlig positivem Licht: „Die Gemeinde der Gläubigen war ein Herz und eine Seele." Während er in De Trinitate diese Willenseinheit der jungen Christengemeinde den Arianern gegenüber als ungenügend herausstellt, um die göttliche Einheit und die Einheit der Gläubigen zu beschreiben, sieht er im Psalmenkommentar in dieser Stelle eine zutreffende Aussage über die Einträchtigkeit der Gläubigen. Apg 4,32 ist in diesem Sinn die neutestamentliche Erfüllung von Ps 132,1: „Seht doch, wie gut und schön es ist, wenn Brüder miteinander in Eintracht wohnen." Die Einmütigkeit der Gläubigen besteht vor allem im einen Glauben, der vom einen Geist gewirkt ist. Hilarius stellt die verbindende Kraft des Geistes und des Glaubens heraus, der in den vielen

---

[64] Tr.Ps. 91,9 (352,28 – 353,5): ergo per coniunctionem carnis adsumptae sumus in Christo: et hoc est sacramentum dei absconditum a saeculis et generationibus in deo, quod nunc reuelatum est sanctis eius, esse nos coheredes et concorporales et conparticipes pollicitationis eius in Christo (Eph 3,5–6).

[65] Tr.Ps. 122,3 (581,24 – 582,13): Sed est et alia conplacita deo et electa habitatio, eorum scilicet, de quibus dictum est: habitabo in his et deambulabo in ipsis, et ipsi mihi erunt in populum, et ego illis in deum (2 Kor 6,16; 1 Kor 3,16); de quibus et apostolus ait: uos estis templum dei, et spiritus dei habitat in uobis. idem quoque apostolus ait: qualis de limo, tales et de limo; et qualis caelestis, tales et caelestes (1 Kor 15,48). caelestis ergo est secundus Adam et idcirco caelestis, quia uerbum caro factum est, ex spiritu scilicet et deo homo natus. in hoc ergo uerbo, non inani sono uocis, sed in deo uerbo, neque in dissidenti a se diuersaque substantia, sed in dei uerbo deus tamquam in caelo habitat, in eo scilicet, quod ex se ac suum est, manens; per eum in eis quoque, qui caelestes sunt, habitans, sicut ipse ad patrem ait: ut omnes unum sint, ego in illis, et tu in me (Joh 17,21). ergo si, qui in Adam limus fuimus, nunc caelestes sumus in Christo et Christus habitator est nostri, per habitantem Christum in nobis etiam ille quoque habitator est nostri, cui est habitans in nobis Christus habitatio.

[66] Tr.Ps. 140,13 (797,23): omnes enim inuicem unius corporis membra sumus.

Menschen die Einmütigkeit bewirkt[67]. Die Gläubigen werden als friedfertige und einträchtige Gemeinde beschrieben, in der Übereinstimmung der Lebensweise und des Willens herrscht[68].

Wie bei Hilarius irdische und himmlische Kirche eine geheimnisvolle Einheit bilden, so fließen auch seine Aussagen zur irdischen Einheit der Gläubigen durch den Glauben und die Eintracht des Zusammenlebens mit der eschatologischen Einheit im vollendeten Reich Gottes zusammen. Die Einheit der irdischen und der himmlischen Kirche, die Einheit der bereits jetzt durch den Geist geschenkten, im Glauben angenommenen Einmütigkeit und der eschatologischen Vollendung der Eintracht der Gläubigen kommt vielleicht am besten zum Ausdruck in der Beschreibung der Kirche und der Gläubigen als „einträchtige Versammlung der Gläubigen" (concors fidelium coetus). Hilarius erwähnt diese Charakterisierung im Zusammenhang mit Ps 131,13–14: „Denn der Herr hat den Zion erwählt, ihn zu seinem Wohnsitz erkoren. Das ist für immer der Ort meiner Ruhe, hier will ich wohnen, denn ich habe ihn vor allen anderen erwählt." Hilarius versteht unter dem heiligen Zion und dem himmlischen Jerusalem als Ort der Ruhe Gottes die einträchtige Versammlung der Gläubigen und die durch die Sakramente der Kirche geheiligten Seelen[69].

Während Hilarius in Tr.Ps. 131,23 von der eschatologischen Einheit der Gläubigen spricht, wendet er bereits bei der Auslegung des nächsten Psalms (132) den Blick zurück auf die irdischen Forderungen nach der Einheit als einem Merkmal der Christen. Er erklärt die Freude des Psalmisten über die Eintracht der Brüder (Ps 132,1) mit neutestamentlichen Texten, die auf die gegenwärtige Einmütigkeit der Christen hinweisen: 1 Tim 3,15; Apg 4,32; 1 Kor 1,10; Phil 2,2; Röm 12,18. Alle diese Stellen faßt Hilarius zu einer Aussage über die Einheit der Gläubigen zusammen: „Wenn sie in Eintracht zusammenwohnen, werden sie in der Versammlung der Kirche vereint; wenn sie Brüder genannt werden, dann sind sie einträchtig in der Liebe eines einzigen Willens... Das ist gut und schön, wenn Brüder in Eintracht wohnen, wenn sie in demselben verharren, wenn sie ganz und gar eins sind und sich weder durch ihre Versammlung noch durch ihre Liebe unterscheiden."[70]

---

[67] Tr.Ps. 65,20 (261,26 – 262,2): est namque unus spiritus, et una credentium fides est et secundum quod in gestis apostolorum est: erat credentium anima una et cor unum. atque ita, cum ab uno coeptum designatur in plures, unanimitas docetur in pluribus.
[68] Tr.Ps. 67,8 (282,17–18): ubi unius moris ac uoluntatis pacificus unanimisque conuentus – erat enim secundum Actus apostolorum credentium anima et cor unum –...
[69] Tr.Ps. 131,23 (679,17 – 680,12).   [70] Tr.Ps. 132,2–3 (685,12–14; 686,11–14.16–18).

Es geht Hilarius im Psalmenkommentar neben der noch ausstehenden, aber bereits im verherrlichten Leib Christi anfanghaft verwirklichten Einheit der Gläubigen auch um ihre irdische Einheit. In diesem Sinn muß man seine Warnung vor den Irrlehren verstehen, die zwar fälschlicherweise einen Frieden für die Kirche herbeiführen wollen, im Grunde aber die Einheit der Schrift, die Einheit Christi mit dem Vater und die Einheit der Gläubigen auflösen[71].

14.3 Die Einheit der Kirche in Ost und West

Die Kirche, die sich aus Juden und Heiden zusammensetzt, empfängt ihre Einheit von Christus. Sie ist sein Leib, dessen Glieder wir sind[72].

1) Hilarius beschreibt die Einheit der Kirche im Psalmenkommentar in dreifacher Hinsicht:

a) als Sammlung vieler Völker zu einem Volk. Wie Israel im Alten Testament stellvertretend für die Vielzahl der Völker steht, so werden im Neuen Tesament die vielen Völker in der Kirche zu einem Volk geeint[73].

b) als gegenseitige Beziehung von Gesamtkirche und Teilkirchen[74]. Da es nur einen Leib der Kirche gibt[75], steht die Teilkirche in einem lebendigen Zusammenhang mit der Gesamtkirche. Beide sind der eine Leib Christi: „Wenn es auch auf dem Erdkreis nur eine Kirche gibt, so hat doch jede Stadt ihre eigene Kirche; und es gibt nur eine Kirche in allen Kirchen, obwohl es doch mehrere sind, denn in der Vielzahl der Kirchen wird nur die eine Kirche anerkannt."[76] Aus der einen Kirche der Apostel sind viele Teilkirchen entstanden. Doch in jeder dieser Kirchen ist die eine Kirche gegenwärtig. Mit Ps 131,14 gibt Hilarius als Grund dieser Einheit die Einwohnung Gottes in Christus an: „Es ist dieselbe Ruhe

---

[71] Tr.Ps. 67,15 (290,11 – 291,3).
[72] Tr.Ps. 128,9 (643,16–17).
[73] Tr.Ps. 2,7 (41,28 – 42,5); 2,31 (60,19–26).
[74] Die Terminologie ist dem Zweiten Vaticanum entnommen. Hilarius spricht von ‚una ecclesia' und ‚plures ecclesiae'. Zur Terminologie des Zweiten Vatikanischen Konzils (ecclesia universalis – ecclesia localis – ecclesia particularis) vgl. H. de Lubac, Quellen kirchlicher Einheit, 31–42; J. Ratzinger, Theologische Prinzipienlehre. Bausteine zur Fundamentaltheologie, München 1982, 304f.
[75] Tr.Ps. 121,5 (573,6).
[76] Tr.Ps. 14,3 (86,6–8). Vgl. 126,8 (619,4–6).

Gottes in mehreren (Kirchen)."[77] Deshalb bildet die Gesamtkirche (uniuersitas ecclesiae) nur ein Volk[78].

c) als Einheit der Stadt Gottes, die Gott aus der Vielzahl der Häuser, d. h. aus den Leibern der Gläubigen aufbaut, wie Hilarius bei der Auslegung von Ps 126 erklärt. Jedes einzelne Haus ist schon jetzt Stadt Gottes, weil jeder heilige Leib und jede getreue Seele ein Gott wohlgefälliger Ort der Ruhe ist. Die vielen Häuser, die schon jetzt in der Kirche zur Einheit verbunden sind, werden einst zur vollkommenen Einheit zusammengefügt in der himmlischen Stadt Gottes[79].

Die Einheit des Hauses Gottes sieht Hilarius in der Gleichgesinntheit, im Glauben und in der Liebe bereits anfanghaft verwirklicht[80]. Im Frieden und in der Einheit liegt die Kraft (uirtus) und Stärke (firmitas) der Kirche, wobei Hilarius sich auf Phil 4, 7 beruft: „Und der Friede Gottes, der alles Verstehen übersteigt, wird eure Herzen und eure Gedanken in der Gemeinschaft mit Christus Jesus bewahren."[81]

2) Während Hilarius im Psalmenkommentar die Einheit der Kirche vom Leib Christi her begründet, ohne die Bedrohung dieser Einheit durch die Arianer zu erwähnen, geht es ihm in den historischen Fragmenten und im Liber contra Auxentium um die Einheit der Kirche in beiden Reichshälften gegen die Spaltungsversuche der Irrlehren.

a) In den historischen Fragmenten legt vor allem die Enzyklika der Orientalen (Eusebianer) auf der Synode von Serdika (343), die sie nach den ergebnislosen Verhandlungen mit den westlichen Bischöfen über Athanasius und Marcellus von Ankyra an den ganzen Episkopat, alle Priester und Diakone der Weltkirche sandten, Zeugnis von dem Bemühen um die Einheit der Kirche ab. Die Orientalen schreiben, daß sie nur um der Einheit der Kirche willen nach Serdika gekommen seien[82], denn sie befürchteten – was auch tatsächlich eintrat –, daß durch die unterschiedliche Einstellung zu Athanasius und Marcellus die Kirche in Ost und West gespalten werde[83]. Deswegen bitten die Bischöfe des Ostens alle anderen Bischöfe, für die Einheit und den ewigen Frieden der Kirche

---

[77] Tr.Ps. 131,14 (673,6–8): sunt enim ex una apostolorum ecclesia… plures ecclesiae et multa tabernacula: sed eadem dei requies in pluribus est.
[78] Tr.Ps. 143,6 (816,28).
[79] Tr.Ps. 126,8–9 (618,15 – 619,24).
[80] Tr.Ps. 121,11 (577,4).
[81] Tr.Ps. 121,14 (578,23–27).
[82] A IV, 1,16 (58,26–28).
[83] A IV, 1,22 (62,25–26).

zu sorgen, indem sie heilige Bischöfe wählen, deren Glaube makellos und deren Leben heilig ist[84].

Auch das Schreiben der Reichssynode der Okzidentalen in Rimini (359) an Konstantius, in dem die westlichen Bischöfe zunächst den Glauben von Nikaia bekräftigt und die Arianer Ursacius und Valens aus ihrer Gemeinschaft ausgeschlossen hatten, ist von der Sorge um die Einheit der Kirche in Ost und West bestimmt: „damit die Kirchen nicht länger in Unruhe versetzt werden."[85]

Hilarius selbst schreibt in einer Zwischenbemerkung (textus narrativus), daß die Einheit der Kirche im Glauben von Nikaia angemessen zum Ausdruck komme gegen das Übel der Arianer. Denn in Nikaia wurde der Glaube des Evangeliums und der Apostel entfaltet und weiterentwickelt und so „das vollkommene Licht der katholischen Einheit" herausgestellt[86].

b) Hilarius steht den Beteuerungen der arianischen (eusebianischen) Bischöfe, daß es ihnen um den Frieden und die Einheit der Kirche gehe, skeptisch gegenüber. Deshalb warnt er im Liber contra Auxentium, der letzten Schrift, die sich mit dem Arianismus beschäftigt, vor einem falsch verstandenen Frieden und einer trügerischen Einheit der Kirche. Aus der Klage des Hilarius über die Zustände der Kirche ergibt sich aber auch, daß die Einheit der Kirche für ihn ein Wert ist, für den er seit seiner Begegnung mit dem Arianismus kämpft. Die wichtigen einleitenden Kapitel dieser Schrift sollen hier im vollen Wortlaut angeführt werden:

„(1) Das Wort Frieden ist zwar bestechend, und auch die Idee der Einheit ist schön. Doch wer könnte daran zweifeln, daß die Einheit und der Friede der Kirche und der Evangelien nur in Christus besteht? Diesen Frieden hat er den Aposteln nach der Herrlichkeit seines Leidens zugesagt (Joh 20, 19), bei seinem Weggang hat er ihn den Aposteln als Unterpfand seines ewigen Gebotes ans Herz gelegt. Geliebte Brüder, wir haben uns Mühe gegeben, den verlorenen Frieden (und die Einheit) zu suchen, die Verwirrung beizulegen und den wiedergefundenen Frieden zu bewahren. Doch die Sünden unserer Zeit und die Gehilfen, die dem nahenden Antichristen vorauseilen, haben nicht zugelassen, daß wir dieses Friedens teilhaftig werden oder ihn herstellen. Denn sie brüsten sich mit ihrem eigenen Frieden, d. h. mit der Einheit ihrer Gottlosigkeit. Dadurch aber erweisen sie sich nicht als Bischöfe Christi, sondern als Priester des Antichristen.

---

[84] A IV, 1, 24 (64, 1–3).
[85] A V, 1, 2 (82, 8).
[86] B II, 9, 7 (27) (149, 22 – 150, 2): Itaque conprimendi mali istius causa trecenti uel eo amplius episcopi apud Nicheam congregantur. in omnes Arrianos adsensu omnium damnatio heretica decernitur et euolutis euangelicis atque apostolicis doctrinis perfectum unitatis catholicae lumen effertur.

(2) Damit man uns nicht eines böswilligen Streites beschuldige, wollen wir nicht den Grund des allgemeinen Verderbens verschweigen, damit er niemandem unbekannt bleibe. Wir wissen, daß es viele Antichristen gibt, wie der Apostel Johannes schreibt (1 Joh 2, 18). Denn wer Christus, so wie er von den Aposteln verkündet worden ist, leugnet, ist der Antichrist. Denn es gehört zur Eigenart des Antichristen, daß er der Widersacher Christi ist. Diese Leugnung geschieht jetzt unter dem Anschein einer falschen Frömmigkeit. Unter dem Vorwand der Verkündigung des Evangeliums geht es darum, daß der Herr Jesus Christus geleugnet wird, während man glaubt, er würde verkündet.

(3) Zunächst muß man über das Ungemach unserer Zeit klagen und über die törichten Auffassungen der Gegenwart stöhnen, denn es besteht die Meinung, daß Gott durch menschliche Anschauungen verteidigt und die Kirche durch weltliche Parteilichkeit geschützt werde. Ich frage euch, die ihr überzeugt seid, Bischöfe zu sein: Auf welche Zustimmung haben die Apostel bei der Verkündigung des Evangeliums gebaut? Von welchen Mächten wurden sie bei der Verkündigung Christi unterstützt, um fast alle Heiden von den Götzen zu Gott zu bekehren? Nahmen sie etwa eine Gunst des kaiserlichen Palastes an, da sie doch im Gefängnis gefesselt waren und nach ihrer Geißelung Gott Hymnen sangen? Sammelte etwa Paulus mit königlichen Edikten die Kirche Christi, da er doch selbst zum Schauspiel geworden ist (1 Kor 4,9)? Hat er sich etwa mit dem Schutz eines Nero, Vespasian oder Decius in Sicherheit gebracht? Durch ihren Zorn gegen uns gelangte das Bekenntnis der göttlichen Verkündigung zur vollen Blüte. Als die Apostel sich von der Arbeit ihrer eigenen Hände ernährten, als sie sich heimlich in den Obergemächern versammelten, als sie die Dörfer und Kastelle und fast alle Völker gegen die Beschlüsse des Senats und die kaiserlichen Verordnungen zu Wasser und zu Land besuchten, hatten sie da nicht, wie ich glaube, die Schlüssel des Himmelreiches? Oder hat sie da nicht offenkundig die göttliche Kraft gegen den menschlichen Haß erwiesen, da Christus um so mehr gepredigt wird, je mehr die Verkündigung behindert wird?

(4) Doch jetzt, welch ein Schmerz! Irdische Urteilssprüche entscheiden über den göttlichen Glauben, und Christus scheint seiner Kraft beraubt, da in seinem Namen Machenschaften (getrieben und mit dem Glauben an Christus) in Einklang gebracht werden. Die Kirche selbst erzeugt Schrecken durch Verbannung und Gefängnis. Sie zwingt zum Glauben, obwohl ihr doch trotz Verbannung und Gefängnis geglaubt worden ist. Sie hängt jetzt an der Gunst ihrer Ratgeber, obwohl sie doch durch die Schreckensherrschaft ihrer Verfolger geheiligt ist. Sie vertreibt die Bischöfe, obwohl sie ihre Verbreitung den verbannten Bischöfen verdankt. Sie rühmt sich der Liebe zur Welt, obwohl sie Christus nicht gehören kann, wenn die Welt sie nicht haßt. Die gegenwärtige Lage, die vor aller Augen und in aller Munde ist, bringt uns diesen Vergleich zwischen der Kirche, die uns einst überliefert wurde, und jener, die jetzt verloren ist, schreiend deutlich zum Bewußtsein.“[87]

In der Auseinandersetzung mit den Arianern um die Einheit der Kirche erhofft Hilarius Einheit und Frieden nur von der Treue zum Taufglauben

---

[87] C. Aux. 1–4 (609 C – 611 B). Vgl. M. Meslin, Hilaire de Poitiers, 94 f.

und zum Glauben der Väter von Nikaia. Diese Treue zum übernommenen Glauben führt auch zum Verständnis des Geheimnisses der Einheit der Kirche, wie Hilarius im Psalmenkommentar darlegt. Die Einheit des Glaubens und der Kirche kann nicht durch staatliche Dekrete verordnet werden, denn sie ist vorrangig Geschenk Gottes, der uns in der Taufe den ganzen Glauben schenkt. Deshalb setzt Hilarius seine Hoffnung auf die Einheit der Kirche in Ost und West in die gemeinsame Besinnung auf den Taufglauben und auf die Entfaltung dieses Glaubens im Leben der Kirche.

15. Rückblick und Ausblick

15.1 Zusammenfassung der inhaltlichen Ergebnisse

Es hat sich im Verlauf der Untersuchung gezeigt, daß Hilarius noch keine systematisch ausgearbeitete Ekklesiologie vorlegt. Eine solche Forderung darf man auch noch nicht an die griechischen und lateinischen Kirchenväter des 4. Jahrhunderts stellen: „In der Zeit zwischen Cyprian, der sich mit dem Problem des Schismas und der Einheit der Kirche auseinandersetzt, und Augustin, der dem Donatismus gegenübersteht, wird man kaum den Aufriß zu einer Ekklesiologie finden außer bei Optatus von Mileve, der ebenfalls dem Donatismus entgegentritt."[1] Die großen lateinischen Kirchenväter des 4. Jahrhunderts – Hilarius, Ambrosius und Hieronymus – haben aber ein sehr lebendiges Gespür für das Geheimnis der Kirche gehabt.

Hilarius betrachtet das Geheimnis der Kirche nicht isoliert, sondern im Zusammenhang mit dem Christusgeheimnis, aus dem die Kirche ihren Ursprung nimmt. Um dem Geheimnis der Kirche näherzukommen, geht Hilarius immer wieder von zwei Stellen des Epheserbriefes aus, der die wichtigsten theologischen Aussagen des Neuen Testaments über die Kirche enthält. Der Verfasser des Epheserbriefs spricht von der Einsicht in das Geheimnis Christi, die ihm geschenkt wurde: „Den Menschen frühe-

---

[1] P.-Th. Camelot. Die Lehre von der Kirche, 51. Zum Kirchenbegriff des Optatus von Mileve (gest. vor 400) vgl. J. Ratzinger, Volk und Haus Gottes in Augustins Lehre von der Kirche, 102–123; W. Simonis, Ecclesia visibilis et invisibilis, 43–49.

rer Generationen war es nicht bekannt; jetzt aber ist es seinen heiligen Aposteln und Propheten durch den Geist offenbart worden: daß nämlich die Heiden Miterben sind, zu demselben Leib gehören und an derselben Verheißung in Christus Jesus teilhaben durch das Evangelium" (Eph 3, 4–5). Der Epheserbrief nennt das liebevolle Verhältnis Christi zu seiner Kirche, dem die Verbindung von Mann und Frau in der Ehe entspricht, ein „großes Geheimnis" (Eph 5, 32).

1) Von diesen beiden Stellen her läßt sich das Geheimnis der Kirche, das im ersten Teil dargestellt wurde, zusammenfassen. Man kann von einem biblischen und eschatologischen Kirchenverständnis des Bischofs von Poitiers sprechen. Es offenbart sich vor allem in der Auslegung der Heiligen Schrift. Deshalb sind die drei exegetischen Werke des Hilarius (Matthäuskommentar, Psalmenkommentar, Mysterienbuch) die entscheidenden Quellen für das Verständnis des Geheimnisses der Kirche. Das Geheimnis, das früheren Generationen nicht bekannt war, ist durch Christus in der Geistsendung offenbar geworden. In diesem Sinn sucht Hilarius vom einfachen oder absoluten Sinn der Schrift zu ihrer geistigen Bedeutung durchzudringen. Er überspringt nicht eilig den Wortsinn der Schrift, sondern nimmt ihn durchaus ernst. Doch häufig ist der Wortsinn nur Vorausbild der Erfüllung in Christus und der Kirche.

Man kann gleichsam von zwei Ebenen der Typologie bei Hilarius sprechen. Wie vor allem das Mysterienbuch herausstellt, ist die Verbindung von Adam und Eva das große alttestamentliche Vorausbild (Typos) des Geheimnisses zwischen Christus und der Kirche (Antitypos). Es hat sich gezeigt, daß Hilarius in einzelnen Personen und Ereignissen des Alten Testaments typologisch die Kirche vorgebildet findet. So bedeutet Typologie für Hilarius zunächst und grundlegend: neutestamentliche Erfüllung des alttestamentlichen Vorausbildes im Christusgeheimnis und in der Kirche.

Daneben kann man mit der gebotenen Vorsicht von einer zweiten Ebene der Typologie sprechen: Die Erfüllung des Alten Testaments (als Typos) durch das Neue Testament (als Antitypos) ist noch offen auf jene eschatologische Vollendung, die Hilarius als Übergabe des Reiches durch Christus an den Vater beschreibt. Für diese Ebene gilt nicht mehr das Verhältnis von Typos und Antitypos, sondern von Erfüllung und Vollendung. Während der Antitypos das schlechthin Neue dem Typos gegenüber ist, herrscht zwischen der Erfüllung und Vollendung keine radikale Neuheit. Denn der irdischen Kirche ist durch die Annahme der Menschheit in Christus bereits die Vollendung geschenkt. Deshalb nennt

Hilarius die irdische Kirche schon jetzt himmlische Kirche. Nicht mehr das schlechthin Neue ist das Kennzeichen dieser ‚Typologie‘, die im Neuen Testament ansetzt und Ausschau nach der Vollendung hält, sondern die Offenbarung der bereits geschenkten Herrlichkeit. Diese Offenbarung ist aber nur durch eine Reinigung der Kirche bei der Wiederkunft des Herrn zu erreichen. In diesem Sinn sind die Aussagen des Hilarius über die irdische Kirche zu verstehen. So wird die Kirche aus Juden und Heiden, die prinzipiell die ganze Menschheit einschließt, erst in der Ewigkeit als himmlische Kirche offenbar sein. Deshalb kann Hilarius mit dem typologischen Vokabular die irdische Kirche als Vorausbild (forma: Tr.Ps. 124, 4) der himmlischen Kirche bezeichnen.

Die zwei Ebenen der Typologie der Kirche hängen untrennbar mit der innigen Verbindung zwischen Christus und der Kirche zusammen. Wollte man eine ‚Definition der Kirche‘ bei Hilarius suchen, könnte man sie am besten in jenem Text finden, dem eine Schlüsselstellung zukommt: „(Christus) erneuert uns zu einem neuen Leben und gestaltet uns zu einem neuen Menschen um, indem er uns einen Platz im Leib seines Fleisches gibt. Denn er selbst ist die Kirche, weil er sie durch das Geheimnis seines Leibes ganz und gar in sich enthält.“[2]

Es hat sich bei der Darstellung des Geheimnisses der Kirche häufig gezeigt, daß nicht immer mit letzter Klarheit festgestellt werden kann, was Hilarius unter dem „Leib seines Fleisches“ versteht. Mit der Menschwerdung Christi beginnt die Sammlung der ganzen Menschheit in den Leib seines Fleisches, denn Christus hat die menschliche Natur angenommen, und Hilarius verbindet mit diesem geschichtlichen Ereignis auch den Beginn der Kirche (Tr.Ps. 131, 13), die bereits geheimnisvoll im Alten Testament verborgen ist. Doch besonders im Psalmenkommentar werden die Kirche und die Annahme des Fleisches der gesamten Menschheit mit dem Auferstehungsleib Christi verbunden, so daß für Hilarius der Schwerpunkt in der bereits verwirklichten Eschatologie liegt. Die Kirche ist auch in ihrer irdischen Erscheinungsweise bereits mit Christus in die himmlische Herrlichkeit versetzt. Sie ist bereits jetzt der heilige Berg Zion und das himmlische Jerusalem. Diese Verbindung von irdischer und himmlischer Kirche gilt für die Kirche als Gesamtheit der erlösten Menschen. Als Leib des auferstandenen Christus kann sie sich nicht mehr aus der Lebensgemeinschaft mit Christus lösen. Denn sie ist und bleibt die Braut Christi, deren Verbindung mit dem Herrn in Bildern der Ehe be-

---

[2] Tr.Ps. 125, 6 (609, 17–20).

schrieben wird. Doch der einzelne Mensch, der zwar durch sein Menschsein zu Christus und deshalb auch zur Kirche gehört, kann sich von dieser Gemeinschaft lossagen, wenn er nicht als Rebzweig am Weinstock bleiben will.

Wenn auch die Verbindung von Geist und Kirche bei Hilarius noch nicht mit letzter Konsequenz dargestellt ist, so finden sich doch manche Hinweise auf die Wirksamkeit der Gaben des Geistes in der Kirche und in den Gläubigen.

2) Die Gaben des Geistes entfalten sich im Leben der Kirche, dem im zweiten Teil nachgegangen wurde. Da Hilarius kaum Einblicke in das konkrete kirchliche Leben seiner Zeit in Poitiers, Gallien oder im Orient gibt, wie er auch mit Angaben über sein eigenes Leben äußerst zurückhaltend ist, konnten nur die wichtigsten Grundvollzüge des Lebens der Kirche dargestellt werden. Am deutlichsten sind dabei seine Hinweise auf die pastorale Aufgabe des Bischofs als Verkünder, Zeuge, Jünger der Wahrheit und Anwalt der Gläubigen in ihren geistlichen und weltlichen Belangen. Hier gewinnen wir einen Einblick in die Auffassung, die Hilarius von seinem Bischofsamt hatte. Weil es Aufgabe des Bischofs ist, die Wahrheit des kirchlichen Glaubens zu verkündigen, hat Hilarius sich auch ausführlich mit den Irrlehren seiner Zeit auseinandergesetzt.

3) Die zeitgeschichtliche Bedeutung des Bischofs von Poitiers für das Kirchenverständnis des 4. Jahrhunderts wurde im Zusammenhang mit seinen Unionsbemühungen im dritten Teil untersucht. Die bisherige Kenntnis über den Aufenthalt des Hilarius in den zehn Provinzen Kleinasiens ist noch zu undeutlich, um seine genaue Stellung zwischen Ost und West zu würdigen. Er kann bisher nur in seinem – letztlich nicht erfolgreichen – Vermittlungsversuch zwischen den Verteidigern des Glaubens von Nikaia im Westen und der Gruppe der Semiarianer im Osten dargestellt werden. Dabei gewinnt man den Eindruck von einem Bischof, der gegen staatlichen und kirchlichen Widerstand für die Einheit der Kirche im Glauben an die wahre Gottessohnschaft Christi gekämpft hat und dabei persönliche Verleumdungen und auch die Verbannung nicht gescheut hat. Unter diesem Gesichtspunkt gewinnt auch sein Hauptwerk De Trinitate, die erste große Abhandlung des Westens über die Lehre der Trinität und die wahre Gottheit Christi, ekklesiologische Bedeutung. Das Werk bezeugt zugleich den kirchlichen und den persönlichen Glauben des Hilarius. Seine 12 Bücher über die Trinität haben auf Augustinus eingewirkt, und später haben unter vielen anderen auch Petrus Lombardus

und Thomas von Aquin aus ihnen geschöpft[3]. Das Kirchenverständnis des Hilarius hat allerdings nicht die gleiche Nachwirkung gehabt wie seine Darlegung des Geheimnisses der Trinität. Mit seinem biblischen und eschatologischen Kirchenverständnis steht Hilarius nicht so originell da, wie mit der Widerlegung der Arianer in De Trinitate.

Die ‚Ekklesiologie‘ war bei den Kirchenvätern noch kein gesonderter Traktat der Theologie, sondern der Glaube der Kirche bildete den Rahmen, innerhalb dessen die Väter das Geheimnis Christi, das Geheimnis Gottes und das Geheimnis des Menschen auslegten, ausgehend von einem geistigen Verständnis der Schrift. Der geistige Sinn der Schrift ist aber konkret verwirklicht im Geheimnis Christi und der Kirche. Deshalb spricht Hilarius häufig vom Glauben der Kirche, wenn er das Schriftzeugnis gegen die Arianer und andere Irrlehrer anführt. Die Schrift wird für Hilarius lebendig in der Kirche, die aus der Schrift wie aus Christus lebt, denn die Schrift überliefert uns die Worte und Taten Jesu. Ohne die Kirche wiederum, die allein die Schrift wahrheitsgemäß auslegt, gibt es für Hilarius keinen Zugang zu Christus und damit zu Gott und zur himmlischen Vollendung. Doch da in der Kirche prinzipiell allen der Zugang zum Heil offensteht, findet sich bei Hilarius noch nicht der düstere Gedanke des späten Augustinus, daß Gott nach reinem Wohlgefallen, und um seine Barmherzigkeit zu offenbaren, aus der massa damnata des Menschengeschlechts eine fest umgrenzte und individuell bestimmte Zahl von Menschen – so viele, als Engel von Gott abgefallen sind, – zur Seligkeit vorherbestimmt habe. Bei Hilarius fällt die Gesamtheit der Menschen prinzipiell mit der (himmlischen) Kirche zusammen. Er stellt noch nicht den Gedanken der Vorherbestimmung in den Vordergrund, wenn es um die Frage geht, wie der Mensch faktisch sein Heil erlangt. Nicht Gott wählt aus der Gesamtheit der Menschen eine bestimmte Anzahl aus, sondern der Mensch muß sich für oder gegen das Angebot Gottes entscheiden, ihn im Leib der Kirche zur Seligkeit zu führen.

Die Einheit von Kirche und Menschengeschlecht, die Hilarius herausstellt, muß auch vom zeitgeschichtlichen Hintergrund her verstanden werden. Zur Zeit des Hilarius dauerten zwar die heidnischen Kulte noch fort, doch es gab, besonders in den Städten, bereits Ansätze zu einer Einheit von Römertum und Christentum[4]. Wer Bürger des römischen Rei-

---

[3] Vgl. die Indices zu Aug., De Trin. (CCL 50 A, 747); Petrus Lomb., Sent. in IV libris distinctae, II, Grottaferrata 1981 (= SpicBon 5), 585; Index thomisticus, II/10, Stuttgart/Bad Cannstatt 1974, 596 f; III/3 (1979), 529.

[4] Vgl. K. S. Frank, Römertum und Christentum, in: K. Büchner (Hg.), Latein und Europa, 100–124.

ches war, gehörte früher oder später der Kirche an. Hilarius hat diese Einheit von römischem Reich und Christentum, die sich zu seiner Zeit anbahnte, theologisch von der Einheit des Leibes Christi her begründet. Alle Menschen sind zunächst Glieder des Leibes Christi oder des Leibes der Kirche. Es liegt in ihrer freien Entscheidung, ob sie es bleiben wollen. Hilarius unterscheidet hier genau. Während er von der Annahme des gesamten Menschengeschlechts in Christus spricht, findet sich doch immer wieder die Aussage, daß ‚wir‘ als Glieder des Leibes zu Christus gehören. Mit diesem ‚Wir‘ meint Hilarius – vor allem im Psalmenkommentar – die Gläubigen, die aus der bewußten Verbindung mit Christus ihr Leben gestalten[5].

15.2 Das Kirchenverständnis des Hilarius im Kontext der Tradition und des 4. Jahrhunderts

Wie bereits in der Einleitung gesagt wurde, ist es schwer, eine direkte Abhängigkeit des Hilarius von der Theologie der Vorzeit zu erkennen, denn zur Zeit des Hilarius gab es – abgesehen vom Arianismus – bereits einen festen theologischen Konsens in der kirchlichen Unterweisung und Verkündigung. Es ist jene unscharfe Größe, die seit dem 2. Jahrhundert „regula fidei" genannt wird. Man könnte auch vom „evangelium receptum" sprechen. Dazu gehörten die Einheit von Altem und Neuem Testament und die Aktualisierung der Schrift durch die geistige Exegese. Unbestritten gehörte dazu der Glaube an die Gottheit des Sohnes und seine Menschwerdung, an die Einheit der Gläubigen mit Christus, an das Wirken des Geistes Gottes und an die Bindung des Heils an die Kirche. Zum Konsens über die Kirche gehörte auch das Wissen um ihre irdische Vorläufigkeit und notwendige Unvollkommenheit: die himmlische Kirche ist das Erstrebenswerte.

Daneben gehörten zu diesem Konsens: die apostolische Sukzession, in der die Kirche steht; der Opfercharakter der Eucharistie; die Höherbewertung der Jungfräulichkeit im Leben nach dem Evangelium.

Die inhaltlichen Ergebnisse des Kirchenverständnisses des Bischofs von Poitiers weisen neben diesem generellen Konsens manche Berüh-

---

[5] Hier kann man einen Ansatz sehen zu der späteren folgenreichen Unterscheidung der Christen in ‚christiani‘ und ‚fideles‘. Augustinus schreibt z. B. von Ponticianus: „christianus quippe et fidelis erat" (Conf. VIII, 6 [Skutella 164, 27]). Dennoch wird man nicht sagen können, daß für Hilarius nur die ‚fideles‘ zur Kirche gehören.

rungspunkte, aber auch Unterschiede zu jenen Kirchenvätern und Theologen auf, die sich vor Hilarius mit dem Geheimnis der Kirche beschäftigt und auf sein Werk eingewirkt haben. Verbindungslinien zeigen sich auch zu Vätern, die gleichzeitig mit Hilarius oder kurz nach ihm innerhalb ihrer exegetischen oder dogmatischen Werke die Kirche erwähnen. Das Kirchenverständnis der Väter und Theologen, die hier mit Hilarius verglichen werden, muß fragmentarisch bleiben, denn es können nur jene Punkte herausgegriffen werden, die Verbindungen oder Unterschiede zu Hilarius aufweisen.

15.2.1 Tertullian

Den Einfluß Tertullians wird man nicht zu hoch ansetzen dürfen. Bereits im Matthäuskommentar schreibt Hilarius, daß die spätere Häresie – gemeint ist der Montanismus – den empfehlenswerten Schriften Tertullians die Autorität entzogen habe[6]. Die Ekklesiologie Tertullians[7] ist, wie das Kirchenverständnis des Hilarius, stark von der Schrift, vor allem von Paulus, geprägt. Die Kirche ist der Leib Christi und damit auch seine Braut. Die Verbindung beider Bilder ermöglicht es Tertullian, die Kirche mit der Inkarnation in Verbindung zu bringen. In der Menschwerdung hat sich Christus mit dem Fleisch vereinigt, wie der Gatte mit der Gattin. Da Christus die Kirche als sein Fleisch liebt, folgt für Tertullian, daß dieses Fleisch nicht nur der individuell angenommene menschliche Leib ist, sondern zugleich der Leib der Kirche. Das Fleisch Christi ist das Bild (similitudo) der Braut, d. h. der Kirche, welche die Wirklichkeit (ueritas) des Fleisches ist. Da das Fleisch Christi auferstanden ist, ist auch die wahre Kirche auferstandene himmlische Kirche[8]. Die irdische Kirche ist ein Abbild der himmlischen Kirche. Hier zeigt sich deutlich eine Parallele zu Hilarius, dessen Kirchenverständnis seine Mitte in der Verbindung von Christus und Kirche hat.

---

[6] In Mt. 5,1 (I, 150,10–12): Quamquam et Tertullianus hinc (über das Vaterunser) uolumen aptissimum scripserit, sed consequens error hominis detraxit scriptis probabilibus auctoritatem. Zur Auslegung dieser Stelle vgl. J. Doignon, Hilaire de Poitiers avant l'exil, 221 ff.

[7] Vgl. dazu A. d'Alès, La théologie de Tertullien, Paris 1905, 213–220; K. Adam, Der Kirchenbegriff Tertullians. Eine dogmengeschichtliche Studie, Paderborn 1907 (= FChLDG 6,4); G. Bardy, La Théologie de l'Église de saint Irénée au concile de Nicée, 38–96; P.-Th. Camelot, Die Lehre von der Kirche, 11–18; W. Simonis, a.a.O., 1–5.

[8] De bapt. 15,1 (CCL 1,290,4–6): Vnum omnino baptismum est nobis tam ex domini euangelio quam et apostoli litteris quoniam unus deus [et unum baptismum] et una ecclesia in caelis.

Auch das Bild der Kirche als Mutter findet sich bei Tertullian, wie auch die typologische Deutung der Geburt Evas aus der Seite Adams als Vorausbild der Geburt der Kirche aus der geöffneten Seite Christi am Kreuz[9].

Wie bei Hilarius, geht schon bei Tertullian die Einheit der Kirche, ihre wichtigste Wesenseigenschaft, auf die Einheit Gottes zurück. Gegen die Häretiker erinnert Tertullian unter Verweis auf Eph 4, 5 daran, daß es nur eine Taufe gibt, wie es nur einen Gott und eine Kirche gibt.

Deutlicher als Hilarius sieht Tertullian allerdings die Kirche als Abbild der Dreifaltigkeit[10], wobei er aber seine Theologie der himmlischen Kirche als Abbild der Dreifaltigkeit etwas überspitzt und die Kirche nicht nur mit Christus[11], sondern auch mit dem Heiligen Geist identifiziert[12].

Die Grundbegriffe, um das innerste Wesen der Kirche zu erfassen, sind für Tertullian der Geist und die Heiligkeit.

Von hier aus wird man sagen können, daß Hilarius mit Tertullian im Ausgangspunkt des theologischen Verständnisses der Kirche übereinstimmt: Die Kirche ist der Leib des ganzen Christus, des menschgewordenen und des auferstandenen Sohnes Gottes. Bei Hilarius ist die Verbindung von Christus und Kirche entscheidend. Es geht ihm nicht so sehr um ihre Bedeutung als Abbild der Dreifaltigkeit. Die pneumatische Auffassung der Kirche, die Tertullian schon vor seiner Hinwendung zum Montanismus entwickelt, hat bei Hilarius nur einen schwachen Anklang gefunden.

Neben diesen grundsätzlichen Fragen der Ekklesiologie gibt es zwischen beiden weitere Übereinstimmungen im Detail. Tertullian bezeichnet die einzelnen Kirchen an den verschiedenen Orten als eine Kirche[13]. Ihre Einheit besteht im gemeinsamen apostolischen Ursprung und in der Überlieferung des apostolischen Glaubens. Christus, der Gesandte Gottes, hat die Apostel gesandt, die wiederum die Kirchen gegründet und Bischöfe eingesetzt haben. Über die kirchliche Ordnung seiner Zeit gibt Tertullian, wie Hilarius, nur wenige Hinweise. Er kennt eine kirchliche

---

[9] De an. 43, 10 (CCL 2, 847, 61–65).
[10] De bapt. 6, 2 (282, 12–14): … ubi tres, id est pater et filius et spiritus sanctus, ibi ecclesia quae trium corpus est.
[11] De paenit. 10, 6 (CCL 1, 337, 20–21): In quo et altero ecclesia est (vgl. Mt 18, 20), ecclesia uero Christus.
[12] De pud. 21, 16 (CCL 2, 1328, 71–74): Nam et ipsa ecclesia proprie et principaliter ipse est spiritus, in quo est trinitas unius diuinitatis, Pater et Filius et Spiritus sanctus. Illam ecclesiam congregat (spiritus) quam Dominus in tribus posuit. Vgl. W. Bender, Die Lehre über den Heiligen Geist bei Tertullian, München 1961 (= MThS.S 18), 111–123; 164–168.
[13] De praescr. 21, 3–7 (CCL 1, 202, 6 – 203, 21).

Hierarchie, die er ordo ecclesiasticus[14] oder ordo sacerdotalis[15] nennt. Mehrfach zählt er Bischöfe (summus sacerdos), Presbyter und Diakone auf[16]. Klerus und Laien werden deutlich voneinander unterschieden, wenn auch die Würde der Laien in der Erwähnung ihres königlichen Priestertums zum Ausdruck kommt. Doch im Gegensatz zu Hilarius macht sich bei Tertullian eine kritische Haltung zur kirchlichen Hierarchie bemerkbar, die durch seine Hinwendung zum Montanismus verstärkt wurde[17].

15.2.2 Cyprian

Bei Cyprian, der – wie Hilarius – in einer Zeit lebte, die von Schismen geprägt war, hat Hilarius die theologische Bedeutung der Einheit der Kirche, die Stellung des Bischofs als Prinzip der Kirche und ihrer Einheit sowie die Notwendigkeit der Zugehörigkeit zur Kirche erfahren können. Viele biblische Bilder, die Hilarius in seinen exegetischen Werken anführt, finden sich bereits bei Cyprian.

Für Cyprian ist die Einheit der Kirche ein Geheimnis: sacramentum unitatis[18]. Die eine Taufe und die eine Eucharistie sind Ausdruck der Einheit der Kirche. Doch letztlich hängt die Einheit der Kirche mit der Einheit des dreifaltigen Gottes zusammen[19]. Wenn Hilarius in Trin. VIII die natürliche Einheit von Vater und Sohn und zugleich die Einheit der Gläubigen mit Gott in Christus durch Taufe und Eucharistie gegen eine bloß willensmäßige Einheit, wie die Arianer sie behaupteten, herausstellt, bezieht er sich – wie Cyprian – vor allem auf Joh 10,30 und Eph 4,3–5.

Cyprian betont deutlicher als Tertullian die hierarchische Struktur der Kirche[20]. Über die sichtbare Struktur der Kirche gibt er ausführlicher Auskunft als Hilarius hundert Jahre später.

---

[14] De idol. 7,3 (CCL 2,1106,19–20).
[15] De exhort. cast. 7,2 (CCL 2,1024,12).
[16] De praescr. 41,8 (222,20–22): Itaque alius hodie episcopus, cras alius; hodie diaconus qui cras lector; hodie presbyter qui cras laicus. Nam et laicis sacerdotalia munera iniungunt. Vgl. De bapt. 17,1 (291,3–6); De fuga (CCL 2,1148,4); De monog. 11,1 (CCL 2,1244,4).
[17] De exhort. cast. 7,3 (1024,16 – 1025,22): Nonne et laici sacerdotes sumus? Scriptum est: Regnum quoque nos et sacerdotes deo et patri suo fecit (Offb 1,6). Differentiam inter ordinem et plebem constituit ecclesiae auctoritas et honor per ordinis consessus sanctificatos deo. Vbi ecclesiastici ordinis non est consessus, et offers et tinguis et sacerdos es tibi solus; scilicet ubi tres, ecclesia est, licet laici.
[18] De unit. 4.7 (CCL 3,252,111–112; 254,163).
[19] De unit. 6 (253,143 – 254,162).
[20] Ep. 33,1 (CSEL 3/2, 566,15–16): ecclesia in episcopo et clero et in omnibus stantibus… constituta.

Wiederum tritt der Gedanke auf, daß die vielen über die ganze Welt verstreuten Kirchen nur eine einzige Kirche bilden. Die einzige Kirche, die dem Willen Jesu entspringt, auf Petrus gegründet und von den Bischöfen auferbaut ist, entfaltet sich in den Teilkirchen, die sichtbares Zeichen für die Einheit der Gesamtkirche sind. Doch die Einheit der Gesamtkirche wird für Cyprian vor allem in der Einheit des Episkopats greifbar[21]. Von der hervorragenden Stellung, die Cyprian dem Episkopat einräumt[22], können auch die Aussagen des Hilarius zum Bischofsamt beeinflußt sein.

Cyprian betrachtet die Einheit des Gottesvolkes vor allem von der Einheit des Bischofskollegiums her. Es gibt bei ihm einige kurze Hinweise, daß Petrus eine besondere Stellung im Apostel- und im Bischofskollegium zukommt[23]. Doch diese Stellen müssen mit behutsamer Zurückhaltung gelesen werden, um nicht spätere Ausformungen des Petrusprimats bereits bei Cyprian anzunehmen. Der Bischof von Rom hat als Nachfolger Petri eine zeichenhafte Funktion für die bereits in den Teilkirchen repräsentierte Einheit der Gesamtkirche[24]. Hilarius überträgt die Prärogativen, die Cyprian den Bischöfen vorbehält, auf alle Christen in der Kirche: einträchtige Vielzahl (concors numerositas)[25], friedliche Eintracht (pacifica concordia)[26], göttliche Eintracht und Friede vom Herrn (diuina concordia et dominica pax)[27], allgemein: die Eintracht in der Liebe. Bei aller Hochachtung des Bischofsamtes führt er doch sein Kirchenbild nicht so stark, wie Cyprian, auf den Bischof als Prinzip der Einheit der Kirche zurück, sondern er hat einen weiteren Kirchenbegriff: Alle Menschen sind durch die Annahme eines menschlichen Leibes in

---

[21] De unit. 5 (252,127 – 253,129): Episcopatus unus est cuius a singulis in solidum pars tenetur. Ecclesia una est quae in multitudinem latius incremento fecunditatis extenditur.

[22] Vgl. J. Colson, L'évêque, lien d'unité et de charité chez saint Cyprien de Carthage, Paris 1961.

[23] De unit. 4 (251–252); Ep. 73,7 (783,14–17).

[24] Die schwierige Frage nach der Beziehung Cyprians zu Rom und nach seiner Primatsauffassung kann hier nicht behandelt werden. Sie spielt auch für Hilarius noch keine entscheidende Rolle.
Vgl. zu Cyprian: H. Koch, Cyprian und der römische Primat. Eine kirchen- und dogmengeschichtliche Studie, Leipzig 1910 (= TU 35); B. Poschmann, Ecclesia principalis. Ein kritischer Beitrag zur Frage des Primats bei Cyprian, Breslau 1933; P.-Th. Camelot Saint Cyprien et la primauté, in: Ist. 4 (1957) 421–434; A. Demoustier, Épiscopat et union à Rome selon saint Cyprien, in: RSR 52 (1964) 337–369; M. Bévenot, Épiscopat et primauté chez S. Cyprien, in: EThL 42 (1966) 176–195.

[25] Ep. 55,24 (642,14–15).

[26] Ep. 67,7 (741,13).

[27] Ep. 73,26 (798,14).

Christus zur Kirche berufen und sollen durch sichtbare Zeichen der Liebe, des gegenseitigen Friedens und der Brüderlichkeit Zeugnis von der Einheit der Kirche geben.

So lassen sich zu Cyprian vor allem Verbindungen in der Idee der Einheit der Kirche aufweisen. In der konkreten Darstellung der Einheit der Kirche schließt sich Hilarius der zeitbedingten ‚episkopalen Engführung' Cyprians nicht an, obwohl auch Cyprian das Fundament der sichtbaren Einheit in einer tieferen Einheit erblickt: der Einheit der Gläubigen in jener Liebe, die durch den Heiligen Geist in unsere Herzen ausgegossen ist.

15.2.3 Origenes

Die größte Nähe weist das Kirchenverständnis des Hilarius zu Origenes auf. Dieser Umstand erklärt sich schon daraus, daß Hilarius im Psalmenkommentar formal und auch in mancher Hinsicht inhaltlich die Psalmenexegese des Origenes benutzt. Viele Aussagen H. J. Vogts über das Kirchenverständnis des Origenes[28] treffen, wie sich im Verlauf der Arbeit gezeigt hat, auch auf Hilarius zu.

Origenes bezeichnet sich als „ecclesiasticus", d.h. als einen Mann, in dessen Denken und Leben die Kirche einen hervorragenden Platz einnimmt[29]. „Jene, die zum Glauben und zur Gewißheit gelangt sind, daß die Gnade und Wahrheit durch Jesus Christus geworden ist (vgl. Joh 1,17) und daß Christus die Wahrheit ist – nach seinem eigenen Wort: Ich bin die Wahrheit (Joh 14,6) –, alle diese empfangen die Erkenntnis, die den Menschen dazu beruft, gut und glücklich zu leben, nirgendwo anders her als von eben den Worten und der Lehre Christi."[30] Dieser Satz, mit dem Origenes seine vier Bücher von den Prinzipien beginnt, bestimmt auch sein Kirchenverständnis. Als kirchlich gesinnter Mann (ecclesiasticus vir) will er ein treuer Jünger Jesu sein, denn in Jesus hat er die Wahrheit und das Glück seines Lebens gesucht und gefunden. Die Glaubensregel, der Origenes treu bleiben will, ist die apostolische und kirchliche Verkündigung, „die in der Ordnung der Nachfolge von den Aposteln her überliefert ist und bis heute in den Kirchen fortdauert; und so darf man denn nur das als Wahrheit glauben, was in nichts von der kirchlichen und apostolischen Überlieferung abweicht."[31] Für Origenes sind die Bischöfe die

---

[28] H. J. Vogt, Das Kirchenverständnis des Origenes, Köln/Wien 1974.
[29] Vgl. z. B. Lukhom XIV, 6 (SC 87, 244). Vgl. auch H. de Lubac, Geist aus der Geschichte, 63–113.
[30] De princ. I, praef. 1 (GCS 22 = Origenes V, 7, 6–13).
[31] Ebd., 2 (8, 26–28).

Wächter der kirchlichen und apostolischen Überlieferung. Wenn er auch den Theologen einen entscheidenden Platz in der Unterweisung der Gläubigen einräumt, so bleibt ihre Rolle doch der kirchlichen Verkündigung untergeordnet, deren qualifiziertes Organ die Bischöfe sind. Die Hierarchie umfaßt die Diakone, Presbyter und Bischöfe, wobei Bischöfe und Priester oft zusammen genannt, oft aber auch im Rang deutlich voneinander abgehoben werden[32]. Von den Verkündern des Wortes Gottes verlangt Origenes, wie Hilarius im Psalmenkommentar, Heiligkeit.

Origenes ist sich bewußt, daß es auf Erden nicht nur Vollkommenheitsunterschiede unter den Kirchenmitgliedern gibt, sondern auch Sünde und Sünder, die im Innern der Kirche existieren und sie beflecken. Ähnlich wie Hilarius bezeichnet Origenes die Kirche nur selten als Sünderin, denn die Heiligkeit ist ein Wesensattribut der Kirche[33].

Das Geheimnis der Kirche kommt für Origenes am deutlichsten zum Ausdruck in der Bestimmung der Kirche als Leib Christi: „Die göttlichen Schriften nennen die Gesamtheit der Kirche Gottes Leib Christi, Leib, der vom Sohn Gottes beseelt ist."[34]

Der Grund der Einheit der Kirche, die sich in viele Ortskirchen entfaltet, ist Christus selbst, der mit der Kirche, seiner Braut, einen einzigen Leib bildet und sie in der Einheit des Glaubens bewahrt: „Wir bilden einen einzigen Leib, wir alle, die den Glauben besitzen, und wir haben nur einen einzigen Gott, Christus, der uns umschließt und in der Einheit bewahrt."[35] Dieser Leib hat verschiedene Glieder. Bei Origenes findet sich der Gedanke, den Hilarius aufgreift, daß die Bischöfe die Augen der Kirche sind[36].

Für Origenes ist die Gemeinschaft aller Gläubigen nicht identisch mit dem Leib Christi, sondern noch auf dem Weg, sich ihm immer mehr anzugleichen. Diese wachsende Gleichförmigkeit erfolgt durch einen Fortschritt in der Heiligkeit der Kirche, der aber nicht möglich ist ohne einen Erkenntnisfortschritt[37]. Darum ist die Kirche nicht schon, sondern sie wird erst, was sie sein soll. Wenn auch Hilarius die Kirche stärker als Origenes mit Christus verbindet, so findet sich doch auch bei ihm der Hinweis, daß die Kirche in der Weltzeit ein Bauplatz ist, wo immer mehr an

---

[32] Vgl. H. J. Vogt, a.a.O., 3–81.
[33] Ebd., 250–264.
[34] C. Cels, 6,68 (GCS 3 = Origenes II, 119,28–29).
[35] JesNavhom 7,6 (GCS 30 = Origenes VII, 333,20–21).
[36] Ebd. (333,21–22).
[37] Vgl. H. J. Vogt, a.a.O., 235–249; 347.

der Lebensgemeinschaft von Kirche und Christus gearbeitet werden muß.

Man darf zwar Origenes keinen spiritualistischen Kirchenbegriff unterstellen[38], doch er denkt mehr an die geistige Einheit der Kirche, die alle über die Welt verstreuten Kirchen in sich sammelt, als an die geschichtlichen Grundlagen und das sichtbare Organ dieser Einheit[39].

Von besonderer Bedeutung für Hilarius ist, daß Origenes gern und häufig von der irdischen zur himmlischen Kirche übergeht. Dieser Übergang ist nicht so sehr von platonischen oder gnostischen Einflüssen bestimmt, sondern vielmehr vom Neuen Testament. Gal 4,25 spricht vom himmlischen Jerusalem als unserer Mutter[40]; Hebr 12,22–23 nennt Jerusalem die Stadt des lebendigen Gottes und die Versammlung (ekklesia) der Erstgeborenen[41]. Die sichtbare Kirche ist für Origenes gleichsam ein Abbild der himmlischen Kirche. Mit H. U. von Balthasar kann man von der sakramentalen Struktur der Kirche bei Origenes sprechen, denn sie ist zugleich irdisch und himmlisch, sichtbar und unsichtbar, hierarchisch und pneumatisch[42].

Bei Origenes findet sich auch der Gedanke, daß Christus schon vor der Menschwerdung eine ‚Geschichte' als Mensch in der Präexistenz besitzt. Er ist bereits vor der Inkarnation Bräutigam der präexistenten Kirche, d. h. für Origenes: aller vernunftbegabten Geschöpfe. Der präexistente Mensch Jesus Christus bereitet schon im Alten Testament das Volk Gottes auf seine Ankunft in der Kirche vor[43].

Wie bei Hilarius, so findet auch bei Origenes das eschatologische Kirchenverständnis seinen Abschluß und Höhepunkt im vollkommenen Reich Gottes: „Dann wird das Wort gelten: Diejenigen, die er (Christus) dem Vater unterworfen hat, und in denen er das Werk Gottes vollbracht hat, das Gott ihm aufgetragen hat, hat er sich selbst unterworfen, so daß Gott alles in allem sein wird."[44]

Wenn auch Origenes noch keine eigenständige Ekklesiologie ausgearbeitet hat, so hat er doch durch die enge Verbindung von Christus und

---

[38] Vgl. ebd., 1.
[39] P.-Th. Camelot, Die Lehre von der Kirche, 8 f.
[40] MtthCom XI, 17 (GCS 40 = Origenes X, 62,23).
[41] Numhom 3,3 (GCS 30 = Origenes VII, 17,8 – 18,2).
[42] H. U. von Balthasar, Parole et mystère chez Origène, Paris 1957, 50–53. Vgl. dazu W. Löser, Im Geiste des Origenes. Hans Urs von Balthasar als Interpret der Theologie der Kirchenväter, Frankfurt a. M. 1976 (= FTS 23), 83–99.
[43] MtthCom XIV, 17 (397,3 – 399,11). Vgl. H. Crouzel, La cristologia di Origene, in: KOINΩNIA 5 (1981) 31 f.
[44] Levhom 7,2 (GCS 29 = Origenes VI, 377,3–5).

Kirche und durch die eschatologische Betrachtung das ewige Geheimnis der Kirche, das er in den Heilsplan Gottes einordnet, deutlich gesehen und in diesem zentralen Bereich der Ekklesiologie viele Gedanken des Hilarius vorweggenommen.

15.2.4 Athanasius und Marcellus von Ankyra

Schwieriger als die Beziehung zur Vorzeit ist die Einordnung des Bischofs von Poitiers in das Kirchenverhältnis des 4. Jahrhunderts (bis 367). Von den westlichen Bischöfen seiner Zeit hat Hilarius wohl keine entscheidenden Anregungen erhalten. Man könnte höchstens an Lucifer von Cagliari denken, der durch seine Sonderkirche der Luciferianer eine zeitweilige Bedeutung erlangt hat und dem Hilarius auf seine Einwände gegen die Unionsbemühungen antwortet, wie im dritten Teil der Arbeit dargestellt wurde. Doch im Kirchenverständnis gibt es keine Beziehungen zwischen Hilarius und Lucifer.

Entscheidender für das Kirchenverständnis war die Verbannung des Hilarius. Als er aus dem Exil zurückkehrte, hatte er in seinem Gepäck wahrscheinlich die Septuaginta und die Psalmenkommentare des Origenes und Eusebius von Cäsarea. Man darf annehmen, daß er auch die Werke des Athanasius kannte. Persönlich sind sich die beiden Verfechter des nizänischen Glaubens nicht begegnet. Hilarius erwähnt Athanasius nur in den historischen Fragmenten, während sich bei Athanasius kein Hinweis auf den Bischof von Poitiers findet.

Zwischen dem Kirchenverständnis des Athanasius[45] und des Hilarius besteht eine Parallele im Ausgangspunkt. Die Inkarnationstheologie des Athanasius ist das Fundament seines Kirchenbildes. Aufgrund der Menschwerdung sind alle Menschen ein Leib Christi (syssōmoi), denn Christus vereinigt alle in seinem Leib. Er wird dadurch zum Grundstein, auf dem wir als lebendige Steine zum Tempel des Heiligen Geistes auferbaut werden[46]. Doch Athanasius entfaltet die Einheitsschau von Christus und Kirche ebensowenig wie Hilarius zu einer strukturierten Ekklesiologie.

---

[45] Vgl. E. Mersch, Le corps mystique du Christ, 306–339; L. Bouyer, L'Incarnation et l'Église – Corps du Christ dans la théologie de saint Athanase, Paris 1943 (= UnSa 11); ders., Das Wort ist der Sohn. Die Entfaltung der Christologie. Übers. v. H. U. von Balthasar, G. Haeffner u. H. Schöndorf, Einsiedeln 1976 (= Theologia Romanica VIII), 384 ff; ders., Le Consolateur. Esprit-Saint et vie de grâce, Paris 1980, 173–178; Ch. Kannengiesser, Einl. zu Athanase d'Alexandrie, Sur l'Incarnation du Verbe (SC 199), 67–156.

[46] C. Arian. I, 42; II, 61.74 (PG 26,100 A/B; 277 A–C; 305 A).

Einige Verbindungen im Kirchenverständnis des Hilarius finden sich zur pseudo-athanasianischen Schrift De Incarnatione et contra Arianos. M. Tetz schreibt dieses Werk Marcellus von Ankyra zu[47]. Hilarius kennt in den historischen Fragmenten ein Werk des Marcellus „de subiectione domini Christi"[48]. Damit wird wohl die genannte pseudo-athanasianische Schrift[49] gemeint sein, die in c. 20 von der Unterwerfung Christi unter den Vater (1 Kor 15,24–28) spricht. Hier wird herausgestellt, daß Christus alle Menschen in seinem Leib, der die Kirche ist, vereinigt[50]. Der menschliche Leib Christi ist die Urgestalt der Kirche[51]. Die menschliche Natur Christi ist die ganze Kirche, die nach der Kreuzigung Jesu an der Herrlichkeit seines Auferstehungsleibes teilnimmt, denn sie ist nun mit ihm Herrscherin und Königin[52]. Während Hilarius in seiner Trinitätstheologie die Lehre des Marcellus als Neusabellianismus ablehnt, finden sich im Kirchenverständnis doch einige Verbindungen.

15.2.5 Ambrosius – Hieronymus – Optatus von Mileve

In der Zeit zwischen Hilarius und Augustinus sind für das Kirchenverständnis der lateinischen Väter besonders Ambrosius (gest. 397), Hieronymus (gest. 419) und Optatus von Mileve (gest. vor 400) entscheidend.

Wie bei Hilarius, äußert sich bei Ambrosius[53] und Hieronymus[54] das Kirchenverständnis vor allem in der geistigen Auslegung der Schrift. Zusammen mit Hilarius erkennen sie in der ganzen Schrift ein Vorausbild der Kirche (Myst. II, 1)[55]. Neben diesem gemeinsamen Ansatz besteht eine besondere Verbindung zu Ambrosius im liturgischen Bereich. Hilarius ist der erste Hymnendichter des Abendlandes. Nach dem Zeugnis des Hieronymus hat er diese Hymnen für den Gottesdienst verfaßt, um sie von der Gemeinde singen zu lassen. Doch er hatte damit keinen großen Erfolg. Im Unterschied zu Hilarius waren die Bemühungen des Am-

---

[47] M. Tetz, Zur Theologie des Markell von Ankyra, I: Eine Markellische Schrift „De Incarnatione et contra Arianos", in: ZKG 75 (1964), 217–270; J. T. Lienhard, Marcellus of Ancyra in modern research, in: TS 43 (1982) 486–503, bes. 498–501.

[48] B II, 9,2 (22) (147,3).

[49] PG 26,984 A – 1028 A.

[50] De Incarn. et c. Arian. 5 (991 A/B).

[51] Ebd., 12 (1004 B).

[52] Ebd., 21 (1021 B).

[53] Vgl. E. Dassmann, Die Frömmigkeit des Kirchenvaters Ambrosius von Mailand. Quellen und Entfaltung, Münster i. W. 1965 (= MBTh 29).

[54] Vgl. Y. Bodin, Saint Jérôme et l'église, Paris 1966 (ThH 6).

[55] Vgl. dazu P.-Th. Camelot, Mysterium Ecclesiae. Zum Kirchenbewußtsein der lateinischen Väter, in: J. Daniélou/H. Vorgrimler (Hg.), Sentire Ecclesiam, 134–151.

brosius um den gottesdienstlichen Volksgesang erfolgreich. Um 386 war der Psalmen- und Hymnengesang eine feststehende Einrichtung der Mailänder Kirche. Von Mailand aus hat sich diese Art des Gesangs über das ganze Abendland ausgebreitet[56].

Weiter fortgeschritten als bei Hilarius ist die Theologie des Petrusprimats bei Hieronymus[57]. Hilarius sieht den Vorrang des Petrus vor den anderen Aposteln besonders darin, daß er als erster geglaubt hat und so zum Apostelfürsten wurde (In Mt. 7, 6). Für Hieronymus ist Petrus der Behüter des Glaubens und der Einheit der Kirche[58].

Während sich bei Hilarius außerhalb der historischen Fragmente keine Anspielung auf die Kirche von Rom findet, steht Ambrosius mit Rom in häufigem Kontakt. Man kann Ambrosius zwar noch nicht zu einem Verfechter des römischen Primats machen, doch bei ihm, wie bei Hieronymus, findet sich der Gedanke, daß durch die Gemeinschaft mit Rom auch die Gemeinschaft zwischen allen Kirchen sichergestellt wird[59]. Mit Hieronymus und Ambrosius kommt der Primat des römischen Bischofs als Nachfolgers des Apostelfürsten Petrus ins Blickfeld der lateinischen Theologie.

Auch das Problem Kirche und Staat, das sich bei Hilarius in seinem Widerstand gegen den homöisch eingestellten Kaiser Konstantius abzeichnet, tritt mit Ambrosius in eine neue und entscheidende Phase. Während Hilarius seine Protestschrift erst nach dem Tod des Kaisers veröffentlicht, tritt Ambrosius Kaiser Theodosius I. (379–395) mit großer Festigkeit entgegen und verteidigt entschiedener als Hilarius die Freiheit der Kirche vor der Staatshoheit, denn der christliche Kaiser ist trotz seiner Kirchenhoheit nicht Herr, sondern Förderer der Kirche[60].

Von Hilarius gibt es praktisch keine Verbindung zu Optatus von Mileve. Obwohl beide in einer von Schismen gekennzeichneten Zeit lebten, ist doch ihr Kirchenverständnis bereits im Ansatz verschieden. Während bei Hilarius eine biblische und eschatologische Schau der Kirche vorliegt, gab das donatistische Schisma, das seit Beginn des 4. Jahrhunderts die afrikanische Kirche zerriß, Optatus den Anlaß, schon eine einigermaßen systematische Ekklesiologie auszuarbeiten, wobei es ihm aber beson-

---

[56] Vgl. J. Fontaine, Naissance de la poésie dans l'occident chrétien, 127–141.
[57] Vgl. Y. Bodin, a.a.O., 141–145.
[58] Adv. Jovin. I, 26 (PL 23, 247 A/B).
[59] Vgl. P.-Th. Camelot, Die Lehre von der Kirche, 56–60.
[60] Vgl. H. von Campenhausen, Ambrosius von Mailand als Kirchenpolitiker, Berlin 1929; H. Berkhof, Kirche und Kaiser, 123–190; H. Rahner, Kirche und Staat im frühen Christentum, 97–113; 150–184; K. Baus, in: HKG (J) II/1, 89 ff.

ders um das damals umstrittene Verhältnis von Kirche und Sakramenten und um die Heiligkeit der Kirche ging[61]. Das Geheimnis der Kirche und die Verbindung von Christus und Kirche treten bei Optatus weitgehend zurück. Augustinus entfaltet dann diese Gedanken um so ausführlicher.

Hilarius steht mit seinem Kirchenverständnis zwischen Cyprian und Optatus sowie Augustinus. Damit ist er nicht nur chronologisch, sondern auch theologisch eingeordnet. Sein Kirchenverständnis ist mehr von der vorausgehenden Tradition bestimmt, als in die Zukunft weisend. Seine theologisch hervorragende Bedeutung liegt in seinem Einsatz gegen den Arianismus, der sich am deutlichsten in De Trinitate widerspiegelt. Sein origineller ekklesiologischer Beitrag ergibt sich aus dem Kampf gegen den Arianismus und liegt am deutlichsten im Liber de Synodis vor, der eine Einheit des Bekenntnisses zwischen den in der Christologie zerstrittenen Kirchen des Ostens und Westens herstellen wollte. Wenn den Unionsbemühungen des Hilarius zu seiner Zeit auch kein durchgreifender Erfolg beschieden war, so legen sie doch Zeugnis ab von seinem unermüdlichen Kampf um die Einheit der Gesamtkirche.

15.3 Das Kirchenverständnis des Hilarius im Licht der heutigen Ekklesiologie

Nach der Einordnung des Hilarius in die Tradition und in seine eigene Zeit soll nun sein Kirchenverständnis aus der Perspektive unserer Zeit gewürdigt werden. Es ist jedoch nicht möglich, hier die verschiedenen ekklesiologischen Entwürfe der letzten Jahre genau darzustellen. Bereits 1940 beklagt M. D. Koster „die Stoffauslassung und die Methodenmängel in der heutigen Ekklesiologie"[62]. Er wollte damit auf einen wunden Punkt hinweisen: Das Geheimnis der Kirche habe noch keinen befriedigenden theologischen Ausdruck gefunden. Mehr als 40 Jahre später bleibt die Frage, ob das Geheimnis der Kirche nach Mystici Corporis (1943), Mediator Dei (1947) und Lumen Gentium (1964) inzwischen eine adäquate theologische Beschreibung gefunden hat. Das Buch von B. Mondin über die neuen Ekklesiologien erweckt jedenfalls den Eindruck, daß wir noch weit davon entfernt sind[63]. Der Autor untersucht die

[61] Vgl. P.-Th. Camelot, a.a.O., 61ff; W. Simonis, Ecclesia visibilis et invisibilis, 23–49.
[62] M. D. Koster, Ekklesiologie im Werden, Paderborn 1940, 125–141.
[63] B. Mondin, Le nuove ecclesiologie. Un' immagine attuale della Chiesa, Roma 1980. Vgl. auch H. Fries, Wandel des Kirchenbildes und dogmengeschichtliche Entfaltung, in: MySal

wichtigsten Bücher und Artikel zur Ekklesiologie der letzten drei Jahrzehnte. Dabei wird eine Fülle von Gesichtspunkten deutlich, unter denen das Geheimnis der Kirche betrachtet wird. Nur in Stichworten sei das Ergebnis seiner Untersuchung über die ‚neuen Ekklesiologien‘ zusammengefaßt: Ch. Journet betont besonders die inkarnatorische Struktur der Kirche. K. Barth und R. Bultmann stellen den kerygmatischen Aspekt der Kirche heraus: die Kirche unter dem Wort Gottes. Bei E. Brunner und J. Hamer überwiegt die Communio-Struktur der Kirche. Y. Congar, O. Cullmann und G. Florovski stellen die ökumenische Ausrichtung der Ekklesiologie in den Mittelpunkt. O. Semmelroth, K. Rahner, E. Schillebeeckx, J. Ratzinger und H. U. von Balthasar beschäftigen sich auf unterschiedliche Weise mit dem sakramentalen Charakter der Kirche. H. Küng, H. Mühlen, J. Moltmann, P. Tillich und N. Afanassieff sehen die Kirche vor allem als Geistgeschöpf. H. de Lubac, P. Parente und L. Bouyer geht es um die Einbettung der Kirche in die Geschichte.

Damit ist in Anlehnung an B. Mondin[64] nur eine sehr grobe und vorläufige Differenzierung der verschiedenen Aspekte gegeben, unter denen das Geheimnis der Kirche in den letzten 40 Jahren betrachtet wird. Wenn man das heutige Panorama ekklesiologischer Entwürfe betrachtet, ist es erstaunlich festzustellen, daß sich bei Hilarius bereits Belegstellen für die meisten heutigen Entwürfe finden. Die ökumenische Ausrichtung der Ekklesiologie der Gegenwart kann man, bei allen Unterschieden, auf die Unionsbemühungen des Hilarius transponieren. Doch bei Hilarius stehen zwei ekklesiologische Grundbegriffe im Vordergrund: die Kirche als Leib des auferstandenen Christus und als das neue Volk Gottes. G. Dejaifve schlägt vor, im Begriff des Volkes Gottes, den das Zweite Vaticanum wieder deutlich ins Bewußtsein gerufen hat, den „Grundbegriff“ der Ekklesiologie zu sehen, der auch für die Ökumene fruchtbar sein könnte[65].

Da die katholische Ekklesiologie der Gegenwart vor allem durch die dogmatische Konstitution über die Kirche einen neuen Impuls erfahren hat, soll nach der Darstellung der ekklesiologischen Entwürfe der Gegenwart nun ein Vergleich des Kirchenverständnisses des Hilarius mit den

---

IV/1, 272–279; M. Kehl, Kirche als Institution. Zur theologischen Begründung des institutionellen Charakters der Kirche in der neueren deutschsprachigen katholischen Ekklesiologie, Frankfurt a. M. 1976 (= FTS 22); G. Dejaifve, Un tournant décisif de l'ecclésiologie à Vatican II, Paris 1978; ders., L'église, peuple de Dieu, in: NRTh 103 (1981) 857–871.
[64] B. Mondin, a.a.O., 17. Nicht erwähnt wird N. A. Nissiotis, Die Theologie der Ostkirche im ökumenischen Dialog. Kirche und Welt in orthodoxer Sicht, Stuttgart 1968.
[65] Vgl. G. Dejaifve, a.a.O., 857 f.

wichtigsten Aussagen des Zweiten Vaticanum über die Kirche unternommen werden.

Zunächst ist ein spärlicher Gebrauch der Werke des Hilarius auf dem Zweiten Vaticanum festzustellen[66]. Dies hängt sicher auch damit zusammen, daß erst in der Zeit nach dem Konzil eine intensive Beschäftigung mit Hilarius einsetzte. Vielleicht erklärt sich daraus auch, daß das Konzil die vielfältigen Aussagen des Hilarius zum einen Volk Gottes aus Juden und Heiden im Matthäuskommentar und im Psalmenkommentar bei seinen Aussagen über das Volk Gottes im zweiten Kapitel der Kirchenkonstitution nicht erwähnt hat. Auch im Dekret über die Missionstätigkeit der Kirche, das mit der Beschreibung der Kirche als „allumfassendes Sakrament des Heils" beginnt, hätten einige Hinweise auf Hilarius, bei dem sich der Gedanke findet, daß die Kirche das ganze Menschengeschlecht einschließt, die Aussagen des Konzils ergänzen können. Im Missionsdekret wird Hilarius nur an einer unbedeutenden Stelle zitiert, wo zudem die genaue Beziehung auf den Psalmenkommentar nicht ganz deutlich wird[67].

Der entscheidende Punkt der Ekklesiologie ist die Bestimmung des Verhältnisses von Jesus Christus und Kirche, denn im Christusgeheimnis sind – wie in einem Brennpunkt – alle Aspekte geeint, unter denen man das Geheimnis der Kirche betrachten kann.

Bei Hilarius findet sich auf der Basis der wesensmäßigen Einheit der Gläubigen mit Christus durch Inkarnation, Eucharistie und Einfügung in den Auferstehungsleib Christi eine geheimnisvolle Identifizierung von Christus und Kirche: „Denn er selbst ist die Kirche, weil er sie durch das Geheimnis seines Leibes ganz und gar in sich enthält" (Tr.Ps. 125,6).

In der Verbindung von Christus und Kirche drückt sich das Konzil weit vorsichtiger aus: „Der einzige Mittler Christus hat seine heilige Kirche, die Gemeinschaft des Glaubens, der Hoffnung und der Liebe, hier auf Erden als sichtbares Gefüge verfaßt und trägt sie als solches unabläsig; so gießt er durch sie Wahrheit und Gnade auf alle aus. Die mit hierarchischen Organen ausgestattete Gesellschaft und der geheimnisvolle

---

[66] LG 2 (In Mt. 23,6); LG 19 (Tr.Ps. 67,10); LG 23 (Tr.Ps. 14,3); Ad Gentes 9 (Tr.Ps. 14).

[67] In Ad Gentes 9 wird die missionarische Tätigkeit der Kirche als Streben nach der eschatologischen Fülle beschrieben. Dabei wird Jes 54,2 angeführt: „Erweitere deines Zeltes Raum, und deine Zelttücher spanne aus! Spare nicht!" In Anm. 26 wird für dieses Prophetenzitat Hilarius als Zeuge angeführt:" In Ps. 14 (PL 9, 301)". Es kann sich hier nur um Tr.Ps. 14,3 (85,26 – 86,2) handeln, wo Hilarius aber Ps 83,2–3 anführt: „Wie liebenswert ist deine Wohnung, Herr der Heerscharen! Meine Seele verzehrt sich in Sehnsucht nach den Vorhöfen des Herrn."

Leib Christi, die sichtbare Versammlung und die geistliche Gemeinschaft, die irdische Kirche und die mit himmlischen Gaben beschenkte Kirche sind nicht als zwei verschiedene Größen zu betrachten, sondern bilden eine einzige komplexe Wirklichkeit, die aus menschlichem und göttlichem Element zusammenwächst. Deshalb ist sie in einer nicht unbedeutenden Analogie dem Mysterium des fleischgewordenen Wortes ähnlich. Wie nämlich die angenommene Natur dem göttlichen Wort als lebendiges, ihm unlöslich geeintes Heilsorgan dient, so dient auf eine ganz ähnliche Weise das gesellschaftliche Gefüge der Kirche dem Geist Christi, der es belebt, zum Wachstum seines Leibes (vgl. Eph 4,16)."[68] Die Kirchenkonstitution stellt hier in einer sehr behutsamen Formulierung die Analogie zwischen Inkarnation und Kirche heraus. „In der Kirche sind Göttliches und Menschliches in ähnlicher, absolut geheimnisvoller und enger Weise verbunden wie in Christus, der deshalb auch Urbild der Kirche genannt werden kann."[69]

Hilarius stellt sehr eindringlich die Einheit zwischen der Kirche und dem Leib Christi heraus. Sein Gedankengang in Tr.Ps. 125,6 ist folgender: Durch unsere Annahme in den Leib Christi sind wir von der Sünde befreit. Der Leib Christi ist aber die Kirche. Weil Christus einen menschlichen Leib angenommen hat, enthält er in sich die ganze Kirche. In dieser Kirche sind wir zu einem neuen Leben berufen. Die Kirche ist Werkzeug des Heils, das mit dem Leib Christi identisch ist.

Der Unterschied zwischen der Bestimmung des Verhältnisses von Inkarnation und Kirche bei Hilarius und in der Kirchenkonstitution liegt letztlich darin, daß Hilarius nur die Einheit des Geheimnisses der Kirche mit dem Christusgeheimnis betrachtet, während das Konzil neben der engen Verbindung von Kirche und Inkarnation zugleich auch ihre Unterscheidung hervorhebt. Aus der Verbindung und gleichzeitigen Unterscheidung folgt für das Konzil nur eine Analogie zwischen Inkarnation und Kirche. Dazu kommt noch, daß die Kirchenkonstitution diese Analogie pneumatologisch erweitert und vervollständigt: „Hier heißt es nämlich ausdrücklich, daß der Geist Christi in ein Verhältnis zur Kirche tritt, das dem des Logos zu seiner menschlichen Natur nicht unähnlich sei: Dem Logos dient die von ihm angenommene Natur als lebendiges Heilsorgan, und dem Geiste Christi dient das soziale Gefüge der Kirche zum Wachstum des Leibes Christi! Das heißt mit anderen Worten: In ähnlicher Weise, wie die Menschheit Jesu nur geschaffen ist um der Inkarna-

---

[68] LG 8.
[69] H. Mühlen, Una Mystica Persona, 389.

tion und Heilsfunktion des Logos willen, so ist auch das soziale Gefüge der Kirche nur um des Geistes Christi willen da, es ‚dient' ihm dazu, Christus in der Welt und in der Geschichte gegenwärtig zu machen. Durch das zweimalige ‚inservit' des Textes ist auch rein sprachlich die Analogie zwischen Inkarnation und Kirche hervorgehoben."[70]

Die Einheit und Unterscheidung von Inkarnation und Kirche liegt für das Zweite Vaticanum darin, daß die beiden nach ‚außen' gesandten göttlichen Personen wirklich in ihrer unvorstellbar großen innertrinitarischen Unterschiedenheit und in ihrer ebenso unvorstellbar intensiven Einheit in den beiden Grundgeheimnissen des christlichen Glaubens (Inkarnation und Kirche) in Erscheinung treten.

Bei Hilarius tritt die eigentümliche Funktion des Heiligen Geistes im Geheimnis der Kirche noch nicht so deutlich hervor, wie das Zweite Vaticanum sie versteht. Der pneumatische Aspekt ist die Frucht exegetischer Studien über die Beziehung von Geist und Kirche (paulinische Charismenlehre) und zugleich der verstärkten Begegnung mit orthodoxer Theologie (z. B. W. Lossky, N. A. Nissiotis, J. D. Zizioulas).

Von der Sendung des Geistes in die Kirche her ergibt sich für das Konzil die Unterscheidung von Inkarnation und Kirche. Hilarius hat mit großer Deutlichkeit die enge Verbindung von Inkarnation und Kirche herausgestellt, die auch in der Kirchenkonstitution (LG 7–8) betont wird. Zudem kann man in der Aussage des Konzils, daß der einzige Mittler Christus seine Kirche unablässig trägt, eine Nähe zu Hilarius sehen, der von der Kirche sagt, daß Christus sie durch das Geheimnis seines Leibes ganz und gar in sich enthält. Doch auch hier zeigt sich in der Formulierung nochmals ein Unterschied zwischen der Analogie des Konzils (sustentat) und der Identifizierung bei Hilarius (continens).

Es wäre ein Anachronismus, Hilarius von der Theologie unserer Zeit her beurteilen zu wollen. Der Hinweis auf das Zweite Vaticanum und die heutige Ekklesiologie kann nur andeuten, welche Elemente seines Kirchenverständnisses auch heute noch bedeutsam sind, und wo die weitere christologische, pneumatologische und ekklesiologische Reflexion über ihn hinausgehen mußte, da Theologie und Dogmen im Lauf der Geschichte eine Entwicklung durchmachen, wie Hilarius selbst in bezug auf den Glauben von Nikaia herausstellt.

Hilarius beschreibt die Kirche vor allem als Leib Christi und als Volk Gottes. Damit nimmt er zwei ekklesiologische Grundbegriffe der Schrift auf, die er mit den theologischen Ausdrucksformen seiner Zeit entfaltet.

---

[70] Ebd., 391.

Sie sind auch für die heutige Ekklesiologie unentbehrlich. Wenn ihm die heutige Theologie in der Identifizierung von Christus und Kirche nicht gefolgt ist, so liegt der Grund nicht in einer späteren Lockerung der Verbindung von Christus und Kirche, sondern in einer umfassenderen Betrachtung des Geheimnisses der Kirche, die Leib Christi und Geistgeschöpf ist. Das Geheimnis der Kirche hat seinen Ursprung letztlich im Geheimnis des dreifaltigen Gottes. Wenn auch Hilarius den Sohn stets in Beziehung zum Vater stellt und auch den Heiligen Geist als dritte Person des innergöttlichen Geheimnisses andeutet, so hat er doch aus dem trinitarischen Geheimnis der Kirche nur die Verbindung zwischen Christus und Kirche ausführlich behandelt.

15.4 Theologische und geistliche Bedeutung des Kirchenverständnisses des Hilarius

Bei der Beschäftigung mit dem Kirchenverständnis des Bischofs von Poitiers stechen einige Gedanken hervor, die über eine theologiegeschichtliche Betrachtung hinaus auch für die gegenwärtige Kirche und die heutigen Christen von Bedeutung sein können.

1) Es hat sich immer wieder gezeigt, daß Hilarius seinen Blick über die irdische Kirche hinaus auf die himmlische Kirche richtet. Sein Kirchenverständnis ist in hohem Maße eschatologisch geprägt. Er sucht in der Schrift den geistigen Sinn, der auch der himmlische Sinn ist. Schon von seinem Schriftverständnis her ist verständlich, daß er besonders im Psalmenkommentar Ausschau hält nach der Kirche als dem himmlischen Jerusalem und dem heiligen Zelt. Hilarius betrachtet die Kirche von ihrem Ziel her, das bereits im Auferstehungsleib Christi Wirklichkeit geworden ist. Aufgrund seiner festen Verwurzelung im Glauben und in der Hoffnung auf die himmlische Kirche konnte Hilarius auch das Leid und die Demütigungen ertragen, die ihm durch den Kaiser und einige Mitbischöfe zugefügt wurden. Die Rückschläge, die er in seinem Einsatz für den Glauben an die wahre Gottheit Jesu hinnehmen mußte, haben ihn nicht resignieren lassen und seine Liebe zur konkreten Kirche nicht geschwächt. Trotz ihrer Unvollkommenheit sah er bereits in der irdischen Kirche die himmlische Kirche, die mit Christus auferstanden ist. Christus hat die Kirche geliebt und sich für sie hingegeben (Eph 5,25). Die sich hingebende Liebe Christi ist einigendes Band zwischen irdischer und himmlischer Kirche. Von der irdischen Kirche gibt es aber keinen bruch-

losen Übergang zur himmlischen Kirche, denn die irdische Kirche ist auch sündige Kirche, deren Fehler bei der Wiederkunft des Herrn getilgt werden müssen (In Mt. 21, 4).

Trotz der theologischen Bedeutung der himmlischen Kirche kann man den Gedanken nicht ganz von der Hand weisen, daß Hilarius auch durch die Umstände seiner Zeit und seines Lebens veranlaßt wurde, durch den Blick auf die himmlische Kirche persönlichen Trost zu suchen. Da er in der Kirche seiner Zeit wenig von der Ruhe Gottes in seinem Heiligtum erfahren hat, richtet er seine Hoffnung auf den ewigen Sabbat, der ein Merkmal der himmlischen Kirche ist. Hilarius trennt aber nicht die irdische Kirche von der himmlischen Kirche, sondern sieht beide als Einheit. Deshalb kann er gegen Mißstände in der Kirche ankämpfen und für den Glauben die Verbannung durch die Kirche ertragen, ohne an der gegenwärtigen Kirche irre zu werden.

Der Gedanke der Gemeinschaft der irdischen Kirche mit der himmlischen Kirche hat im Bewußtsein der heutigen Christen vielfach an Bedeutung verloren. Wenn von Kirche die Rede ist, dann geht es häufig nur um die Strukturen und die Organisation des gesellschaftlichen Gefüges der Kirche oder um ihre gesellschaftskritische Funktion. Zudem gerät der Hinweis auf die himmlische Kirche leicht unter Ideologieverdacht als Vertröstung auf eine heile Zukunft, die doch schon hier verwirklicht werden sollte. Wie Hilarius es zu seiner Zeit versucht hat, so muß auch heute alle Anstrengung der Kirche und der einzelnen Christen dahin gehen, die Liebe Gottes zur ganzen Menschheit zu verkünden und durch das Leben zu bezeugen. Doch wenn der Kirche in ihrem Einsatz für Gerechtigkeit, Wahrheit, Frieden, Versöhnung und Liebe innerweltlich kein Erfolg beschieden sein sollte, oder wenn sie die befreiende Botschaft Jesu nur ungenügend aussagen sollte, so ist das kein hinreichender Grund, sich von der irdischen Kirche enttäuscht abzuwenden. Trotz gegenwärtiger Flekken, Falten und anderer Fehler ist die irdische Kirche die Braut Christi, „die er herrlich vor sich erscheinen lassen will; heilig soll sie sein und makellos" (Eph 5, 27). Hilarius hat die Spannung zwischen unvollkommener irdischer und vollendeter himmlischer Kirche ausgehalten und ist so ein Modell für christliches Leben bis zur Wiederkunft des Herrn.

Der Blick auf die himmlische Kirche ist auch der letzte Trost, den der Christ in seinem Tod erwarten kann. Hilarius sagt, daß man den Tod in der Neuheit des Lebens annehmen könne (In Mt. 10, 26). Wenn das Leben nach dem Tod als himmlische Kirche beschrieben wird, dann kommt darin vielleicht deutlicher der Inhalt des ewigen Lebens zum Ausdruck, als wenn nur von der Anschauung Gottes gesprochen wird. Mit dem Be-

griff der Kirche verbindet Hilarius den Gedanken der Gemeinschaft mit Gott und allen Erlösten. Der Trost und die Hoffnung wären dann, daß auch das ewige Leben eine Gemeinschaft bedeutet: die neue Gemeinschaft mit Gott und den endgültig Geretteten in der himmlischen Kirche. Auch vom Gedanken der Gemeinschaft her verbindet Hilarius irdische und himmlische Kirche, indem er sich auf Hebr 12,22–24 bezieht, wo von der „Gemeinschaft der Erstgeborenen, die im Himmel verzeichnet sind", die Rede ist. Da jeder Mensch aufgrund der Annahme der gesamten Menschheit in Christus zu dieser Gemeinschaft der Erstgeborenen bestimmt ist, die in der Taufe bereits jetzt geschenkt wird, bildet die himmlische Gemeinschaft der Kirche das letzte Ziel unseres Lebens und unserer Hoffnung.

2) Eng verbunden mit dem biblischen und eschatologischen Kirchenverständnis des Hilarius ist seine Auffassung vom Geheimnis der Kirche. Das Denken des Hilarius kreist um das Geheimnis Gottes, das Licht in sein Suchen nach dem Sinn des Lebens gebracht hat (Trin. I, 1–14). Dieses Geheimnis Gottes wird konkret im Geheimnis Christi[71] und für den einzelnen Christen gegenwärtig im Geheimnis der Kirche. Das Geheimnis ist zwar dem Menschen prinzipiell zugänglich, da das Geheimnis Gottes in menschlicher Gestalt unter uns gelebt hat. Doch es muß von Gott offenbart und vom Menschen in einer entsprechenden Haltung empfangen werden. Hilarius hat all seine Kräfte, auch seine an den klassischen lateinischen Schriftstellern geschulte Sprache, in den Dienst der Erforschung des göttlichen Geheimnisses gestellt. Da er der Überzeugung ist, die Darlegung dieses Geheimnisses erfordere auch eine entsprechende Ausdrucksweise, muß der Leser seiner Werke viel Geduld aufbringen, um sich in die schwierige Latinität des Bischofs von Poitiers einzufühlen.

Von Hilarius kann man heute wieder neu lernen, daß das Reden über Gott eine der Größe Gottes entsprechende Sprache voraussetzt, die nicht kompliziert oder unverständlich sein soll, sondern Zeugnis ablegt von der ehrfürchtigen Haltung des Menschen vor dem Geheimnis Gottes (vgl. Tr.Ps. 13,1).

Jenseits des Sprachproblems weist uns Hilarius auf die Kirche hin als auf das Geheimnis, aus dem wir leben. Wie er den Sinn seines Lebens dem kirchlichen Glauben verdankt, so fordert er uns heute auf, unsere Würde als Christen zu entdecken, die uns in Christus geschenkt ist und die wir in der Kirche leben sollen.

---

[71] Vgl. Ch. Kannengiesser, Hilaire de Poitiers (saint), in: DSp VII/1, 490f.

Bei Hilarius steht das Geheimnis in der Mitte seines Kirchenverständnisses. Man darf von ihm noch keine Theologie der Strukturen der Kirche, ihrer Hierarchie und ihrer Gewalten erwarten. Alle diese lebenswichtigen Strukturen der Kirche stehen aber letztlich im Dienst am Geheimnis der Kirche, zu dem uns Hilarius immer wieder hinführt. Wie das Zweite Vaticanum im ersten Kapitel der Kirchenkonstitution aufgezeigt hat, steht am Beginn jeder Besinnung auf die Kirche ihr Geheimnis.

Das Geheimnis der Kirche ist sowohl für Hilarius als auch für den heutigen Christen eng verbunden mit dem Geheimnis Gottes und dem Geheimnis der letzten Bestimmung des Menschen[72]. Aus dieser letzten Bestimmung des Menschen ergibt sich für Hilarius auch eine bestimmte Lebensführung der Christen.

3) Die Hinweise des Bischofs von Poitiers auf das Leben der Christen lassen sich zusammenfassen in seinen Forderungen nach einem kompromißlosen Ernstnehmen der Weisungen Gottes für das gegenwärtige Leben. Im Matthäuskommentar und im Psalmenkommentar stellt er heraus, daß das neue Leben der Christen auch eine neue Lebensführung erfordert. Das himmlische Leben muß sich gegen die Gefahren der Welt und der irdischen Leidenschaften behaupten. Er fordert deshalb die Christen zur Askese auf, die er aber nicht als rigoristische Überforderung des Menschen versteht, sondern als konsequentes Leben nach den Weisungen der Bergpredigt. Als Grundhaltungen des neuen Lebens nennt er: Geduld, Armut/Demut vor Gott, Liebe, Glauben, Milde, Enthaltsamkeit, Keuschheit, generell: den Übergang von den Werken des Fleisches zu den Gaben des Geistes. Zu diesen Grundhaltungen des Christen gehört auch das Gebet, auf das Hilarius besonders im Psalmenkommentar hinweist.

Indem Hilarius die Christen zu einem entschlossenen Leben nach den Weisungen Gottes im Alten Testament und nach dem neuen Gebot Jesu auffordert, will er ihren geistlichen Fortschritt fördern[73]. Es geht ihm nicht darum, den geistigen oder inneren Sinn der Schrift nur sachlich auszulegen, sondern es geht ihm um jene Erkenntnis, die den Menschen umwandelt. Die Erkenntnis des inneren Sinnes der Schrift wäre leer, wenn sie uns nicht in Christus, dem konkreten inneren Sinn der Schrift, zugleich das Modell unseres eigenen Lebens zeigte. Das Evangelium überliefert die Worte und Taten Jesu, damit wir unser Leben seinem Leben gleichgestalten.

---

[72] Zum ‚nexus mysteriorum‘ vgl. DS 3016.
[73] Vgl. dazu Ch. Kannengiesser, a.a.O., 492 f.

Hilarius entwickelt noch keine eigenständige philosophische Anthropologie; er sieht den Menschen ganz im Licht des menschgewordenen Gottessohnes. Von Christus her versucht er, den Sinn des menschlichen Lebens und die Struktur des Menschseins zu erhellen. Der Mensch besitzt eine Außen- und eine Innenseite: Er ist Leib, Seele und Geist; er ist Natur und Freiheit. Der geistliche Fortschritt besteht in der zunehmenden Einheit der Konstitutionsprinzipien des Menschen. Der Mensch verwirklicht diese Einheit in Freiheit, wenn er sich immer deutlicher dem Geheimnis des Todes und der Auferstehung Christi anschließt. Diese Einheit ist nicht ohne geistigen Kampf zu erreichen, denn der Mensch ist aus sich zunächst widerstrebenden Prinzipien zusammengesetzt. Die bereits in diesem Leben mögliche Einheit des inneren und des äußeren Menschen sieht Hilarius in der frei bejahten Nachfolge Jesu: „Wer nicht sein Kreuz auf sich nimmt und mir nachfolgt, ist meiner nicht würdig. Wer das Leben gewinnen will, wird es verlieren; wer aber das Leben um meinetwillen verliert, wird es gewinnen" (Mt 10,38–39; vgl. In Mt. 10,35–36).

Gott selbst ist im Fleisch erschienen, um uns die Vergöttlichung zu schenken. Deshalb besteht für den Christen – und generell für jeden Menschen – das letzte Ziel im Übergang von der ‚Niedrigkeit des Fleisches‘ in die Herrlichkeit des Geistes. Dieser Übergang ist bereits in Christus Wirklichkeit geworden, denn Christus ist zugleich Bräutigam und Braut (In Mt. 27,4), weil er in seiner Person die vergängliche menschliche und die unvergängliche göttliche Natur geeint hat und so für uns „die Hoffnung auf Herrlichkeit" (Kol 1,27) ist.

Hilarius übernimmt im Psalmenkommentar Gedanken des Origenes[74], wenn er das Leben der Christen mit einer Aufstiegsbewegung vergleicht. Der Beginn wird in der Taufe geschenkt, die uns die Sündenvergebung gewährt. Durch ein Leben nach den Weisungen Gottes soll der Christ die Unschuld des neu geschenkten Lebens bewahren, um so im Gericht zu bestehen und zur Verwandlung der Herrlichkeit zu gelangen[75]. Hilarius beschreibt am Ende des Psalmenkommentars den geistlichen Fortschritt der Christen als ein stufenweises Hinwachsen zur Gemeinschaft mit Gott (Tr.Ps. 150,1).

Auch in den dogmatischen Werken findet sich die Verbindung von Glaubenslehre und geistlicher Lehre, wie vor allem Trin. VIII zeigt. Die

---

[74] Vgl. zur Anthropologie des Origenes und zum Aufstieg der Seele zu Gott bei Origenes die kurze Zusammenfassung bei H. de Lubac, Mistica e mistero cristiano, 77–84.

[75] Vgl. Instr. Ps. 11 (11,5–14); Tr.Ps. 150,1 (871,6–13).

Erforschung der Glaubenswahrheiten setzt Hilarius um in eine geistliche Belehrung der Gläubigen, um ihnen auf dem Weg zur Gemeinschaft mit Gott zu helfen.

4) Die Unionsbemühungen des Bischofs von Poitiers zwischen Homousianern und Homöusianern haben eine auch für unsere Zeit bedenkenswerte Bedeutung. Es ist vielleicht zu viel gesagt, wenn man Hilarius „als Mittler einer sozusagen ‚ökumenischen' Debatte"[76] bezeichnet. Ein wirklicher ökumenischer Dialog zwischen den Kirchen des Orients und des Okzidents scheint zur Zeit des Hilarius noch nicht stattgefunden zu haben. Hilarius hat im Liber de Synodis einen Vermittlungsvorschlag gemacht, dem aber kein durchgreifender Erfolg beschieden war. Auf den Brief der Synode von Paris an die Orientalen ist keine Reaktion seitens der östlichen Bischöfe bekannt. Das Wort ‚Dialog' ist zwar in der Väterzeit nicht unbekannt[77], doch man wird Hilarius noch nicht als einen frühen Zeugen für unser heutiges Verständnis eines Dialogs zwischen den Kirchen betrachten können. Am Ende ist er auch auf ein entschiedenes Festhalten am Bekenntnis von Nikaia ohne jeden Abstrich eingeschwenkt.

Was aber an Hilarius bewundernswert bleibt, ist sein im Liber de Synodis und am Beginn des Liber contra Constantium (c. 2) bezeugtes Bemühen des Verständnisses und der Brüderlichkeit all jenen Bischöfen gegenüber, die den Begriff homousios nicht vollkommen übernehmen konnten. Er versucht, die Homöusianer aus ihrer Position heraus zu verstehen und ihre Bedenken zu zerstreuen, indem er mögliche Mißverständnisse des Begriffs homousios zugibt. Wo der Inhalt des nizänischen Glaubens beibehalten wird, da geht es Hilarius nicht so sehr um einen einheitlichen Begriff, sondern um die Gemeinsamkeit im Glaubensinhalt. Hier hat Hilarius eine wichtige Aufgabe in der Kirche seiner Zeit gespielt, wenn er auch die Früchte noch nicht sehen konnte. Auch nach dem Scheitern in Konstantinopel (359/360) ist er in Kontakt mit den Homöusianern geblieben (Synode von Paris). Hilarius konnte diese Mittlerfunktion nur ausüben, weil er Festigkeit im Glauben mit dem Willen zur Versöhnung verband. Ein beeindruckendes Zeugnis dieser für jede Unionsbemühung erforderlichen Haltung gibt Hilarius im Liber contra Constantium:

---

[76] A. M. Ritter, Alte Kirche, Neukirchen-Vluyn 1977 (= Kirchen- und Theologiegeschichte in Quellen 1), 159.

[77] Vgl. z. B. Justin, Dialog mit Tryphon (Goodspeed, 90–265). Zum ‚Dialog' bei Hilarius vgl. M.-J. Le Guillou, Hilaire entre l'Orient et l'Occident, in: Hilaire de Poitiers, évêque et docteur, 40–46.

„Wie alle, die mich hören oder näher kennen, bezeugen können, habe ich, Brüder, die äußerst bedrohliche Gefahr für den Glauben schon lange vorausgesehen. Nach der Verbannung der heiligen Männer Paulinus (von Trier), Eusebius (von Vercelli), Lucifer (von Cagliari) und Dionysius (von Mailand) sind es nun schon fünf Jahre, daß ich mich zusammen mit den gallischen Bischöfen von der Gemeinschaft mit Saturninus, Ursacius und Valens getrennt habe, während ich ihren übrigen Gesinnungsgenossen die Möglichkeit eingeräumt habe, wieder zur Besinnung zu kommen. Ich wollte einerseits den Willen zum Frieden wahren, anderseits die brandigen und den ganzen Körper verderbenden Glieder abschneiden. Doch ich wollte es nur unter der Voraussetzung tun, daß die seligen Bekenner Christi[78] die Entscheidung bestätigen, die ich getroffen habe. Als ich später von der Partei dieser Pseudoapostel zum Erscheinen vor der Synode von Béziers (356) gezwungen wurde, habe ich angeboten, vor allen diese Häresie darzulegen. Doch da sie eine öffentliche Diskussion fürchteten, wollten sie meine Ausführungen nicht hören. Sie glaubten, Christus gegenüber lügen zu können und ihre Unschuld unter Beweis zu stellen, wenn sie jetzt willentlich vorgeben, das nicht zu wissen, was sie später mit vollem Wissen tun sollten. Seitdem und während dieser ganzen Zeit bin ich im Exil; doch ich habe beschlossen, nicht vom Bekenntnis zu Christus abzuweichen, aber auch keinen ehrenhaften und möglichen Ansatzpunkt zur Wiederherstellung der Einheit zurückzuweisen. Deshalb habe ich nichts geschrieben oder gesagt, um unsere Zeit zu schmähen. Ich habe auch nichts gegen jene Kirche (der Arianer) gesagt, die sich fälschlicherweise Kirche Christi nennt, obwohl ihr Unglaube (eine öffentliche Anprangerung) verdiente, denn sie ist jetzt die Synagoge des Antichristen. Wenn auch das Band der Gemeinschaft zwischen uns aufgehoben war, habe ich es während dieser ganzen Zeit nicht als ein Vergehen angesehen, mich mit einem von ihnen zu unterhalten oder ihr Haus des Gebets zu betreten oder auf das zu hoffen, was für den Frieden wünschenswert ist, um dadurch die Voraussetzung zu schaffen, daß sie durch Bekehrung Verzeihung ihres Irrtums erlangen und vom Antichristen zu Christus zurückkehren."[79]

Obwohl Hilarius die Gemeinschaft mit den arianischen Bischöfen aufgegeben hat, ist für ihn diese Trennung nicht endgültig. Er sucht das Gespräch mit den Arianern und betet zusammen mit ihnen in ihren Kirchen. Leider wissen wir nichts Genaues über die konkreten Bemühungen des Bischofs von Poitiers, die Arianer für den wahren Glauben zu gewinnen. Doch die zitierte Stelle ist ein eindrucksvolles Zeugnis, daß Hilarius ein entschiedener Verfechter des Friedens und der Gemeinschaft der Kirche in Ost und West gewesen ist.

Es gibt wohl kein deutlicheres Beispiel der Sorge um die Einheit und den Frieden der Kirche in der Väterzeit als das Verhalten des Hilarius, der sich nicht scheut, die Kirchen der im Glauben getrennten Brüder zu

---

[78] Gemeint sind die erwähnten verbannten Bischöfe: Paulinus, Eusebius, Lucifer und Dionysius.

[79] C. Const. 2 (578 C – 580 A).

betreten, um mit ihnen gemeinsam zu beten. Wenn er auch die gesamte Kirche der Arianer hier als Synagoge des Antichristen bezeichnet, so hat er doch immer wieder die grundlegende Gemeinschaft im Glauben mit den Arianern gesucht. Ein Zeichen dafür ist, daß er ihre Kirchen ‚Haus des Gebets' nennt.

Es geht Hilarius um die Einheit der Kirche in Ost und West. Dabei ist sein Anliegen, deutlich zu machen, daß alle Christen dazu berufen sind, eine im Glauben und Leben einträchtige Gemeinschaft zu bilden, um dadurch schon jetzt die neue Gemeinschaft der himmlischen Kirche sichtbar zu machen.

Literaturverzeichnis

1. Hilarius von Poitiers

1.1 Quellen

In Mt. (I/II)	In Matthaeum, ed. J. Doignon, SC 254 (I) und SC 258 (II).
Trin.	De Trinitate, ed. P. Smulders, CCL 62 und CCL 62 A.
Syn.	Liber de Synodis, seu de fide Orientalium, ed. P. Coustant, PL 10, 479 B bis 546 B.
Resp.	Apologetica ad reprehensores libri de Synodis responsa, ed. P. Coustant, PL 10, 545 C–548 B. Zwei neu entdeckte Antworten bei P. Smulders, in: Bijdragen 39 (1978) 238 f.
C. Const.	Contra Constantium Imperatorem liber, ed. P. Coustant, PL 10, 577 B bis 606 C.
C. Aux.	Contra Arianos, vel Auxentium Mediolanensem liber, ed. P. Coustant, PL 10, 609 B – 618 C.
Tr. Ps.	Tractatus super Psalmos, ed. A. Zingerle, CSEL 22.
Myst.	Tractatus Mysteriorum, ed. J.-P. Brisson, SC 19bis.
A bzw. B	Collectanea Antiariana Parisina (Fragmenta historica), Series A und Series B, ed. A. Feder, CSEL 65, 43–97 (A); 98–177 (B).
Or. Syn. Sard.	Oratio Synodi Sardicensis ad Constantium Imperatorem et Textus narratiuus (Liber I ad Constantium), ed. A. Feder, CSEL 65, 181–187.
Ad Const.	Liber ad Constantium Imperatorem (Liber II ad Constantium), ed. A. Feder, CSEL 65, 197–205.
	Hymni, ed. A. Feder, CSEL 65, 209–223.
	Fragmenta minora, ed. A. Feder, CSEL 65, 227–234.

1.2 Benutzte Übersetzungen

Antweiler, A., Des heiligen Bischofs Hilarius von Poitiers zwölf Bücher über die Dreieinigkeit, 2 Bde., München 1933/1934 (= BKV, 2. Reihe, 5–6).

Blaise, A., Saint Hilaire de Poitiers. De Trinitate et ouvrages exégétiques. Textes choisis, traduits et présentés, Namur 1964 (= Les écrits des saints 368).

Martin, A./L. Brésard, Hilaire de Poitiers. La Trinité, 3 Bde., Paris 1981.

Tezzo, G., La Trinità di Sant'Ilario di Poitiers, Torino 1971.

Viola, P./F. Sartori, Ilario di Poitiers. Commento al Vangelo di Matteo, Città del Vaticano 1983 (=Collana „Parole di Vita" IV).

2. Benutzte Literatur zu Hilarius

Eine ausführliche Bibliographie bis 1970 gibt J. Doignon, Hilaire de Poitiers avant l'exil, 623–659; ergänzt bis 1977 in SC 254, 13–18.

Eine thematisch gegliederte Bibliographie findet sich bei G. Tezzo, La Trinità di Sant'Ilario di Poitiers, 60–72.

Wie in den Anmerkungen, werden auch im folgenden Literaturverzeichnis Abkürzungen angeführt nach S. Schwertner, Internationales Abkürzungsverzeichnis für Theologie und Grenzgebiete, Berlin/New York 1974.

Aigrain, R., Où en est l'étude des œuvres de saint Hilaire?, in: BSAO 11 (1938) 691–710.

Antin, P., „Hilarius Gallicano cothurno adtollitur" (Jérôme, epist. 58,10), in: RBen 57 (1947) 82–88.

–, „Hilarius latinae eloquentiae Rhodanus" (Jérôme, In Gal., prol., 2), in: Orph. 13 (1966) 3–25.

Baltzer, J. P., Die Theologie des hl. Hilarius von Poitiers, Rottweil 1879.

–, Die Christologie des hl. Hilarius von Poitiers, Rottweil 1889.

Bardy, G., Un humaniste chrétien: saint Hilaire de Poitiers, in: RHEF 27 (1941) 5–25.

Beck, A., Die Trinitätslehre des heiligen Hilarius von Poitiers, Mainz 1903 (= FChLDG 3,2–3).

–, Die Lehre des hl. Hilarius über die Leidensfähigkeit Christi, in: ZKTh 30 (1906) 108–122; 305–310.

Beumer, J., De eenheid der menschen met Christus in de theologie van den h. Hilarius van Poitiers, in: Bijdragen 5 (1952) 151–167.

–, Hilarius von Poitiers, ein Vertreter der christlichen Gnosis, in: ThQ 132 (1952) 170–192.

Blasich, G., La risurrezione dei corpi nell'opera esegetica di S. Ilario di Poitiers, in: DT(P) 69 (1966) 72–90.

Bonnassieux, F.-J., Les Évangiles synoptiques de saint Hilaire de Poitiers, Lyon/Paris 1906.

Borchardt, C. F. A., Hilary of Poitiers' Role in the Arian Struggle, 's-Gravenhage 1966 (= Kerkhistorische Studiën 12).

Boularand, E., La conversion de saint Hilaire de Poitiers, in: BLE 62 (1961) 81–104.

Brennecke, H. Chr., Hilarius von Poitiers und die Bischofsopposition gegen Konstantius II. Untersuchungen zur dritten Phase des „arianischen Streites", 2 Bde., Diss. ev.-theol., Tübingen 1979.

Burns, P. C., The Christology in Hilary of Poitiers' Commentary on Matthew, Roma 1981 (= Studia Ephemeridis „Augustinianum" 16).

Camelot, P.-Th., Mysterium Ecclesiae. Zum Kirchenbewußtsein der lateinischen Väter, in: J. Daniélou/H. Vorgrimler (Hg.), Sentire Ecclesiam. Das Bewußtsein von der Kirche als gestaltende Kraft der Frömmigkeit (FS H. Rahner), Freiburg i. Br. 1961, 134–151.

–, Hilaire (Saint), de Poitiers, in: Cath. V., Paris 1963, 731–734.

–, Die Lehre von der Kirche. Väterzeit bis ausschließlich Augustinus, Freiburg i. Br. 1970 (= HDG III/3b), 51–60.   [451–477.

Charlier, A., L'église corps du Christ chez saint Hilaire de Poitiers, in: EThL 41 (1965)

Coulange, L. (= J. Turmel), Métamorphose du consubstantiel: Athanase et Hilaire, in: RHLR 8 (1922) 169–214.

Coustant, P., Praefatio generalis, in: PL 9, 11–126.

Doignon, J., Adsumo et adsumptio comme expressions du mystère de l'Incarnation chez Hilaire de Poitiers, in: ALMA 23 (1953) 123–135.

–, Hilaire de Poitiers avant l'exil. Recherches sur la naissance, l'enseignement et l'épreuve d'une foi épiscopale en Gaule au milieu du IVe siècle, Paris 1971.

–, La scène évangélique du baptême de Jésus commentée par Lactance (Diuinae institutiones 4,15) et Hilaire de Poitiers (In Matthaeum 2,5–6), in: J. Fontaine/Ch. Kannengiesser (Hg.), Epektasis (FS J. Daniélou), Paris 1972, 63–73.

–, L'Elogium d'Athanase dans les fragments de l'Opus historicum d'Hilaire de Poitiers antérieurs à l'exil, in: Ch. Kannengiesser (Hg.), Politique et théologie chez Athanase d'Alexandrie. Actes du colloque de Chantilly, 23–24 septembre 1973, Paris 1974 (= ThH 27), 337–348.

–, Citations singulières et leçons rares du texte latin de l'Évangile de Matthieu dans „l'In Matthaeum" d'Hilaire de Poitiers, in: BLE 75 (1975) 187–196.

–, Ordre du monde, connaissance de Dieu et ignorance de soi chez Hilaire de Poitiers, in: RSPhTh 60 (1976) 565–578.

–, Les variations des citations de l'épître aux Romains dans l'œuvre d'Hilaire de Poitiers, in: RBen 88 (1978) 189–204.

–, Les implications théologiques d'une variante du texte latin de 1 Corinthiens 15,25 chez Hilaire de Poitiers, in: Aug. 19 (1979) 247–258.

–, Y a-t-il, pour Hilaire de Poitiers, une inintelligentia de Dieu? Étude critique et philologique, in: VigChr 33 (1979) 226–233.

–, Versets additionnels du Nouveau Testament perçus ou reçus par Hilaire de Poitiers, in: VetChr 17 (1980) 29–47.

–, „Ipsius enim genus sumus". ‚Actes 17,28ᵇ‘ chez Hilaire de Poitiers. De saint Paul à Virgile, in: JAC 23 (1980) 5–21.

–, „Spiritus sanctus... usus in munere" (Hilaire de Poitiers, De Trinitate 2,1), in: RTL 12 (1981) 235–240.

–, ‚Testimonia‘ d'Hilaire de Poitiers dans le „Contra Iulianum" d'Augustin. Les textes, leur groupement, leur ‚lecture‘, in: RBen 91 (1981) 7–19.

–, Un sermo temerarius d'Hilaire de Poitiers sur la foi (De Trinitate 6,20–22), in: H. J. Auf der Maur u. a. (Hg.), Fides sacramenti – Sacramentum fidei. Studies in honour of Pieter Smulders, Assen 1981, 211–217.

–, Un événement: la première édition critique du De Trinitate d'Hilaire de Poitiers, in: REAug 28 (1982) 148–151.

–, „Erat in Iesu Christo homo totus" (Hilaire de Poitiers, In Matthaeum 2,5). Pour une saine interprétation de la formule, in: REAug 28 (1982) 201–207.

–, Pierre „fondement de l'Église", la foi de la confession de Pierre „base de l'Église" chez Hilaire de Poitiers , in: RSPhTh 66 (1982) 417–425.

–, Cadres rédactionnels classiques dans le livre II du De Trinitate d'Hilaire de Poitiers. En marge d'un commentaire récent, in: REAug 29 (1983) 83–96.

–, „Vere sub mysterio". Un noeud de notions relatif à la communion eucharistique chez Hilaire de Poitiers, in: Mens concordet voci. Pour A.-G. Martimort à l'occasion de ses 40 années d' enseignement et des 20 ans de la Constitution Sacrosanctum Concilium, Paris: Desclée 1983, 465–470.

Durand, G.-M., Bulletin de Patrologie: Hilaire de Poitiers, in: RSPhTh 57 (1973) 473–480.

Duval, Y. M., Vrais et faux problèmes concernant le retour d'exil d'Hilaire de Poitiers et son action en Italie 360–363, in: At. 48 (1970) 251–275.

Emmenegger, J. E., The Functions of Faith and Reason in the Theology of Saint Hilary of Poitiers, Washington 1947 (= SCA 10).

Favre, R., La communication des idiomes dans les œuvres de saint Hilaire de Poitiers, in: Gr. 17 (1936) 481–514; 18 (1937) 318–336.

Feder, A. L., Studien zu Hilarius von Poitiers, I: Die sogenannten ‚Fragmenta historica‘ und der sogenannte ‚Liber I ad Constantium imperatorem‘ in ihrer Überlieferung, inhaltlichen Bedeutung und Entstehung, Wien 1910 (= SAWW.PH 162,4).

–, Studien zu Hilarius von Poitiers, II: Bischofsnamen und Bischofssitze bei Hilarius. Kritische Untersuchung zur kirchlichen Prosopographie und Topographie des 4. Jahrhunderts, Wien 1911 (= SAWW.PH 166,5).

–, Studien zu Hilarius von Poitiers, III: Überlieferungsgeschichte und Echtheitskritik des sogenannten Liber II ad Constantium, des Tractatus Mysteriorum, der Epistula ad Abram filiam, der Hymnen, kleinere Fragmente und Spuria, Wien 1912 (= SAWW.PH 169,5).

–, Kulturgeschichtliches in den Werken des hl. Hilarius von Poitiers, in: StML 81 (1911) 30–45.

–, Epilegomena zu Hilarius Pictaviensis, in: WSt 41 (1919) 51–60; 167–181.

Fierro, A., Sobre la gloria en San Hilario. Una síntesis doctrinal sobre la noción biblica de „doxa", Roma 1964 (= AnGr 144).

Foley, R. L., The Ecclesiology of Hilary of Poitiers, Diss. Harvard (Cambridge) 1968.
Fontaine, J., Naissance de la poésie dans l'occident chrétien. Esquisse d'une histoire de la poésie chrétienne du IIIᵉ an VIᵉ siècle, Paris 1981, 81–94.
Galtier, P., Saint Hilaire trait d'union entre l'Occident et l'Orient, in: Gr. 40 (1959) 609–623.
–, Saint Hilaire de Poitiers. Le premier docteur de l'Église latine, Paris 1960.
–, La „forma dei" et la „forma servi" selon saint Hilaire de Poitiers, in: RSR 48 (1960) 101–118.
Gastaldi, N. J., Hilario de Poitiers exégeta del Salterio. Un estúdio de su exégesis en los Comentarios sobre los Salmos, Paris/Rosario 1969 (= Église nouvelle – Église ancienne, série patristique 1).
Giamberardini, G., S. Ilario di Poitiers e la sua attività apostolica e letteraria, Kairo 1956.
Glorieux, P., Hilaire et Libère, in: MSR 1 (1944) 7–34.
Goffinet, E., L'utilisation d'Origène dans le Commentaire des Psaumes de saint Hilaire de Poitiers, Louvain 1965 (= StHell 14).
Gussen, P. J. G., Hilaire de Poitiers „Tractatus Mysteriorum" I, 15–19, in: VigChr 10 (1956) 14–24.
Hilaire de Poitiers, évêque et docteur (368–1968). Cinq conférences données à Poitiers à l'occasion du XVIᵉ Centenaire de sa mort, Paris 1968.
Hilaire et son temps. Actes du Colloque de Poitiers 29 septembre – 3 octobre 1968 à l'occasion du XVIᵉ Centenaire de la mort de saint Hilaire, Paris 1969.
Jeannotte, H., Le Psautier de saint Hilaire de Poitiers, Paris 1917.
Kannengiesser, Ch., L'héritage d'Hilaire de Poitiers. I: Dans l'ancienne église d'Occident et dans les bibliothèques médiévales, in: RSR 56 (1968) 435–455.
–, Hilaire de Poitiers (saint), in: DSp VII/1 (1969) 466–499.
Kinnavey, R. J., The Vocabulary of Saint Hilary of Poitiers as contained in „Commentarius in Matthaeum", „Liber I ad Constantium" and „De Trinitate", Washington 1935 (= PatSt 47).
Ladaria, L. F., El Espíritu Santo en San Hilario de Poitiers, Madrid 1977 (= Publicaciones de la Universidad Pontificia Comillas, Series 1, 8).
Largent, A., Saint Hilaire, Paris ⁴1927 (= Les saints 51).
Le Bachelet, X., Hilaire (saint), in: DThC VI/2 (1925) 2388–2462.
Lécuyer, J., Le sacerdoce royal des chrétiens selon Saint Hilaire de Poitiers, in: ATh 10 (1949) 302–325.
Limongi, P., Esistenza ed universalità del peccato originale nella mente di S. Ilario di Poitiers, in: ScC 69 (1941) 127–147.
Lindemann, H., Des hl. Hilarius von Poitiers „liber mysteriorum". Eine patristisch-kritische Studie, Münster i. W. 1905.
Löffler, P., Die Trinitätslehre des Bischofs Hilarius von Poitiers zwischen Ost und West, in: ZKG 71 (1960) 26–36.
Małunowicz, L., De voce „sacramenti" apud S. Hilarium Pictaviensem, Lublin 1956.
Margerie, B. de, Introduction à l'histoire de l'exégèse. Bd. 2: Les premiers grands exégètes latins, Paris 1983, bes. 65–93: S. Hilaire exégète paulinien et eschatologique de l'Évangile et des Psaumes.
McDermott, J. M., Hilary of Poitiers: The Infinite Nature of God, in: VigChr 27 (1973) 172–202.
Meijering, E. P., Hilary of Poitiers on the Trinity. De Trinitate 1, 1–19, 2, 3. In close cooperation with J. C. M. van Winden, Leiden 1982 (= PhP 6).
Mersch, E., Le corps mystique du Christ. Études de théologie historique, Louvain 1933 (= ML.T 28), 340–367.
Meslin, M., Hilaire de Poitiers, Paris 1959.
Milhau, M., Un texte d'Hilaire de Poitiers sur les Septante, leur traduction et les autres „traducteurs" (In psalm. 2, 2–3), in: Aug. 21 (1981) 365–372.
Moreschini, Cl., Il linguaggio teologico di Ilario di Poitiers, in: ScC 103 (1975) 339–375.

Morrel, G., Hilary of Poitiers. A theological Bridge between Christian East and Christian West, in: AThR 44 (1962) 312–316.

Newlands, G. M., Hilary of Poitiers: A Study in Theological Method, Bern/Frankfurt a. M./Las Vegas 1978 (= EHS.T 108).

Niccoli, M., Docetismo e soteriologia nel „De Trinitate" di Ilario, in: RicRel 1 (1925) 262–274.

Opelt, I., Hilarius von Poitiers als Polemiker, in: VigChr 27 (1973) 203–217.

Pelland, G., Le thème biblique du Règne chez saint Hilaire de Poitiers, in: Gr. 60 (1979) 639–674.

–, La „subjectio" du Christ chez saint Hilaire, in: Gr. 64 (1983) 423–451.

Pellegrino, M., L'itinerario spirituale di Sant'Ilario di Poitiers, in ScC 75 (1947) 130–136.

–, La poesia di Sant' Ilario di Poitiers, in: VigChr 1 (1947) 201–226.

Peñamaria de Llano, A., La salvación por la fe. La noción „fides" en Hilario de Poitiers. Estúdio filológico-teológico, Burgos 1981 (= Facultad de Teología del Norte de España, Sede de Burgos 47).

Poxrucker, F. X., Die Lehre des hl. Hilarius von Poitiers von der Heiligung, Diss. theol. Freiburg i. Br. o. J. (1922).

Rauschen, G., Die Lehre des hl. Hilarius von Poitiers über die Leidensfähigkeit Christi, in: ThQ 87 (1905) 424–439.

Reinkens, J. H., Hilarius von Poitiers. Eine Monographie, Schaffhausen 1864.

Rondeau, M. J., Remarques sur l'anthropologie de saint Hilaire, in: StPatr VI (= TU 81), Berlin 1962, 197–210.

Simonetti, M., Note sul Commento a Matteo di Ilario di Poitiers, in: VetChr 1 (1964) 35–64.

–, Note sulla struttura e la cronologia del ‚De Trinitate' di Ilario di Poitiers, in: SUSF 39 (1965) 274–300.

–, Ilario e Novaziano, in: RCCM 7 (1965) 1034–1047.

–, L'esegesi ilariana di Col 1, 15 a, in: VetChr 2 (1965) 165–182.

Smulders, P., La doctrine trinitaire de S. Hilaire de Poitiers, Rom 1944 (= AnGr 32).

–, Two Passages of Hilary's Apologetica Responsa rediscovered, in: Bijdragen 39 (1978) 234–243.

–, Hilarius van Poitiers als exegeet van Mattheüs. Bij de kritische uitgave, in: Bijdragen 44 (1983) 59–82.

Souter, A., Quotations from the Epistles of St. Paul in St. Hilary on the Psalms, in: JThS 18 (1917) 73–77.

Thouvenot, R., Hilaire évêque de Poitiers, in: BSAO 10 (1970) 451–468.

Wild, Ph. T., The Divinization of Man according to Saint Hilary, Mundelein (Illinois) 1950 (= Pont. Fac. Theol. Seminarii S. Mariae ad Lacum, Diss. ad Lauream 21).

Wille, W., Studien zum Matthäuskommentar des Hilarius von Poitiers, Diss. ev.-theol. Hamburg 1969.

Wilmart, A., L'„Ad Constantium liber primus" de saint Hilaire de Poitiers et les „Fragments historiques", in: RBen 24 (1907) 149–179; 291–317.

Zingerle, A., Studien zu Hilarius' von Poitiers Psalmencommentar, Wien 1885 (= SAWW.PH 108).

3. Sonstige Literatur in Auswahl

Altaner, B./A. Stuiber, Patrologie. Leben, Schriften und Lehre der Kirchenväter, Freiburg i. Br. ⁹1980.

Balthasar, H. U. von, Sponsa Verbi. Skizzen zur Theologie, III, Einsiedeln ³1971.

Bardenhewer, O., Geschichte der altkirchlichen Literatur, III. Das vierte Jahrhundert mit Ausschluß der Schriftsteller syrischer Zunge, Freiburg i. Br. 1923 (Nachdruck Darmstadt 1962).

Bardy, G., La Théologie de l'Église de saint Irénée au concile de Nicée, Paris 1947 (= UnSa 14).

Baus, K., Die Reichskirche nach Konstantin dem Großen. Erster Halbband: Die Kirche von Nikaia bis Chalkedon, Freiburg i. Br. ²1979 (= HKG [J] II/1).

Berkhof, H., Kirche und Kaiser. Eine Untersuchung der Entstehung der byzantinischen und theokratischen Staatsauffassung im vierten Jahrhundert. Aus dem Holländischen übers. v. G. W. Locher, Zürich 1947.

Blum, G. G., Tradition und Sukzession. Studien zum Normbegriff des Apostolischen von Paulus bis Irenäus, Berlin/Hamburg 1963 (= AGTL 9).

Bodin, Y., Saint Jérôme et l'Église, Paris 1966 (= ThH 6).

Bouyer, L., L'Incarnation et l'Église – Corps du Christ dans la théologie de saint Athanase, Paris 1943 (= UnSa 11).

Brox, N., Offenbarung, Gnosis und gnostischer Mythos bei Irenäus von Lyon. Zur Charakteristik der Systeme, Salzburg 1966 (← SPS 1).

–, Der einfache Glaube und die Theologie. Zur altkirchlichen Geschichte eines Dauerproblems, in: Kairos 14 (1972) 157–187.

Campenhausen, H. von, Kirchliches Amt und geistliche Vollmacht in den ersten drei Jahrhunderten, Tübingen ²1963 (= BHTh 14).

–, Lateinische Kirchenväter, Stuttgart ³1972 (= UB 50).

Cereti, G., Divorzio, nuove nozze e penitenza nella Chiesa primitiva, Bologna 1977 (= Studi e Ricerche 26).

Congar, Y., L'Église de saint Augustin à l'époque moderne, Paris 1970.

–, Un peuple messianique. L'Église, sacrement du salut. Salut et libération, Paris 1975.

–, Je crois en l'Esprit saint, 3 Bde., Paris 1979/80 (Der Heilige Geist. Dt. Übers. v. A. Berz, Freiburg i. Br. 1982).

–, Bulletin d'Ecclésiologie, in: RSPhTh 66 (1982) 87–119.

Conzelmann, H., Heiden–Juden–Christen. Auseinandersetzungen in der Literatur der hellenistisch-römischen Zeit, Tübingen 1981 (= BHTh 62).

Crouzel, H., La distinction de la „typologie" et de l'„allégorie",in: BLE 65 (1964) 161–174.

–, L'Église primitive face au divorce. Du premier au cinquième siècle, Paris 1971 (= ThH 13).

–, Le remariage après séparation pour adultère selon les Pères latins, in: BLE 75 (1974) 189–204.

–, Quelques remarques concernant le texte patristique de Mt 19,9, in: BLE 82 (1981) 83–92.

–, La cristologia di Origene, in: KOINΩNIA 5 (1981) 25–38.

Dabin, P., Le sacerdoce royal des fidèles dans la tradition ancienne et moderne, Bruxelles 1950.

Daniélou, J., Sacramentum futuri. Études sur les origines de la typologie biblique, Paris 1950.

–, Les origines du christianisme latin, Paris 1978 (= Histoire des doctrines chrétiennes avant Nicée 3).

Dejaifve, G., Un tournant décisif de l'ecclésiologie à Vatican II, Paris 1978.

–, L'Église, peuple de Dieu, in: NRTh 103 (1981) 857–871.

Ehrhardt, A., The Apostolic Succession in the first two Centuries of the Church, London 1953.

Fontaine, J., Valeurs antiques et valeurs chrétiennes dans la spiritualité des grands propriétaires terriens à la fin du IVᵉ siècle occidental, in: ders./Ch. Kannengiesser (Hg.), Epektasis. Mélanges patristiques offerts au cardinal Jean Daniélou, Paris 1972, 571–595. Dt. Übers. v. K. S. Frank: Antike und christliche Werte in der Geistigkeit der Großgrundbesitzer des ausgehenden 4. Jh. im westlichen Römerreich, in: K. S. Frank (Hg.), Askese und Mönchtum in der Alten Kirche, Darmstadt 1975 (= WdF 409), 281–324.

Frank, K. S., Vita apostolica. Ansätze zur apostolischen Lebensform in der alten Kirche, in: ZKG 82 (1971) 145–166.

–, Vita apostolica und dominus apostolicus. Zur altkirchlichen Apostelnachfolge, in: G. Schwaiger (Hg.), Konzil und Papst. Historische Beiträge zur Frage der höchsten Gewalt in der Kirche (FS H. Tüchle), Paderborn 1975, 19–41.

–, Römertum und Christentum, in: K. Büchner (Hg.), Latein und Europa. Traditionen und Renaissancen, Stuttgart 1978, 100–124.

Geiselmann, J., Die Eucharistielehre der Vorscholastik, Paderborn 1926 (= FChLDG 15, 1–3).

Goppelt, L., Typos. Die typologische Deutung des Alten Testaments im Neuen. Anhang: Apokalyptik und Typologie bei Paulus, Darmstadt 1969 (= Gütersloh 1939; der Anhang ist neu).

Gregg, R. C./D. E. Groh, Early Arianism. A View of Salvation, Philadelphia 1981.

Griffe, É., La Gaule chrétienne, I: Des origines chrétiennes à la fin du IVe siècle, Paris/Toulouse 1947.

Grillmeier, A., Mit ihm und in ihm. Christologische Forschungen und Perspektiven, Freiburg i. Br. 1975.

–, Jesus der Christus im Glauben der Kirche, Bd. 1: Von der Apostolischen Zeit bis zum Konzil von Chalkedon (451), Freiburg i. Br. ²1982.

Güttgemanns, E., Der leidende Apostel und sein Herr. Studien zur paulinischen Christologie, Göttingen 1966 (= FRLANT 90).

Hanson, R. P. C., Tradition in the Early Church, London 1962.

Hiltbrunner, O., Latina Graeca. Semasiologische Studien über lateinische Wörter im Hinblick auf ihr Verhältnis zu griechischen Vorbildern, Bern 1958.

Histoire spirituelle de la France. Spiritualité du catholicisme en France et dans les pays de langue français dès origines à 1914, Paris 1964 (= Separatdruck aus DSp V, 785–1004: France).

Hofmann, F., Der Kirchenbegriff des hl. Augustinus, München 1933 (Unveränderter Abdruck Münster i. W. 1978).

Hummel, R., Die Auseinandersetzung zwischen Kirche und Judentum im Matthäusevangelium, München 1963 (= BEvTh 33).

Kelly, J. N. D., Altchristliche Glaubensbekenntnisse. Geschichte und Theologie. Übers. aus dem Englischen v. K. Dockhorn unter Mitarbeit v. A. M. Ritter, Göttingen 1972.

Kötting, B., Zur Frage der „successio apostolica" in frühkirchlicher Sicht, in: Cath(M) 27 (1973) 234–247.

Krüger, G., Lucifer, Bischof von Calaris, und das Schisma der Luciferianer, Leipzig 1886 (Neudruck: Hildesheim/New York 1969).

Lehmann, K., Auferweckt am dritten Tag nach der Schrift. Früheste Christologie, Bekenntnisbildung und Schriftauslegung im Lichte von 1 Kor. 15, 3–5, Freiburg i. Br. ²1969 (= [QD 38).

–, Neuer Mut zum Kirchesein, Freiburg i. Br. 1982.

–, Jesus hat die Kirche gewollt, Freiburg i. Br. 1983 (= Antwort des Glaubens 30).

Lubac, H. de, „Typologie" et „allégorisme", in: RSR 34 (1947) 180–226.

–, Der geistige Sinn der Schrift. Übers. v. M. Gisi. Geleitwort v. H. U. von Balthasar, Einsiedeln 1952 (= ChHe II, 5).

–, Exégèse médiévale. Les quatre sens de l'écriture, 4 Bde., Paris 1959–1964 (= Theol [P] 41.42.59).

–, Geist aus der Geschichte. Das Schriftverständnis des Origenes. Übertr. u. eingel. v. H. U. von Balthasar, Einsiedeln 1968.

–, Die Kirche. Eine Betrachtung. Übertr. u. eingel. v. H. U. von Balthasar, Einsiedeln 1968.

–, Corpus mysticum. Kirche und Eucharistie im Mittelalter. Eine historische Studie. Übertr. v. H. U. von Balthasar, Einsiedeln 1969.

–, Glauben aus der Liebe. „Catholicisme". Übertr. u. eingel. v. H. U. von Balthasar, Einsiedeln 1970.

–, Quellen kirchlicher Einheit. Übertr. v. H. U. von Balthasar, Einsiedeln 1974 (= Theologia Romanica III).

–, Mistica e mistero cristiano, Milano 1979 (= Opera omnia 6).

Malmberg, F., Ein Leib – Ein Geist. Vom Mysterium der Kirche, Freiburg i. Br. 1960.

Meslin, M., Les Ariens d'Occident 335–430, Paris 1967 (= PatSor 8).

Möhler, J. A., Athanasius der Große und die Kirche seiner Zeit, besonders im Kampfe mit dem Arianismus, Mainz 1827.

Mondin, B., Le nuove ecclesiologie. Un'immagine attuale della Chiesa, Roma 1980 (= Teologia 29).

Mühlen, H., Una Mystica Persona. Die Kirche als das Mysterium der Identität des Heiligen Geistes in Christus und den Christen: Eine Person in vielen Personen, Paderborn [2]1967.

Mysterium Salutis. Grundriß heilsgeschichtlicher Dogmatik, IV/1 und IV/2: Das Heilsgeschehen in der Gemeinde, Einsiedeln/Zürich/Köln 1972/73.

Nautin, P., Divorce et remariage dans la tradition de l'Église latine, in: RSR 62 (1974) 7–54.

Ortiz de Urbina, I., Nizäa und Konstantinopel. Übers. v. K. Bergner, Mainz 1964 (= Geschichte der Ökumenischen Konzilien 1).

Pesch, R., Simon-Petrus. Geschichte und geschichtliche Bedeutung des ersten Jüngers Jesu Christi, Stuttgart 1980 (= Päpste und Papsttum 15).

Peterson, E., Frühkirche, Judentum und Gnosis. Studien und Untersuchungen, Freiburg i. Br. 1959.

Poschmann, B., Paenitentia secunda. Die kirchliche Buße im ältesten Christentum bis Cyprian und Origenes, Bonn 1940 (= Theoph. 1).

Rad, G. von, Theologie des Alten Testaments. Bd. II: Die Theologie der prophetischen Überlieferungen Israels, München [5]1968.

Rahner, H., Kirche und Staat im frühen Christentum. Dokumente aus acht Jahrhunderten und ihre Deutung, München 1961.

–, Symbole der Kirche. Die Ekklesiologie der Väter, Salzburg 1964.

Rahner, K., E latere Christi. Der Ursprung der Kirche als zweiter Eva aus der Seite Christi des zweiten Adam. Eine Untersuchung über den typologischen Sinn von Jo 19,34, Diss. theol. Innsbruck 1936.

–, Schriften zur Theologie, XI: Frühe Bußgeschichte in Einzeluntersuchungen. Bearbeitet v. K. H. Neufeld, Einsiedeln 1973.

Rauschen, G., Eucharistie und Bußsakrament in den ersten sechs Jahrhunderten der Kirche, Freiburg i. Br. [2]1910.

Richter, K., Die Ordination des Bischofs von Rom. Eine Untersuchung zur Weiheliturgie, Münster i. W. 1976 (= LQF 60).

Riedlinger, H., Buchstabe und Geist. Vom Weg der geistlichen Schriftauslegung in der Kirche, in: IKaZ 5 (1976) 393–405.

–, Bibel... Geschichte der Auslegung, in: Lexikon des Mittelalters II/1, München/Zürich 1981, 47–58; 62–65

Rondeau, M.-J., Les commentaires patristiques du Psautier (IIIe–Ve siècles). Vol. I. Les travaux des Pères grecs et latins sur le Psautier. Recherches et bilan, Roma 1982 (= OrChrA 219).

Schanz, M., Geschichte der römischen Literatur, IV/1, München [2]1914 (Neudruck 1970).

Schnackenburg, R., Die Kirche im Neuen Testament. Ihre Wirklichkeit und theologische Deutung, ihr Wesen und Geheimnis, Freiburg i. Br. [2]1963 (= QD 14).

Schendel, E., Herrschaft und Unterwerfung Christi. 1. Korinther 15,24–28 in Exegese und Theologie der Väter bis zum Ausgang des 4. Jahrhunderts, Tübingen 1971 (= BGBE 12).

Senjak, Z., Niceta von Remesiana. Christliche Unterweisung und christliches Leben im spätantiken Dacien, Diss. theol. Freiburg i. Br. 1975.

Sieben, H. J., Die Konzilsidee der Alten Kirche, Paderborn 1979.

–, Voces. Eine Bibliographie zu Wörtern und Begriffen aus der Patristik (1918–1978), Berlin/New York 1980.

–, Exegesis Patrum. Saggio bibliografico sull'esegesi biblica dei Padri della Chiesa, Roma 1983 (= Sussidi Patristici 2).

Simonetti, M., La crisi ariana nel IV secolo, Roma 1975 (= Studia Ephemeridis „Augustinianum" 11).

–, Ancora su Homoousios a proposito di due recenti studi, in: VetChr 17 (1980) 85–98.

–, Profilo storico dell'esegesi patristica, Roma 1981 (= Sussidi Patristici 1).

Simonis, W., Ecclesia visibilis et invisibilis. Untersuchungen zur Ekklesiologie und Sakramentenlehre in der afrikanischen Tradition von Cyprian bis Augustinus, Frankfurt a. M. 1970 (= FTS 5).

Swetnam, J., Jesus and Isaac. A Study of the Epistle to the Hebrews in the Light of the Aqedah, Rome 1981 (= AnBib 94).

Triacca, A. M./A. Pistoia (Hg.), L'Eglise dans la liturgie. Conférences Saint-Serge. XXVIᵉ semaine d'études liturgiques, Paris 26–29 juin 1979, Roma 1980 (= BEL 18).

Trilling, W., Das wahre Israel. Studien zur Theologie des Matthäus-Evangeliums, München ³1964 (= StANT 10).

Tromp, S., Corpus Christi quod est Ecclesia, 4 Bde., Rom 1946–1972.

Vogt, H. J., Coetus Sanctorum. Der Kirchenbegriff des Novatian und die Geschichte seiner Sonderkirche, Bonn 1969 (= Theoph. 20).

–, Das Kirchenverständnis des Origenes, Köln/Wien 1974 (= Bonner Beiträge zur Kirchengeschichte 4).

Westermann, C. (Hg.), Probleme alttestamentlicher Hermeneutik. Aufsätze zum Verstehen des Alten Testaments, München 1960 (= TB 11).

Wojtowytsch, M., Papsttum und Konzile von den Anfängen bis zu Leo I. (440–461). Studien zur Entstehung der Überordnung des Papstes über Konzile, Stuttgart 1981 (= Päpste und Papsttum 17).